AQUITAINE
Bordelais, Landes, Béarn, Lot-et-Garonne

Directeur	David Brabis
Rédactrice en chef	Nadia Bosquès
Rédaction	Stéphanie Vinet, Sophie Pothier
Informations pratiques	Catherine Rossignol, Philippe Gallet, Danielle Leroyer
Documentation	Isabelle du Gardin, Eugénia Gallese, Yvette Vargas
Cartographie	Alain Baldet, Michèle Cana, Véronique Aissani, Fabienne Renard, Évelyne Girard.
Iconographie	Cécile Koroleff, Stéphane Sauvignier
Secrétariat de rédaction	Pascal Grougon, Jacqueline Pavageau, Danièle Jazeron
Correction	Sophie Jilet
Mise en pages	Didier Hée, Jean-Paul Josset, Frédéric Sardin
Maquette intérieure	Agence Rampazzo
Création couverture	Laurent Muller
Fabrication	Pierre Ballochard, Renaud Leblanc
Marketing	Cécile Petiau, Ana Gonzalez
Ventes	Gilles Maucout (France), Charles Van de Perre (Belgique), Philippe Orain (Espagne, Italie), Jack Haugh (Canada), Stéphane Coiffet (Grand Export)
Relations publiques	Gonzague de Jarnac
Régie pub et partenariats	michelin-cartesetguides-btob@fr.michelin.com
	Le contenu des pages de publicité insérées dans ce guide n'engage que la responsabilité des annonceurs.
Pour nous contacter	Le Guide Vert Michelin
	Éditions des Voyages
	46, avenue de Breteuil 75324 Paris Cedex 07
	☏ 01 45 66 12 34 – Fax : 01 45 66 13 75
	www.ViaMichelin.frLeGuideVert@fr.michelin.com

Parution 2006

Note au lecteur

L'équipe éditoriale a apporté le plus grand soin à la rédaction de ce guide et à sa vérification. Toutefois, les informations pratiques (prix, adresses, conditions de visite, numéros de téléphone, sites et adresses Internet…) doivent être considérées comme des indications du fait de l'évolution constante des données. Il n'est pas totalement exclu que certaines d'entre elles ne soient plus, à la date de parution du guide, tout à fait exactes ou exhaustives. Elles ne sauraient de ce fait engager notre responsabilité.

Ce guide vit pour vous et par vous ; aussi nous vous serions très reconnaissants de nous signaler les omissions ou inexactitudes que vous pourriez constater. N'hésitez pas à nous faire part de vos remarques et suggestions sur le contenu de ce guide. Nous en tiendrons compte dès la prochaine mise à jour.

Le Guide Vert,

la culture en mouvement

Vous avez envie de bouger pendant vos vacances, le week-end ou simplement quelques heures pour changer d'air ? Le Guide Vert vous apporte des idées, des conseils et une connaissance récente, indispensable, de votre destination.

Tout d'abord, **sachez que tout change**. Toutes les informations pratiques du voyage évoluent rapidement : nouveaux hôtels et restaurants, nouveaux tarifs, nouveaux horaires d'ouverture... Le patrimoine aussi est en perpétuelle évolution qu'il soit artistique, industriel ou artisanal... Des initiatives surgissent partout pour rénover, améliorer, surprendre, instruire, divertir. Mêmes les lieux les plus connus innovent : nouveaux aménagements, nouvelles acquisitions ou animations, nouvelles découvertes enrichissent les circuits de visite.

Le Guide Vert **recense** et **présente ces changements** ; il réévalue en permanence le niveau d'intérêt de chaque curiosité afin de bien mesurer ce qui aujourd'hui vaut le voyage (distingué par ses fameuses 3 étoiles), mérite un détour (2 étoiles), est intéressant (1 étoile). Actualisation, sélection et évaluation sur le terrain sont les maîtres mots de la collection, afin que Le Guide Vert soit à chaque édition le reflet de la réalité touristique du moment.

Créé dès l'origine pour **faciliter et enrichir vos déplacements**, Le Guide Vert s'adresse encore aujourd'hui à tous ceux qui aiment connaître et comprendre ce qui fait l'identité d'une région. Simple, clair et facile à utiliser, il est aussi idéal pour voyager en famille. Le symbole 🚹🚺 signale tout ce qui est intéressant pour les enfants : zoos, parcs d'attractions, musées insolites, mais également animations pédagogiques pour découvrir les grands sites.

Ce guide vit pour vous et par vous. N'hésitez pas à nous faire part de vos remarques, suggestions ou découvertes ; elles viendront enrichir la prochaine édition de ce guide.

L'ÉQUIPE DU GUIDE VERT MICHELIN
LeGuideVert@fr.michelin.com

ORGANISER SON VOYAGE

COMPRENDRE LA RÉGION

VILLES ET SITES

À l'intérieur du premier rabat de couverture, la **carte générale** intitulée « **Les plus beaux sites** » donne :
  une **vision synthétique** de tous les lieux traités ;
  les **sites étoilés** visibles en un coup d'œil ;
  les **circuits de découverte**, dessinés en vert, aux environs des destinations principales.

Dans la partie « **Découvrir les sites** » :
  les **destinations principales** sont classées par ordre alphabétique ;
  les **destinations moins importantes** leur sont rattachées sous les rubriques « Aux alentours » ou « Circuits de découverte » ;
  les **informations pratiques** sont présentées dans un encadré vert à la fin de chaque chapitre.

L'**index** permet de retrouver rapidement la description de chaque lieu.

SOMMAIRE

DÉCOUVRIR LES SITES

Dune plantée d'oyats au Cap-Ferret.

OÙ ET QUAND PARTIR

Bordée par l'océan Atlantique à l'Ouest et le massif pyrénéen au Sud, l'Aquitaine est une région à multiples facettes : mer et montagne, ville et campagne. Tous les « pays » aquitains ont en commun une grande vitalité, si l'on en croit le nombre de sports, loisirs et animations proposés, si l'on en apprécie la nature préservée ou la richesse du patrimoine architectural, si l'on en goûte la gastronomie et les crus, ainsi qu'aimait à le souligner Henri IV : « Bonne cuisine et bons vins, c'est le paradis sur terre. » Plusieurs types de séjours sont envisageables, une fois que vous en aurez déterminé la durée (un week-end, une ou plusieurs semaines) et selon que vous opterez pour un lieu de résidence fixe, d'où vous rayonnerez dans la région choisie, ou pour des vacances itinérantes, voire pour du tourisme fluvial, car la région est tout indiquée pour cela. Sur la côte atlantique, dévolue au tourisme balnéaire, vous trouverez de nombreuses possibilités d'hébergement, de la location saisonnière au camping. Le Bordelais, l'Agenais et les Pyrénées béarnaises se prêtent particulièrement bien aux séjours « au vert », chez l'habitant, dans les fermes, en gîte rural, ou au cœur des vignobles. Dans les grandes villes, ainsi que dans les stations thermales ou de sports d'hiver, vous vous établirez dans les hôtels.

Stéphane Sauvignier / MICHELIN

Chaussée des Pieds marins à Arcachon.

Nos conseils de lieux de séjour

Pour plus d'informations sur les types d'hébergement, les services de réservation, les adresses que nous avons retenues dans ce guide, reportez-vous au chapitre « S'y rendre et choisir ses adresses ».

LA « CÔTE D'ARGENT »

Une plage de sable fin de 250 km de long, derrière laquelle se dresse un chapelet de dunes : voici l'avenante physionomie du **littoral atlantique d'Aquitaine**. Et, comme s'il n'y avait pas assez d'eau, ajoutez à l'Océan des étangs et des lacs maritimes, un estuaire et un fameux bassin : celui d'Arcachon. De la pointe de Grave à Capbreton, les stations balnéaires proposent une grande variété d'hébergements, mais surtout nombre

de campings, très prisés, où il vous faudra réserver à l'avance en saison. Au Nord du bassin d'Arcachon, vous aurez le choix entre **Soulac-sur-Mer**, petite ville au cachet ancien, et **Hourtin**, **Carcans-Plage**, **Lacanau-Océan**, stations balnéaires plus récentes. Pour profiter du bassin d'Arcachon, vous vous établirez dans l'un des villages au bord de l'eau : chacun a son charme mais sachez que **Cap-Ferret**, **Arès**, **Andernos-les-Bains** offrent une plus grande capacité d'accueil ; sans oublier **Arcachon**, où les tarifs sont toutefois plus élevés. Enfin, si vous optez pour la côte landaise, grande favorite des surfeurs, c'est à **Biscarosse**, **Mimizan**, très animés en été, **Léon**, **Seignosse**, **Hossegor** ou **Capbreton**, agréables en toute saison, que vous prendrez vos quartiers.

LES PYRÉNÉES BÉARNAISES

Tout au Sud, l'Aquitaine prend du relief et culmine à 2 884 m d'altitude avec le pic du Midi d'Ossau. Les stations de ski béarnaises ont su allier l'authenticité des villages de montagne à la modernité des équipements. Adepte du ski alpin, du surf ou du snowboard ? Rendez-vous à **Gourette** ou, si vous êtes en famille, à **La Pierre-Saint-Martin** (labellisé « Station Kid »). Si vous préférez le ski de fond ou la balade en raquettes, les stations d'**Issarbe** et du **Somport-Candanchu** vous attendent.
Pour vous ressourcer, les stations de **Salies-de-Béarn**, **Saint-Christau**, **Eaux-Bonnes** et **Eaux-Chaudes** offrent tout ce que vous pourrez souhaiter pour une cure thermale ou pour un séjour de remise en forme.

Pau, Oloron-Sainte-Marie ou Orthez constituent des étapes idéales pour rayonner ensuite dans la région. En effet, si vous désirez profiter de la montagne, Pau vous ouvre la voie vers la vallée d'Ossau, tandis qu'Oloron-Sainte-Marie vous permet de gagner les vallées d'Aspe et du Barétous.

LE BORDELAIS

Pour les courts séjours, Bordeaux vient spontanément à l'esprit car la ville offre un large choix d'hébergements. De là, vous rejoindrez aisément les vignobles du Haut-Médoc, de l'Entre-Deux-Mers, des Côtes de Bordeaux ou de Sauternes-et-Barsac. Mais si vous souhaitez résider au cœur des vignes, vous préférerez aux hôtels bordelais une formule en gîte Bacchus, où les viticulteurs vous accueillent dans leur domaine.
De la ville médiévale de Saint-Émilion à la citadelle de Blaye, en passant par Libourne et leurs environs, les chambres d'hôte, qui offrent des cadres de charme, ne manquent pas. L'Entre-Deux-Mers compte deux « Stations vertes de vacances » : La Réole et Sainte-Foy-la-Grande, ainsi que des chambres d'hôte, maisons de vacances, gîtes et campings.

LES LANDES

Si l'on s'éloigne du rivage atlantique, ce nom évoque immédiatement l'immense forêt de pins plantée au 19e s. Au cœur de cette forêt, dans le Parc naturel régional des Landes de Gascogne, vous trouverez des chambres d'hôte à Salles, Sabres, Belin-Béliet, où vous pourrez profiter des richesses et des activités du Parc. Hors du Parc, mais toujours au milieu des pins, nombreuses sont les « Stations vertes de vacances » : parmi elles, Léon, Moliets-et-Maâ, Morcenx, Pontenx-les-Forges.
Si vous décidez d'aller plus avant à l'intérieur des terres, de la plaine de la Chalosse jusqu'aux collines du Tursan, ce sont aussi les charmants villages de Saint-Sever et d'Aire-sur-l'Adour qui vous accueilleront. Là aussi, plusieurs « Stations vertes de vacances » : Amou, Grenade-sur-l'Adour, Montfort-en-Chalosse, entre autres. Vous serez alors au cœur d'un pays digne du Sud-Ouest, riche en vieilles pierres et en bons produits du terroir.
Pour vivre au rythme des traditions landaises, c'est à Mont-de-Marsan ou à Dax qu'il faudra vous établir.

Quant aux stations thermales, on pense immédiatement à Dax, mais qui connaît la qualité des eaux de Saint-Paul-lès-Dax, Préchacq-les-Bains ou Eugénie-les-Bains ?

L'AGENAIS

La plus petite des régions de l'Aquitaine, engoncée paisiblement entre le Périgord et les Landes, pays de vallées aux confins du Lot et de la Garonne, ne manque pas de singularité ni d'attrait.
Le grand nombre des « Stations vertes de vacances » est un bon indicateur de la qualité de l'accueil touristique en Lot-et-Garonne : de la chambre d'hôte à l'hôtel, en passant par le camping, la maison de vacances, le gîte et le séjour à la ferme, vous trouverez forcément votre bonheur. Parmi les principaux lieux de séjour, on retiendra Villeneuve-sur-Lot et Fumel pour la vallée du Lot, Agen pour la vallée de la Garonne ; ajoutez à cela Nérac sur la Baïse et Casteljaloux sur l'Avance.

Nos propositions d'itinéraires

Si vous souhaitez visiter dans le détail un secteur limité mais marqué par une identité particulière, nous vous proposons ci-dessous 6 itinéraires qui regroupent les principales curiosités de la région.
N'oubliez pas de consulter également la carte des plus beaux sites (dans le rabat de la couverture) qui vous invitera sans doute à faire tel ou tel crochet en fonction de vos goûts.

DE LA POINTE DE GRAVE AU BASSIN D'ARCACHON

▷ Circuit de 4 jours au départ de Soulac

1er jour – Profitez de la fraîcheur matinale pour vous promener dans Soulac-sur-Mer, en passant par la basilique Notre-Dame-de-la-Fin-des-Terres et le boulevard du Front-de-Mer. La belle vue sur le phare de Cordouan vous conduira tout naturellement à prendre le petit train pour rejoindre la pointe de Grave et le Verdon-sur-Mer, où vous pourrez visiter le musée du Phare avant de pique-niquer. La traversée pour la visite du phare de Cordouan dépend des marées. Il vous faudra donc prévoir à l'avance cette excursion et penser à réserver votre place. Le soir, revenez à Soulac.

2e jour – Quittez Soulac par la N 215 en direction de **Vensac**. Alphonse Daudet est bien loin, mais il y a ici un moulin réputé, dans lequel les plus jeunes découvriront les secrets de la fabrication de la farine à l'ancienne. Le reste de la journée, profitez des plages et des lacs d'**Hourtin-Carcans** ou de **Lacanau**. Au programme : baignade, balade à pied, à vélo ou à cheval, pêche ou sports nautiques. Vous aurez aussi la possibilité d'aller observer faune et flore à la réserve naturelle de l'**étang de Cousseau**, de visiter le musée des Arts et Traditions populaires de la Lande médocaine à **Maubuisson** ou d'emmener vos enfants dans un parcours accrobranche. Le soir, faites étape à Lacanau-Océan.

3e jour – De Lacanau, suivez la D 3, puis la D 106 jusqu'à **Cap-Ferret**, point de départ du tour du **bassin d'Arcachon** jusqu'à la dune du Pilat. Pour faire connaissance avec le bassin, rien ne vaut une vue d'ensemble, du haut des 52 m du phare de Cap-Ferret. Rejoignez **Arès**, en faisant une halte à la villa algérienne. Déjeunez à **Andernos-les-Bains**, à moins que vous ayez déjà dégusté des huîtres en cours de route, dans l'un des petits ports traditionnels. De là, vous pourrez embarquer pour l'**île aux Oiseaux** et admirer les curieuses cabanes tchanquées. Gagnez ensuite le **parc ornithologique du Teich**. Enfin, au coucher du soleil, ne manquez pas de gravir la **dune du Pilat** (attention l'ascension peut être fatigante pour les plus petits). Passez la soirée et la nuit à Arcachon.

4e jour – Le matin, partez à la découverte d'**Arcachon**. Promenez-vous dans la ville d'hiver aux villas bigarrées, puis profitez des plaisirs de la plage. Pour les enfants, le **Parc de loisirs de la Hume** sera un régal.

LE VIGNOBLE BORDELAIS

▶ Circuit de 4 jours au départ de Bordeaux

1er jour – Partez à la découverte des Côtes de Bordeaux et des vignobles de Sauternes-et-Barsac. Quittez Bordeaux par le Sud-Est et empruntez la D 113 puis la D 10 qui longent la Garonne. Après le **château de Langoiran** et la cité fortifiée de **Rions**, la route vous conduit à **Cadillac**, belle bastide du 13e s., où vous pourrez visiter le château des ducs d'Épernon. Gagnez le village de **Ste-Croix-du-Mont** avant d'aller déjeuner à **St-Macaire** et de poursuivre vers **Verdelais**. Enfin, le **Château Yquem** et le **Château de Malle** sont deux prestigieux domaines où le sauternes s'offre à la dégustation. Pour la nuit, vous trouverez diverses possibilités d'hébergement à Langon.

2e jour – Commencez par une traversée de l'Entre-Deux-Mers. Quittez Langon au Nord-Est par la N 113 puis dirigez-vous vers le joli village de **Sauveterre-de-Guyenne**, en suivant la D 672. Par la D 17, rendez-vous aux ruines de l'**abbaye de Blasimon**. Rejoignez **Rauzan** et prenez le temps de visiter le château des Duras ou la grotte Célestine. Empruntez la D 670 vers le Nord, c'est alors le précieux vignoble de Saint-Émilion qui s'offre au regard, telle une promesse de plaisir faite aux amoureux du vin. Si possible, attendez d'atteindre **Saint-Émilion** pour manger et savourer la région à travers le reflet d'un verre. Ensuite, parcourez ce petit bijou médiéval. En été, ne manquez pas la reconstitution nocturne de la bataille de Castillon, donnée tous les jours à 22h30 à **Castillon-la-Bataille** (12 km à l'Est de Saint-Émilion).

3e jour – Après une nuit à Saint-Émilion, profitez de la matinée pour terminer la visite de la cité, avant de gagner **Montagne** et son écomusée du Libournais. Poussez jusqu'à **Petit-Palais** pour admirer la petite église romane. La pause-déjeuner s'effectue à **Libourne**, d'où les plus fameuses appellations partent vers le monde entier. Aux alentours de la ville, de belles visites en perspective : **château de Vayres**, **Fronsac**. Faites enfin étape à **Bordeaux**.

4e jour – C'est maintenant le Haut-Médoc qui vous ouvre ses portes. Quittez Bordeaux par le Nord (D 2) et rendez-vous au domaine de **Château Margaux** ou de **Château Maucaillou**, où se conjuguent vignoble et architecture, et pourquoi pas, au passage, vous initier aux méthodes de la viticulture ? **Fort Médoc** est la touche militaire de ce périple, qui rappelle que le Bordelais fut longtemps disputé entre Français et Anglais. Les **Châteaux Mouton Rothschild** et **Lafite Rothschild** évoquent quant à eux des millésimes sans âge, des étiquettes jaunies par le temps et du plaisir pour le palais.

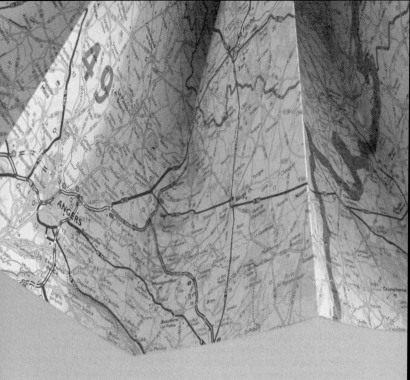

Découvrez la France

Avec

Jean-Patrick Boutet
«Au cœur des régions»

Frédérick Gersal
«Routes de France»

LES LANDES PRÉ-PYRÉNÉENNES

▶ **Circuit de 4 jours au départ de Dax**

1ᵉʳ jour – Après une promenade dans **Dax**, entrez sans plus attendre dans le pays de Chalosse. Quittez Dax par le Sud-Est (D 947) puis, 10 km plus loin sur la gauche, empruntez la D 15. Au niveau de Castel-Sarrazin, prenez la D 399 à gauche, puis, peu après, la D 58 sur la droite : vous voici au **château de Gaujacq**, qui a su mettre en valeur ses jardins sur fond de chaîne des Pyrénées. C'est aussi « sous » la terre que l'homme a exercé ses talents, comme dans les **grottes de Brassempouy**, quelques kilomètres plus loin (D 58). Vous avez bien mérité une pause-déjeuner à **Amou** que vous rejoindrez par la D 21. Contemplez l'élégant château d'Amou avant de rejoindre la ville d'**Hagetmau** où vous déchiffrerez les vestiges de l'abbaye de St-Girons. Passez la nuit sur place.

2ᵉ jour – Prenez la route de **Samadet** (D 2) pour y découvrir le musée de la Faïencerie et des Arts de la Table. Avant la fin de la matinée, gagnez **Aire-sur-l'Adour**, toujours par la D 2, pour vous immerger dans l'ambiance du Sud-Ouest et déguster de bons produits du terroir (foie gras d'oie et de canard, magrets, confits). D'octobre à mars, un marché au gras s'y tient tous les mardis. Quittez la ville par la D 934 ; peu avant Villeneuve-de-Marsan, prenez la D 354 sur la droite. Au **château de Ravignan**, l'attention se tourne vers les meubles et les vêtements de l'époque de Louis XVI. Terminez votre journée à **Labastide-d'Armagnac**, la bien-nommée, où le célèbre digestif est à l'honneur.

3ᵉ jour – Vous vous initierez à l'art noble de l'armagnac grâce à l'écomusée de **Château Garreau**, à quelques kilomètres au Sud-Est de Labastide-d'Armagnac. À la chapelle **Notre-Dame-des-Cyclistes**, vous pourrez vous recueillir devant des trophées de la petite reine. Revenez à Labastide-d'Armagnac par la D 626 et visitez-y le Temple des Bastides, si vous n'en avez pas eu le temps la veille, puis continuez vers **St-Justin**, la plus ancienne bastide landaise. Empruntez ensuite la D 933 pour rejoindre **Mont-de-Marsan** qui vous ramènera à une époque plus récente avec son musée consacré à la sculpture des années 1930. Passez la nuit à Mont-de-Marsan.

4ᵉ jour – Les fanatiques du ballon ovale feront un détour par Larrivière, au Sud de **Grenade-sur-Adour,** pour rendre hommage à Notre-Dame-du-Rugby, avant de rallier **Saint-Sever** par la D 924. En effet, ce périple ne serait pas complet sans un passage par l'abbatiale romane du « Cap-de-Gascogne » aux chapiteaux colorés. Avant de regagner Dax (D 32), arrêtez-vous au musée de la Chalosse de **Montfort-en-Chalosse**.

LES LANDES SAUVÉES DES MARAIS

▶ **Circuit de 6 jours au départ d'Arcachon**

1ᵉʳ jour – De bon matin, prenez le temps d'admirer les nombreuses villas colorées d'**Arcachon**, de flâner sur la jetée Thiers et le boulevard de la Mer. Après un déjeuner dans l'un des nombreux restaurants de la ville, embarquez pour un tour de bateau sur le bassin. Avant le coucher du soleil, gagnez la **dune du Pilat**, qui semble posée là tel un promontoire superbe. Pour la nuit, vous aurez le choix entre le Pyla-sur-mer ou Arcachon.

2ᵉ jour – Descendez le long de la côte en direction de Biscarosse. Vous trouverez de nombreuses possibilités d'activités sportives aux lacs de **Biscarosse**, de **Parentis** et à **Biscarosse-Plage**. Si vous préférez les activités culturelles, visitez le musée historique de l'Hydraviation à Biscarosse et le Musée archéologique de Sanguinet (ouvert seulement en juillet et en août). Une pause-repas et un petit passage par l'**abbaye de Mimizan**, vous voici prêt pour descendre le **courant de Contis** en barque ou, plus au Sud encore, le **courant d'Huchet**. Le soir, faites étape à Vieux-Boucau-les-Bains.

3ᵉ jour – Avant de gagner Hossegor le midi, faites le tour de l'**étang de Soustons**, puis explorez la réserve naturelle de l'**étang Noir**. L'après-midi, vous aurez le choix entre le circuit culturel des villas d'**Hossegor**, les activités nautiques sur le lac ou la baignade en mer. En fin d'après-midi, visitez l'écomusée de la Mer à **Capbreton**, où vous passerez la nuit.

4ᵉ jour – Rejoignez à la fraîche **Sabres**, en empruntant la N 10, puis la D 44. De là, montez dans le petit train qui vous mènera à l'écomusée de la Grande Lande à **Marquèze** pour y passer la matinée et pique-niquer. Ensuite, il vous faudra compléter cette visite par l'espace de découverte « Graine de forêt » à **Garein** (au Sud-Est par la N 134) ou l'atelier de produits résineux de **Luxey** (au Nord-Est par la D 315). Quittez le Parc naturel régional des Landes de Gascogne pour le **château de Cazeneuve** et son agréable parc. Finissez votre journée à Bazas.

5e jour – Le matin, la visite de **Bazas** s'impose. Suivez la D 3 jusqu'à **Uzeste** où vous admirerez la très belle collégiale, avant de gagner les abords du **château de Roquetaillade**, magnifique cadre pour pique-niquer. Après la visite de ce château restauré par Viollet-le-Duc, revenez dans la grande forêt de pins du Parc naturel régional des Landes de Gascogne. Cette fois, vous découvrirez à **Pissos** le travail traditionnel des Landes : l'artisanat du verre, du bois ou du cuivre. Au musée de **Moustey**, ce sont les croyances locales qui sont évoquées. Rejoignez enfin l'un des gîtes de Belin-Béliet pour la nuit.

6e jour – Une journée de « loisirs nature » s'offre alors à vous, au **centre du Graoux** à Belin-Béliet : canoë sur la Leyre, balade à pied, VTT ou à cheval. Vous pourrez aussi vous essayer au tir à l'arc ou à l'escalade, suivre un parcours d'orientation ou un sentier de découverte. S'il y a trop de monde, les mêmes activités sont proposées non loin de là, à l'atelier-gîte de **Saugnacq-et-Muret**. Un petit détour par **Belhade** pour apercevoir l'église et le château, puis profitez des activités du **domaine de loisirs d'Hostens** avant de rentrer à Arcachon.

À LA DÉCOUVERTE DU BÉARN

▶ Circuit de 6 jours au départ de Pau

1er jour – À **Pau**, prenez le temps de déambuler le long du boulevard des Pyrénées ainsi que dans la vieille ville et de découvrir le château d'Henri IV. L'après-midi, quittez Pau pour **Nay** (D 37) et son musée du Béret. La D 937 vous conduira ensuite au sanctuaire et aux **grottes de Bétharram**. Passez la nuit à Lestelle-Bétharram.

2e jour – Partez crapahuter dans les montagnes en rejoignant tout d'abord le **col du Soulor** par la D 126 puis le **col de l'Aubisque**, par la D 918 (en hiver, cette route est très difficile d'accès) : superbes vues garanties.

Descendez à **Gourette** ou poursuivez jusqu'à **Laruns** pour passer la nuit.

3e jour – Achevez votre exploration du haut Ossau en montant au **pic de la Sagette**. De là, vous rejoindrez le **lac d'Artouste** par un petit train qui serpente à flanc de montagne. Redescendez ensuite dans la vallée d'Ossau par la D 934, pour essayer de repérer la colonie de vautours qui vit dans les falaises d'**Aste-Béon**. Vous pourrez dormir à **Arudy**.

4e jour – C'est maintenant au tour de la vallée d'Aspe, que l'on atteint grâce à la D 918 puis la N 134. Ne manquez pas le village de **Lescun**, au milieu des pics calcaires : il offre l'un des plus beaux panoramas qui soient sur les Pyrénées. Si vous aimez observer la faune, renseignez-vous auprès de la Maison du Parc national des Pyrénées à **Etsaut**, qui organise des promenades guidées sur les traces des animaux sauvages (isards, marmottes, vautours). Montez enfin jusqu'au **col du Somport**. Faites demi-tour pour vous établir à Oloron-Sainte-Marie.

5e jour – Baladez-vous dans les trois quartiers d'**Oloron-Sainte-Marie**. Les enfants seront ravis d'un petit saut à **Aramits** où se trouve un parcours accrobranche. L'après-midi, rejoignez **Navarrenx** par la D 936 où vous irez taquiner le saumon. Continuez la route jusqu'à **Sauveterre-de-Béarn** illuminé la nuit.

6e jour – De Sauveterre, rendez-vous à la thermale **Salies-de-Béarn** où vous visiterez le musée du Sel, puis finissez la découverte de la région par la vieille ville d'**Orthez**, ancienne capitale du Béarn, le **château de Morlanne** (D 933, D 945 puis D 946) et la cathédrale Notre-Dame à **Lescar**, que l'on peut rejoindre par la D 945. Vous voici de retour à Pau.

Le funiculaire de Pau.

Stéphane Sauvignier / MICHELIN

LES DOUCES COLLINES DU LOT-ET-GARONNE

▶ Circuit de 6 jours au départ d'Agen

1er jour – Consacrez votre première journée à la découverte d'**Agen**. Flânez dans les ruelles de la vieille ville, admirez les belles maisons médiévales de la rue Beauville. L'esplanade des Graviers offre une belle vue sur la Garonne ; le samedi matin s'y tient le marché. Après le déjeuner, les gourmands se retrouveront à la *Confiserie Boisson* pour tout savoir sur la fabrication du pruneau. Ne manquez pas non plus le musée des Beaux-Arts, riche en peintres de renom (19e s.). Le soir, vous dînerez du côté de la rue Richard-Cœur-de-Lion.

2e jour – Quittez Agen par le Nord-Est et empruntez la D 656 pour vous rendre à **Frespech**. Une visite au musée du Foie gras vous mettra l'eau à la bouche avant d'entreprendre un parcours aussi culturel que gastronomique dans l'Agenais. Au-dessus des champs, **Hautefage** pointe sa haute tour Renaissance. Un détour par les **grottes de Fontirou** vous ramènera à l'époque tertiaire. Il est temps de déjeuner à **Penne-d'Agenais**, avant de visiter ce charmant village perché. Rejoignez ensuite **Fumel** où vous ferez étape, après un passage par l'église de **Monsempron** et un saut dans les jardins du château.

3e jour – De Fumel, rendez-vous au somptueux château médiéval de **Bonaguil**. En été, vous profiterez des ateliers médiévaux qui animent le château. De petites routes vous conduiront à **Sauveterre-la-Lémance** où le musée de la Préhistoire vous plongera dans un passé lointain. Déjeunez sur place puis gagnez l'église de **Saint-Avit** et le donjon de **Gavaudun**. Continuez votre périple par la bastide de **Monflanquin** : flânez dans les ruelles de la vieille ville et n'omettez pas le captivant musée des Bastides. Rejoignez ensuite Villeneuve-sur-Lot pour y passer la nuit.

4e jour – Après une visite de **Villeneuve**, point d'appui des places fortes du haut Agenais et pays de la prune d'ente par excellence, où vous aurez fait provision de douceurs au pruneau, allez à **Granges-sur-Lot**, où le musée du Pruneau vous livrera tous ses secrets. Après le déjeuner, reprenez la route pour vous arrêter dans la vieille ville de **Clairac** où l'abbaye des Automates, le musée du Train et la Forêt Magique enchanteront les plus petits. Vous aurez alors bien mérité de vous baigner : le village dispose d'une plage sur le Lot. Rejoignez ensuite l'extrême Nord du Lot jusqu'à Duras où vous ferez étape. Sur le chemin, ne manquez pas de visiter l'église d'**Allemans-du-Dropt** (sur la D 668).

5e jour – Entamez la matinée par la visite du **château de Duras** (qui n'a de Marguerite que le nom), puis gagnez **Marmande** et le **Mas-d'Agenais** (belles églises). Faites une pause pour le déjeuner à **Casteljaloux** avant de parcourir la ville et de rejoindre les fortifications de **Barbaste** par la D 655. Le soir, **Nérac** vous offrira de quoi vous loger après la découverte du château.

6e jour – Le **château de Pomarède**, que vous atteindrez par la D 930, sera la première étape de votre journée. Avant d'aller déjeuner sur Agen, visitez au passage l'église romane de **Moirax**. Le dernier après-midi pourra être consacré à la détente au **parc d'attractions Walibi**, tout proche.

Nos idées de week-ends

Voici des propositions pour aller à l'essentiel et profiter pleinement d'une ville le temps d'une escapade.

BORDEAUX

Musées, églises, quais… un week-end n'y suffirait pas. Pour vous familiariser rapidement avec la ville, mieux vaut la découvrir à pied (si vous fatiguez, montez dans le tramway !).
Une balade entre la porte des Salinières et la place de la Bourse vous donnera un premier aperçu. En chemin vous vous arrêterez rue des Argentiers

Pas de pruneaux sans prunes !

où se trouve **Bordeaux Monumental**. Cette exposition qui présente la richesse architecturale de la ville vous permettra de cibler votre itinéraire de découverte. Déjeunez ensuite place du Parlement ou place St-Pierre, mais vous trouverez également des petits restaurants sympathiques dans le centre piétonnier. Après un passage par le Grand Théâtre, remontez le cours de l'Intendance et flâner dans la **rue Sainte-Catherine**, deux artères très commerçantes. Le soir, allez prendre un verre place de la Victoire et, après le dîner, longez les quais entre le pont de Pierre et la place des Quinconces pour admirer les façades illuminées.

Le dimanche matin, jetez un œil à la cathédrale St-André avant de visiter le **musée d'Aquitaine**, un incontournable. Ensuite direction le **quai des Chartrons** où se tient un marché campagnard bien appétissant ! Là, il vous sera facile de trouver une terrasse pour déjeuner à moins que vous ne préfériez poursuivre vers l'un des restaurants installé dans les anciens hangars. L'après-midi, visitez de fond en comble et de pont en cale le **croiseur Colbert** ou passez sur l'autre rive pour une promenade dans le **jardin botanique**. Les amateurs de vins s'inscriront à une excursion dans les **châteaux bordelais**, organisée par l'office de tourisme.

ARCACHON

L'idéal est de louer un vélo pour se déplacer d'une ville à l'autre (Arcachon en compte quatre !) et rayonner vers le bassin ou la forêt.

Après s'être promené sur le front de mer, dans la **ville d'été**, direction la **ville d'hiver** pour découvrir l'incroyable variété architecturale des villas. Déjeunez dans le centre ou allez pique-niquer dans la forêt d'Arcachon. L'après-midi, entre deux bains de mer à la **plage Pereire**, dans la ville de printemps, vous pourrez vous promenez à l'ombre des pins qui la bordent ou poursuivre jusqu'au **Moulleau**, quartier « branché » qui offre d'agréables terrasses de café. De retour dans la ville d'été (en bus si vous êtes fatigué de marcher), vous aurez l'embarras du choix des restaurants pour déguster un plateau de fruits de mer. Enfin, les joueurs iront tenter leur chance au casino.

Le dimanche, montez à bord d'une pinasse, cette longue barque à fond

Retour au port de Larros (bassin d'Arcachon).

plat dont se servent les ostréiculteurs, et partez explorer l'**île aux Oiseaux** et les cabanes tchanquées (circuit commenté de 2h). Amateurs d'huîtres, suivant la marée, vous pourrez suivre une visite à pied d'un **parc ostréicole** (1h30 à 2h). L'Union des bateliers arcachonnais assure également des liaisons transbassin qui vous permettront de rallier un des villages où vous déjeunerez et passerez l'après-midi. Le **Cap-Ferret** semble tout indiqué car la possibilité d'embarquer avec les vélos et le service nocturne sont très pratiques. Si le week-end n'est pas terminé et si vous avez un véhicule, reste alors à aller gravir la **dune du Pilat** du haut de laquelle se dégage un panorama splendide.

PAU

Première chose à faire en arrivant le samedi matin : aller admirer la vue depuis le **boulevard des Pyrénées**. On y monte depuis la ville basse par le funiculaire ou à pied par les sentiers du Roy. Rendez-vous ensuite au marché place de la République. Pour faire plus ample connaissance avec la ville, baladez-vous dans les rues autour du château. Le quartier compte de nombreux restaurants. L'après-midi, consacrez 1h30 à la visite du **château** natal d'Henri IV (attention : en hiver, le château est fermé le week-end). En fin d'après-midi, vous pourrez faire du shopping entre les places Clemenceau et de la Libération. Le soir, laissez-vous porter par l'animation paloise !

Le lendemain, si vous êtes plutôt nature, promenez-vous dans le **parc Beaumont**. Si vous êtes plutôt citadin, louez un vélo pour aller à la découverte des **villas anglaises**. L'après-midi, prenez le bus pour rejoindre le très réputé **Haras national de Gelos**, au Sud de Pau.

Escapade en Espagne

Comme vous le savez, les Pyrénées marquent la frontière entre la France et l'Espagne : au Sud du Béarn, du pic d'Anie au Balaïtous, s'étendent la Navarre et l'Aragon.

Pour connaître les formalités d'entrée et les particularités de la vie quotidienne du pays, reportez-vous à la rubrique « Espagne pratique » *(p. 21)*.

NOS PROPOSITIONS D'ITINÉRAIRES

Pour aller de la vallée d'Aspe à la vallée d'Ossau, pourquoi ne pas passer par l'Espagne ? Les 115 km entre les cols du Somport et du Pourtalet sont faisables en une journée. Le mieux est de prévoir le détour en deux jours voire trois, avec un arrêt à Jaca.

▶ Circuit de 35 km du col du Somport à Jaca

Avant de passer la frontière, admirez les Pyrénées espagnoles depuis le col du Somport. À moins d'un kilomètre du col, en descendant par la N 330, vous arrivez à **Candanchu**, la plus connue des stations de ski aragonaises. À **Canfranc-Estación**, découvrez l'impressionnante gare ferroviaire, désaffectée depuis les années 1970. Gagnez ensuite Villanúa où se trouve la **Cueva de las Güixas**, grotte longue de 300 m, qui ouvrit au public dès 1927. Atteignez enfin **Jaca**, première capitale du royaume d'Aragon, dominée par la Peña de Oroel. En ce lieu de passage animé, vous ne manquerez pas de visiter la cathédrale romane (11ᵉ s.), où les chapiteaux historiés du portique latéral Sud vous rappelleront les canons antiques. Dans le cloître, aménagé en Museo Diocesano, sont exposées des peintures murales romanes et gothiques provenant des églises de la région.

▶ Circuit de 50 km aux alentours de Jaca

Quittez Jaca à l'Ouest par la N 240 et déviez à environ 11 km vers **Santa Cruz de la Serós**. Du monastère fondé au 10ᵉ s. puis déserté au 16ᵉ s., seule subsiste l'église romane entourée de maisons typiquement aragonaises. À l'entrée du village, vous apercevrez la petite église San Caprasio. Après Santa Cruz, la route s'élève dans les paysages boisés de la sierra de la Peña. Laissez la voiture pour atteindre le **monastère San Juan de la Peña**, qui apparaît minuscule sous le surplomb du rocher. Contemplez ce site spectaculaire avant de parcourir le panthéon des nobles d'Aragon-Navarre, l'église primitive, l'église basse (construction mozarabe), la salle des conciles, l'église haute, le panthéon royal et surtout le cloître auquel on accède par une porte mozarabe. Poursuivez sur la A 1603 et revenez à Jaca par la A 1205.

▶ Circuit de 80 km de Jaca au col du Pourtalet

De Jaca, suivez la N 330 en direction de Sabiñánigo. À **Larrès**, faites une halte au musée de Dibulo, installé dans une ancienne forteresse médiévale. Consacré au dessin, il présente des œuvres de Martín Chirino, Vázquez Díaz et Salvador Dalí, des dessins humoristiques, des illustrés et des bandes dessinées. Partez ensuite pour **Sabiñánigo**, où vous approfondirez vos connaissances régionales au musée Ángel Oresanz y Artes de Serrablo, installé dans une superbe maison traditionnelle à l'impressionnante cuisine. Reprenez la N 330 pour traverser le Gállego, puis bifurquez aussitôt à gauche vers **Javierre del Obispo**. Vous verrez le long de cette route, parallèle au fleuve, les splendides petites églises mozarabes dont les plus belles sont sans conteste celles de Orós Bajo, San Martín de Oliván, San Pedro de Lárrede et Satué. Toutes suivent un plan rectangulaire et possèdent une abside semi-circulaire. Certaines possèdent une tour-clocher. Rejoignez la N 260 à Biescas, porte d'entrée de la **vallée de la Tena**. D'abord resserrée et rocheuse, elle finit par s'épanouir majestueusement au niveau du **lac de Búbal**. Depuis Escarrilla, vous pourrez faire une escapade dans la **Garganta del Escalar**, gorge si étroite et profonde que le soleil y pénètre à peine. La route (A 2606) qui escalade le versant occidental par de longues rampes et épingles à cheveux très fermées, débouche sur un cirque montagneux austère où se trouve la **station thermale de Panticosa**, dominée par le pic de Vignemale. Revenez à Escarrilla et rejoignez la France par l'A 136. Au passage, **El Formigal** est une station de ski bien aménagée. Arrivé au col du Pourtalet (1 794 m), vous jouirez d'une vue étendue vers le Nord-Ouest sur le cirque d'Anéou et le pic du Midi d'Ossau (2 884 m).

S. Sauvignier / Michelin

a. *Coteaux de Chiroubles (Beaujolais) ?*

b. *Vignoble des Riceys (Champagne) ?*

c. *Riquewihr et son vignoble (Alsace) ?*

Vous ne savez pas quelle case cocher ?

Alors plongez-vous dans Le Guide Vert Michelin !

- tout ce qu'il faut voir et faire sur place
- les meilleurs itinéraires
- de nombreux conseils pratiques
- toutes les bonnes adresses

Le Guide Vert Michelin, l'esprit de découverte

Une meilleure façon d'avancer

Les atouts de la région au fil des saisons

Les deux caractéristiques principales du climat aquitain sont la douceur, mais également l'humidité, alliance équilibrée et d'ailleurs très favorable aux cultures comme aux hommes. Les contrastes peuvent être très grands entre la façade atlantique tempérée par l'Océan et les parties Est et Sud-Est, où les cours d'eau qui descendent du Massif central et des Pyrénées vers la vallée de la Garonne ou de l'Adour rappellent le fort encadrement montagneux de l'Aquitaine.

Quel temps pour demain ?

Les services téléphoniques de Météo France – Taper **3250** suivi de :
1 : toutes les météos départementales jusqu'à 7 jours (DOM-TOM compris).
2 : météo des villes.
3 : météo plages et mer.
4 : météo montagne.
6 : météo internationale.
Accès direct aux prévisions du département – 📞 0 892 680 2 suivi du numéro du département (0,34 €/mn).
Toutes ces informations sont également disponibles sur **www.meteo.fr**

L'hiver

Sur la côte, l'hiver est plutôt doux, mais attention aux sautes d'humeur de l'Océan qui peut apporter d'effroyables tempêtes… À cette saison, ne comptez donc pas sur les balades en bateau, qu'il s'agisse de rejoindre le phare de Cordouan depuis la pointe de Grave ou l'île aux Oiseaux dans le bassin d'Arcachon. Aux alentours de Bordeaux, les pluies sont fréquentes, et particulièrement les petites bruines. N'oubliez pas votre imperméable.
Au pied des Pyrénées, un voyage en hiver (comme en automne) requiert de la vigilance : les pluies rendent la chaussée glissante, la neige est présente assez bas, le plafond est nuageux. Dans ces conditions, avant de quitter la vallée pour grimper en altitude, il faut s'assurer du bon équipement de son véhicule et téléphoner au service météo du lieu de destination. Par chance, le fœhn venu d'Espagne adoucit la rudesse du climat montagnard et, une fois sur place, le Béarn s'avère une belle destination

de vacances hivernales : des stations de ski alpin et de ski de fond vous permettront de profiter au mieux des joies de la neige. Attention : en dehors des grandes villes, beaucoup de sites et de musées sont fermés en hiver.

Le printemps

Comme en hiver, les pluies sont fréquentes sur la côte et dans le Bordelais. Mais le printemps souffle son doux parfum dans l'air aquitain, du littoral à l'Agenais. Dès que l'on s'éloigne de la Gironde, des Landes et du Lot-et-Garonne, il est préférable de prévoir deux tenues : une légère pour profiter de la douceur qui s'installe dès le mois de mai, et une autre plus sûre : un bon pull et un vêtement de pluie pour les revirements fréquents de la météo à l'approche des massifs montagneux. C'est la saison idéale pour les premières courses en montagne, avant l'affluence estivale.

L'été

La saison des bains de mer et des sports nautiques se conjugue en Aquitaine avec un panel d'activités et de loisirs, sportifs, culturels ou festifs. Les températures, agréables sur le littoral, sont plus élevées à l'intérieur des terres. Mais si l'ambiance méditerranéenne pointe son nez à Agen, la fraîcheur peut vous saisir à tout moment, même en plein été, dans les parties Sud-Est de la région. Dans le Béarn, vous serez parfois surpris par un assombrissement soudain du ciel, avec des nuages opaques solidement accrochés sur les sommets alors totalement cachés au regard. En l'espace d'une heure toutefois, les importuns peuvent avoir déménagé : et alors quel spectacle à découvrir dans un air nouvellement dégagé et encore plus pur ! L'imprévisibilité est donc de mise et les écarts de température importants, suivant que le vent souffle du Sud ou du Nord !

L'automne

L'automne est généralement très beau ; tant mieux, puisque c'est le moment des vendanges et de la cueillette des champignons ! Cette saison est idéale pour partir à la découverte du vignoble bordelais. Les plages comme les sites à visiter ont un caractère plus intimiste à cette époque. Les surfers savent que les mois de septembre et d'octobre sont sans aucun doute les meilleurs pour pratiquer leur sport sur la côte atlantique !

S'Y RENDRE ET CHOISIR SES ADRESSES

Où s'informer avant de partir

LES ADRESSES UTILES

Ceux qui aiment préparer leur voyage dans le détail peuvent rassembler la documentation nécessaire auprès des professionnels du tourisme de la région, qui disposent de cartes touristiques, brochures sur l'hébergement et la restauration, dépliants sur les activités, etc.

Outre les adresses indiquées ci-dessous, sachez que les coordonnées des offices de tourisme ou syndicats d'initiative des villes et sites décrits dans ce guide sont données systématiquement dans l'**encadré pratique** des villes et sites, sous la rubrique « Adresses utiles ».

Comité régional de tourisme

Comité régional du tourisme d'Aquitaine – Cité Mondiale - 23 parvis des Chartrons – 33074 Bordeaux Cedex - ℘ 05 56 01 70 00 - www.tourisme-aquitaine.info
Il propose deux brochures : *L'Aquitaine, « le bon côté du Sud »* brosse le portrait de la région en images et réunit l'ensemble des renseignements utiles pour organiser son périple ; *L'Aquitaine autour du vin* entend bien démontrer que toute l'Aquitaine est un vignoble, de Blaye à Saint-Émilion et de Jurançon à Buzet, où chacun peut trouver un vin à son goût.

Comités départementaux de tourisme

Maison du tourisme de la Gironde – 21 cours de l'Intendance - 33000 Bordeaux - ℘ 05 56 52 61 40 - www.tourisme-gironde.cg33.fr
On s'y procure les *Carnets de voyages en Gironde*, qui permettent une découverte thématique du département (plaisirs de l'eau, de la nature, du patrimoine, de la vigne, de la gastronomie, de la fête) ; le guide *Voyages au pays des vins de Bordeaux*, indispensable pour préparer son séjour au cœur du vignoble bordelais ; *La Gironde à fleur de pierre*, un coffret composé de 60 fiches pour découvrir les trésors architecturaux de la Gironde.

Landes – 4 av. Aristide-Briand - BP 407 - 40012 Mont-de-Marsan Cedex - ℘ 05 58 06 89 89 - www.tourismelandes.com
Le *Guide Landes* répertorie tous les loisirs du département : activités, animations, découvertes.

Lot-et-Garonne – 271 r. de Péchabout - BP 30158 - 47005 Agen - ℘ 05 53 66 14 14 - www.lot-et-garonne.fr
Le *Guide des loisirs* rassemble les diverses activités proposées dans une région où l'accueil touristique se veut chaleureux et dynamique.

Pyrénées-Atlantiques / Agence touristique du **Béarn** – 22 ter r. J.-J.-de-Monaix - 64000 Pau - ℘ 05 59 30 01 30 - www.tourisme64.com
Au programme du *Guide des loisirs en Béarn et Pays Basque* : culture et art de vivre, nature, eau, glisse et sports.

Maisons de pays

Maison Aquitaine – 21 r. des Pyramides - 75001 Paris - ℘ 01 55 35 31 42 - www.maison.aquitaine.fr
Située entre le Louvre et l'Opéra (M° Pyramides), elle présente les savoir-faire, l'art de vivre et les cultures de la région à travers des expositions, une bibliothèque, un espace multimédia. Des spécialistes du tourisme aident à préparer votre séjour en Aquitaine.

Maison des Pyrénées-Atlantiques – 20 av. de l'Opéra - 75001 Paris - ℘ 01 53 45 94 64.

Parc naturels

Parc national des Pyrénées – 59 rte de Pau - 65000 Tarbes - ℘ 05 62 44 36 60 - www.parc-pyrenees.com

Alain Cassaigne / MICHELIN

Pile de rondins de pin dans la forêt landaise.

Parc naturel régional des Landes de Gascogne – 33 rte de Bayonne - 33830 Belin-Beliet - ✆ 05 57 71 99 99 - www.parc-landes-de-gascogne.fr

Renseignements par téléphone

Un numéro pour la France – Un nouvel accès facile a été mis en place pour joindre tous les offices de tourisme et syndicats d'initiative en France. Il suffit de composer le **3265** (0,34 €/mn) et prononcer distinctement le nom de la commune. Vous serez alors directement été mis en relation avec l'organisme souhaité.

Renseignements sur Internet

Outres les sites des comités départementaux de tourisme, voici quelques adresses où vous trouverez de multiples informations :

www.pyrenees-online.fr et **www. lespyrenees.net** – Pour tout savoir sur les stations de ski.

http://musees.aquitaine.fr – Plus de 120 musées sont répertoriés sur ce site.

www.tourisme-landes.com – Ce site présente de nombreux aspects du département.

www.landesdegascogne.com – Un répertoire très utile pour parcourir tout le département des Landes sur le web.

TOURISME DES PERSONNES HANDICAPÉES

Un certain nombre de curiosités décrites dans ce guide sont accessibles aux personnes à **mobilité réduite**, elles sont signalées par le symbole &. Le degré d'accessibilité et les conditions d'accueil variant toutefois d'un site à l'autre, il est recommandé d'appeler avant tout déplacement.

Accessibilité des infrastructures touristiques

Lancé en 2001, le **label national Tourisme et Handicap** est délivré en fonction de l'accessibilité des équipements touristiques et de loisirs au regard des quatre grands handicaps : auditif, mental, moteur ou visuel. À ce jour, un millier de sites labellisés (hébergement, restauration, musées, équipements sportifs, salles de spectacles, etc.) ont été répertoriés en France. Vous pourrez en consulter la liste sur le site Internet de Maison de France à l'adresse suivante : **www. franceguide.com**

Sites labellisés en Aquitaine

& Sites « Tourism et Handicap » dans le **Béarn** : le château de Crouseilles, la Cité des Abeilles à St-Faust, le train de la Compagnie du haut Béarn à Oloron, la Maison du jambon de Bayonne à Arzac, le zoo d'Asson.

& Sites « Handiplage » dans les **Landes** : le musée de l'Hydraviation à Biscarosse, l'écomusée de la Mer et le casino de Capbreton, le Parc animalier de Labenne, le golf de Moliets, la promenade fleurie de Mimizan, le musée des Vieux Outils et le centre Handivoile à Soustons.

Le magazine *Faire Face* publie chaque année, à l'intention des personnes en situation de handicap moteur, un hors-série intitulé *Guide vacances*. Cette sélection de lieux et offres de loisirs est disponible sur demande (4,70 €, frais de port non compris) auprès de l'**Association des Paralysés de France** : APF - Direction de la Communication - 17 Bd Auguste Blanqui - 75013 Paris - faire-face@apf. asso.fr - www.apf.asso.fr.

Pour de plus amples renseignements au sujet de l'accessibilité des musées aux personnes atteintes de handicaps moteurs ou sensoriels, consultez le site **http://museofile.culture.fr**, qui répertorie nombre de musées français.

Association La Pierre Handiski – Résidence Super Arlas - Galerie marchande - 64570 Arette-Pierre-St-Martin - ✆ 06 85 60 51 14 - www. lapierrehandiski.com
Côté montagne, à la Pierre-St-Martin, l'association « La Pierre Handiski » est déterminée à promouvoir, faciliter et développer la pratique du ski et de la montagne pour les personnes en situation de handicap.

Association Handiplage – 39 r. des Faures - 64100 Bayonne - ✆ 05 59 59 24 21 - www.handiplage.com
Cette association sensibilise les municipalités de la Côte basque et du Sud des Landes pour qu'elles facilitent l'accès des plages aux handicapés (places de parking, pose de caillebotis sur les plages, WC et douches accessibles). Elle propose également l'installation du « Tiralo », un fauteuil flottant qui permet aux personnes à mobilité réduite de se baigner en toute sécurité. Ce système est installé sur les plages d'Hendaye, St-Jean-de-Luz, Bidart,

Anglet, Capbreton, Hossegor, Ciboure, Soustons, Biscarosse, Mimizan, Moliets, Parnos et Biarritz. Handiplage édite aussi un guide touristique *Handi Long* où sont recensés tous les hébergements accessibles aux personnes handicapées.

Accessibilité des transports

Train – Disponible gratuitement dans les gares et boutiques SNCF ou sur le site www.voyages-sncf.com, le *Mémento du voyageur handicapé* donne des renseignements sur l'assistance à l'embarquement et au débarquement, la réservation de places spéciales, etc.

À retenir également, le numéro vert SNCF Accessibilité Service : ☏ 0 800 15 47 53.

Avion – Air France propose aux personnes handicapées le service d'assistance Saphir, avec un numéro spécial : ☏ 0 820 01 24 24. Pour plus de détails, consulter le site www. airfrance.fr

ESPAGNE PRATIQUE

Pour définir l'itinéraire entre votre point de départ en France et votre destination en Espagne, consultez les **cartes Michelin** National nº 722 et Regional nº 574.

Sachez que la vitesse est limitée à 50 km/h dans les villes et agglomérations, à 90 km/h sur le réseau courant, à 100 km/h sur les routes nationales et à 120 km/h sur les autoroutes et voies rapides. Le port de la ceinture de sécurité est obligatoire.

Adresse utile

Office espagnol du tourisme – 43 r. Decamps - 75016 Paris - ☏ 01 45 03 82 50 - 3615 Espagne - www.espagne. infotourisme.com

Formalités d'entrée

Pièces d'identité – La carte nationale d'identité en cours de validité ou le passeport (même périmé depuis moins de 5 ans) sont valables pour les ressortissants des pays de l'Union européenne, d'Andorre, du Liechtenstein, de Monaco, de Suisse.

Assurance sanitaire – Afin de profiter de la même assistance médicale que les Espagnols, les Français avant le départ doivent se procurer le formulaire E 111 auprès de leur centre de paiement de Sécurité sociale.

Véhicules – Pour le conducteur : permis de conduire à trois volets ou permis international. Le conducteur doit être en possession d'une autorisation écrite du propriétaire, si celui-ci n'est pas dans la voiture. Outre les papiers du véhicule, il est nécessaire de posséder la carte verte d'assurance. Pensez également à vous munir de **triangles de signalisation** et d'un **gilet fluorescent**, obligatoires en cas de panne.

Animaux domestiques – Pour les chats et les chiens, un certificat de vaccination antirabique de moins d'un an, un certificat de bonne santé (de moins de 10 jours) et un carnet de santé à jour sont exigés.

Cartes de crédit

Les principales cartes de crédit internationales sont acceptées dans presque tous les commerces, hôtels, restaurants et par les distributeurs de billets.

Horaires

Les horaires sont assez différents de ceux pratiqués en France. À titre indicatif : déjeuner 13h30-15h30, dîner 21h-23h.

Bureaux de poste – 9h-14h. Les bureaux principaux dans les grandes villes restent ouverts 24h/24.

Banques – En général 9h-14h les jours de semaine. En été, elles sont fermées le samedi.

Magasins – Généralement 9h30 ou 10h-13h30 et 16h30-20h ou 20h30. Cependant, de plus en plus de commerces restent ouverts le midi et même le samedi après-midi. Ils sont fermés le dimanche. En été dans les régions touristiques, il n'est pas rare de trouver des commerces ouverts jusqu'à 22h ou 23h.

Pharmacies – Généralement 9h30-14h et 16h30-20h. Service de garde assuré la nuit, les dimanches et jours fériés. La liste des établissements de garde est affichée en vitrine des pharmacies.

Sites touristiques – Les horaires sont variables, mais ils ouvrent généralement de 10h à 13h et de 16h à 19h.

Poste - télécommunications

Courrier – Les bureaux de poste sont signalés par le nom *Correos*. Les timbres *(sellos)* sont également en vente dans les bureaux de tabac *(estancos)*.

Téléphone – Pour appeler la France depuis l'Espagne, composer le 00, suivi du 33 et du numéro du correspondant

(9 chiffres). De la France vers l'Espagne, composer le 00, suivi du 34 et du numéro de l'abonné (9 chiffres). Les cartes téléphoniques *(tarjetas telefónicas)* sont en vente dans les bureaux de poste et dans les *estancos*.

Transports

PAR LA ROUTE

Les grands axes

Plusieurs autoroutes convergent vers l'Aquitaine : A 10 (Paris-Bordeaux), A 62 (Toulouse-Bordeaux), A 63 (Bordeaux-Bayonne), A 64 (Toulouse-Pau).

Informations autoroutières

3 r. Edmond-Valentin - 75007 Paris. Informations sur les conditions de circulation sur les autoroutes : ℘ 0 892 681 077 - www.autoroutes.fr

Les péages

Paris-Bordeaux :   45,60 €
Toulouse-Bordeaux :   14,90 €
Nantes-Bordeaux :   16,40 €
Toulouse-Pau :   8,50 €
Bordeaux-Agen :   8 €
Toulouse-Agen :   7,10 €

Les cartes Michelin

Les cartes **Local** (1/150 000 ou au 1/175 000, avec index des localités et plans des préfectures) ont été conçues pour ceux qui aiment prendre le temps de découvrir une zone géographique réduite (un ou deux départements) lors de leurs déplacements en voiture. Pour ce guide, procurez-vous les cartes Local **335** (Gironde, Landes), **336** (Gers, Lot-et-Garonne) et **342** (Hautes-Pyrénées, Pyrénées-Atlantiques). Vous pouvez également consulter la carte **Régional 524** (Aquitaine), au

Distances en km	Agen	Arcachon	Bordeaux	Mont-de-Marsan	Pau
Agen	-	197	141	121	162
Arcachon	197	-	65	130	215
Bordeaux	141	65	-	131	200
Mont-deMarsan	121	130	131	-	84
Pau	162	215	200	84	-

1/300 000, avec index des localités et plan de la préfecture (Bordeaux), qui couvre le réseau routier secondaire et donne de nombreuses indications touristiques. Elle est pratique lorsqu'on aborde un vaste territoire ou pour relier des villes distantes de plus de cent kilomètres. Enfin, n'oubliez pas, la **carte de France n° 721** qui offre une vue d'ensemble de la région Aquitaine au 1/1 000 000, avec ses grandes voies d'accès d'où que vous veniez.

Les informations sur Internet et Minitel

Le site **www.ViaMichelin.fr** offre une multitude de services et d'informations pratiques d'aide à la mobilité (calcul d'itinéraires, cartographie : des cartes pays aux plans de villes, sélection des hôtels et restaurants du Guide Michelin France…) sur la France et d'autres pays d'Europe.
Les calculs d'itinéraires sont également accessibles sur **Minitel** (3615 ViaMichelin) et peuvent être envoyés par **fax** (3617 ou 3623 Michelin).

EN TRAIN

Les grandes lignes

Le **TGV** relie Paris à Bordeaux en 3h, à Agen ou Dax en 4h, à Pau en 5h. Des liaisons directes sont assurées depuis Lille, Lyon, Toulouse et Tours.
Le **train Corail** de nuit « Lunéa », récemment rénové, circule toutes les nuits. Il relie Pau à Paris (8h10), Nice (10h30) et Genève (10h40).

Informations et réservations

Ligne directe : ℘ 3635 (0,34 €/mn)
3615 SNCF
www.voyages-sncf.com

Les Trains express régionaux

Les **TER** sillonnent toute la région au départ des villes principales. Depuis Bordeaux, vous pouvez rejoindre la pointe de Grave (2h), Arcachon (1h), Dax (1h), Mont-de-Marsan (1h30),

Distances en km	Agen	Bordeaux	Pau	Mont-de-Marsan
Caen	728	593	835	717
Dijon	671	765	969	758
Lille	878	800	993	924
Limoges	273	222	478	301
Lyon	527	574	728	608
Marseille	319	644	591	584
Nantes	458	322	515	445
Orléans	506	461	653	591
Paris	662	578	777	708
Strasbourg	968	1 066	1 217	1 058
Toulouse	196	243	117	177

Des vacances tout en douceur

Partir en famille dans des lieux uniques et profiter de locations de standing et de services à la carte, c'est tout l'esprit Pierre & Vacances. 90 destinations d'exception vous attendent en France, en Italie, en Espagne et aux Antilles, pour un séjour unique en toute indépendance.

Informations et réservations au
0 825 095 471
(0,15€/min de France métropolitaine)
ou sur
ww.pierreetvacances.com

Pierre (&) Vacances

LES VACANCES QUI ONT L'ESPRIT DE FAMILLE

À savoir

À certaines périodes peuvent vous être proposées des offres intéressantes : avec le **billet TER Aquitaine Temps Libre**, par exemple, 25 % de réduction sont accordés à toute personne effectuant un aller-retour le week-end en TER.

Agen (1h). Depuis Dax, gagnez Orthez (30mn), Pau (1h) d'où vous accéderez même à Oloron-Ste-Marie (37mn). Ces lignes ferroviaires sont renforcées, dans certains cas doublées, par des lignes d'**autocars** (TER) qui vous permettent de rejoindre des villes comme Biscarosse, Hagetmau, Aire-sur-Adour, Artouste (vallée d'Ossau), Urdos (vallée d'Aspe), Nérac, Villeneuve-sur-Lot ou d'effectuer des liaisons peu commodes en train (Pau-Mont-de-Marsan, Mont-de-Marsan-Agen).

Informations et réservations sur le réseau régional

Ligne directe : 📞 36 35 (0,34 €/mn)
3615 TER
www.ter-sncf.com/aquitaine

Les bons plans

Les tarifs de la SNCF varient selon les périodes : –50 % en période bleue, –25 % en période blanche, plein tarif en période rouge (calendriers disponibles dans les gares et boutiques SNCF).

Les cartes de réduction

Différentes réductions sont offertes grâce aux cartes suivantes, valables un an, en vente dans les gares et boutiques SNCF :
- **carte enfant** pour les moins de 12 ans ;
- **carte 12-25** pour les 12-25 ans, qui peut être achetée la veille de ses 26 ans pour l'année suivante ;
- **carte senior** à partir de 60 ans.
Ces différentes cartes offrent une réduction de 50 % sur tous les trains dans la limite des places disponibles et sinon 25 %. La SNCF offre la possibilité de les essayer une fois gratuitement en prenant la carte découverte appropriée.

Les familles ayant au minimum 3 enfants mineurs peuvent bénéficier d'une **carte famille nombreuse** (16 € pour l'ensemble des cartes, valables 3 ans) permettant une réduction individuelle de 30 à 75 % selon le nombre d'enfants (la réduction est toujours calculée sur le prix plein tarif de 2e classe, même si la carte permet

de voyager également en 1re). Elle ouvre droit à d'autres réductions hors SNCF (voir p. 26).

La **carte Grand Voyageur**, valable 3 ans, permet de gagner des points et d'avoir des réductions exclusives. Elle donne aussi accès à certains services comme le transport des bagages.

La **carte Escapade** permet une réduction de 25 % sur tous les trains pour des aller-retour d'au moins 200 km, comprenant une nuit sur place du samedi au dimanche.

Les réductions sans carte

Sans disposer d'aucune carte, vous pouvez bénéficier de certains tarifs réduits.

Sur Internet, profitez des **billets Prem's** : très avantageux pourvu que vous réserviez suffisamment à l'avance, ils s'achètent uniquement en ligne mais ne sont ni échangeables ni remboursables.

Les **billets Découverte** offrent quant à eux des réductions de 25 % pour les moins de 25 ans, les plus de 60 ans, et sous certaines conditions entre 25 et 60 ans. Si vous effectuez un aller-retour d'au moins 200 km et si votre séjour comprend une nuit du samedi au dimanche, vous pouvez profiter du tarif **Découverte Séjour**. Si vous êtes de 2 à 9 personnes à effectuer un aller-retour, que vous ayez ou non un lien de parenté, et si votre voyage comprend au moins une nuit entre l'aller et le retour, vous pouvez bénéficier du tarif **Découverte à deux**.

EN AVION

La région, dotée de plusieurs aéroports, est reliée à de nombreuses villes françaises et européennes.

Sur certains trajets, en particulier Paris-Bordeaux et Paris-Pau, il vous sera possible de trouver des vols à des prix intéressants autour de 100 € (voir p. 26 les « Bons plans »). Mais sans tarifs promotionnels, le voyage en avion reste cher (pas moins de 300 € pour un vol de Lille à Bordeaux).

Les compagnies aériennes

Air France – La compagnie dessert l'aéroport de Bordeaux depuis Brest, Lille, Lyon, Marseille, Nantes, Nice, Paris, Rennes et Strasbourg. Elle assure également des liaisons journalières entre Paris, Lyon et l'aéroport de Pau. Renseignements et réservations : 📞 0 820 820 820 - www.airfrance.fr

Corse Med – Avr.-oct. : vols reliant Bordeaux à Ajaccio et Bastia. Renseignements et réservations : ✆ 0 820 820 820 - www.ccm-airlines.com

Aerocondor – Cette compagnie ibérique propose trois vols par jour, du lundi au vendredi, entre Paris et Agen. Renseignements et réservations : ✆ 0 892 688 777 - www.aerocondor.fr

Les aéroports de la région

Aéroport d'Agen –La Garenne - 47520 Le Passage - ✆ 05 53 77 00 88 - www.aeroport-agen.com

Aéroport de Bordeaux-Mérignac – Cedex 40 - 33700 Mérignac - ✆ 05 56 34 50 50.

Aéroport Pau-Pyrénées – 64230 Uzein - ✆ 05 59 33 33 00. www.pau.aeroport.fr

Les bons plans

N'hésitez pas à surfer sur le Net pour bénéficier des meilleures offres (promos, vols de dernière minute). Voici quelques sites donnant accès à ces billets à bas coût :
www.lastminute.com
www.opodo.fr
www.anyway.com
www.voyagermoinscher.com
www.bevedair.com (au départ de Beauvais)
www.govoyages.fr
www.easyjet.com
www.voyages-sncf.com

Budget

LES FORFAITS TOURISTIQUES

Pensez à les conserver sur vous pour pouvoir les présenter dans chaque site participant à l'opération.

Vue sur l'estuaire depuis la citadelle de Blaye.

Pass'Estuaire

Partez à la découverte du plus vaste estuaire d'Europe : de Royan à Bordeaux, venez saisir les multiples facettes du patrimoine de l'estuaire et du terroir de Gironde. Il vous présente plusieurs circuits : Gastronomie, terroir et savoir-faire ; Culture et patrimoine ; Découvertes archéologiques et troglodytiques ; Nature et randonnées ; Croisières et promenades nautiques.

Valable pour 2 personnes, vous sera remis gratuitement après l'achat d'un billet plein tarif dans l'un des sites payants participants à l'opération. Il vous propose, sur simple présentation et dès la deuxième visite, des tarifs réduits dans l'ensemble des autres lieux de visites payantes associés ; vous y trouverez aussi divers sites gratuits offrant un intérêt particulier.

Renseignements : Syndicat mixte pour le développement durable de l'estuaire de la Gironde - 12 r. Saint-Simon - 33390 Blaye - ✆ 05 57 42 28 76.

Forfait « Sites et Musées des Landes »

Il s'applique à plusieurs sites landais et donne droit à des tarifs réduits dès le deuxième site visité : du Nord au Sud, le long de la côte atlantique : la ferme du Born (parc de découverte) à St-Paul-en-Born, le Port miniature à Soustons-Plage, le bateau Jean B et l'écomusée de la Mer à Capbreton, le Parc animalier de Labenne ; au Sud du fleuve Adour : le moulin de Poyaller (élevage de cerfs et de kangourous) près de Mugron, le bateau *La Hire* à Peyrehorade, le musée de l'Aviation légère de l'Armée de terre et de l'Hélicoptère à Dax, le château et le plantarium de Gaujacq. À l'Est du département : le château de Ravignan à Perquie, l'écomusée de l'Armagnac à Labastide-d'Armagnac, la ganadéria de Buros à Escalans, la Maison de l'estupe huc à Luxey.

Renseignements : ✆ 05 58 97 95 72.

Carte d'hôte

En Aquitaine, c'est dans le **piémont oloronais** (Oloron-Ste-Marie et sa région) que vous pourrez profiter des avantages de la « Carte d'hôte ». Distribuée gratuitement sur votre lieu d'hébergement, elle vous permet de bénéficier de réductions auprès de restaurants, de prestataires de sports et loisirs et dans certains sites touristiques.

Renseignements : office du tourisme d'Oloron-Ste-Marie - ✆ 05 59 39 98 00 - www.ot-oloron-ste-marie.fr ou www.cartedhote.net

Idées week-ends et courts séjours en Gironde

Disponible auprès du comité départemental du tourisme ou des offices du tourisme de la Gironde, la brochure *Idées week-ends et courts séjours en Gironde* répertorie 24 propositions de séjours à thèmes (vin et gastronomie, nature et découverte, littoral) pour profiter au mieux des richesses naturelles et culturelles du département. Du stage de cuisine au circuit cyclo-hippique, certains de ces séjours, organisés par différents prestataires de la région, présentent des tarifs avantageux.
Renseignements : Maison du tourisme de la Gironde *(voir p. 19)*.

Carte N'Py

Les stations de ski de **Gourette** et de **La Pierre-St-Martin**, ainsi que trois stations des Hautes-Pyrénées se sont associées pour proposer à leurs vacanciers une carte leur épargnant l'achat de forfaits séparés, tout en leur proposant des offres avantageuses.
Renseignements : ✆ 0 820 208 707 ou www.n-py.com

LES BONS PLANS

Le temps d'un week-end

À **Bordeaux**, deux formules vous sont proposées par l'office du tourisme de Bordeaux.
« Bordeaux découverte 2 nuits » comprend deux nuits avec petit déjeuner en hôtel 2, 3 ou 4 étoiles, une visite guidée de la ville (2h), une visite guidée du vignoble avec dégustation dans les châteaux viticoles, une carte d'accès gratuit dans les principaux sites, monuments et musées de la ville et une carte de circulation gratuite sur le réseau des transports urbains pour se déplacer.
« Pack Bordeaux une nuit » prévoit une nuit dans un hôtel 1, 2, 3 ou 4 étoiles, une visite guidée de la ville, un verre de bienvenue dans l'un des restaurants partenaires du forfait, un accès gratuit de 24h à certains parkings de la ville et une carte de transport valable une journée.
Dax participe à l'opération « Bon week-end en ville », dont le principe est d'offrir deux nuits d'hôtel pour le prix d'une dans les principaux lieux d'hébergement de la ville, ainsi que de nombreux avantages sur les activités culturelles. L'office du tourisme de Dax vous remettra en outre une pochette contenant plans et guides pour profiter au mieux de la ville lors de votre séjour. 10 % de réduction vous sont réservés sur tous les produits régionaux et l'apéritif vous est offert dans les restaurants gastronomiques.

L'office du tourisme de **Pau** invite à une « Évasion citadine ». Cette escapade de 3 jours comprend 2 nuits avec petit déjeuner dans un hôtel 2 ou 3 étoiles, un dîner gourmand le samedi soir, et une dégustation de jurançon. Pour découvrir la ville pendant la journée, vous sera remis le « Cité Pack » (visite audioguidée du centre historique), 2 entrées de site (château et haras nationaux) et un carnet de visite répertoriant les bonnes adresses, les balades…

Les chèques vacances

Ce sont des titres de paiement permettant d'optimiser le budget vacances/loisirs des salariés grâce à une participation de l'employeur. Les salariés du privé peuvent se les procurer auprès de leur employeur ou de leur comité d'entreprise ; les fonctionnaires auprès des organismes sociaux dont ils dépendent.
On peut les utiliser pour régler toutes les dépenses liées à l'hébergement, à la restauration, aux transports ainsi qu'aux loisirs. Il existe aujourd'hui plus de 135 000 points d'accueil.

La carte famille nombreuse

On se la procure auprès de la SCNF *(voir p. 24)*. Elle ouvre droit, outre les billets de train à prix réduits, à des réductions très diverses auprès des musées nationaux, de certains sites privés, parcs d'attractions, loisirs et équipements sportifs, cinémas et même certaines boutiques. Mieux vaut l'avoir sur soi et demander systématiquement s'il existe un tarif préférentiel famille nombreuse.

À savoir

Si d'aventure vous n'avez pu trouver votre bonheur parmi toutes nos adresses, vous pouvez toujours consulter ces différents sites Internet :
www.partirpascher.com
www.etaphotel.com
www.optile.com
www.budget.fr

NOS CATÉGORIES DE PRIX				
	Se restaurer (prix déjeuner)		**Se loger** (prix de la chambre double)	
	Province	Grandes villes Stations	Province	Grandes villes Stations
🪙	jusqu'à 14 €	jusqu'à 16 €	jusqu'à 40 €	jusqu'à 60 €
🪙🪙	plus de 14 € à 25 €	plus de 16 € à 30 €	plus de 40 € à 65 €	plus de 60 € à 90 €
🪙🪙🪙	plus de 25 € à 40 €	plus de 30 € à 50 €	plus de 65 € à 100 €	plus de 90 € à 130 €
🪙🪙🪙🪙	plus de 40 €	plus de 50 €	plus de 100 €	plus de 130 €

NOS ADRESSES D'HÉBERGEMENT ET DE RESTAURATION

Au fil des pages, vous découvrirez nos **encadrés pratiques**, sur fond vert. Ils présentent une sélection d'établissements dans et à proximité des villes ou des sites touristiques remarquables auxquels ils sont rattachés. Pour repérer facilement ces adresses sur nos plans, nous leur avons attribué des pastilles numérotées.

Nos catégories de prix

Pour vous aider dans votre choix, nous vous communiquons également une **fourchette de prix** : pour l'hébergement, le premier prix correspond au tarif d'une chambre simple et le second au tarif d'une chambre double ; pour la restauration, ces prix indiquent les tarifs minimum et maximum des menus proposés sur place.

Les prix que nous indiquons sont ceux pratiqués en **haute saison** ; hors saison, de nombreux établissements proposent des tarifs plus avantageux, renseignez-vous… Dans chaque encadré, les adresses sont classées en quatre catégories de prix pour répondre à toutes les attentes (voir le tableau).

Petit budget – Choisissez vos adresses parmi celles de la catégorie 🪙 : vous trouverez là des hôtels, des chambres d'hôte simples et conviviales et des tables souvent gourmandes, toujours honnêtes.

Budget moyen – Votre budget est un peu plus large. Piochez vos étapes dans les adresses 🪙🪙. Dans cette catégorie, vous trouverez des maisons, souvent de charme, de meilleur confort et plus agréablement aménagées, animées par des passionnés, ravis de vous faire découvrir leur demeure et leur table. Là encore, chambres et tables d'hôte sont au rendez-vous, avec également des hôtels et des restaurants plus traditionnels, bien sûr.

Budgets confortable et haut de gamme – Vous souhaitez vous faire plaisir, le temps d'un repas ou d'une nuit, vous aimez voyager dans des conditions très confortables ? Les catégories 🪙🪙🪙 et 🪙🪙🪙🪙 sont pour vous… La vie de château dans de luxueuses chambres d'hôte pas si chères que cela ou dans les palaces et les grands hôtels : à vous de choisir ! Vous pouvez aussi profiter des décors de rêve de lieux mythiques à moindres frais, le temps d'un brunch ou d'une tasse de thé… À moins que vous ne préfériez casser votre tirelire pour un repas gastronomique dans un restaurant renommé. Sans oublier que la traditionnelle formule « tenue correcte exigée » est toujours d'actualité dans ces établissements !

Se loger

NOS CRITÈRES DE CHOIX

Les hôtels

Nous vous proposons, dans chaque encadré pratique, un choix très large en terme de confort. La location se fait à la nuit et le petit-déjeuner est facturé en supplément. Certains établissements assurent un service de restauration également accessible à la clientèle extérieure.

Pour un choix plus étoffé et actualisé, **Le Guide Michelin France** recommande hôtels et restaurants sur toute la France. Pour chaque établissement, le niveau de confort et de prix est indiqué, en plus de nombreux renseignements pratiques.

Vue sur les toits de la vieille ville de Bordeaux.

Bruno Kaufmann / MICHELIN

Le symbole « **Bib Gourmand** » sélectionne les tables qui proposent une cuisine soignée à moins de 26 € en province. Le symbole « **Bib Hôtel** » signale des hôtels pratiques et accueillants offrant une prestation de qualité à prix raisonnable.

Les chambres d'hôte

Vous êtes reçu directement par les habitants qui vous ouvrent leur demeure. L'atmosphère est plus conviviale qu'à l'hôtel, et l'envie de communiquer doit être réciproque : misanthropes, s'abstenir ! Les prix, mentionnés à la nuit, incluent le petit-déjeuner. Certains propriétaires proposent aussi une table d'hôte, en général le soir, et toujours réservée aux résidents de la maison. Il est très vivement conseillé de réserver votre étape, en raison du grand succès de ce type d'hébergement.

👁 **Bon à savoir** – Certains établissements ne peuvent pas recevoir vos compagnons à quatre pattes ou les accueillent moyennant un supplément, pensez à le demander lors de votre réservation.

Le camping

Le **Guide Camping Michelin France** propose tous les ans une sélection de terrains visités régulièrement par nos inspecteurs. Renseignements pratiques, niveau de confort, prix, agrément, location de bungalows, de mobile homes ou de chalets y sont mentionnés.

LES BONS PLANS

Les services de réservation
Fédération nationale des services de réservation Loisirs-Accueil – 280 bd St-Germain - 75007 Paris -

☎ 01 44 11 10 44 - www.resinfrance. com ou www.loisirsaccueilfrance.com Elle propose un large choix d'hébergements et d'activités de qualité, édite un annuaire regroupant les coordonnées des 62 services Loisirs-Accueil et, pour tous les départements, une brochure détaillée.

Fédération nationale Clévacances – 54 bd de l'Embouchure - BP 52166 - 31022 Toulouse Cedex - ☎ 05 61 13 55 66 - www.clevacances.com Cette fédération propose près de 23 500 locations de vacances (appartements, chalets, villas, demeures de caractère, pavillons en résidence) et 2 800 chambres dans 22 régions réparties sur 79 départements en France et outre-mer, et publie un catalogue par département (passer commande auprès des représentants départementaux Clévacances).

Résa Landes – Deux formules pour réserver votre séjour dans les Landes par Internet, avec le paiement en ligne sécurisé : sur **www.campinglandes. com**, de nombreuses propositions de chalets et de bungalows dans 20 campings différents ; sur **www. resalandes.com**, des séjours à thème sur le littoral landais.

L'hébergement rural
Fédération des Stations vertes de vacances et Villages de neige – BP 71698 - 21016 Dijon Cedex - ☎ 03 80 54 10 50 - www. stationsvertes.com Situées à la campagne et à la montagne, les 588 Stations vertes sont des destinations de vacances familiales reconnues pour leur qualité de vie

(produits du terroir, loisirs variés, cadre agréable) et pour la qualité de leurs structures d'accueil et d'hébergement.

Bienvenue à la ferme – Le guide *Bienvenue à la ferme*, édité par l'assemblée permanente des chambres d'agriculture (service Agriculture et Tourisme - 9 av. George-V - 75008 Paris - 📞 01 53 57 11 44), est aussi en vente en librairie ou sur **www.bienvenue-a-la-ferme. com**. Il propose par région et par département des fermes-auberges, campings à la ferme, fermes de séjour, mais aussi des loisirs variés : chasse, équitation, approches pédagogiques pour enfants, découverte de la gastronomie des terroirs en ferme-auberge, dégustation et vente de produits de la ferme.

Maison des Gîtes de France et du Tourisme vert – 59 r. St-Lazare - 75439 Paris Cedex 09 - 📞 01 49 70 75 75 - www.gites-de-france.com Cet organisme donne les adresses des relais départementaux et publie des guides sur les différentes possibilités d'hébergement en milieu rural (gîtes ruraux, chambres et tables d'hôte, gîtes d'étape, chambres d'hôte de charme, gîtes de neige, gîtes de pêche, gîtes d'enfants, camping à la ferme, gîtes Panda).

Les gîtes Bacchus – D'abord propres à la Gironde (voir Vignoble de Bordeaux), ces gîtes se sont étendus à toute l'Aquitaine. Ils ont pour vocation de vous accueillir au cœur du vignoble, dans les domaines d'exploitation viticole eux-mêmes. Vous en obtiendrez la liste auprès des comités départementaux de tourisme ou des Gîtes de France.

L'hébergement pour randonneurs

Guide et site Internet – Les randonneurs peuvent consulter le guide *Gîtes d'étapes, refuges,* par A. et S. Mouraret (Rando Éditions La Cadole - 74 r. A.-Perdreaux - 78140 Vélizy - 📞 01 34 65 11 89), et **www.gites-refuges.com**. Cet ouvrage et ce site sont principalement destinés aux amateurs de randonnées, d'alpinisme, d'escalade, de ski, de cyclotourisme et de canoë-kayak.

Label Saint-Jacques – Il concerne les gîtes et chambres d'hôte situés à proximité des chemins de St-Jacques s'étant engagés à valoriser ce thème : mise à disposition de documentation, décoration intérieure, accueil, etc.

Renseignements : Gîtes de France des Pyrénées-Atlantiques - 20 r. Gassion - 64000 Pau - 📞 05 59 22 20 64 - www. gites64.com

Les auberges de jeunesse

Ligue française pour les auberges de la jeunesse – 67 r. Vergniaud - bâtiment K - 75013 Paris - 📞 01 44 16 78 78 - www.auberges-de-jeunesse. com

La **carte LFAJ** est délivrée contre une cotisation annuelle de 10,70 € pour les moins de 26 ans et de 15,25 € au-delà de cet âge.

Vous trouverez une auberge de jeunesse à **Bordeaux**.

POUR DÉPANNER

Les chaînes hôtelières

L'hôtellerie dite « économique » peut éventuellement vous rendre service. Sachez que vous y trouverez un équipement complet (sanitaire privé et télévision), mais un confort très simple. Souvent à proximité de grands axes routiers, ces établissements n'assurent pas de restauration. Toutefois, leurs tarifs restent difficiles à concurrencer (moins de 45 € la chambre double). En dépannage, voici donc les centrales de réservation de quelques chaînes :

Akena – 📞 01 69 84 85 17.
B&B – 📞 0 892 782 929.
Etap Hôtel – 📞 0 892 688 900.
Villages Hôtel – 📞 03 80 60 92 70.

Enfin, les hôtels suivants, un peu plus chers (à partir de 58 € la chambre), offrent un meilleur confort et quelques services complémentaires :

Campanile – 📞 01 64 62 46 46.
Kyriad – 📞 0 825 003 003.
Ibis – 📞 0 825 882 222.

Se restaurer

Les séjours en Aquitaine permettent de marier harmonieusement culture, nature et gastronomie. Car si la région possède un riche patrimoine et des paysages variés (mer, montagne, campagne), c'est aussi le pays du bien-boire et du bien-manger.

Dans le **Bordelais**, les bars à vins permettent de déguster des plats régionaux accompagnés du verre de vin de son choix.

Dans le **bassin d'Arcachon**, savourer des huîtres dans une cabane d'ostréiculteur peut faire l'objet d'un agréable repas.

Dans le **Lot-et-Garonne**, foies gras et confits sont immanquablement proposés en menu ou à la carte.

Terrasse de restaurant à St-Émilion.

Stéphane Sauvignier / MICHELIN

NOS CRITÈRES DE CHOIX

Pour répondre à toutes les envies, nous avons sélectionné des **restaurants** régionaux bien sûr, mais aussi classiques, exotiques ou à thème… Et des lieux plus simples, où vous pourrez grignoter une salade composée, une tarte salée, une pâtisserie ou déguster des produits régionaux sur le pouce. Quelques **fermes-auberges** vous permettront de découvrir les saveurs de la France profonde. Vous y goûterez des produits authentiques provenant de l'exploitation agricole, préparés dans la tradition et généralement servis en menu unique. Le service et l'ambiance sont bon enfant. Réservation obligatoire !

Par ailleurs, si vous souhaitez déguster des spécialités régionales dans une auberge ou mitonner vous-même de bons petits plats avec les produits du terroir, le **Guide Gourmand Michelin Sud-Ouest** vous permettra de trouver les boutiques de bouche reconnues, les adresses des marchés, la liste des spécialités culinaires régionales et leurs recettes, des adresses de restaurants aux menus inférieurs à 28 €.

L'ASSIETTE DE PAYS

Cette formule simple, rapide et de qualité a été créée par la Fédération nationale des pays touristiques. « L'assiette de pays » est un plat unique, salé, sucré ou sucré-salé, accompagné d'un verre de boisson typique et préparé à base de produits du terroir uniquement, le tout à 10-15 € (tarifs conseillés).

Cette formule met en commun le travail des producteurs locaux, signataires de différentes chartes de qualité et travaillant de manière traditionnelle, et celui des cuisiniers et restaurateurs.

Pour reconnaître les restaurateurs participant à l'opération, il suffit de repérer dans la vitrine un petit logo rond comme une assiette, portant l'inscription « **L'assiette de pays** » Vous pouvez également obtenir des guides par région en vous adressant à la fédération régionale : Mopa - Conseil régional d'Aquitaine - 14 r. François-de-Sourdis - 33077 Bordeaux Cedex - ✆ 05 57 57 03 88 - www.assiettedepays.com

LES SITES REMARQUABLES DU GOÛT

Quelques sites de la région (lieux de production, coopératives, foires et marchés ou manifestations), dont la richesse gastronomique s'appuie sur des produits de qualité liés à un environnement culturel intéressant et à une réelle volonté d'accueil touristique, ont été dotés du label « Sites remarquables du goût ».

Il s'agit de **St-Émilion** (Gironde) pour ses vins, du **bassin d'Arcachon** (Gironde) pour sa Route de l'huître, du domaine d'Ognoas à **Arthez-d'Armagnac** (Landes) pour l'eau-de-vie d'Armagnac et de **St-Aubin** (Lot-et-Garonne) pour sa Foire aux pruneaux.

👉 Pour en savoir plus : www.sitesremarquablesdugout.com

LES GRANDS CHEFS

L'Aquitaine est une région gourmande, on ne cesse de vous le répéter. La preuve ? Elle se trouve dans l'assiette de six cuisiniers distingués que nous vous recommandons.

Dans les Landes

Michel Guérard a su faire évoluer sa cuisine au gré du temps et des modes. Tout en étant précurseur de la « cuisine minceur », il a su régaler les palais les plus exigeants dans son restaurant gastronomique avec des recettes dépouillées et pleines de saveurs. *Les Prés d'Eugénie à Eugénie-les-Bains, 05 58 05 06 07.*

Jean Cousseau est le gardien d'une véritable institution et le digne fils de son père Bernard (chef mythique) qui lui a transmis son savoir-faire. Il continue ainsi à proposer à sa clientèle de superbes préparations de cuisine landaise (cèpes, foie gras aux raisins, saumon grillé de l'Adour). En salle, il est épaulé par son frère Jacques, sommelier. *Le Relais de la Poste à Magescq, 05 58 47 70 25.*

Dans le Lot-et-Garonne

Chef autodidacte et atypique, **Michel Trama**, dont le talent s'exprime par une cuisine créative parfaitement maitrisée, est un perfectionniste dans l'âme. Sa philosophie : « ne pas faire comme tout le monde » et sa devise : « faire plaisir à ses clients » l'ont porté sur les sommets de l'art culinaire. *Les Loges de l'Aubergade à Puymirol, 05 53 95 31 46.*

En Gironde

Parisien d'origine alsacienne, **Thierry Marx** est désormais attaché au terroir médocain dont il défend les produits (agneau de Pauillac) pour servir une cuisine créative aux influences parfois asiatiques. Pâtissier de formation, il a fait ses classes de cuisinier chez Alain Chapel puis Taillevent notamment. *Château Cordeillan Bages à Pauillac, 05 56 59 24 24.*

Voici plus de 35 ans que **Jean-Pierre Xiradakis** régale ses inconditionnels d'une cuisine « authentique Sud-Ouest ». La vue des charcuteries, l'odeur des volailles qui rôtissent à la broche, mettent l'eau à la bouche. Superbe carte des vins de Bordeaux. *La Tupina à Bordeaux, 05 56 91 56 37.*

En Béarn

Stéphane Carrade a réussi par le travail accompli dans son restaurant à faire de sa table une adresse incontournable. Il sert une cuisine de terroir mise au goût du jour et constamment renouvelée. *Chez Ruffet à Pau, 05 59 06 25 13.*

LES BONS VINS

Avec ses 140 000 hectares de vignes, l'Aquitaine tout entière est comme un immense vignoble. Du Bordelais au Jurançon, en passant par le Tursan et les Côtes-de-Duras, tous les amateurs de bon vin y trouveront leur bonheur, chacun selon ses goûts.

Consultez la rubrique « Vignoble » dans le chapitre « À faire et à voir » ainsi que « Les vins de Bordeaux » dans la partie « Comprendre la région ».

À FAIRE ET À VOIR

Les activités et loisirs de A à Z

Les **comités départementaux** et **comités régionaux de tourisme** *(voir p. 19)* disposent de nombreuses documentations et répondront à vos demandes d'informations quant aux activités proposées dans leur secteur. Pour trouver d'autres adresses de prestataires, reportez-vous aux rubriques « Visite » et « Sports & Loisirs » dans l'encadré pratique des villes ou sites.

BAIGNADE

Les **plages du littoral** sont en général surveillées durant les mois d'été. Il faut cependant faire attention aux vagues déferlantes du fait de leur puissance et des courants qui entraînent le nageur loin des côtes. Il faut éviter de nager après un repas ou une longue station au soleil ; il ne faut pas sortir de la zone surveillée. En outre, les pavillons hissés chaque jour sur les plages surveillées indiquent si la baignade est dangereuse ou non, l'absence de pavillon signifiant l'absence de surveillance :
Drapeau vert = baignade surveillée sans danger ;
Drapeau jaune = baignade dangereuse mais surveillée ;
Drapeau rouge = baignade interdite.

Si vous préférez des eaux moins tourmentées, **lacs** et **étangs** abondent près du littoral : Hourtin-Carcans, Lacanau, Biscarosse, Aureilhan-Mimizan, Léon, Hossegor. Mais attention, la baignade n'est pas autorisée partout ; renseignez-vous au préalable dans les offices de tourisme.

Plage surveillée sur la côte Atlantique.

Stéphane Sauvignier / MICHELIN

Naturisme

Les plages du littoral aquitain sont également fréquentées par les naturistes qui peuvent séjourner à Grayan-et-l'Hôpital (au Sud de Soulac), Vendays-Montalivet (au Sud de Soulac), Le Porge (entre Lacanau et Arcachon) et Vielle-St-Girons (au Nord de Moliets-Plage) : c'est là que sont installés les plus grands centres naturistes du monde.

Délégation régionale de naturisme d'Aquitaine – Arnaoutchot - 40560 Vielle-St-Girons - ℰ 05 58 49 11 11 - www.arna.com

Le comité régional du tourisme d'Aquitaine propose une brochure *Naturisme*.

CERF-VOLANT

À la fois loisir familial, expression artistique et compétition sportive, la pratique du cerf-volant a acquis depuis une dizaine d'années ses lettres de noblesse en élargissant son domaine d'activité au-delà des plages du littoral atlantique, où on la rencontrait le plus souvent. La **dune du Pilat** en Gironde, **Hossegor** et **Moliets** dans les Landes sont désormais des terrains de prédilection.

👣 Ne manquez pas le festival qui se déroule à **Moliets** *(voir p. 53)* : il rassemble les cerfs-volistes les plus doués et les plus passionnés.

Conseils

Ayant intégré les nouveaux produits de l'industrie chimique, on trouve actuellement une vaste gamme d'appareils volants qui relèguent bien loin le cerf-volant traditionnel. Manipulé par deux poignées et constitué de fibre de verre ou, plus léger mais plus cher, de fibre de carbone, le cerf-volant moderne est pilotable et même parfois doté d'amortisseurs de chute !
La longue pratique des manipulations de base et des connaissances en aérologie ne peuvent s'acquérir que par le passage dans un club ; les offices de tourisme des plages d'Aquitaine signalent l'existence de ces organismes.
Par prudence, gardez à l'esprit qu'un cerf-volant peut atteindre 100 km/h lors d'une chute en piqué ; aussi, prenez soin de vous placer derrière le manipulateur.

Fédération française de vol libre
(deltaplane, parapente et cerf-volant) – 4 r. de Suisse - 06000 Nice - ✆ 04 97 03 82 82 - www.ffvl.fr

CHASSE

Les **Pyrénées** attirent les chasseurs à la recherche de gros gibier. Les amateurs de pièces rares, telles que le lagopède et le coq de bruyère, sont des passionnés qui fréquentent les stations d'altitude.
Dans les **Landes** se pratique principalement la chasse à la palombe, en octobre et en novembre. Certains prestataires organisent des week-ends ou des journées de chasse à la palombe, avec transfert sur les lieux de chasse.

Union nationale des fédérations départementales des chasseurs – 48 r. d'Alésia - 75014 Paris - ✆ 01 43 27 85 76 - www.unfdc.com

COURSE LANDAISE

Elle se pratique notamment à **Dax** (en particulier lors de la feria), **Mont-de-Marsan** et **St-Sever**. La ville de **Pomarez**, quant à elle, avec ses arènes couvertes, son école taurine, ses élevages de vaches landaises est considérée à juste titre comme la « Mecque » de la course landaise.

⏱ Pour en savoir plus, reportez-vous au chapitre consacré à la course landaise dans la partie « Comprendre la région ».

Si vous souhaitez assister à ce spectacle de tauromachie reconnue, qui se caractérise notamment par la non mise à mort de la vache : demandez le calendrier officiel à la Fédération.

Fédération française de la course landaise – 1600 av. du Prés.-Kennedy - 40282 St-Pierre-du-Mont Cedex - ✆ 05 58 46 50 89 - www. courselandaise.org

COURSE À PIED

Le marathon des châteaux du Médoc – Il a lieu début septembre. Ce n'est pas un marathon ordinaire : les concurrents, déguisés, traversent villages et châteaux, se ravitaillant en vin de kilomètre en kilomètre, dans la bonne humeur. Demandez le bulletin d'inscription par courrier dès novembre à l'AMCM – Maison du vin - 33250 Pauillac - ✆ 05 56 59 17 20 - www.marathondumedoc.com

La course pédestre des grands vignobles – Longue de 16 km, elle a lieu le dernier dimanche d'octobre et traverse le prestigieux vignoble de Saint-Émilion, classé au Patrimoine mondial de l'Unesco. Inscriptions à partir de mi-septembre auprès de M. Frustier – secrétariat ASPTT - Cedex 203 - 33500 Libourne - ✆ 05 57 51 12 70.

CYCLOTOURISME

Le cyclotourisme est une activité très pratiquée en **Gironde** (1 100 km de pistes cyclables et 3 000 km de sentiers de randonnée balisés, la plupart praticables à VTT). La brochure *Les pistes cyclables de Gironde*, disponible auprès de la Maison du tourisme de la Gironde et dans tous les offices de tourisme du département, permet de découvrir l'ensemble du littoral, de faire le tour du bassin d'Arcachon, de pénétrer au cœur du Parc naturel régional des Landes, de parcourir l'Entre-Deux-Mers, de Bordeaux à Sauveterre-de-Guyenne, et de faire une incursion en haute Gironde. Pensez aussi à vous procurer la brochure *À vélo* : elle fournit aux cyclotouristes de nombreuses adresses utiles et propose une sélection d'itinéraires attrayants ainsi que quelques formules « clés en main ».

Les forêts des **Landes** sont traversées de pistes cyclables, que se soit sur la côte ou dans le Parc naturel régional des Landes de Gascogne. Le *Plan départemental Randonnées pédestres & VTT*, disponible au comité départemental de tourisme des Landes, donne un aperçu des itinéraires. Des cartes locales sont en vente dans les offices de tourisme.

Dans le **Lot-et-Garonne**, pas de piste cyclable, mais une « véloroute » (itinéraire fléché sur des petites routes) de 80 km qui vous permettra de découvrir la vallée du Lot en toute tranquillité. Plan disponible au comité départemental de tourisme.

Le comité départemental du tourisme **Béarn-Pays Basque** met à disposition un guide « Vélo » regroupant informations et propositions d'itinéraires.

La **montagne pyrénéenne** se prête à des randonnées en VTT. La liste des loueurs de cycles est fournie par les syndicats d'initiative et les offices de tourisme.

Fédération française de cyclotourisme –12 r. Louis-Bertrand - 94207 Ivry-sur-Seine Cedex - ☎ 01 56 20 88 87 - www.ffct.org

ESCALADE

En montagne et en haute montagne, il vaut mieux partir avec un guide de montagne ou un moniteur d'escalade breveté d'État, qui connaît bien le terrain et la pratique de ces sports.

Fédération française de la montagne et de l'escalade – 8-10 quai de la Marne - 75019 Paris - ☎ 01 40 18 75 50 - www.ffme.fr

Consultez également le *Guide des sites naturels d'escalade en France*, par D. Taupin (Éd. Cosiroc/FFME), pour connaître la localisation des sites d'escalade dans la France entière. Des **stages** d'initiation et de perfectionnement sont généralement organisés par divers prestataires.

⚪ Voir l'encadré pratique des vallées d'Ossau et d'Aspe.

GOLF

C'est à **Pau** que le golf apparut en France en 1856. Depuis cette date, il est devenu un sport-roi en Aquitaine, qui compte aujourd'hui une cinquantaine de parcours dans un environnement varié (entre mer et montagne). Pour tous renseignements, contactez la Fédération.

Fédération française de golf – 68 r. Anatole-France - 92309 Levallois-Perret Cedex - ☎ 01 41 49 77 00 et 0 892 691 818 - 3615 ffgolf - www. ffgolf.org

⚪ Reportez-vous à notre sélection dans les encadrés pratiques des villes :

Golf de Pessac – *Voir Bordeaux.*

Golf des Graves et du Sauternais – *Voir Saint-Macaire.*

Golf du Médoc – *Voir Vignoble de Bordeaux.*

Golf-hôtel de Lacanau – *Voir Lacanau.*

Golf de Biscarrosse – *Voir Biscarosse.*

Golf-hôtel de Seignosse – *Voir Hossegor.*

Pau Golf Club – *Voir Pau.*

Bon plan

Le **Golf Pass Bordeaux Gironde** (6 golfs) donne droit à 4 green fees pour 140 € (nov.-mars) ou 164 € (avr.-oct.). Renseignements au comité régional du tourisme d'Aquitaine.

KAYAK DE MER

Cette discipline utilise le même équipement que le kayak, mais avec des embarcations plus longues et plus étroites. C'est idéal pour visiter la côte, parfois inaccessible à pied.

Recommandations

Il est interdit de s'éloigner de plus d'un mille (1 852 m) de la côte et il est préférable d'avoir de solides notions du milieu marin. Les premières sorties se font accompagnées de navigateurs expérimentés.
Le kayak de mer est possible dans le **bassin d'Arcachon**, à condition de ne pas chercher à franchir les passes pour gagner l'Océan.

NAVIGATION DE PLAISANCE

De l'embouchure de la Gironde à celle de la Bidassoa, de nombreux ports de plaisance peuvent accueillir les bateaux. Renseignements auprès des capitaineries des ports.

Arcachon – ☎ 05 56 22 36 75 - www. port-arcachon.com.

Bordeaux – ☎ 05 56 52 51 04.

Pauillac – ☎ 05 56 59 12 16 - www. pauillac-medoc.com

Capbreton – ☎ 05 58 72 21 23 - www. port-capbreton.com

À savoir

Le permis de naviguer peut être obtenu dès 16 ans ; il est obligatoire pour piloter un navire à moteur à partir de 6 CV.
Tout bon navigateur se renseignera avant de prendre la mer sur les conditions météorologiques et l'heure des marées.
La vitesse est limitée à 5 nœuds à moins de 300 m du littoral.

Antonin Thuillier / MICHELIN

Ça swing en Aquitaine !

Partie de pêche en mer au Cap-Ferret.

PÊCHE

Pêche en eau douce

Les Pyrénées et l'Aquitaine offrent aux pêcheurs un grand choix de rivières, lacs et étangs. Généralement, le cours des rivières est classé en 1re catégorie (salmonidés dominants comme la truite, l'ombre ou l'omble chevalier) ou en 2e catégorie (cyprinidés dominants comme la carpe, la brème ou l'ablette et carnassiers comme le brochet, le sandre et le black-bass).

Le **Parc national des Pyrénées** est particulièrement réputé avec ses quelque 230 lacs, alevinés de salmonidés, et ses gaves.

Bon à savoir – Quel que soit l'endroit choisi, il convient d'observer la réglementation en vigueur et d'être affilié à une association de pêche et de pisciculture agréée.

Pour repérer au mieux votre lieu de pêche en **Béarn**, vous pouvez vous procurer la carte halieutique *Truites et saumons en Béarn et Pays basque* auprès des offices du tourisme de **Sauveterre-de-Béarn** ou de la **vallée d'Aspe**. Ces derniers vous orienteront vers des hébergements spécialement destinés à recevoir un public de pêcheurs, vous conseilleront sur les meilleurs coins et vous proposeront même des formules de séjours « clés en main » pour pratiquer votre sport favori.

Il existe des **stages d'initiation** à la pêche au toc ou à la mouche qui sont proposés par des guides de pêche.

Voir l'encadré pratique d'Oloron-Sainte-Marie.

Conseil supérieur de la pêche – 16 av. Louison-Bobet - 94132 Fontenay-sous-Bois Cedex - 01 45 14 36 00.

Club halieutique – Vous trouverez de nombreux renseignements sur le site du club halieutique : **www.club-halieutique.com**

Pêche en mer

L'amateur de pêche en eau salée peut exercer son sport favori à pied, en bateau ou en plongée dans l'enclave du **bassin d'Arcachon** ou sur les **côtes landaises**. Des sorties de pêche en mer sont organisées à la belle saison : pêche à la ligne, à la traîne, au « gros » (thon), pour une demi-journée ou à la journée entière en fonction du temps, du nombre de participants et du poisson à prendre. Le matériel est toujours fourni par l'équipage du bateau. Il est conseillé de s'inscrire à l'avance.

Fédération française des pêcheurs en mer – Résidence Alliance, centre Jorlis - 64600 Anglet - 05 59 31 00 73 - www.ffpm.org

PELOTE BASQUE

Chaque village du **Béarn** et des **Landes** du Sud *(voir l'encadré pratique de Pau, Dax, Hossegor)* possède son fronton ou son trinquet où des parties de pelote ont lieu régulièrement.

En outre, ce sport s'est fortement développé en **Gironde** *(voir l'encadré pratique d'Arcachon)* et dans le Lot-et-Garonne au point de devenir un véritable sport régional reconnu par le ministère de la Jeunesse et des Sports. Vous pouvez tout aussi bien vous y initier ou encourager les bons joueurs. En **été**, vous assisterez facilement à un match.

Fédération française de pelote basque – 60 av. Dubrocq - BP 816 - 64108 Bayonne Cedex - 05 59 59 22 34 - www.ffpb.net

Pour en savoir plus sur les règles et les traditions de ce sport, reportez-vous à la partie « Comprendre la région ».

PROMENADES EN BATEAU

Sur les fleuves et les rivières, sur les canaux et les courants, la promenade en bateau constitue une agréable activité permettant de découvrir les paysages le long des berges : sur l'Adour (de Bayonne à Dax) ; les Gaves Réunis (de Peyrehorade au Bec du Gave) et le Luy (de Oeyreluy à Tercis-les-Bains) ; sur la Baïse (de St-Léger à Moncrabeau) ; sur le Lot (de Nicole à Lustrac) ; sur la Garonne et le canal

Tourisme fluvial sur la Baïse.

Alain Cassaigne / MICHELIN

latéral de Garonne (de Meilhan-sur-Garonne à St-Romain-le-Noble) ; sur l'estuaire de la Gironde (de Bourg à la pointe de Grave) ; sur les courants d'Huchet et de Léon (Landes) ; sur la Douze et la Midouze (Landes) ; sur l'Isle (au départ de Libourne) ; sur la Dordogne (au départ de Ste-Foy-la-Grande) ; vous pouvez également explorer le bassin d'Arcachon.

Croisières accompagnées

Ces croisières durent quelques heures ou une journée. Un forfait avec déjeuner ou dîner est parfois proposé.

♿ Reportez-vous à notre sélection dans les encadrés pratiques des villes :

Arcachon Croisière Océan – Promenades et pêche au large du littoral arcachonnais. *Voir Arcachon.*

Union des bateliers arcachonnais – Promenades en pinasse sur le bassin. *Voir Bassin d'Arcachon.*

Bateau-croisière Aliénor – Minicroisières dans l'estuaire de la Gironde, à la découverte du Bordelais. *Voir Bordeaux.*

Bateau-promenade l'Escapade – Croisière sur le canal des Deux-Mers. *Voir Vignoble de Bordeaux.*

Gabare « Deux frères » – Croisières sur l'estuaire de la Gironde. *Voir Bourg.*

Bateau-promenade – Promenades commentées sur la Dordogne, avec arrêt possible au musée de la Batellerie. *Voir Duras.*

Bateau Fleur de l'Isle – Promenades sur l'Isle avec passage d'écluses. *Voir Libourne.*

Gabare Val de Garonne – Croisières sur le canal latéral à la Garonne. *Voir Marmande.*

Les Croisières du Prince Henry – Croisières en gabare sur la Baïse. *Voir Nérac.*

Vedette La Bohème II – Excursion en mer depuis la pointe de Grave. *Voir Soulac.*

Bateau L'Épervier – Location de petits bateaux sans permis. *Voir Villeneuve-sur-Lot.*

Location de bateau habitable

Aménagé en général pour deux à douze personnes, le bateau habitable permet une approche insolite des sites parcourus sur le canal latéral de Garonne, sur le cours inférieur du Lot et sur la Baïse. Diverses formules existent : à la journée, au week-end ou à la semaine.

Voici les coordonnées de loueurs présents sur ces trois axes fluviaux.

Aquitaine Navigation – Port de Buzet-Val d'Albret - 47160 Buzet-sur-Baïse - ✆ 05 53 84 72 50 - www.aquitaine-navigation.com.

Crown Blue Line – 44 l'Écluse - 47430 Le Mas-d'Agenais - ✆ 05 53 89 50 80.

Connoisseur Cruisers – Port Lalande - rte de Fongrave - 47260 Castelmoron-sur-Lot - ✆ 05 53 79 58 17.

Locaboat Plaisance – Quai de Dunkerque - 47000 Agen - ✆ 05 53 66 00 74 - centrale de réservation - ✆ 03 86 91 72 72 - www.locaboat.com

Nautic Aquitaine – Bassin du canal - 47160 Damazan - ✆ 05 53 79 59 39.

Avant de partir

Il est conseillé de se procurer les cartes nautiques et cartes-guides.

Éditions Grafocarte-Navicarte –125 r. Jean-Jacques-Rousseau - BP 40 - 92132 Issy-les-Moulineaux Cedex - ✆ 01 41 09 19 00.

Éditions du Plaisancier – 43 porte du Grand-Lyon - 01700 Neyron - ✆ 04 72 01 58 68.

Le comité départemental du tourisme de la **Gironde** met à votre disposition *Les Chemins de l'eau*, document détaillé sur le tourisme fluvial girondin. De même le comité départemental du tourisme du **Lot-et-Garonne** propose une plaquette *Au fil de l'eau*.

RANDONNÉE ÉQUESTRE

La randonnée équestre est une activité en plein développement. Il existe des itinéraires balisés dans toute la région, à travers la forêt, la campagne ou la montagne.

Le comité régional du tourisme d'**Aquitaine** édite la brochure *À Cheval* : pour chaque centre, club ou ferme équestre,

a. ❌❌ *Restaurant de bon confort*

b. ✿ *Une très bonne table dans sa catégorie*

c. 🙂 *Repas soignés à prix modérés*

Vous ne savez pas quelle case cocher ?

Alors plongez-vous dans la collection Le Guide Michelin !

- une collection de 12 destinations
- 20 000 restaurants sélectionnés en Europe
- 1 600 plans de ville
- les meilleures adresses à tous les prix

Guides Michelin, le plaisir du voyage.

MICHELIN
Une meilleure façon d'avancer

cette brochure propose des idées de séjours et de randonnées de 1 à 7 jours et toutes les coordonnées utiles.

Comité national de tourisme équestre – 9 bd Macdonald - 75019 Paris - ☏ 01 53 26 15 50 - cnte@ffe.com

Le comité édite une brochure annuelle, *Cheval nature, l'officiel du tourisme équestre*, répertoriant les possibilités en équitation de loisir et les hébergements accueillant cavaliers et chevaux.

Comité départemental du tourisme équestre de Gironde – Maison des sports de la Gironde - 153 r. David-Johnston - BP 279 - 33000 Bordeaux - ☏ 05 56 00 99 28.

Comité départemental du tourisme équestre des Landes – Chambre d'agriculture - SUA Tourisme - Cité Galianne - BP 279 - 40005 Mont-de-Marsan - ☏ 05 58 85 44 43.

RANDONNÉE PÉDESTRE

Idéale pour découvrir en toute tranquillité les paysages, la randonnée pédestre s'adresse à tout le monde. La **Fédération française de randonnée pédestre** a mis en place trois sortes de sentiers balisés : les **GR** (sentiers de grande randonnée), les **GRP** (sentiers de grande randonnée de pays) et les **PR** (sentiers de promenade et randonnée). Les GR et les GRP s'adressent aux marcheurs avertis, sur plusieurs centaines de kilomètres pour les GR, limités à une seule région pour les GRP. Les PR sont plus accessibles car faciles, courts et n'exigent pas une préparation spécifique.

Les « GR »

Le **GR 6** relie St-Macaire et Montbazillac et sa variante, le **GR 636**, traverse le Lot-et-Garonne par Monflanquin ; le **GR 8** parcourt la Côte d'Argent et se prolonge dans le Pays basque, de Lacanau à Sare.

Le **GR 10** traverse les Pyrénées d'Ouest en Est, franchissant plusieurs cols de plus de 2 000 m d'altitude. Il s'adresse aux randonneurs bien entraînés, habitués à marcher en terrain varié.

Fédération française de la randonnée pédestre – 14 r. Riquet, 75019 Paris - ☏ 01 44 89 93 93. www.ffrp.asso.fr

La Fédération donne le tracé détaillé des GR, GRP et PR ainsi que d'utiles conseils. Vous pouvez également acheter les topoguides sur le site Internet.

Conseils

Pour partir en randonnée dans les meilleures conditions possibles, il faut tout d'abord se renseigner sur la **météo** (les conditions météorologiques sont fournies dans la plupart des offices de tourisme). Si le temps se dégrade trop, n'hésitez pas à abandonner et à rebrousser chemin.

Mieux vaut être un peu entraîné avant de s'engager sur un sentier (ne surestimez pas votre endurance), d'autant plus si le parcours se fait en haute montagne. La randonnée n'est pas une course contre la montre : marcher à son rythme et profiter du paysage rendront la marche plus agréable.

Dans tous les cas, il ne faut jamais partir seul. Il est recommandé de préparer avec soin son itinéraire et d'en faire part à quelqu'un avant de partir.

Quelle que soit la durée ou la difficulté du parcours, en particulier en montagne, l'**équipement** sera composé :
- de bonnes chaussures de marche (indispensables),
- d'une carte au 1/25 000 ou au 1/50 000,
- d'un à deux litres d'eau par personne,
- de denrées énergétiques,
- d'un vêtement imperméable, d'un pull-over, de lunettes de soleil,
- de crème solaire et d'une pharmacie légère.

Emportez des sacs en plastique pour **stocker les détritus** ; il est interdit de les laisser dans les refuges.

Respectez la nature est une des premières règles à suivre lorsqu'on se promène : ne pas cueillir les plantes, ne pas effrayer les animaux.

Centre d'information montagne et sentiers (CIMES-Pyrénées) – 4 r. Maye-Lane - 65420 Ibos - ☏ 05 62 90 09 90.

Publication et diffusion d'ouvrages, de guides de randonnée et de cartes au 1/50 000 sur la chaîne des Pyrénées.

Autres itinéraires

Les comités régionaux et départementaux de tourisme, les syndicats d'initiative et les offices de tourisme éditent leurs propres parcours, faisant découvrir les paysages spécifiques à leurs régions ou pays, le patrimoine culturel et naturel qui s'y rattache. Des brochures sont disponibles gratuitement auprès de ces organismes.

Comité départemental de la randonnée pédestre de Gironde – Maison des sports - 153 r. David-Johnston - 33000 Bordeaux - ☏ 05 56 00 99 26.

Comité départemental de la randonnée pédestre des Landes – Mairie - 40180 Narosse - ☎ 05 58 90 12 84 - www.cdrp40.asso.fr

Comité départemental de la randonnée pédestre du Lot-et-Garonne – 271 r. de Péchabout - BP 30158 - 47005 Agen Cedex - ☎ 05 53 48 03 41 - www.sentier47.com

Comité départemental de la randonnée pédestre des Pyrénées-Atlantiques – Ancienne mairie - 64370 Arthez-de-Béarn - ☎ 05 59 67 43 46 - www.cdrp64.asso.fr

Randonnées accompagnées

Elles peuvent être intéressantes pour la découverte de la faune et de la flore et pour les parcours en montagne, nécessitant une certaine expérience du terrain.

Chamina Sylva – Naussac - BP 5 - 48300 Langogne - ☎ 04 66 69 00 44 - www.chamina-sylva.com Circuits de randonnée avec ou sans accompagnateur en Pays basque et Béarn.

La Balaguère – 65400 Arrens-Marsous - ☎ 05 62 97 20 21 - www.balaguere.com « Voyages à pied » dans les Pyrénées ou à l'étranger, libres ou accompagnés, avec ou sans portage, parfois sur des thèmes (histoire, santé, musique) et pour tous niveaux.

Les chemins de Saint-Jacques-de-Compostelle

Il existe **quatre itinéraires** principaux et historiques (ceux qu'empruntèrent les pèlerins depuis le Moyen Âge) partant de quatre points différents et aboutissant tous à Ostabat (sauf la route d'Arles qui passe par le col du Somport) ; après Ostabat, un chemin commun, le Camino Francés, conduit à Puente-la-Reina (Espagne) où il rejoint le chemin d'Arles pour finir à St-Jacques-de-Compostelle :

- **Via Turonensis**, ou chemin de Tours, *via* Poitiers, Aulnay, Saintes, Blaye, Bordeaux et Dax ;

- **Via Lemovicensis**, ou chemin de Vézelay, *via* Bourges, Neuvy-St-Sépulchre, St-Léonard-de-Noblat, La Coquille, Périgueux, Ste-Foy-la-Grande, Bazas, St-Sever et Orthez ;

- **Via Tolosane**, ou chemin d'Arles, *via* Montpellier, St-Guilhem-le-Désert, Castres, Toulouse, Auch, Oloron-Ste-Marie, le col du Somport ;

- **Via Podiensis**, ou chemin du Puy-en-Velay, *via* Saugues, Aubrac, Conques, Cahors, Moissac, Lectoure, Aire-sur-l'Adour et St-Jean-Pied-de-Port.

Ces quatre chemins font étape dans les lieux de pèlerinage traditionnels mais permettent également de redécouvrir hôpitaux, ponts et croix de chemin qui servaient autrefois aux pèlerins. Ils ont été classés en 1998 au **Patrimoine mondial de l'Unesco**. Bénéficient de ce classement un certain nombre de monuments décrits dans ce guide : l'ancienne cathédrale de Bazas, les basiliques St-Seurin et St-Michel ainsi que la cathédrale St-André à Bordeaux, l'abbaye et l'église St-Pierre de la Sauve-Majeur, l'église N.-D.-de-la-Fin-des-Terres à Soulac, l'église Ste-Quitterie d'Aire-sur-l'Adour, le clocher de Mimizan, les abbayes de Sorde-l'Abbaye et de St-Sever, les cathédrales St-Caprais d'Agen.

La Fédération française de randonnée pédestre a balisé le chemin du Puy : il s'agit du **GR 65**, dit « sentier de St-Jacques », et de sa variante, le **GR 653**, qui passe à Pau, reliant le col du Somport à Auch et Toulouse (Midi-Pyrénées). Les autres chemins étant partiellement balisés, mieux vaut se procurer un bon guide ou suivre un « pèlerinage organisé ».

Compostelle 2000 – 26 r. de Sévigné - 75004 Paris - ☎ 01 43 20 71 66 - www.compostelle2000.com Cette association vous aide à préparer votre itinéraire (conseils, renseignements, hébergement, restauration…).

La Balaguère et **Chamina Sylva** – Ces deux spécialistes de la randonnée proposent des circuits accompagnés sur les chemins de St-Jacques *(voir leurs coordonnées ci-avant)*.

Le comité départemental du tourisme d'**Aquitaine** édite une brochure *Chemins de St-Jacques-de-Compostelle*. Le comité départemental du tourisme du **Béarn** propose un *Guide de découverte* consacré aux chemins de Saint-Jacques-de-Compostelle dans le Béarn et le Pays basque.

ROUTES HISTORIQUES

Pour découvrir le patrimoine architectural local, la **Fédération nationale des routes historiques** (www.routes-historiques.com) a élaboré 21 itinéraires à thème. Tracés et dépliants sont disponibles auprès des offices de tourisme ou à

Halte sur le chemin de St-Jacques.

La **Demeure historique** – Hôtel de Nesmond - 57 quai de la Tournelle - 75005 Paris - 📞 01 55 42 60 00. www. demeure-historique.org

Des châteaux et cités au cœur d'Aquitaine – Ce circuit prestigieux fait halte dans le Petit Hôtel Labottière, le domaine de Malagar, dans les châteaux de Vayres, Le Bouilh, La Louvière, Mongenan, Langoiran, Malle, Roquetaillade, Villandraut, Cazeneuve et Duras, dans la collégiale d'Uzeste ainsi que dans les villes de Bazas, La Réole et St-Macaire. Dépliant et informations au château de Mongenan - 33640 Portets - 📞 05 56 25 48 16.

Sur les pas des seigneurs du Béarn et du Pays basque – Cette route fait étape dans quelques-unes des plus belles demeures du Béarn et du Pays basque, témoins de l'histoire de l'Aquitaine, du 12ᵉ au 18ᵉ s. : châteaux d'Urtubie, d'Antoine Abbadie (à Hendaye), de Mongaston, d'Andurain, de Laàs, de Morlanne, de Momas, de Mascaraàs, de Montaner, d'Etchaux, de Trois-Villes, de Camou et d'Iholdy ; villes de Sauveterre, Navarrenx, Oloron-Ste-Marie, Salies-de-Béarn, Orthez, Lescar ; enfin, maisons Louis-XIV et de l'Infante à St-Jean-de-Luz, villa Leïhorra à Ciboure, maison Carrée à Nay et Arnaga à Combo. Renseignements au château d'Urtubie - 64122 Urrugne - 📞 05 59 54 31 15 - www.châteauxcountry.com

ROUTES THÉMATIQUES

Circuits des bastides – Découvrir, le long des routes et des chemins, foies gras et bastides, artisanat d'art et châteaux. Cinq circuits thématiques sont proposés par les offices de tourisme du haut Agenais : « Sur les chemins de l'art », « Il était une fois le patrimoine », « Route des bastides et cités médiévales », « Escapade des saveurs gourmandes », « Trois petits tours dans les musées et châteaux ». Renseignements à Villeréal - 📞 05 53 36 09 65.

La Route des bastides 64 – Les Pyrénées-Atlantiques comptent 13 bastides que vous pourrez découvrir en vous procurant la plaquette *Bastides du Béarn et du Pays basque*.

Itinéraire Francis Jammes – Il permet de retrouver les lieux que le poète fréquenta en Béarn et au Pays basque. Renseignements à l'Association Francis Jammes - maison Chrestia - av. Francis-Jammes - 64300 Orthez - 📞 05 59 69 11 24 - www.francis-jammes.com

Itinéraires des Plantagenêts – 11 itinéraires sillonnent l'Ouest de la France, qui fut marqué par la grande dynastie des Plantagenêts. Dans ce guide est situé l'itinéraire passant par La Sauve-Majeure, Blaye, St-Émilion, Bazas, Dax et Bayonne. Renseignements à la Société historique des Plantagenêts - Archives nationales - 60 r. des Francs-Bourgeois - 75003 Paris - 📞 01 44 78 99 28.

Route de l'huître – Elle rassemble tous les acteurs désireux de faire partager leur passion et leur connaissance du monde ostréicole et plus généralement du patrimoine maritime du bassin d'Arcachon. Ceux qui la suivent pourront rencontrer des ostréiculteurs, assister à une visite guidée sur un port, embarquer le temps d'une marée sur un bateau d'ostréiculteur, découvrir le kayak de mer et bien sûr déguster les huîtres qui font la renommée du bassin d'Arcachon. Renseignements auprès des offices de tourisme d'Andernos, d'Arcachon, d'Arès, d'Audenge, de Cazaux, de Gujan-Mestras, de Lanton, de La Teste-de-Buch, de Lège-Cap-Ferret, du Teich, du Pyla ou encore à la Maison de la nature au Teich et du comité départemental du tourisme de la Gironde.

♿ Retrouvez également toutes les informations sur www.route-huitre-bassin-arcachon.com

Itinéraires dans les vignobles – *Voir p. 46.*

RUGBY

D'**octobre à mai**, chaque rencontre dominicale prend l'allure d'une épopée, souvent contée avec beaucoup d'esprit. L'équipe locale est l'objet de toutes les attentions et les discussions, sans cesse avivées par la subtilité des règles du jeu et les décisions de l'arbitre, n'en finissent pas.

En dehors des grands matches nationaux et internationaux, vous pourrez vous procurer le calendrier des matches d'amateurs auprès des offices de tourisme et aux adresses suivantes.

Fédération française de rugby – 9 r. de Liège - 75431 Paris Cedex 09 - ☎ 01 53 21 15 39 - www.ffr.fr

Section paloise de rugby – Stade du Hameau - bd de l'Aviation - 64000 Pau - ☎ 05 59 02 47 74 - sectionpaloise.asso@wanadoo.fr

Comité du Béarn rugby – 27 av. de l'Europe - 64000 Pau - ☎ 05 59 02 78 03.

Comité de rugby de la Côte basque-Landes – Résidence Soult, av. du Mar.-Soult - 64100 Bayonne - ☎ 05 59 63 36 57.

SKI

L'équipement performant de certaines stations pyrénéennes les rend tout à fait comparables à leurs sœurs alpines. À **Arette-Pierre-St-Martin** *(voir ce nom)*, **Gourette** *(voir vallée d'Ossau)*, on peut s'adonner à différents types de glisse moderne. On pratique plus spécialement le ski de fond dans les stations d'**Issarbe** *(voir Arette-Pierre-St-Martin)* et **Somport-Candanchu** *(voir vallée d'Ossau)*.

 Pour plus d'informations sur ces 4 stations de sports d'hiver consultez les sites Internet **www.pyrenees-online.fr** ou **www.lespyrenees.net**

SPORTS D'EAUX VIVES

La **Garonne**, l'**Eyre**, l'**Adour**, et les nombreux gaves et nives pyrénéens se prêtent à la pratique des sports d'eaux vives. Plusieurs bases nautiques permettent de découvrir les divers aspects de ces activités à travers des animations de groupe, des cours particuliers, des stages ou des séjours « découverte » sur plusieurs sites et avec plusieurs sports d'eaux vives. Le plus souvent, le matériel, les assurances et l'accompagnement sont compris dans le tarif.

Dans les régions montagneuses, il est conseillé, en été, de sortir l'après-midi en raison du débit d'eau qui s'accroît suite à la fonte des neiges d'altitude.

Canoë-kayak

Le **canoë**, d'origine canadienne, se manie avec une pagaie simple. C'est l'embarcation pour la promenade fluviale en famille, à la journée, en rayonnant au départ d'une base ou en randonnée pour la découverte d'une vallée à son rythme. Le **kayak**, d'origine esquimaude, est utilisé assis et se déplace avec une pagaie double. Les lacs et les parties basses des cours d'eau offrent un vaste choix.

Fédération française de canoë-kayak – 87 quai de la Marne - BP 58 - 94344 Joinville-le-Pont - ☎ 01 45 11 08 50 - www.ffcanoe.asso.fr

La Fédération édite, avec le concours de l'IGN, une carte, *France canoë-kayak et sports d'eaux vives*, avec tous les cours d'eau praticables.

Canyoning

La technique du canyoning emprunte à la fois à la spéléologie, à la plongée et à l'escalade. Il s'agit de descendre, en rappel ou en saut, le lit des torrents dont on suit le cours au fil des gorges étroites et des cascades. Deux techniques de déplacement sont particulièrement utilisées : le toboggan (allongé sur le dos, bras croisés), pour glisser sur les dalles lisses, et le saut (hauteur moyenne de 5 à 10 m), plus délicat, où l'élan du départ conditionne la bonne réception dans la vasque. Il est impératif

---

La sécurité en montagne

La montagne a ses **dangers**, redoutables pour le néophyte, toujours présents à l'esprit de ses fervents les plus expérimentés. Avalanches, « dévissages », chutes de pierres, mauvais temps, brouillard, traîtrises du sol et de la neige, eau glaciale des lacs d'altitude ou des torrents, désorientation, appréciation défectueuse des distances peuvent surprendre l'alpiniste, le skieur, voire le simple promeneur.

Les évolutions des skieurs et randonneurs sur les magnifiques espaces de neige ne doivent pas faire oublier les dangers toujours présents d'**avalanches**, naturelles ou déclenchées par le déplacement du skieur. Les bulletins neige et avalanche (BNA), affichés dans chaque section et lieux de randonnée, avertissent des risques et doivent être impérativement consultés avant tout projet de sortie.

On peut également connaître ces risques sur le répondeur téléphonique de **Météo France** : ☎ 32504 ou sur Internet **www.meteo.fr**

d'effectuer un sondage de l'état et de la profondeur de la vasque avant de sauter. L'initiation débute par des parcours n'excédant pas 2 km, avec un encadrement de moniteurs brevetés. Ensuite, il demeure indispensable d'effectuer des sorties avec un moniteur sachant « lire » le cours d'eau emprunté et connaissant les particularités de la météo locale.

Hydrospeed

L'hydrospeed, ou nage en eaux vives, consiste à descendre un torrent, le buste appuyé sur un flotteur caréné très résistant. Il exige une bonne condition physique ainsi que la maîtrise de la nage avec palmes. Le sportif doit porter un casque et une combinaison, qui sont fournis par le prestataire.

Rafting

C'est le plus accessible des sports d'eaux vives. Il s'agit de descendre le cours des rivières à fort débit dans des radeaux pneumatiques à six ou huit places maniés à la pagaie et dirigés par un moniteur-barreur installé à l'arrière. L'équipement isotherme et antichoc est fourni par le prestataire.

AN Tour – 144 r. de Rivoli - 75001 Paris - ✆ 01 42 96 63 63.

STAGES DE CUISINE

Afin de déguster toute l'année de bons plats du Sud Ouest, rien de mieux que de se mettre à la cuisine aquitaine. Pas de panique, des cuisiniers sont là pour vous l'apprendre.

Dans les Landes

Office du tourisme d'Hagetmau – 40700 Hagetmau - ✆ 05 58 79 38 26. Le bon achat du foie, la découpe du canard, la préparation des magrets, foies gras et cous farcis, autant de choses que l'on découvre durant un stage d'initiation à la cuisine des foies et confits de canard dans une ferme de Chalosse - durée 3 jours (oct.-mars).

Cuisiner à la ferme – Service réservation accueil Landes - ✆ 05 58 85 44 44 - resa40@landes.chambagri. fr.
Initiation à la préparation du canard gras par un producteur adhérent au label « Bienvenue à la ferme », avec un hébergement sur place.

Dans le Lot-et-Garonne

L'Atelier des Sens – Restaurant Les Loges de l'Aubergade - 52 r. Royale - 47270 Puymirol - ✆ 05 53 95 31 46.

Stages en cuisine ponctués de dégustations, de visites de producteurs de produits du terroir et de discussions autour d'un thème (art de la table, par exemple).

Cuisine d'antan en Lot-et-Garonne – Aline de Bortoli - Touille - 47270 Saint-Urcisse - ✆ 05 53 87 42 08 - cuisine.d.antan@planetis.com Stages de deux journées complètes pour 5 à 10 personnes pour apprendre à préparer oies et canards gras, garbures et desserts locaux.

Dans le Béarn

Destination Béarn des Gaves – R. des Bains - 64270 Salies-de-Béarn - ✆ 05 59 65 03 06 ou 05 59 38 00 33. En automne, hiver et au printemps, on apprend à préparer le canard gras au sel de Salies, tout en dégustant les produits locaux et en visitant la région.

Hôtel de la Reine Jeanne – 44 r. du Bourg-Vieux - 64300 Orthez - ✆ 05 59 67 00 76 ou 05 59 65 03 06.
Un stage d'initiation à la cuisine traditionnelle à la ferme est organisé de mi-oct. à fin avr.

Petit vocabulaire du surf

Le *spot* indique l'endroit propice à la pratique du surf, appréciable selon la houle *(swell)*.
Le *take-off* (départ) s'effectue au *peak*, au sommet de la vague.
Le *tube* désigne le cylindre formé par la vague, dans lequel le surfeur vient se glisser.
Le *roller* est le virage à négocier en haut de la vague.
Le *off-shore* est le vent d'Est qui fait se redresser les vagues.

SURF

Les plages des **côtes landaises**, avec les impressionnants rouleaux du golfe de Gascogne, constituent un paradis pour les adeptes du surf et du *bodyboard*. À condition de savoir nager et de ne pas avoir peur de mettre la tête sous l'eau, tout le monde peut s'adonner à ce sport.
Les meilleurs spots se trouvent à Lacanau-Océan, Le Porge-Océan, Arcachon (plage des Arbousiers), Mimizan, Seignosse-Le Penon, Hossegor, Capbreton.
La Ligue d'Aquitaine de surf (www. surfinaquitaine.com) édite un guide régional *Surfer en Aquitaine*.

Votre meilleur souvenir de voyage

Avant de partir en vacances, en week-end ou en déplacement professionnel, préparez votre itinéraire détaillé sur www.ViaMichelin.com. Vous pouvez comparer les parcours proposés, sélectionner vos étapes gourmandes, afficher les cartes et les plans de ville le long de votre trajet. Complément idéal des cartes et guides MICHELIN, ViaMichelin vous accompagne également tout au long de votre voyage en France et en Europe : solutions de navigation routière par GPS, guides MICHELIN pour PDA, services sur téléphone mobile,...

Pour découvrir tous les produits et services :

www.viamichelin.com

Pour obtenir les adresses des clubs et écoles labellisés, contactez la Fédération.

Fédération française de surf – 30 imp. de la Digue-Nord - BP 28 - 40150 Hossegor - ℘ 05 58 43 55 88 - www.surfingfrance.com

THALASSOTHÉRAPIE

À la différence du thermalisme *(voir ci-après)*, la thalassothérapie n'est pas considérée comme un soin médical (le séjour n'est d'ailleurs pas remboursé par la Sécurité sociale), même si le patient a la possibilité d'être suivi par un médecin. L'eau de mer possède certaines propriétés qui sont surtout utilisées pour des **stages de remise en forme**, de beauté, des séjours pour futures ou jeunes mamans, des forfaits spécial dos, antistress et antitabac.

Les côtes d'Aquitaine sont célèbres pour leurs centres de thalassothérapie, proposant des séjours d'une semaine ainsi que des séjours week-ends, avec ou sans logement. C'est le cas de **Thalazur Arcachon** *(voir l'encadré pratique d'Arcachon)*.

THERMALISME

L'abondance des sources minérales et thermales depuis la rive Sud de l'Adour dans les Landes jusqu'aux Pyrénées a fait la renommée de la région dès l'Antiquité. Les eaux pyrénéennes, appartenant à deux grandes catégories : les sources sulfurées et les sources salées, offrent un large éventail de **propriétés thérapeutiques**. Le thermalisme fut remis au goût du jour dès la fin du 18e s. et en particulier au milieu du 19e s., grâce à l'amélioration des transports et à la création par Napoléon III d'une route thermale reliant les stations. Prenant le relais du thermalisme mondain d'autrefois, le thermalisme actuel attire des curistes venus se soigner pour des affections diverses.

Toutefois, les stations proposent également des formules de **séjour de confort** (non remboursé), basées sur la « remise en forme ».

 Reportez-vous à la rubrique « Sports & Loisirs » dans l'encadré pratique d'Eaux-Bonnes, Salies-de-Béarn, Dax, Marmande (bains de Casteljaloux).

Union national des établissements thermaux – 1 r. Cels - 75014 Paris - ℘ 01 53 91 05 75 - www.france-thermale.org

Chaîne thermale du Soleil/Maison du thermalisme – 32 av. de l'Opéra - 75002 Paris - ℘ 01 44 71 37 00 ou 0 800 050 532 (appel gratuit) - www.sante-eau.com

Fédération Mer et Santé – 8 r. de l'Isly - 75008 Paris - ℘ 01 44 70 07 57 - www.thalassofederation.com

Les sources sulfurées

Elles se situent principalement dans la zone axiale des Pyrénées, notamment à **Eaux-Bonnes**. Leur température, tiède, peut s'élever jusqu'à 80 °C. Le soufre, qualifié de « divin » par les Grecs, en raison de ses vertus médicales, entre dans leur composition en combinaisons chloro-sulfurées et sulfurées-sodiques. Sous la forme de bains, douches et humages, ces eaux sont utilisées dans le traitement de nombreuses affections : oto-rhino-laryngologie, maladies osseuses et rhumatismales, rénales et gynécologiques.

Les sources salées

Elles se trouvent en bordure du massif ancien. Les eaux dites chlorurées-sodiques, de **Salies-de-Béarn**, sont utilisées sous forme de douches et de bains et soulagent les affections gynécologiques et infantiles.

Les boues

Dans les Landes, les boues de **Dax** ont une action bénéfique sur les rhumatismes. Les limons prélevés sur les bords de l'Adour sont mis en maturation au contact d'une eau chaude thermale (de 53 à 62 °C). La boue qui en résulte est appliquée sur les articulations. Les soins thérapeutiques sont complétés de bains et douches à l'eau thermale.

TRAINS TOURISTIQUES

Voilà un moyen reposant pour les grands et amusant pour les petits de découvrir un site, une ville ou une région.

Petit train d'Artouste (Béarn) – *Voir Vallée d'Ossau*.

Train forestier du Cap-Ferret (Gironde) – *Voir Bassin d'Arcachon*.

Train touristique de Guîtres-Marcenais (Gironde) – *Voir Libourne*.

Train des Grands Vignobles de St-Émilion (Gironde) – *Voir l'encadré pratique de St-Émilion*.

Train touristique de la pointe de Grave-Verdon-Soulac (Gironde) – *Voir l'encadré pratique de Soulac*.

Train de l'écomusée de la Grande Lande (Landes) – *Voir Marquèze dans le Parc naturel régional des Landes de Gascogne.*

Train touristique de l'Albret (Lot-et-Garonne) – *Voir Nérac.*

VIGNOBLE

Visite des caves viticoles

L'Aquitaine possède un des vignobles les plus réputés de France. Aussi, n'hésitez pas à vous rendre dans les caves pour découvrir l'extrême diversité des crus locaux. Elles sont généralement ouvertes à la visite et proposent quelquefois des dégustations (bien entendu à pratiquer avec modération). Vous trouverez leurs coordonnées dans les offices de tourisme et les Maisons du vin, dont nous donnons ci-dessous les adresses.

Les syndicats viticoles éditent des brochures de présentation de leurs crus, parfois avec un tracé de Routes des vins. Certaines visites de caves sont indiquées dans la partie « Découvrir les sites ».

En Gironde

Maison du vin de Bordeaux – 1 cours du 30-Juillet - 33075 Bordeaux Cedex - ✆ 05 56 00 22 88 - www.vins-bordeaux.fr - tlj sf w.-end 9h-17h30.

Maison du tourisme et du vin de Pauillac – 33250 Pauillac - ✆ 05 56 59 03 08 - www.pauillac-medoc.com

Maison des vins de Graves – 61 cours du Mar.-Foch - BP 51 - 33720 Podensac - mai-oct. : 9h30-18h30 - ✆ 05 56 27 09 25 - www.vins-graves.com

Maison du vin de St-Émilion – Pl. Pierre-Meyrat - 33330 St-Émilion - ✆ 05 57 55 50 55 - www.vins-saint-emilion.com

Guide des vins de Saint-Émilion disponible.

Maison du vin des Premières Côtes de Blaye – 12 cours Vauban - BP 122 - 33390 Blaye - ✆ 05 57 42 91 19 - www.premieres-cotes-blaye.com

Maison du vin des Côtes de Bourg – 1 pl. de l'Éperon, BP 45 - 33710 Bourg - ✆ 05 57 94 80 20. www.cotes-de-bourg.com

Maison du vin de l'Entre-Deux-Mers – 4 r. de l'Abbaye - 33670 La Sauve - ✆ 05 57 34 32 12 - www.vins-entre-deux-mers.com

Maison des vins de Ste-Foy-Bordeaux – Rte de Bergerac - 33220 Pineuilh - ✆ 05 57 46 31 71 - www.saintefoy-bordeaux.com

Maison des vins des Premières Côtes de Bordeaux et Cadillac – D 10 - rte de Langon - 33410 Cadillac - ✆ 05 57 98 19 20 - www.cadillacgrainsnobles.com

Maison du vin de Barsac – Pl. de l'Église - 33720 Barsac - ✆ 05 56 27 15 44 - www.maisondebarsac.fr

Maison du vin de Castillon – 6 allée de la République - 33350 Castillon-la-Bataille - ✆ 05 57 40 00 88.

Dans les Landes

Les Vignerons Landais Tursan-Chalosse – 40320 Geaune - ✆ 05 58 44 51 25 - Possibilité de visite sur demande. -www.vlandais.com

Guide des vins du Sud-Ouest – Disponible auprès du comité interprofessionnel des vins du Sud-Ouest : ✆ 05 61 73 87 06 ou www.vins-du-sud-ouest.com

Dans le Lot-et-Garonne

Les Vignerons de Buzet – 47160 Buzet-sur-Baïse - ✆ 05 53 84 74 30 - www.vignerons-buzet.fr

Union interprofessionnelle des vins des Côtes de Duras – Maison du vin - D 668 - 47120 Duras - ✆ 05 53 20 20 70 - www.cotesdeduras.com

Côtes du Marmandais – Cave du Marmandais - site de Beaupuy - 47200 Marmande - ✆ 05 53 76 05 11.

Cave du Marmandais – 47250 Cocumont - ✆ 05 53 94 50 21 - www.cave-cocumont.fr

Cave de Goulens en Brulhois – 47390 Layrac - ✆ 05 53 87 01 65.

Dans le Béarn

Cave des producteurs de Jurançon – 53 av. Henri-IV - 64290 Gan - ✆ 05 59 21 57 03 - cave@cavedejurancon.com

Vin de l'Entre-Deux-Mers

Stéphane Sauvignier / MICHELIN

Cave coopérative Béarn-Bellocq –
64270 Bellocq - ✆ 05 59 65 10 71 -
cave@cavedejurancon.com

Cave coopérative de Crouseilles
(Madiran) – Château de Crouseilles -
64350 Crouseilles - ✆ 05 59 68 40 93.

Stages de dégustation

Ce type de stage se développe de
plus en plus, en particulier dans le
Bordelais. Il est désormais accessible à
tout public.

Office du tourisme de Bordeaux –
♿ - 12 cours du 30-Juillet -
33080 Bordeaux - ✆ 05 56 00 66 00.
Il propose une initiation à la
dégustation jeu. : 16h30 ; séance suppl.
sam. 16h30, de mi-juil. à mi-août. 21 €.

École du vin – 1 cours du 30-Juillet -
33075 Bordeaux Cedex - ✆ 05 56 00
22 66 - www.ecole.vins-bordeaux.fr
Elle fait découvrir les vins de Bordeaux
à travers des stages de 2h (été) à 6 j.
mais également en cours du soir, en
français, anglais et allemand.

Vinoscope du Médoc – Château
Maucaillou - 33480 Moulis-en-Médoc -
✆ 05 56 58 01 23.
Son école du vin enseigne les
techniques de dégustation durant
2 jours. Le château propose également
la visite, tlj de l'année, de son musée
des Arts et Métiers de la vigne et
du vin, des survols en hélicopère du
vignoble, des w.-ends « vins-golf-
châteaux » et des intronisations dans
une confrérie vineuse.

**Maison du vin des Premières Côtes
de Blaye** – *Voir les coordonnées p. 45.*
Initiations gratuites à la dégustation en
juil.-août : mar., mer., et jeu. 16h45.

Maison du vin de St-Émilion – *Voir
les coordonnées p. 45.*
Elle a mis en place une école du vin où
sont proposées pour individuels des
formations à la dégustation ; de mi-juil.
à mi-sept. (11h-12h). 17 €.

Circuits organisés

L'office du tourisme de Bordeaux
propose différentes formules
thématiques (réservation obligatoire,
places limitées) pour découvrir les vins
de la région. Parmi elles :

**Châteaux & terroirs : les grands
vignobles bordelais** – De déb. avr.
à mi-nov. : 13h30 ; de mi-nov. à fin
mars : mer. et sam. 13h30. Dép. de
l'office de tourisme. 27 €. Visite de
deux châteaux et dégustation des
principales appellations.

Bordeaux… de ville en vigne – De
déb. avr. à mi-nov. : mer. (St-émilion) et

sam. (Médoc) 9h30. Dép. de l'office du
tourisme de Bordeaux. 49 €. Le matin
vous visiterez le quartier des Chartrons
puis, rejoindrez, en début d'après-
midi, le vignoble pour la visite de deux
châteaux avec dégustation.

Itinéraires dans les vignobles

Les Routes du vin (en Gironde) – *Voir
la Maison du vin de Bordeaux p. 45.*

**Route des vins et des appellations
en Entre-Deux-Mers** – Office du
tourisme de l'Entre-Deux-Mers - 33580
Monségur - ✆ 05 56 61 82 73.

Route des vins du Jurançon –
La Commanderie du Jurançon - Maison
des vins et du terroir du Jurançon -
64360 Lacommande - ✆ 05 59 82
70 30 - www.vins-jurancon.fr

Vinothérapie

Les sources de Caudalie – Chemin de
Smith Haut Lafitte - 33650 Bordeaux-
Martillac - ✆ 05 57 83 83 83 - www.
sources-caudalie.com
On peut désormais prendre soin
de son corps grâce au raisin ! L'eau
minérale riche en fer et en fluor
associée à l'extrait de raisin, à l'huile de
pépins de raisin, à la levure de vin, aux
extraits de vigne rouge ou encore aux
tanins possède des vertus hydratantes
et raffermissantes.

VISITES GUIDÉES

La plupart des villes proposent des
visites guidées. Elles sont organisées
toute l'année dans les grandes villes
ou seulement en saison dans les plus
petites. Dans tous les cas, informez-
vous du programme à l'office de
tourisme et pensez à vous inscrire.
En général, les visites ne sont pas
assurées en deçà de quatre personnes
et pendant la période estivale les listes
sont rapidement complètes.

Logo Villes et Pays d'art et d'histoire.

👣 Reportez-vous aussi à l'encadré pratique des villes, dans la partie « Découvrir les sites », où nous mentionnons les visites guidées qui ont retenu notre attention.

Villes et Pays d'art et d'histoire

Sous ce label décerné par le ministère de la Culture et de la Communication sont regroupés quelque 130 villes et pays qui œuvrent activement à la mise en valeur et à l'animation de leur architecture et de leur patrimoine. Dans ce réseau sont proposées des visites générales ou insolites (1h30 ou plus), conduites par des guides-conférenciers et des animateurs du patrimoine agréés par le ministère. Renseignements auprès des offices de tourisme des villes ou sur le site www.vpah.culture.fr

👣 Voir également le chapitre suivant, « La destination en famille ».

Les Villes d'art et d'histoire citées dans ce guide sont **Bordeaux** et **Oloron-Sainte-Marie**.

VOILE, PLANCHE À VOILE, CHAR À VOILE

La côte atlantique et bon nombre de lacs (sur la côte : lacs de Cazeau, du Sanguinet, de Soustons, de Carcans, d'Aureilhan ; lacs de Bordeaux et de Christus à Dax) font le bonheur des amateurs de voile et de planche à voile. Les amateurs de char à voile apprécieront les grandes plages de sable de la Côte d'Argent.

👣 Voir le rubrique « Sports & Loisirs » dans l'encadré pratique d'Arcachon, du bassin d'Arcachon, de Biscarrosse de Bordeaux, de Capbreton, de Dax, d'Hossegor, de Lacanau, de Mimizan, de Soustons.

Fédération française de voile – 17 r. Henri-Bocquillon - 75015 Paris - 📞 01 40 60 37 00 - www.ffvoile.org
La Fédération donne la liste des clubs, des constructeurs, un guide d'information, les calendriers.

France Station nautique – 17 r. Henri-Bocquillon - 75015 Paris - 📞 01 44 05 96 55 - www.france-nautisme.com
Ce réseau regroupe sous le nom de « stations nautiques » des villages côtiers, des stations touristiques ou des ports de plaisance qui s'engagent à offrir les meilleures conditions pour pratiquer l'ensemble des activités nautiques.

Les sports nautiques ont le vent en poupe !

Stéphane Sauvignier / MICHELIN

VUE DU CIEL

Vol à voile

Il se pratique notamment à Aire-sur-l'Adour, Agen, La Teste-de-Buch (bassin d'Arcachon), Biscarrosse, Bordeaux, Dax, Marmande, Oloron-Ste-Marie et Ste-Foy-la-Grande.

Fédération française de vol à voile – *29 r. de Sèvres, 75006 Paris - 📞 01 45 44 04 78. www.ffvv.org*

Vol libre

Pour vous lancer dans cette activité, vous trouverez 4 sites dans le Lot-et-Garonne, 3 sites en Gironde, 5 sites en Béarn.

Fédération française de vol libre – *4 r. de Suisse - 06000 Nice - 📞 04 97 03 82 82 - www.ffvl.fr*

ULM

Nombreux sont les aérodromes où l'on peut faire de l'ULM en Aquitaine : il en existe plus de 20 en Gironde, près de 10 dans le Lot-et-Garonne, 4 dans le Béarn, 3 dans les Landes.

Fédération française de planeur ultraléger motorisé – *96 bis r. Marc-Sangnier - BP 341 - 94709 Maisons-Alfort Cedex - 📞 01 49 81 74 43 - www.ffplum.com*

ULM de Libourne – *Voir l'encadré pratique de Libourne.*

Aéroclub du bassin d'Arcachon – *Voir l'encadré pratique du bassin d'Arcachon.*

Conseil

Avant de vous lancer, informez-vous des conditions météorologiques. **Prévisions pour l'aviation ultra-légère** (vol libre et vol à voile) – 📞 0 892 681 014 (0,34 €/mn).

Autres activités

Hydravion Passion – La Voile -
1371 av. Pierre-Georges-Latécoère -
40600 Biscarrosse - ℘/fax 05 58
83 86 04 et 06 70 57 30 97 - http://
hydravion.passion.free.fr
Il propose des stages de formation au
pilotage des hydravions.

Domaine de Durand – Domaine
de Durand - 47120 St-Jean-de-
Duras - ℘ 05 53 89 02 23 - www.
domainededurand.com
Découverte en montgolfière du pays
de Duras (vol de 1h à 1h30).

La destination en famille

Outre les innombrables **plages de
la Côte d'Argent** qui satisferont les
envies de baignade et de châteaux
de sable de vos chères têtes blondes,
vous pourrez leur faire dépenser leur
énergie débordante en les emmenant
à vélo à travers la **forêt landaise**
: c'est plat, à l'ombre et ça sent bon le
pin ; sur votre chemin, vous trouverez
des piscines en plein air pour vous
rafraîchir.

⏱ voir la rubrique « Sports & Loisirs »
dans l'encadré pratique du Parc naturel
régional des Landes de Gascogne.

Dans le **Lot-et-Garonne**, l'initiative
« Permis de musée » valorise toutes
les propositions ludo-éducatives pour
attirer les enfants dans les musées
du département. Un programme des
animations est disponible au comité
départemental du tourisme du Lot-
et-Garonne (voir les coordonnées p. 19)
ou sur le site www.lot-et-garonne.
fr/permisdemusee

En **Gironde**, « Bienvenue à la
ferme » (voir p. 29) recense 7 fermes
pédagogiques où vos enfants pourront
découvrir les réalités de la vie agricole
et rurale. La liste de ces fermes est
disponible sur le site www.bienvenue-
a-la-ferme.com

Bon à savoir

⏱ Nous avons sélectionné pour vous
un certain nombre de sites qui intéres-
seront particulièrement votre progéni-
ture. Il s'agit par exemple d'aquariums,
de parcs animaliers ou de musées bien
adaptés à ce type de public (voir le
tableau ci-contre). Vous les repérerez
dans la partie « Découvrir les sites »
grâce au pictogramme 👥.

LES LABELS

Villes et Pays d'art et d'histoire

Le réseau des Villes et Pays d'art et
d'histoire (voir la rubrique « Visite
guidée ») propose des visites-
découvertes et ateliers du patrimoine
aux enfants, les mercredis, samedis
ou durant les vacances scolaires.
Munis de livrets-jeux et d'outils
pédagogiques adaptés à leur âge,
ces derniers s'initient à l'histoire et à
l'architecture et participent activement
à la découverte de la ville. En atelier,
ils s'expriment à partir de multiples
supports (maquettes, gravures, vidéos)
et au contact d'intervenants de tous
horizons : architectes, tailleurs de
pierre, conteurs, comédiens.
👁 En juillet-août, dans le cadre de
l'opération « L'Été des 6-12 ans », ces
activités sont également proposées
pendant la visite des adultes.

Stations Kid

Une station gratifiée du label « Kid »
remplit nécessairement une série de
conditions qui la rend parfaitement
adaptée à l'**accueil des familles**
(hébergement, équipements,
animations spécifiques pour chaque
âge) ; les enfants y « sont rois ».

À la **mer**, les plages possèdent des
espaces de jeux, des clubs ou des
parcours aventure, elles organisent
des spectacles, des fêtes, des stages
sportifs, des ateliers musicaux.

⏱ Vous en trouverez 3 sur le littoral
aquitain : **Hourtin**, **Carcans** et
Mimizan.

À la **montagne**, toute « Station Kid »
qui se respecte propose une garderie
et un jardin de neige pour initier les
plus petits aux plaisirs de la glisse, des
pistes de luge, ainsi que de nombreux
jeux et activités (goûters géants,
concours de sculpture sur neige).

⏱ Dans le Béarn, **La Pierre-Saint-
Martin** a obtenu le label.

**Association nationale des Stations
Kid** – BP 139 - 59027 Lille Cedex -
℘ 03 20 14 97 87 - www.stationskid.
com

Stations vertes

La fédération des Stations vertes de
vacances (voir p. 28) décerne chaque
année un prix de l'accueil des enfants.
Les stations de **Sainte-Foy-la-Grande**
en Gironde et de **Mézin**, dans le Lot-
et-Garonne, ont chacune déjà obtenu
le premier prix.

👥 SITES OU ACTIVITÉS À FAIRE EN FAMILLE			
Chapitres du guide	Nature	Musées	Loisirs
Agen	Les Vallons des Marennes (Laroque-Timbaut)	Musée des Beaux-Arts	Walibi Aquitaine, Poney-club
Aire-sur-l'Adour		Musée du Jambon de Bayonne (Arzac)	
Arette			Aventure Parc (Aramits), les écuries du Barétous
Arcachon	Aquarium et musée		
Bassin d'Arcachon	Parc ornithologique de Teich, zoo (La Teste)		Petit train (Cap-Ferret), Parc de loisirs de la Hume, Escalad'Parc (Andernos)
Vallée d'Aspe	Parc animalier (Borce)		
Bazas			Poney-club, base nautique (Villandraut),
Bétharram	Grottes		
Biscarosse	Promenade en barque	Musée de l'Hydraviation	Aventure Parc
Blaye		Citadelle	
Bordeaux		Croiseur Colbert, Cap Sciences, musée d'Art contemporain, Vinorama	
Vignoble de Bordeaux	La ferme « Oh ! Légumes oubliés » (Sadirac), la grotte Célestine (Rauzan)	Le petit musée des Automates (Pauillac), Fort Médoc	Tépacap (St-Caprais-de-Bordeaux)
Bourg	Grottes Pair-non-Pair	Musée « Au temps des calèches »	
La Brède			La Ferme exotique
Capbreton	La pinède des Singes, Reptilarium, Parc animalier (Labenne)	Écomusée de la pêche-Aquarium	Aquatic-Landes, l'Île aux Pirates
Dax	Conservatoire avicole de Puyobrau (Magescq)	Musée de l'Hélicoptère	base de loisirs du lac de Christus
Fumel	Promenade en gabare	musée des Bastides (Monflanquin)	
Hossegor			Atlantic Park, Hall 04 Skatepark, Port miniature (Soustons)
Courant d'Huchet	Promenade en barque, Le moulin de Galoppe (St-Michel-d'Escalus)		Adrénaline Parc (Moliets)
Lacanau			Lacanau Surf-Club, centre équestre, la Forêt des Accromaniaques
PNR des Landes de Gascogne	Promenades en calèche	Écomusée de la Grande Lande (Marquèze)	Domaine de loisirs d'Hostens, centre du Graoux, Atelier-Gîte de Saugnacq et Muret
Libourne		Musée du Chemin de fer (Guître), musée du Collectionneur (Laubardemont)	Spectacle de fauconnerie au château de Vayres (été)
Mimizan	La ferme du Born (St-Paul-en-Born)	Maison du pin (Pontex), Maison de l'airial (Bias)	Landes Aventure
Mont-de-Marsan	Parc des Nahuques		
Nérac	Train touristique de l'Albret	Château Imaginaire (Barbaste)	Base de loisirs de Lislebonne
Oloron-Ste-Marie	Arboretum de Passas (Lasseube)	Visite de la ville	Aqua-Béarn (lac du Faget)
Orthez	La Salique aux oiseaux (Biron)		Base de loisirs
Vallée d'Ossau	Falaise aux Vautours (Aste-Béon)		Petit train d'Artouste, lac du Castet (Bielle), La Forêt suspendue (Eaux-Bonnes)
Pau	Haras national de Gélos, zoo d'Asson, la Cité des Abeilles (St-Faust)	Musée des Arts sucrés (confiserie Francis Miot)	Cheval Détente des Berges du Gave, base de loisirs Ô Kiri
Peyrehorade		Abbaye d'Arthous	
La Réole		Musées	
Saint-Sever	Le moulin de Poyaller		Ateliers préhistoriques (Brassempouy)
Salies-de-Béarn			Parc de Mosqueros
Sauveterre-de-Béarn		Chapelle de Sunarthe	Les Écuries de Sancie
Soulac-sur-mer		Moulin à vent (Vensac), musée du Phare de Cordouan (Verdon)	Petit train Soulac-Pointe de Grave
Villeneuve-sur-Lot	Grottes de Lastournelles, grottes de Fontirou, Haras national de Villeneuve	Musée du Train, Forêt magique et abbaye des Automates (Clairac)	Centre de plein air de Rogé, Dédal'Prune

Que rapporter

Les adresses de boutiques ou d'artisans se trouvent à la rubrique « Que rapporter » dans l'**encadré pratique** des sites.

PRODUITS DU TERROIR

Les marchés au gras

Traditionnels sont ces marchés, qui avaient jadis lieu en hiver, où l'on peut acheter des canards et des oies, des foies crus ou déjà préparés. Les plus pittoresques se tiennent à : **Agen**, **Aire-sur-l'Adour**, **Dax**, **Langoiran** (*voir vignoble de Bordeaux*), **Monségur** (*voir La Réole*), **Orthez**, **Villeneuve-de-Marsan** (*voir Mont-de-Marsan*), **Villeneuve-sur-Lot**.

Les produits du terroir

L'Aquitaine est bien connue pour sa cuisine. Vous l'apprécierez sur place mais vous pouvez également acheter les produits à la dernière minute. Pensez à vous équiper d'un sac isotherme ou d'une glacière pour conserver ces denrées périssables durant le transport.

En résumé, nous vous conseillons tous les **confits** et **foie gras** (*voir Aire-sur-l'Adour, Bazas, Dax, Marmande, Sauveterre-de-Béarn, Saint-Sever*). Côté viande, vous trouverez le **jambon de Bayonne** ; goutez aussi l'**agneau** à Pauillac, le **bœuf** à Bazas.

Côté produits de la mer : les **huîtres** du bassin d'Arcachon et, pourquoi pas, le **caviar** de la Gironde, assez rare cependant (*voir Bassin d'Arcachon*). Ne quittez pas les Pyrénées sans avoir fait provision de **fromage de brebis** : l'appellation Ossau-Iraty vous garantira l'achat d'un produit de qualité (*voir Arette-la-Pierre-Saint-Martin, Vallée d'Ossau, Pau*).

Macarons de St-Émilion.

Stéphane Sauvignier / MICHELIN

Les douceurs

Pruneaux d'Agen (*voir Agen, Duras, Villeneuve-sur-Lot*), cannelés bordelais, macarons de Saint-Émilion, coucougnettes de Pau et miel des montagnes (*voir Vallée d'Ossau*) : voilà de quoi régaler les gourmands.

Vins et eaux-de-vie

Un séjour en Aquitaine est l'occasion rêvée pour agrandir sa cave. Pas seulement de grands et petits crus bordelais, mais également de ces vins locaux comme le jurançon, le tursan, le buzet, etc. Bien entendu, tout cela est à consommer avec modération.

Reportez-vous à la rubrique « Vignoble » dans le chapitre « Activités et loisirs de A à Z ».

On trouve armagnac et floc de Gascogne dans les Landes et en particulier à **Labastide-d'Armagnac** (*voir Mont-de-Marsan, Nérac*), haut lieu de ces nectars gascons.

FOLKLORE

Les sonnailles

Grâce à ces cloches fixées autour du cou des vaches, c'est de loin que vous repérez les troupeaux. Fabriquée par le berger, chaque cloche possède un son particulier qui lui permet de reconnaître chacune de ses bêtes. Les sonnailles sont encore fabriquées à **Nay** (*voir Pau*).

Les échasses

Aujourd'hui curiosité folklorique, les échasses ont longtemps servi aux bergers pour se déplacer dans les landes marécageuses. Hautes de 85 cm à 1,20 m, elles sont maintenues à la jambe par des sangles de cuir, le pied reposant sur un petit plateau de bois. Une démonstration ? Rendez-vous aux ferias landaises de Dax ou de Mont-de-Marsan, entre autres.

HABILLEMENT ET DÉCORATION

Le parapluie du berger

Constitué d'armatures en rotin, en jonc ou en bois pour éviter la foudre, la principale caractéristique de ce parapluie est sa grande taille (de 140 à 180 cm d'envergure), qui permettait aussi aux bergers de se protéger du soleil. Vous en trouverez à **Pau**.

Le bourdon de pèlerin

Si l'envie vous prend de suivre à pied les chemins de Saint-Jacques-de-

MICHELIN VOYAGER PRATIQUE,
votre guide, votre voyage.

Compostelle, sachez qu'il faudra vous munir d'un bourdon *(voir Salies-de-Béarn)*, grand bâton compagnon de ces infatigables marcheurs que furent, de tout temps, les pèlerins de Saint-Jacques.

La gourde du marcheur
Originaire d'Espagne, cette gourde souple et légère en peau de chèvre fait désormais partie du patrimoine béarnais.

Le linge basque
Vous en trouverez à **Oloron-Ste-Marie** chez *Artigua*, qui offre une gamme colorée de ces tissus traditionnels rayés, ainsi qu'à **Coarraze** *(voir Pau)*.

La pure laine
Dans les **Pyrénées**, la laine apportée par les bergers à la filature est tricotée puis frottée sur un « métier de cardes », qui remplace les chardons d'autrefois, pour donner aux couvertures et aux pull-overs une douceur pelucheuse. On trouve ces produits dans les commerces et les magasins d'usine de production.

Le béret
Symbole de la France, le béret est en fait originaire du Béarn, avant d'être basque. Une grande fabrique de bérets subsiste à **Oloron-Ste-Marie** (société Beatex) ainsi qu'à **Nay** (société Blancq-Olibet).

« Gardarem lou berret »

D'après la légende, l'invention du béret remonte au Déluge. Noé aurait disposé de la laine fraîchement tondue au fond de son arche pour servir de litière aux animaux. Au bout de quarante jours de voyage, la laine feutrée aurait donné naissance à la matière première du béret. De source beaucoup plus sûre, ce sont les bergers béarnais, vers le Haut Moyen Âge, qui ont inventé le tricot qui feutrait à force d'être battu par les intempéries et qui les a protégés à la fois du soleil et du froid, du vent et de la pluie. Mais si les bergers s'en servaient comme couvre-chef, ils utilisaient aussi leur béret comme panier pour la récolte des cèpes ou comme gants pour éviter les brûlures. Cette coiffe pastorale est mentionnée pour la première fois dans un texte landais datant de 1461 : « tout berettier qui posera ses bérets au marché, pour tout placage et droit de table, paiera un sol morlan ». À l'origine tricoté par les bergers eux-mêmes, le béret devint l'objet d'une fabrication industrielle au 19e s.

Les événements

De nombreuses associations adhèrent à la Fédération française des fêtes et spectacles historiques. Un guide est disponible sur le site **www. loriflamme.com**

Des manifestations de moindre importance sont répertoriées dans l'**encadré pratique** des sites à la rubrique « Événement ».

Janvier-février

Arette-La Pierre-Saint-Martin – Triathlon des neiges (mi-fév.) : course à pied, vélo et ski de fond - ✆ 05 59 88 95 38.

Bordeaux – Jumping international (déb. fév.) : finale de la Coupe du monde de jumping - ✆ 05 56 11 99 00.

Monségur – Foire au gras (2e dim. de fév.) - ✆ 05 56 61 89 40.

Pau – Carnaval Biarnès (fin janv.-déb. fév.) : deux semaines d'animations pour revivre les traditions.

Jeudi précédant Mardi gras

Bazas – Fête des bœufs gras : défilé des bœufs à travers la ville, leurs cornes enrubannées et fleuries, suivi d'un concours de race devant la mairie. Un banquet clôture la fête - ✆ 05 56 25 25 84.

Mars

Arcachon – Concours international de piano - ✆ 05 56 22 01 10.

Dimanche des Rameaux

Amou – Courses de vaches landaises.

Avril

Fargues-sur-Ourbise (près de Casteljaloux) – Fête de l'asperge : rassemble les producteurs du pays autour d'un légume emblématique de l'Aquitaine (avr.) - ✆ 05 56 22 01 10.

Hossegor – 24 Heures de Surf Casting : pêche en bord de mer - ✆ 05 58 41 79 00.

Pauillac – Printemps des châteaux du Médoc (mi-avr.) : portes ouvertes dans les grands châteaux viticoles - ✆ 05 56 59 03 08.

Pomarez – Festival Art et Courage : course landaise - ✆ 05 58 46 50 89.

Oloron-Ste-Marie – Festival des vallées et des bergers : grande soirée béarnaise avec groupes de chanteurs - ✆ 05 59 39 98 00.

Mai

Arcachon – Jumping national d'Arcachon : course sur la plage en mai ou juin suivant les marées - ✆ 05 56 83 21 79.

Bordeaux – Foire internationale de Bordeaux.

Bourg – Journées portes ouvertes (2e w.-end) dans les châteaux.

Mimizan – Fête de la mer (1er mai) : bénédiction de la mer, animations dans les rues et les plages, bandas, défilé nautique - ✆ 06 32 54 85 41.

Pauillac – Fête de l'agneau (14 mai) : reconstitution d'une bergerie, cérémonie de pâturage, tonte d'un mouton, transhumance et démonstrations de chiens de berger, dégustation d'agneau - ✆ 05 56 59 03 08.

Pontonx (près de Dax) – Fête de l'asperge (1er mai) : rencontre festive et culturelle autour d'un légume emblématique de l'Aquitaine - ✆ 05 56 22 01 10.

Sorde-l'Abbaye – Festival international de la céramique, à l'abbaye d'Arthous - ✆ 05 58 05 40 92.

Ste-Croix-du-Mont – Fête de la commanderie du Bontemps (sam. veille de la fête des Mères).

St-Émilion – Journées portes ouvertes des châteaux (déb. mois) - ✆ 05 57 55 28 28.

Ascension

Bascons – Fête Notre-Dame de la course landaise - ✆ 05 58 46 50 89.

Pau – Grand Prix automobile de Pau - ✆ 05 59 27 31 89.

Juin

Abbayes de l'Adour (Peyrehorade) – Festival des abbayes en Sud Adour : musique classique (juin) - ✆ 05 58 91 00 83 - www.festivaldesabbayes. org

Aire-sur-Adour – Ferias - ✆ 05 58 71 64 70.

Bordeaux – Fête du vin (dernier w.-end de juin ou 1er w.-end de juil.) : les années paires sont dévolues au roi Vin. Dégustations de crus, concerts - ✆ 05 56 00 66 00 - www.bordeaux-fete-le-vin.com

Capbreton – Fête de la mer : sortie en mer des bateaux, fête traditionnelle des marins pêcheurs - ✆ 05 58 72 12 11.

Lourdios Ichère – Fête de la transhumance en vallée d'Aspe (déb. mois) : départ des troupeaux vers les estives, chants et danses traditionnels - ✆ 05 59 34 71 48.

Moliets-et-Maâ – Festival de cerfs-volants (2e w.-end) - ✆ 05 58 48 56 58.

St-Émilion – Jurade (3e dim.) : fête de printemps. Messe, intronisations et proclamation du jugement du vin nouveau - ✆ 05 57 55 50 51 - www.vins-saint-emilion.com

St-Sever – Ferias - ✆ 05 58 76 34 64.

Juillet

Amou – Courses de vaches landaises (3e dim.).

Andernos-les-Bains – Festival Jazz en liberté (dernier w.-end) : plus de 30 concerts gratuits en plein air - ✆ 05 56 82 02 95.

Arcachon – Les 18 Heures d'Arcachon Sud-Ouest (1er w.-end) : régates en mer et village de guinguettes plage Pereire - ✆ 05 57 52 97 97.

Blaye – Jumping international (w.-end du 14 juil.) - ✆ 06 21 20 83 43 - www.jumpingdeblaye.com

Etsaut – Fête du fromage (fin du mois) - ✆ 05 59 34 57 57.

Lanton – Fête de l'huître et folklore maritime (mi-juil.) - ✆ 05 57 70 26 55.

Laruns – Transhumances en Ossau (déb. du mois) : passage des troupeaux dans les villages - ✆ 05 59 05 31 41.

Monein – Fête du vin de Jurançon (fin juil. -déb. août) : expositions et dégustation de fruits et de vin de Jurançon - ✆ 05 59 21 30 06.

Mont-de-Marsan – Festival d'art flamenco (déb. du mois).

Orthez – Feria (dernière sem.) : fête pendant 5 jours (bandas, paella géante, courses de vaches… et corrida le dim.) - ✆ 05 59 69 02 75.

Penne-d'Agenais – Foire à la tourtière (2e dim.) : préparation des tourtières aux pommes, concours et démonstration de fabrication de tourtière - ✆ 05 53 41 20 12.

La Pierre-St-Martin – Junte de Roncal (le 13 juil.) : célébration du traité le plus ancien d'Europe entre la vallée de Roncal et la vallée de Barétous - ✆ 05 59 66 20 09.

St-Justin – Championnat de France des carillonneurs - ✆ 05 58 44 86 06.

St-Sever – Fête du foie gras (les 13 et 14) - ℘ 05 58 76 34 64.

St-Yzans-de-Médoc – Foire aux sarments (2ᵉ sam.) : découverte du patrimoine, des traditions et de la gastronomie médocaine - ℘ 05 56 09 05 06.

Juillet-août

Oloron-Ste-Marie – Festival international des Pyrénées (fin juil.-déb. août) : art et traditions populaires - ℘ 05 59 39 98 98 - www.danseaveclemonde.com

Soustons – Pelote basque au grand chistera ; folklore landais - ℘ 05 58 41 52 62.

Août

Arcachon – Fête de la Mer (les 14 et 15) : bénédiction des bateaux, régates de pinasses à voile et musique en soirée - ℘ 05 57 52 97 97.

Arès – Fête de l'huître (mi-août) - ℘ 05 56 60 18 07.

Château de Bonaguil – Festival de théâtre (déb. du mois) - ℘ 05 53 71 17 17.

Cap-Ferret – Fête de l'huître pl. du marché - ℘ 05 56 03 94 49.

Dax – Feria (2ᵉ sem.) : corridas, concours landais, jeux avec vachettes, spectacles folkloriques, bandas, bodegas, feux d'artifice - ℘ 05 58 56 86 86.

Duras – Fête des vins de Duras (2ᵉ w.-end) dans la cour du château. Montgolfiades en pays de Duras - ℘ 05 93 94 13 48 - www.cotesdeduras.com

Gujan-Mestras (port de Larros) – Foire aux huîtres (1ʳᵉ quinz.) : animations, bandas, dégustation, feu d'artifice - ℘ 05 56 22 39 50.

Hagetmau – Les 5 jours d'Hagetmau (fin juil.-déb. août) : corridas, courses landaises, etc.

Hossegor – Championnat de France de pelote basque : (2ᵉ quinz.) - ℘ 05 58 41 79 00. Hossegor Rip Curl Pro (2ᵉ quinz.) : championnat du monde de surf professionnel - ℘ 05 58 41 79 00.

Lacanau – Lacanau Pro (mi-août) : étape des championnats du monde de surf - www.lacanausurfclub.com

Laruns – Hesta de Noste Dama (le 15) : fête traditionnelle ossaloise avec danses, chants, costumes - ℘ 05 59 05 31 41.

Marmande et sa région – Festival « Les Nuits lyriques en Marmandais » (2ᵉ quinz.) - ℘ 05 53 89 68 75 - http://assoc.wanadoo.fr/festilyrique.

Miramont-de-Guyenne – Festival des arts de la rue (1ᵉʳ w.-end) - ℘ 06 75 10 05 66 - www.ville-miramontdeguyenne.fr

Monflanquin – Fêtes médiévales : reconstitutions historiques, spectacles, animations de rue, banquet médiéval - ℘ 05 53 36 40 19.

Nérac – Fête des vins de Buzet - ℘ 05 53 74 74 30.

Pomarez – Courses de vaches landaises - ℘ 05 58 89 30 28.

St-Sever – Reconstitution historique (4, 5 et 6) : vie de la cité du Moyen Âge à nos jours. Spectacle son et lumière - ℘ 05 58 76 34 64.

Salies-de-Béarn – La Piperadère (le 15) : concours de piperades béarnaises, repas champêtre et festival des métiers d'antan - ℘ 05 59 38 00 33.

Uzeste – Hestejada de las arts d'Uzeste musical (3ᵉ sem.) : variétés, théâtre, poésie, arts plastiques, danse, cinéma, etc - ℘ 05 56 25 38 46 - www.uzeste.com

Val de Garonne (Fourques-sur-Garonne) – Radofolies (dernier w.-end du mois) : descente de la Garonne en radeau, entre Marmande et La Réole.

Fin août-début septembre

Blaye – Les Chantiers de Blaye : festival de théâtre - ℘ 05 57 42 93 39 - www.chantiersdeblaye-estuaire.com

La Piperadère à Salies-de-Béarn.

Étienne Larribère / MICHELIN

Septembre

Arcachon – Cadences : festival de danse - ✆ 05 57 52 97 97.

Arette – Fête des bergers : concours de chiens de berger - ✆ 05 59 88 95 38.

Bazas – Fête de la palombe : (dernier w.-end) : reconstitution d'une chasse, intronisations - ✆ 05 56 65 06 65.

Vieux-Boucau – Championnat du monde des chioulayres (siffleurs d'alouettes ; 1er sam.) - ✆ 05 58 48 13 47.

Oloron-Ste-Marie – Championnat international de garbure (début du mois) - ✆ 05 59 39 05 86.

St-Émilion – Ban des vendanges (3e dim.) - ✆ 05 57 55 50 51 - www.vins-saint-emilion.com

Salies-de-Béarn – Fête du sel (2e w.-end) : grand marché aux salaisons, artisans en costumes traditionnels, chants et danses du Béarn, etc. - ✆ 05 59 38 00 33.

Octobre

Dax – Festival d'art sacré - ✆ 05 58 56 80 07.

Hossegor – Festival Rip Curl de cerfs-volants (1er w.-end des vac. de Toussaint) - ✆ 05 58 41 79 00.

Laruns – Foire aux fromages, avec marché à l'ancienne (fin sept.-déb. oct.) - ✆ 05 59 05 31 41.

Montfort-en-Chalosse – Vendanges à l'ancienne au domaine de Carcher (1er sam.) - ✆ 05 58 98 69 27.

Pau – Concours complet international d'équitation (mi-oct.) - ✆ 05 59 92 94 25.

Novembre

St-Sever – Festivolailles (dernier w.-end) : poulets et chapons de St-Sever sont à l'honneur. Grand marché médiéval et concours de quilles de 9 - ✆ 05 58 76 42 22.

Décembre

Jurançon et alentours – Fêtes des vignerons en Jurançon (mi-déc.) : portes ouvertes dans les chais, dégustation des vins et produits du terroir - ✆ 05 59 82 70 30.

Saint-Sever, Montfort, Bazas – Hailhe de Nadau : le 24, tous les habitants du village se réunissent pour chanter les chants traditionnels en gascon.

Nos conseils de lecture

Beaux livres, documents, ouvrages pratiques ou romans pour découvrir la région ou approfondir un thème.

GÉNÉRALITÉS

Gironde, collectif, éd. Bonneton, 2002.

Landes, collectif, éd. Bonneton, 2001.

Lot-et-Garonne, J.-P. Poussou, éd. Sud-Ouest, 2003.

HISTOIRE

Histoire de l'Aquitaine, M. Suffran, Calmann-Lévy, 2003.

L'Aquitaine au temps de François Mauriac, 1855-1970, G. Fayolle, Hachette Littérature, 2004.

La Gironde et les Girondins, F. Furet, M. Ozouf, Payot, 2004.

L'Aventure des bastides, C. Higounet, Privat, coll. Univers de France, 1998.

Landes : vie d'autrefois, collectif, éd. Sud-Ouest, coll. Histoire, 2000.

Lot-et-Garonne : vie d'autrefois, J.-F. Ratonnat, éd. Sud-Ouest, 2000.

Histoire de Bordeaux, C. Higounet, Privat, coll. Univers de France, 2001.

Autrefois Bordeaux, L. Catinot-Crost, Atlantica, 2003.

Autrefois Pau, P. Mirat, Atlantica, 2003.

ITINÉRAIRES

Émilie en Béarn, F. Breitenbach, éd. Rando, 2002.

Émilie en Gironde, collectif, éd. Rando, 2003.

Émilie dans les Landes, B. Valcke, éd. Rando, 2003.

Émilie en Lot-et-Garonne, J.-P. Sirejol, éd. Rando, 2002.

100 sommets des Pyrénées, G. Veron, éd. Rando, 2001.

À pied, entre Garonne et Dordogne, J.-P. Xiradakis et A. Aviotte, éd. Rando, coll. Les Grands Vignobles pas à pas, 2002.

Autour du bassin d'Arcachon à vélo et à pied, C. Feigne, F. Durgeon, éd. Sud-Ouest, 2003.

La Gironde à vélo, F. Durgeon, éd. Sud-Ouest, 2004.

Le Parc naturel régional des Landes à vélo, C. Feigne, éd. Sud-Ouest, 2005.

La Fédération française de randonnées pédestres édite des topoguides.

NATURE

Apprenez à découvrir la faune des Pyrénées, P. Harlet, Tétras, 2004.

La Grande Flore illustrée des Pyrénées, M. Saul, éd. Rando, 2002.

Le Marais d'Orx, J.-S. Devisse, Actes Sud, 2003.

GASTRONOMIE

Les Bonnes Recettes des Landes, M.-F. Chauvirey, éd. Lavielle, 2000.

Les Bonnes Recettes du Béarn, C. Lagreoulle, éd. Lavielle, 2000.

Bordeaux - Grands crus classés 1855-2005, collectif, Flammarion, 2004.

L'Esprit du Bordeaux, A. Le Bègue, Hachette, 2002.

LITTÉRATURE

Les Rives de la Garonne, A. Dufilho, éd. Aubéron, 1990.

Le Pont de la Garonne, H. Sarrazin, éd. Aubéron, 1990.

Bordeaux, une enfance, F. Mauriac, M. Suffran, L'Esprit du Temps, coll. Contraste, 2000.

En livres de poche

Ma communale avait raison, G. Coulonges, éd. Pocket.

Ciné-roman, R. Grenier, éd. Folio.

Thérèse Desqueyroux, F. Mauriac, Le Livre de Poche.

Crépuscule, taille unique, C. de Rivoyre, Le Livre de Poche.

Bords d'eaux, P. Veilletet, Arléa Poche.

JEUNESSE

Raconte-moi le Béarn, C. Desplat, Cairn Édition, 2002.

Contes des Landes de Gascogne, F. Arnaudin, L'École des Loisirs, 2001.

Sylvie et la forêt des Landes, J. Doutreloux, P. Morin, L'École des Loisirs, coll. Archimède, 2000.

Contes traditionnels des Pyrénées t. 2, M. Cosem, Milan, 2000.

LANGUES

Qui parli gascon – Initiation à la langue gascogne, Princi Neguer, 2001.

Contes populaires de la Grande Lande, F. Arnaudin, bilingue occitan-français, Princi Neguer, 2002.

Librairie spécialisée en langue occitane et catalane – Pam de Nas, 30 r. des Grands-Augustins - 75006 Paris - ☏ 01 43 54 04 84.

PRESSE

L'Éclair des Pyrénées, *La République des Pyrénées*, *Sud-Ouest* (quotidiens).

Pyrénées Magazine (bimestriel, Milan Presse).

Rando Pyrénées (trimestriel, Milan Presse).

E. Baret / Michelin – (06 - Roubion)

◼ **a.** *Départementale D17*
◼ **b.** *Nationale N202*
◼ **c.** *Départementale D30*

**Vous ne savez pas comment vous y rendre?
Alors ouvrez vite une Carte Michelin !**

Les cartes NATIONAL,
REGIONAL, LOCAL ou ZOOM
et les Atlas Michelin, par
leur précision et leur clarté
vous permettent de choisir
votre itinéraire et de trouver
facilement votre chemin,
en vous repérant à chaque
instant.

Une meilleure façon d'avancer

Le vignoble de Bordeaux compte parmi les plus réputés du monde.
Stéphane Sauvignier / MICHELIN

COMPRENDRE LA RÉGION

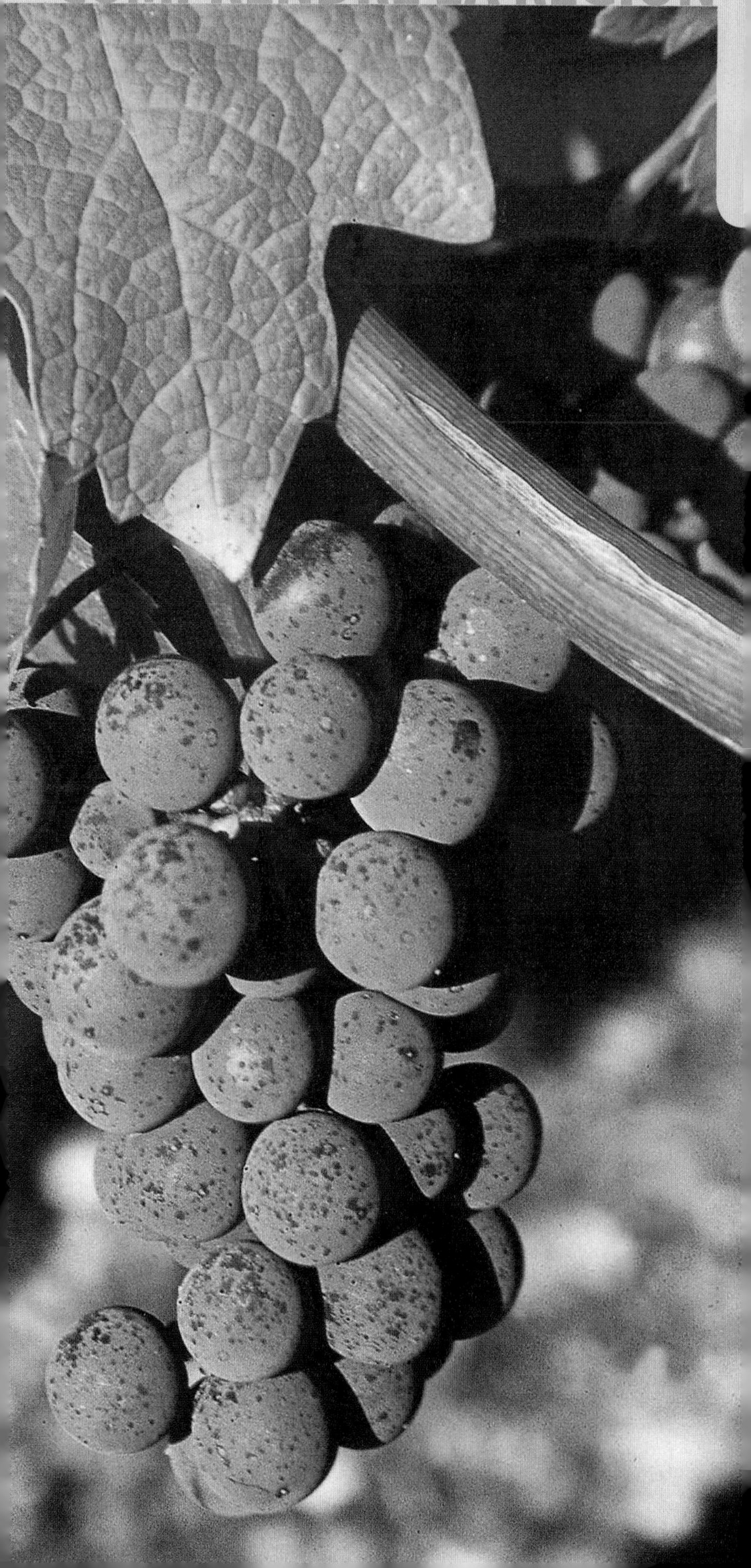

NATURE

L'Aquitaine est riche d'une grande diversité de paysages et d'une nature préservée, fièrement aménagée. Avec un littoral de plus de deux cents kilomètres, partagée entre étangs, dunes et plages de sable fin, la côte offre une étendue ouverte sur l'immensité océanique. Si l'on pénètre plus avant dans les terres, les Landes constituent un décor extraordinaire : la plus grande forêt artificielle d'Europe fait face à l'Atlantique. Côté Bordelais, ce sont les vignes qui façonnent le paysage. Puis, c'est le pays des délicates collines du Lot-et-Garonne. Plus au Sud, formé de hauts sommets, de vertes vallées et de gaves, le Béarn est animé par une faune et une flore exceptionnellement denses.

Stéphane Sauvignier / MICHELIN

La spectaculaire dune du Pilat.

Les paysages

AU FIL DE L'EAU

L'estuaire de la Gironde

C'est le plus vaste d'Europe, s'allongeant sur 75 km du bec d'Ambès, point de jonction entre la Dordogne et la Garonne, à l'embouchure. Il est dragué en permanence afin d'assurer sa navigabilité. La route de la « **corniche fleurie** », entre Bourg et Blaye, offre de beaux points de vue. Elle est bordée de petits ports aménagés dans les esteys (cours d'eau qui s'évanouit dans l'estuaire) et de carrelets. Sur l'autre rive, la **pointe du Médoc** compte aussi de charmants ports, tandis qu'à l'intérieur des terres s'étendent les marais (asséchés sur l'ordre d'Henri VI) et des parcelles viticoles.

Le mascaret

Phénomène naturel fascinant et unique en France, le mascaret est une longue **vague déferlante** produite dans la Gironde et ses affluents par le flux et le reflux quotidien : lorsque la marée monte, l'eau qui s'engouffre dans l'estuaire se heurte au courant du fleuve,

créant ainsi, par effet d'entonnoir, une série de 5 à 10 vagues rapprochées qui s'amplifient au fur et à mesure de leur progression et peuvent atteindre jusqu'à 2 m de haut, selon la largeur et la profondeur du fleuve. Visible toute l'année, le mascaret est plus spectaculaire en **août** et **septembre**. Lors des grandes marées d'équinoxe, il remonte le fleuve jusqu'à plus de 200 km à l'intérieur des terres, à une vitesse de 30 km/h. Pas étonnant que cette fameuse vague attire des **surfeurs** venus de loin. Pour les amateurs de glisse, le meilleur spot se trouve sur la Dordogne, au port de **Saint-Pardon** (commune de Vayres) : de là, il est courant de pouvoir surfer la vague sur tout un kilomètre.

👁 *Pour connaître les horaires de passage du mascaret, contactez la mairie de Vayres, 📞 05 57 55 25 55, www.mairie-vayres. fr/Mascaret.htm*

L'Adour, fleuve vagabond

Dans un lointain passé géologique, l'Adour a creusé une profonde vallée, aujourd'hui sous-marine. À 35 km au large des côtes, l'entaille atteint jusqu'à 3 711 m de profondeur : c'est le **Gouf de**

Capbreton, qui se résorbe seulement à 60 km de la côte.

Des documents anciens permettent de suivre la course capricieuse imposée à l'Adour par les sables, de Capbreton à Vieux-Boucau, en passant par Bayonne. En 1571, Charles IX ordonne d'assurer à l'Adour une embouchure définitive sauvegardant le port. **Louis de Foix** (architecte du phare de Cordouan) prend la direction des travaux. Une digue de 300 m est édifiée et un chenal direct est ouvert sur 1 800 m. De l'ancien bras, il ne reste aujourd'hui que de petits lacs, dont celui d'**Hossegor**.

La côte aquitaine, un paradis pour les surfers.

La Côte d'Argent

La vaste plaine des Landes, qui s'étend sur 14 000 km², s'inscrit dans un triangle dont la base couvrant 230 km est constituée par la côte atlantique, de la Gironde à l'Adour. Cette côte rectiligne formait, à l'origine, une immense **plage** où se sont déposés les sables rapportés par la mer. Ces sables desséchés et transportés par le vent d'Ouest vers l'intérieur se sont accumulés jusqu'au siècle dernier, pour former des **dunes** progressant de 7 à 25 m par an. Aujourd'hui boisées et fixées, ces dunes, larges de 5 km, bordent la côte. Ce sont les plus étendues et les plus hautes d'Europe : la dune du **Pilat**, mondialement réputée, culmine à environ 107 m.

À l'exception de la **Leyre** (appelée aussi Eyre dans son cours inférieur) qui vient s'évanouir dans l'Océan au creux du bassin d'Arcachon, les cours d'eau ont été arrêtés par la barrière des dunes, formant ainsi de nombreux **étangs**. S'ils communiquent entre eux, leurs eaux se frayent péniblement un passage jusqu'à l'Océan par des « courants » capricieux dont la descente fait la joie des amateurs de sports nautiques. Les plus typiques sont les **courants d'Huchet** et **de Contis**.

Marée noire

Le 19 novembre 2002, le pétrolier *Prestige*, victime d'une avarie, coulait au large de la Galice. Il transportait 77 000 t de fioul lourd, dont 64 000 se seraient échappées de l'épave. La pollution a touché les côtes du Portugal, de l'Espagne, de la France et de l'Angleterre. Nettoyées quotidiennement, les plages d'Aquitaine ont délivré 16 000 t de déchets. La faune et la flore ont été sévèrement touchées : sur les 3 000 oiseaux capturés pour nettoyage, seuls 170 ont survécu. Quant aux huîtres, elles ont fait l'objet d'une surveillance permanente : les seuils tolérés de contamination aux hydrocarbures n'ont jamais été atteints.

La vague du surf

La Côte d'Argent, avec ses belles vagues toute l'année, attire les surfeurs.

Né aux îles Hawaï, le surf arrive dans l'Hexagone en 1957. Ce sport de glisse consiste à gagner le large allongé sur une planche puis à retourner au rivage en se laissant porter par une vague déferlante. Figures diverses et virages font partie de l'épreuve.

D'autres sports, *longboard*, *skimboard*, *bodyboard* (ou *morey*) et *bodysurf*, dérivés du surf, ont vu leurs pratiques se développer sur la côte atlantique.

Reportez-vous à la rubrique « Surf » (voir p. 42).

AUTREFOIS LES MARAIS

Au milieu du 19e s., la zone intérieure était une **lande insalubre** que les pluies transformaient en marécage. Là vivait une population de bergers, se déplaçant sur des échasses pour surveiller les moutons qu'ils élevaient pour l'engrais de leur fumier, indispensable à leur culture vivrière.

La fixation des dunes

L'ingénieur des Ponts et Chaussées **Brémontier** met au point, à partir de 1788, un projet de fixation des dunes.

Il construit d'abord une digue destinée à arrêter le cheminement des sables. À 70 m de la ligne atteinte par les plus hautes mers, il dispose une palissade de madriers contre laquelle le sable s'accumule. Relevant les madriers à mesure que le sable monte, il crée une « dune littorale » de 10 à 12 m de haut, formant barrière.

Pour fixer les dunes intérieures, des graines de **pin maritime** mélangées à des graines d'ajonc et de genêt sont semées. Après quatre ans, le genêt atteint près de 2 m de hauteur. Le pin, d'une croissance plus lente, grandit ainsi protégé.

Le pin maritime

C'est un arbre peu fourni, mais élégant, dont la croissance est rapide.

Depuis l'Antiquité, il a été, dans les **Landes**, à l'origine d'une activité traditionnelle aujourd'hui révolue : le **gemmage** (ou récolte de la résine).

Autrefois, le gemmeur incisait périodiquement le pin à l'aide d'un « hapchot ». Par cette plaie, la gemme coulait dans des petits pots de terre « cramponnés » au fût ou dans des sachets en plastique. Les techniques modernes avaient introduit l'acide sulfurique qui activait le processus et avait l'avantage de réduire considérablement la blessure faite à l'arbre.

🕭 Pour en savoir plus sur le gemmage et la lutte contre les feux de forêt, rendez-vous à l'**Atelier de produits résineux** et à la **Maison de l'estupehuc** à Luxey *(voir Parc naturel régional des Landes dans la partie « Découvrir les sites »)*.

L'assainissement de l'intérieur

Au début du 19e s., la plaine intérieure reste mal drainée et rebelle à toute tentative de colonisation agricole. Sous le Second Empire, l'ingénieur **Chambrelant** établit un plan de drainage, de défrichement et d'ensemencement forestier, d'où la plantation massive de pins maritimes sur près d'un million d'hectares.

LA CHALOSSE ET LE TURSAN

Plus à l'Est se déploient de verdoyantes collines lacérées par les affluents de l'Adour et jalonnées de vignes, les versants s'abaissant en terrasses vers les fonds cultivés des rivières. Comme les coteaux et les bocages de la Chalosse, les plateaux du Tursan sont abondamment plantés de maïs.

LES DOUCES COLLINES

Région de transition entre le Périgord méridional, le bas Quercy et les Landes, l'**Agenais** doit son unité à la vallée de la Garonne.

Dans la partie Nord au climat humide, sur les terrains argileux de Lauzun couverts de pâturages, abondent les vaches laitières. Plus à l'Est, entre Monflanquin et Gavaudun, les bois de châtaigniers, de chênes et de pins apparaissent. Peu industrialisé, l'Agenais ne possède qu'une ville de tradition ouvrière : Fumel, dont l'exploitation des sables riches en minerai de fer a jadis permis la création de petites usines métallurgiques avant de céder la place aux fonderies pour l'automobile.

Le **pays des Serres**, caractérisé par de bas plateaux allongés séparés par des vallons fertiles, s'étend au Sud du Lot et porte principalement du blé sur les plateaux limoneux de Tournon-d'Agenais, tandis que les vignes se multiplient sur les pentes.

Dans la **vallée de la Garonne**, des cultures délicates très variées s'y étagent en terrasses, favorisées par la qualité des alluvions et la douceur du climat.

La **vallée du Lot**, quant à elle, est un immense verger coupé de jardins et de champs de tabac. Les petits pois, haricots verts et melons de Villeneuve-sur-Lot ont gagné depuis quelques lustres leurs galons de renommée.

LE VIGNOBLE BORDELAIS

De l'estuaire de la Gironde aux rives de la Garonne et de la Dordogne, le Bordelais s'étend en une immense terre viticole. Étiré le long des fleuves, étoilé autour de la grande ville, le vignoble est un maillage serré et savant de 112 000 ha de terres de caractère. Y sont piqués avec ordre pieds de vigne, châteaux, maisons de négoce, caves coopératives, tous établissements organisés autour du labeur viticole. Le paysage semble rigoureusement rangé, à l'image des fûts qui s'alignent dans l'ombre des chais. Cette portion de la Gironde écrit ainsi depuis 2 000 ans la plus longue histoire de vins fins de France.

Dans la région du **Médoc**, l'Océan est presque déjà là : la Gironde l'annonce et borde de près la route des vins prestigieux. Au Sud de Bordeaux, la région des **Graves** évoque un terrain très caillouteux, fait de graviers, de sable et de galets. Plus à l'Est, les vignes de l'**Entre-Deux-Mers**, entre Garonne et

Chai dans le vignoble du Médoc.

Stéphane Sauvignier / MICHELIN

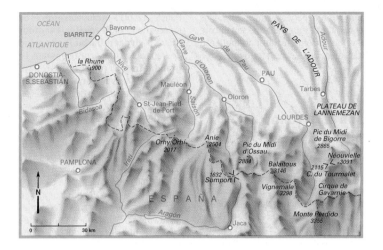

Dordogne, s'écartent pour laisser place à des forêts, des coteaux. Au-dessus, **Saint-Émilion** rappelle qu'ici vigne et patrimoine architectural sont étroitement mêlés.

LA MONTAGNE

La formation

Résultat de plissements de la vieille structure hercynienne (Massif central, Ardennes), la **chaîne des Pyrénées**, que l'on voit de Pau se dessiner au-dessus des coteaux béarnais, frappe par la continuité de ses crêtes finement échancrées, ne laissant place, depuis la capitale régionale, ni à des seuils ni à des cimes maîtresses, hormis le **pic du Midi d'Ossau** (alt. 2 884 m) qui doit la majesté de sa silhouette à des pointements de roches volcaniques.

L'érosion n'a cessé de niveler le massif. Multipliant ses attaques contre les régions surélevées, elle fait réapparaître, par décapage, les formations sédimentaires primaires et, en certains endroits, le noyau cristallin. Lors des premières grandes invasions glaciaires, à l'aube du paléolithique, les Pyrénées apparaissent à nouveau démantelées, ayant perdu plusieurs milliers de mètres d'épaisseur depuis la phase alpine.

Les vallées

Trois superbes vallées forment l'ossature de la montagne béarnaise. À l'Ouest, pays de pâturages, la vallée de **Barétous**. Au centre, la vallée d'**Aspe**, la plus sauvage, suit la route naturelle menant d'Oloron au col du Somport. Enfin, la vallée d'**Ossau**, dominée par le pic du Midi d'Ossau, découpée par les torrents et les lacs, est réputée pour son marbre d'Arudy et les eaux chaudes de Laruns.

L'étagement de la végétation

La diversité de la végétation des Pyrénées dépend de l'altitude. En dessous de 800 m, la montagne se couvre de forêts de chênes, pédonculés et pubescents. Jusqu'à 1 700 m, l'**étage montagnard** est le domaine du hêtre et du sapin. Entre 1 700 et 2 400 m d'altitude, l'**étage subalpin** est couvert de pins à crochets qui se mêlent aux bouleaux ou aux sorbiers des oiseleurs. Vers 2 400 m, des forêts claires avoisinent les landines couvertes de rhododendrons et les pelouses alpines parsemées de fleurs. De 2 400 à 2 800 m d'altitude, à l'**étage alpin**, peu d'arbres subsistent sinon le saule nain ; une végétation bariolée et basse règne en maître.

On peut découvrir d'innombrables **espèces endémiques** sur ces trois étages : lys des Pyrénées, saxifrage à feuilles longues, chardon bleu des Pyrénées, silène acaule, pavot du pays de Galles, etc.

Au-delà de 2 800 m, le paysage est composé de rocs sur lesquels s'accroche une végétation rudimentaire, mousses et lichens.

Un tunnel controversé

Le 17 janvier 2003 était inauguré le **tunnel du Somport**, reliant la province de Huesca, en Aragon, à la vallée d'Aspe *(voir ce nom)*, en Béarn. L'occasion ou jamais pour les élus et les écologistes de rappeler leur crainte d'une très grande augmentation du trafic de véhicules, et donc de la pollution de l'air, dans la vallée d'Aspe, considérée comme un joyau naturel. Selon ses détracteurs, l'ouverture de ce tunnel, au lieu de favoriser le développement de la vallée, risque fort de la condamner, d'autant que l'étroite N 134 qui permet l'accès côté français ne sera pas aménagée avant… 2018. Élus et habitants regrettent que soit encore une fois privilégié le transport routier au détriment du transport ferroviaire.

La faune

SUR LE LITTORAL

Si la plupart des étangs, des lacs et des rivières d'Aquitaine sont très poissonneux (anguilles, truites, tanches et saumons), le littoral peut s'enorgueillir de vastes **parcs d'ostréiculture** (voir Bassin d'Arcachon dans la partie « Découvrir les sites ») et d'une variété de poissons remarquable : dorade, bar, thon, sardine, merlu, rouget, congre, raie, sole, lieu…

DANS LES PYRÉNÉES

Une faune variée

Parmi les animaux protégés, l'**ours brun** vit aujourd'hui dans les forêts de l'étage montagnard où survivent aussi les derniers **lynx**. L'**isard**, chassé vers les hauteurs par les remous de l'activité humaine des vallées, préfère la pelouse et les rochers de l'étage alpin.

Les randonneurs discrets apercevront peut-être aussi des **sangliers**, des **chevreuils** ou même des **mouflons de Corse**, faute de pouvoir observer des bouquetins, aujourd'hui totalement disparus du massif pyrénéen. Les berges des torrents (à plus de 1 500 m d'altitude) abritent le **desman**, rongeur spécifiquement pyrénéen.

Autrefois vides de poissons, les lacs et les rivières sont aujourd'hui peuplés de **saumons** et de **truites**.

Dans les airs planent plusieurs espèces de rapaces dont l'**aigle royal** et le **vautour fauve**. Le **gypaète barbu**, le plus grand des rapaces d'Europe, reste très rare. Le **grand tétras**, ou coq de bruyère, fraye dans les sous-bois tandis qu'au petit matin les **marmottes** sortent de leur terrier.

Côté élevage, les béarnais s'enorgueillissent de posséder une race de vache locale très caractéristique : la **blonde des Pyrénées**. Élégante, avec sa couleur froment et son cornage en lyre haute, elle est élevée aussi bien pour sa viande que pour son lait. Déjà connue à l'époque de Gaston Phébus, comme en témoigne sa présence sur les armoiries de la ville de Pau, la race, supplantée par la création de la blonde d'Aquitaine dans les années 1960, est aujourd'hui en déclin ; elle bénéficie désormais d'un programme de conservation.

L'ours en voie de disparition

La dernière ourse de souche pyrénéenne, **Cannelle**, était tuée le 1er novembre 2004 lors d'une battue aux sangliers dans la vallée d'Aspe. Pour pallier la menace d'extinction, 7 000 ha avaient pourtant été interdits à la chasse en automne, saison où l'ours constitue ses réserves avant l'hibernation. L'autre mesure envisagée suscita et suscite encore une vive polémique : en 1996 et 1997, trois ours slovènes, un mâle, Pyros, et deux femelles, Melba et Ziva, étaient réintroduits dans le massif béarnais. En 2005, ce sont encore cinq de leurs congénères slovènes que l'État français projette de relâcher dans les Pyrénées. Les principaux opposants à la réintroduction sont les éleveurs, alarmés par les attaques oursines contre leurs troupeaux. Mais pour

Un des points culminants du Béarn, le pic du Midi d'Ossau.

les acteurs favorables à la sauvegarde de l'ours dans les Pyrénées, soucieux de l'image de marque du massif et de la préservation du patrimoine faunistique, ces éleveurs, en négligeant la garde de leurs brebis, sont les seuls responsables de leurs pertes, qui sont en outre indemnisées par les collectivités. Quoi qu'il en soit, la réintroduction suit son cours : les ours slovènes se sont bien acclimatés au climat pyrénéen et le massif compte aujourd'hui plus d'une dizaine d'ours.

⚲ Pour en savoir plus, rendez-vous à la **Maison du Parc national** à Etsaut *(voir la vallée d'Aspe)*, qui présente une exposition « L'ours brun des Pyrénées ».

Questions d'environnement

Conscient de la nécessité de sauvegarder les milieux naturels qui confèrent à l'Aquitaine une forte valeur ajoutée auprès de sa population et de ses visiteurs, le conseil régional met aujourd'hui en place des politiques de préservation, de remise en état de sites et paysages et de valorisation économique du patrimoine. La Région a clairement affiché son souhait de s'investir dans une démarche de **développement durable**, grâce à la mise en œuvre de certaines mesures : construction de lycées HQE (Haute qualité environnementale), aide à l'agriculture respecteuse de l'environnement et aux productions de qualité, soutien à l'écotourisme, suivi de la qualité des eaux des rivières et du littoral, sauvegarde et entretien de sites naturels ou architecturaux d'importance, économies et diversification des sources en matière énergétique… En outre, avec plus d'une centaine de sites **Natura 2000** (fleuves, vallées, coteaux, marais), l'Aquitaine s'inscrit nettement dans une démarche européenne de protection de l'environnement. L'opération Natura 2000 a pour objectif de maintenir la diversité biologique des milieux en tenant compte des exigences économiques, sociales, culturelles et régionales qui s'y attachent. Pour cela, elle encourage, par un soutien financier, les acteurs locaux à entretenir eux-mêmes les milieux naturels dans lesquels ils vivent.

Observer les oiseaux

Vous pourrez admirer des oiseaux migrateurs ou autochtones dans les sites suivants :
- en **Gironde**, le marais du Conseiller *(voir Soulac-sur-Mer)* ; la pointe du Cap-Ferret, le domaine des Certes d'Audenge, le parc ornithologique du Teich *(voir le bassin d'Arcachon)* ; le marais de Bruges *(voir Bordeaux)* ; l'étang de Cousseau *(voir Lacanau)* ;
- dans les **Landes**, le courant d'Huchet ; l'étang Noir *(voir Hossegor)* ; le marais d'Orx *(voir Capbreton)* ;
- en **Béarn**, la Salique aux oiseaux à Biron *(voir Orthez)* ; la falaise aux Vautours à Aste-Béon *(voir Vallée d'Ossau)*.
En outre, de nombreuses sorties ornithologiques peuvent vous être proposées par les offices de tourisme, les associations ornithologiques ou par les guides de montagne, notamment dans les Pyrénées.

La forêt en danger

Les pins maritimes couvrent 1 000 000 ha environ. Pour préserver cette forêt des **incendies**, un corps de sapeurs-pompiers forestiers a été créé. De nombreux observatoires reliés par téléphone et radio permettent la détection rapide des feux. L'accès, dans les moindres délais, du matériel de lutte a été amélioré et des points d'eau ont été établis. Enfin, pour obtenir des coupures plus larges et en même temps assurer le maintien sur place des populations, l'extension des cultures a été encouragée.

L'Aquitaine a été l'une des régions les plus touchées par la **tempête** de décembre 1999 : l'ouragan a détruit plus de 29 millions de m^3 dans la forêt de pins maritimes, dont 26 millions sur le seul massif landais. Outre l'incroyable force des vents, de tels dégâts s'expliquent par la particularité de la forêt landaise : constituée d'arbres identiques s'alignant comme des dominos, elle était plus vulnérable que les autres. On estime que le chantier de reconstitution de cette forêt de résineux demandera au moins dix ans. En attendant, les sylviculteurs tentent comme ils peuvent de maintenir leurs affaires à flot.

HISTOIRE

Théâtre de querelles historiques, objet de revendications, l'Aquitaine a connu un passé tumultueux. Des conquêtes romaines au royaume des Wisigoths, de Charlemagne aux invasions normandes, du duché de Guyenne à la guerre de Cent Ans, des guerres de Religion au gouvernement Poincaré de 1914, l'Aquitaine s'est toujours trouvée intimement liée à l'histoire de France.

Josse / BN, Paris

Livre de chasse de Gaston Phébus (1387) : « Comment l'on doit chasser et prendre le loup. »

Une terre convoitée

LA PRÉHISTOIRE

À l'époque de l'*Homo sapiens*, entre –35 000 et –10 000 (paléolithique supérieur), l'homme de **Cro-Magnon**, caractérisé par le fort volume de son crâne et par son langage articulé, consacrait une part non négligeable de son temps à la création d'œuvres artistiques, comme en témoignent les dessins et ornements découverts en 1881 dans la **grotte de Pair-non-Pair** en Gironde. Quant à la **Dame de Brassempouy**, elle gisait dans les Landes. Sculptée il y a plus de 20 000 ans dans de l'ivoire de mammouth, cette Vénus serait la plus ancienne représentation de visage humain que l'on ait retrouvée dans le monde.

DE L'ÂGE DES MÉTAUX À L'EMPIRE CAROLINGIEN

Dès –1800, de grands mouvements de peuples fixent la physionomie ethnique de l'Occident. Les populations des Pyrénées atlantiques forment déjà une souche homogène résistant aux influences extérieures. Entre le 6e et le 3e s. av. J.-C., les **Celtes**, surnommés « les plus raffinés des barbares », apportent avec eux les prémices de la civilisation. La tribu des Bituriges vivisques s'installe sur un méandre de la Garonne et crée le port de **Burdigala**, future ville de Bordeaux, qui devient la capitale de l'Aquitaine. Le commerce se développe et, déjà, le vin fait la fortune de la nouvelle cité.

Mais la conquête de la Gaule par **César** vient bouleverser les rapports établis : en 56 av. J.-C., P. Licinius Crassus, légat de César, mène deux campagnes victorieuses et soumet l'Aquitaine, malgré l'active résistance de certaines peuplades. L'**Aquitania**, dont le territoire s'étend alors des Pyrénées à la Loire, devient, sous la férule d'Auguste, l'une des quatre provinces de la Gaule romaine ; elle s'urbanise et s'organise grâce à l'aménagement de voies de communication et à la création d'administrations. À partir du 4e s. pénètre progressivement le christianisme.

Avant même que l'Empire romain ne sombre en 476, l'Aquitaine est envahie en 418 par les **Wisigoths** qui la rattachent à leur royaume d'Espagne. Ils perpétuent la culture latine et le droit romain écrit.

En 466, Bordeaux devient la capitale d'un royaume florissant qui s'étend de Gibraltar à la Loire. Mais en 507, c'est au tour de **Clovis** de s'emparer de l'Aquitaine tant convoitée ; les Wisigoths sont battus à Vouillé et la province est intégrée au royaume franc. Peu après, à la fin du 6e s., les **Vascons**, peuple ibérique dont descendent les Basques, se répandent dans le plat pays, la « Gascogne ». Pendant toute la période mérovingienne, l'Aquitaine ne cessa pas pour ainsi dire d'être un duché indépendant gouverné par divers parents des souverains, malgré une tentative de **Dagobert** en 630 de créer un royaume aquitain.

Au siècle suivant, ce sont les **Arabes** qui tentent d'envahir le pays : Bordeaux est incendié et de nombreuses villes rasées. Si Charles Martel enraye la progression des Arabes à Poitiers en 732, il faudra plusieurs années à **Charlemagne** pour refouler les Sarrasins jusqu'aux Pyrénées. C'est en 778 qu'a lieu la célèbre **bataille de Roncevaux**, contée dans la *Chanson de Roland*, où l'arrière-garde de Charlemagne est écrasée, non seulement par les Arabes, mais aussi par les Vascons. Pour soumettre ces derniers, Charlemagne crée la même année, pour son fils **Louis le Pieux**, un royaume d'Aquitaine sous l'autorité du roi franc. L'Aquitaine passe alors entre les mains des différents souverains carolingiens, qui doivent lutter contre les invasions des **Normands**, tandis que ces derniers détruisent Bordeaux en 848. En 877, l'Aquitaine est à nouveau constituée en duché par **Louis**

le Bègue, avant d'être, deux siècles plus tard, unie au duché de Gascogne en 1058. Le titre de duc revient alors à la dynastie poitevine qui s'illustre surtout par le prince troubadour **Guillaume IX**, grand-père d'Aliénor d'Aquitaine.

L'AQUITAINE AU CŒUR DE LA GUERRE DE CENT ANS

Les deux mariages d'**Aliénor d'Aquitaine** vont marquer un tournant dans l'histoire de la province et de la France tout entière. En 1137, Aliénor, qui vient tout juste d'hériter du vaste duché d'Aquitaine à la suite de la mort de son père, épouse le futur **Louis VII**. La même année, tous deux se retrouvent propulsés à la tête du royaume de France alors que s'éteint Louis VI le Gros. Ce mariage laissait espérer un prochain retour de l'Aquitaine au royaume de France, mais le couple royal se brouille et l'annulation du mariage est prononcée en 1152. Aliénor épouse aussitôt **Henri Plantagenêt**, livrant du même coup l'Aquitaine à l'héritier de la dynastie angevine qui régnait alors sur l'Angleterre.

Les effets ne s'en font pas attendre : deux ans plus tard, en 1154, la couronne d'Angleterre revient à Henri II, la France est cernée de toutes parts par les possessions de son vassal anglais. Jusqu'au 15e s., l'Aquitaine ne cessera d'être ballottée entre les deux puissances. Confisquée à Jean sans Terre par Philippe Auguste en 1204, l'Aquitaine revient aux Anglais par le **traité de Paris**, signé par Saint Louis

L'ÉTAT PLANTAGENÊT À SON APOGÉE (Milieu du 12e s.)

Possessions des Plantagenêts

Frontière du Royaume de France

Frontière actuelle

0   300 km

en 1259. L'accord est remis en question à plusieurs reprises et les troupes royales envahissent la Guyenne en 1296 puis en 1324. Toute cette période est marquée par la fondation des bastides, villes neuves (*voir p. 74*).

La **guerre de Cent Ans** éclate en 1337, lorsque Édouard III d'Angleterre affiche ses prétentions sur la couronne de France. En 1356, son fils, surnommé le Prince Noir, capture le roi de France Jean II le Bon et demande en rançon les pleins droits sur l'Aquitaine. Cela lui est accordé en 1360 par le **traité de Brétigny**, au terme duquel la France abandonne à nouveau l'Aquitaine aux Anglais, en échange du renoncement du Prince Noir au trône de France. En 1380, c'est au tour des Anglais de se plier à la force française : ils sont vaincus à Bordeaux et à Bayonne. C'est avec la **bataille de Castillon** en 1453, qui marque la fin de la guerre de Cent Ans, que la France reconquiert définitivement l'Aquitaine.

LE RATTACHEMENT DU BÉARN À LA COURONNE DE FRANCE

Côté pyrénéen, le Béarn, vicomté vassal de l'Aquitaine depuis le 9e s., suit les aléas de la province jusqu'en 1290 où il est réuni par mariage au comté de Foix, après un bref rattachement à la couronne de France par le mariage de Jeanne de Navarre avec Philippe IV le Bel en 1284. En proclamant l'indépendance du Béarn en 1347, **Gaston Phébus**, grand seigneur local, épargne ainsi à la région les affres de la guerre de Cent Ans. Avec l'union de Catherine de Navarre et de Jean d'Albret en 1484, les Albret, désormais « rois de Navarre », deviennent prépondérants dans les Pyrénées gasconnes. Mais, dépossédés par Ferdinand le Catholique en 1512, ils ne conservent que le pays situé au Nord des

Pyrénées (Basse-Navarre). **Jeanne d'Albret**, reine de Navarre de 1555 à 1572, mariée à Antoine de Bourbon, veille à maintenir l'indépendance de ses États entre la France et l'Espagne et, durant les **guerres de Religion**, elle impose le calvinisme au Béarn. Son lieutenant, Montgomery et, du côté catholique, Blaise de Monluc, rivalisent d'atrocités. C'est le fils de Jeanne d'Albret et d'Antoine de Bourbon, **Henri IV**, qui, roi de France et de Navarre, réunira le Béarn à la Couronne en 1594. La paix religieuse s'installe enfin grâce à la promulgation de l'**édit de Nantes** par le même Henri IV. En 1620, l'indépendance du Béarn est définitivement oubliée avec la proclamation de l'**édit d'Union** au Béarn par Louis XIII. La révocation de l'édit de Nantes en 1685 par Louis XIV occasionne de nombreuses persécutions contre les protestants, exécutées par les dragons du roi et permet surtout à ce dernier d'asseoir l'autorité royale sur la province.

L'ESSOR DE BORDEAUX, NAISSANCE DU PYRÉNÉISME

Au 17e s., les seigneurs de Navarre affirment leur autorité face au pouvoir royal un peu partout en Guyenne en érigeant des forteresses défensives (château Trompette à Bordeaux, citadelle de Blaye). La **Fronde** est très vive en Gironde : en 1649, Bordeaux s'érige en république autonome, avec le soutien des Anglais. Provoquant des disettes et des épidémies, les guerres de Religion et les luttes de pouvoir ont rendu la vie dure aux Aquitains, tout au long des 16e et 17e s.

Au début du 18e s., un redressement s'amorce : les villes connaissent une forte croissance et les populations urbaines doublent ou triplent de volume. De 1743 à 1757, **Tourny**, intendant de Guyenne, donne au développement économique de Bordeaux une impulsion décisive. À la veille de la Révolution, le Bassin aquitain est considéré comme l'une des régions les plus prospères de France, en particulier grâce au développement des grands vignobles et à celui du commerce colonial et maritime. Le 18e s. voit réellement l'apogée de Bordeaux, sous l'égide de son parlement. En 1754, la thèse de **Théophile de Bordeu** sur les eaux minérales d'Aquitaine contribue à la spécialisation des stations de cure et à l'essor du thermalisme. Le Second Empire est une période faste pour les stations thermales des Pyrénées centrales. Par ailleurs, la côte est aménagée : en 1786, l'ingénieur **Brémontier** présente son projet de fixa-

Le blason du Béarn : « Deux vaches passantes portant clarines au cou. »

Antonin Thuillier / MICHELIN

Les grandes dates

56 av. J.-C. – Crassus, lieutenant de César, conquiert l'Aquitaine.

418 – Invasion de l'Aquitaine par les Wisigoths, eux-même chassés par les Francs de Clovis en 507.

778 – L'arrière-garde de Charlemagne est écrasée à Roncevaux.

781 – Charlemagne fait sacrer son fils Louis roi d'Aquitaine.

1137 – Le prince Louis, fils du roi de France et futur Louis VII, épouse Aliénor d'Aquitaine.

1152 – Aliénor d'Aquitaine se remarie avec Henri II Plantagenêt, comte d'Anjou.

1154 – Henri Plantagenêt, duc d'Aquitaine, devient roi d'Angleterre, l'Aquitaine passe sous domination anglaise pendant trois siècles.

1347 – Gaston Phébus proclame l'indépendance du Béarn.

1453 – Dernière bataille de la guerre de Cent Ans, gagnée à Castillon-la-Bataille par les frères Bureau ; l'Aquitaine revient à la France.

1571 – Au cœur des guerres de Religion, Jeanne d'Albret impose le calvinisme aux Béarnais.

1607 – Henri IV réunit à la France son propre domaine royal (Basse-Navarre) et les fiefs qu'il détient comme héritier de la maison d'Albret (Foix-Béarn).

1771 – Le trafic maritime de Bordeaux est à son apogée.

1914 – Devant l'offensive allemande, le président Poincaré, le gouvernement et les Chambres s'installent temporairement à Bordeaux.

1940 – Le gouvernement Reynaud s'installe à Bordeaux.

1998 – Procès de Maurice Papon, secrétaire général de la préfecture de la Gironde de 1942 à 1944, accusé de crime contre l'humanité.

---

tion des dunes et d'assainissement des marais grâce à la plantation de pins dans les Landes.

Au 19e s., le développement des chemins de fer apporte la consécration balnéaire de la côte atlantique ; le train arrive à Bordeaux en 1852 et le tourisme prend son essor. Cependant, la côte landaise reste encore inexplorée. C'est pourquoi, en 1905, le journaliste bordelais **Maurice Martin** décide de se lancer dans une expédition de découverte des lieux qu'il rendra célèbre sous le nom de « Côte d'Argent ». Le succès touristique de la région doit beaucoup à la viticulture. Le premier **classement des vins**, esquissé dès les années 1725 avec Haut-Brion, Marguaux, Lafite et Latour s'élargit dès 1855 avec la classification des grands crus du Médoc, établie à la demande de Napoléon III en vue de l'Exposition universelle de Paris.

L'Aquitaine profite peu, du développement industriel et demeure avant tout agricole. Le 19e s. verra en outre une massive émigration des béarnais vers les États-Unis.

L'Aquitaine contemporaine

En 1914, devant l'offensive allemande, le président **Poincaré**, le gouvernement et les Chambres s'installent temporai-rement à Bordeaux, comme l'avait fait le gouvernement **Gambetta** en 1870 durant la guerre franco-prussienne. Le réflexe sera le même en 1940, avant que le gouvernement de Pétain ne déménage à Vichy.

L'Aquitaine devient une région productrice d'énergie, tout particulièrement grâce à l'éruption du gaz de Lacq en 1951 et au début de l'exploitation du pétrole à Parentis en 1954. Plus de 70 ans après l'ouverture du tunnel ferroviaire du Somport en 1928, c'est par la route qu'il est désormais possible de traverser les montagnes, depuis l'ouverture du tunnel routier en 2003 *(voir p. 63)*.

Les personnalités de la région

ALIÉNOR D'AQUITAINE

Née aux environs de 1122, elle est la fille aînée de Guillaume X d'Aquitaine. En 1137, alors qu'elle n'a que 15 ans, la mort de son père, son mariage au futur Louis VII et la mort de son beau-père Louis VI font d'elle la duchesse d'Aquitaine et la reine de France. Dix ans plus tard, elle prend part à la 2e croisade. De retour en France, les deux époux se brouillent malgré la naissance de leur deuxième fille et Aliénor obtient l'annulation du mariage sous prétexte d'une parenté trop proche (cousinage au 9e degré). Sans attendre, elle épouse **Henri Plantagenêt**, héritier de la Normandie et de l'Anjou, mais aussi du royaume d'Angleterre, à la tête duquel il est bientôt appelé, sous le nom d'Henri II. Aliénor met alors au monde huit enfants dont le troisième fils sera **Richard Cœur de Lion** (1157) et le dernier **Jean sans Terre** (1166). Après quelques années aux côtés de son époux aussi bien en Normandie qu'en Angleterre, elle se retire à Poitiers dans son duché de France où elle s'entoure d'une cour joyeuse. Instigatrice d'un complot qui oppose Henri II à deux de ses enfants, Aliénor est arrêtée et emprisonnée par son mari pendant près de quinze ans. À la mort de ce dernier, en 1189, la reine, libérée par son fils Richard, s'empresse de le faire couronner avant son départ en croisade. Elle assume le pouvoir pendant l'absence de son fils et garantit le trône des tentatives d'usurpation de Jean sans Terre. Richard revenu, Aliénor se retire à l'abbaye de Fontevrault. En 1199, elle accourt au chevet de Richard mourant et négocie avec lui la mise sur le trône de son frère Jean sans Terre. Avant de s'éteindre à Fontevrault le 31 mars 1204, elle part en Castille, où sa fille Aliénor règne aux côtés d'Alphonse VIII : son dernier acte politique sera de ramener sa petite-fille Blanche et de l'unir au futur Louis VIII, dont le fils **Saint Louis** réunira l'Aquitaine à la France.

GASTON PHÉBUS

Le plus célèbre des comtes de Foix et vicomtes de Béarn est Gaston III (1331-1391), qui adopte vers 1360 le surnom de Phébus (ou Fébus), signifiant « le

Le « for de Morlaàs »

De tout temps, les Béarnais, à l'instar des populations pyrénéennes, ont montré un goût très vif pour la liberté. Le suzerain, qu'il soit roi de Navarre, d'Angleterre ou de France, devra rendre très lâches les liens assujettissant le petit État. À l'intérieur du Béarn même, le vicomte accorde nombre de privilèges aux habitants. Au 11e s., Gaston IV le Croisé octroie le « for (droit) de Morlaàs ». C'est une sorte de charte politique et judiciaire qui limite les pouvoirs seigneuriaux et soumet tout le monde à l'impôt de la taille. À leur avènement, les vicomtes de Béarn sont tous tenus de « jurer le for ».

brillant », « le chasseur ». Ayant pour devise « toques-y si gauses » (touches-y si tu l'oses), c'est un politique avisé, qui exerce un pouvoir absolu, méprisant les « fors » jurés par lui. Lettré, poète, il s'entoure d'écrivains et de troubadours ; mais brutal et sans scrupules, il fait assassiner son frère et tue son fils unique au cours d'une querelle. Au retour d'une expédition de chasse, il tombe foudroyé par une hémorragie cérébrale.

LA MARGUERITE DES MARGUERITES

Grâce à la protection des rois de France et à la suite de mariages profitables, les **Albret**, petits seigneurs landais, se trouvent au 16e s. en possession du comté de Foix, du Béarn et de la Basse-Navarre. Henri d'Albret épouse **Marguerite d'Angoulême**, sœur de François Ier, en 1527. La beauté, l'intelligence et la bonté de Marguerite ont été célébrées par les poètes. Elle use de son influence sur son frère pour protéger les esprits trop libres et les novateurs religieux (Clément Marot, Calvin…). Elle compose un recueil de contes galants dans la lignée des fabliaux, l'*Heptaméron*. Son château de Pau, où se déroulent fêtes et bals, sera un des grands centres d'activité intellectuelle en Europe.

LA RUDE JEANNE D'ALBRET

On avait dit de Marguerite de Navarre : « Corps féminin, cœur d'homme et tête d'ange. » Sa fille, Jeanne d'Albret, n'a pas éveillé autant de lyrisme : « Elle n'a de femme que le sexe », disait crûment un contemporain. Son mariage l'unit à **Antoine de Bourbon**, descendant de Saint Louis, ce qui permettra à leur fils (futur Henri IV) de recueillir l'héritage des Valois quand cette branche s'éteindra avec Henri III. Jeanne devient reine de Navarre à la mort de son père, puis abjure le catholicisme pour la religion réformée. Assurant l'avenir de sa maison et de sa religion, elle obtient le mariage de son fils Henri avec **Marguerite de Valois**, fille de Catherine de Médicis et de Henri II. Elle meurt à Paris, en 1572, deux mois avant les noces de son fils.

« LOU NOUSTE HENRIC », LE GRAND BÉARNAIS

Henri de Navarre, futur **Henri IV**, naît à Pau le 13 décembre 1553. On raconte que le grand-père d'Albret lui frotte d'abord les lèvres avec une gousse d'ail et les mouille d'un peu de vin de Jurançon. Puis, avant de placer l'enfant dans l'écaille

Autres personnalités

Jacques-Yves Cousteau – *Voir Bourg.*
Jacques Chaban-Delmas – *Voir Bordeaux.*
Charles Despiau et Robert Wlérick – *Voir Mont-de-Marsan.*
Marguerite Duras – *Voir Duras.*
Saint Émilion – *Voir Saint-Émilion.*
Tony Estanguet – *Voir Pau.*
César et Constantin Faucher – *Voir La Réole.*
Louis de Foix – *Voir Phare de Cordouan.*
Saint Gérard – *Voir La Sauve.*
Les Girondins – *Voir Bordeaux.*
Bertrand de Got – *Voir Bazas et Roquetaillade.*
Francis Jammes – *Voir Orthez.*
Pierre Latécoère – *Voir Biscarosse.*
François Mauriac – *Voir Verdelais.*
Montesquieu – *Voir La Brède.*
Les Trois Mousquetaires – *Voir Vallée d'Aspe.*
Bernard Palissy – *Voir Fumel.*
Frères Pereire – *Voir Arcachon.*
Le Prince Noir – *Voir Bordeaux.*
Élisée Reclus – *Voir Sainte-Foy-la-Grande.*
Odilon Redon – *Voir Bordeaux.*
Jaufré Rudel – *Voir Blaye.*
Henri de Toulouse-Lautrec – *Voir Verdelais.*
Saint Vincent de Paul – *Voir Dax.*

de tortue qui lui servira de berceau, il le montre à la foule, s'écriant : « Voici le lion enfanté par la brebis de Navarre », répondant ainsi au trait insolent qui avait accueilli autrefois la naissance de sa mère : « Miracle ! la vache a enfanté une brebis. » Le jeune Henri passe les premières années de sa vie au château de Coarraze, entre Pau et Lourdes. À 12 ou 13 ans, Henri entre officiellement en religion réformée. Six jours après son mariage avec Marguerite de Valois éclate la **St-Barthélemy** (1572). Le jeune époux n'échappe à la mort que par l'abjuration ; il reviendra ensuite à la religion réformée jusqu'à l'abjuration solennelle précédant son avènement (1589). Pour ménager l'esprit d'indépendance de ses Béarnais, Henri IV prend le titre de « roi de France et de Navarre ». Louis XIII, en 1620, réunira définitivement le Béarn à la Couronne.

MICHEL DE MONTAIGNE

Né en 1533 au château de Montaigne en Périgord et fils de riches négociants gascons anoblis, le jeune Montaigne apprend le latin dès son plus jeune âge. À 6 ans, il entre au collège de Guyenne, haut lieu de l'humanisme bordelais. Après des études de droit, il devient magistrat, d'abord à Périgueux puis, au parlement de Bordeaux où il se lie d'amitié avec Étienne de La Boétie. En 1570, il résilie ses charges et se consacre à l'administration de son domaine et, surtout, à l'écriture des *Essais*, qui paraissent à compte d'auteur, à Bordeaux. Montaigne se lance ensuite dans un grand voyage européen, de ville d'eaux, pour soigner ses calculs vésicaux. En juin 1581, alors qu'il séjourne aux eaux de Lucques, Montaigne reçoit une lettre des jurats de Bordeaux qui lui annoncent son élection comme maire. Pendant ses deux mandats, jusqu'en 1586, Montaigne doit user d'une habile diplomatie pour empêcher la ville de sombrer dans le chaos des guerres de Religion. Terrassé par sa maladie de la vessie, Montaigne meurt le 13 septembre 1592. Son cœur est déposé en l'église St-Michel et son corps enterré à l'église des Feuillants à Bordeaux.

Les pèlerins de Saint-Jacques

Vieux de plusieurs siècles, le chemin de Saint-Jacques-de-Compostelle rassemble encore aujourd'hui des Jacquets de plus en plus nombreux. Le long de l'ancienne voie romaine allant de Bordeaux à Astorga, passant par Saint-Jean-Pied-de-Port, en Basse-Navarre, c'est un pèlerinage toujours chargé d'émotions.

L'APÔTRE

Jacques vint de Palestine pour évangéliser l'Espagne. Selon la légende enracinée dans l'histoire, il fut décapité et son corps transporté par deux de ses disciples, échoués sur la côte de Galice. Il aurait alors été enterré à l'emplacement de la ville qui portera son nom. Lors de la reconquête de l'Espagne, Jacques serait apparu dans un combat sur un cheval blanc, terrassant les Maures (d'où son surnom de Matamore). Sanctifié, l'apôtre devint le patron des chrétiens, symbole de la Reconquête.

LE PÈLERIN

La pratique des pèlerinages lointains, tel celui de Compostelle, amenait dans un village un étranger, souvent loqueteux, redouté par les autorités locales, mais apportant des récits propres à enflammer l'imagination populaire. Son costume ressemblait à celui des voyageurs de l'époque, mis à part le gros bâton à crosse (bourdon) et les insignes du pèlerinage : coquille et médaille. La vaste cape et le mantelet court (esclavine), une panetière (musette), une gourde, un couvert, une écuelle, un coffret en tôle contenant les papiers et les sauf-conduits complétaient sa tenue. Le fidèle qui avait pris la coquille et le bourdon était à son retour considéré comme un notable. Les confréries de St-Jacques avaient leur chapelle particulière dans les églises ; elles constituaient des fraternités (frairies) et conservaient les comptes rendus de voyage.

LE CHEMIN DE LA FOI

Au Moyen Âge, le tombeau de saint Jacques le Majeur attire en Espagne une foule considérable de pèlerins. La dévotion envers « Monsieur Saint Jacques » est si vivante que **Santiago** (Compostelle) devient un lieu de rassemblement exceptionnel. Depuis le premier pèlerinage français accompli par l'évêque du Puy en 951, des millions de jacquets, jacquots ou jacobits, ont pris la route pour aller vénérer les reliques de l'apôtre à partir des villes de regroupement que constituaient pour l'Europe entière Paris, Vézelay, Le Puy, Autun et Arles.

Une organisation très complète d'**hospices** facilitait le voyage et pourvoyait, le long des principaux itinéraires, à l'hébergement des pèlerins, au maintien de leur bonne santé spirituelle. Les itinéraires convergeaient en Basse-Navarre avant le franchissement des Pyrénées, opérant leur jonction à Ostabat. St-Jean-Pied-de-Port représentait la dernière étape avant l'ascension vers le col frontière. Les pèlerins gagnaient Roncevaux par la route des hauteurs, section de l'ancienne voie romaine de Bordeaux à Astorga. Chaque pèlerin portait une croix de feuillage faite de ses mains avant la montée. Au terme de la première escalade, au col de Cize (Ibañeta), près de la « Croix de Charles », le jacquet priait, chantait et plantait sa croix. À l'ermitage voisin, la cloche sonnait par temps de brouillard et durant une partie de la nuit afin de rallier les égarés.

Au cours des siècles, la foi des jacquets s'est émoussée. Lucre et brigandage rassemblaient les bandes de « coquillards », faux pèlerins, dont fit partie le poète **François Villon**. Avec les guerres de Religion, le protestantisme et le jansénisme, les mentalités changèrent et la méfiance populaire voyait volontiers sous la pèlerine un aventurier ou un escroc. Si au 16e s., les pérégrinations se raréfient, au 18e s., quiconque voulait se rendre à St-Jacques-de-Compostelle devait se munir d'un extrait de baptême légalisé par l'autorité de police, d'une lettre de recommandation de son curé, elle-même légalisée, et d'un formulaire, dûment rempli, de son évêque. Depuis une vingtaine d'années, les pèlerins reprennent la route de Saint-Jacques-de-Compostelle.

👆 *Pour en savoir plus sur les pèlerins du 21e s., voir p. 87.*

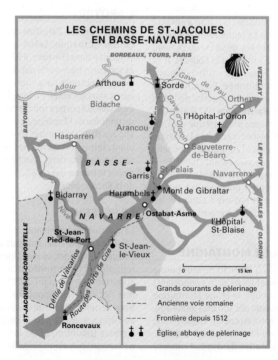

LES CHEMINS DE ST-JACQUES EN BASSE-NAVARRE

BORDEAUX, TOURS, PARIS

VÉZELAY

Adour

Arthous

Sorde

Gave de Pau

Orthez

Bidache

Gave d'Oloron

l'Hôpital-d'Orion

Arancou

BAYONNE

Hasparren

Sauveterre-de-Béarn

LE PUY

BASSE-

St-Palais

Garris

Navarrenx

Bidarray

Harambels

Mon! de Gibraltar

Nive

NAVARRE

Ostabat-Asme

l'Hôpital-St-Blaise

ARLES

OLORON

St-Jean-Pied-de-Port

St-Jean-le-Vieux

ST-JACQUES-DE-COMPOSTELLE

Défilé de Valcarlos

Route des Ports de Cize

0   15 km

Roncevaux

➤ Grands courants de pèlerinage
----- Ancienne voie romaine
----- Frontière depuis 1512
✝ ✝ Église, abbaye de pèlerinage

ART ET CULTURE

Des châteaux féodaux aux villas excentriques du 19e s., chaque siècle a su apposer son cachet en léguant à la région de véritables chefs-d'œuvre. Sur le passage des chemins de Compostelle, l'Aquitaine a hérité d'un riche patrimoine religieux : nombreuses sont les églises et les abbayes romanes qui jalonnent les itinéraires de Saint-Jacques. Côté civil et militaire, ce sont les bastides qui distinguent tout particulièrement la Guyenne. L'édification de ces villes neuves au plan rigoureux fut encouragée par les nombreuses guerres qui sévirent dans le pays aux alentours du 13e s. Si le 17e s. voit fleurir les fortifications Vauban, le 18e s. est marqué par un souci d'urbanisation d'un style très classique. Quant aux habitats traditionnels, ils sont surtout remarquables dans le Béarn, fier d'arborer ses imposantes cases béarnaises, et dans les Landes où l'habitat rural se groupait autour de l'airial.

Bastide de Monflanquin : place des Arcades.

La cité médiévale

L'Aquitaine peut s'enorgueillir de plusieurs cités et bâtiments médiévaux. Du 11e au 14e s., les villes nouvelles se sont multipliées, adoptant une architecture militaire. Autant de bastides, de donjons, d'églises fortifiées, de châteaux, de sauvetés et de castelnaux, au caractère à la fois défensif et résidentiel, qui correspondent aux siècles mouvementés du Moyen Âge.

L'ARCHITECTURE MILITAIRE

L'émiettement de l'autorité féodale au Moyen Âge a entraîné une dispersion générale des points fortifiés. Le Sud-Ouest, et particulièrement l'ancienne Aquitaine, partagée trois siècles durant entre deux couronnes, fut alors saupoudré de châteaux forts.
Des fortifications grossières se multiplièrent en rase campagne : un fossé, une palissade d'enceinte (*pau* en langue d'oc, *plessis* en langue d'oïl), une tour de bois puis de pierre élevée sur une « motte » suffisaient, pour un simple refuge.

Les donjons

Au début du 11e s. apparaissent des donjons défensifs de pierre, rectangulaires, caractérisés par une maçonnerie peu épaisse et l'absence de meurtrières. Le rez-de-chaussée, obscur, servant de magasin, l'accès se fait par le 1er étage au moyen d'une échelle ou d'une passerelle escamotable.

Les châteaux de brique

Certains châteaux du Béarn portent la marque de **Sicard de Lordat**, ingénieur militaire de Gaston Phébus. Construits en brique par souci d'économie, ils possèdent une tour carrée, à cheval sur l'enceinte polygonale tandis que les casernements et le logis d'habitation s'adossent intérieurement aux courtines. Morlanne et surtout Montaner sont les exemples les plus achevés de ce type.

Les châteaux clémentins

Bertrand de Got devient pape sous le nom de Clément V en 1305. Rome alors en pleine révolution, il demeure dans sa région natale bordelaise. Il est à l'origine des « châteaux clémentins ». Villandraut,

QUELQUES BASTIDES DE GUYENNE

Roquetaillade, Duras, Budos et Fargues sont des « **palais-forteresses** », résidentiels et défensifs.

Tous présentent sensiblement la même architecture. Leur plan rectangulaire porte à chaque angle une tour cylindrique. Un des côtés des murailles est percé d'une entrée, précédée d'une bastille, accostée de deux tours cylindriques de mêmes proportions que les tours d'angle. L'intérieur est bordé sur trois côtés par les appartements, vastes salles superposées voûtées.

Seul le **château de Roquetaillade** échappe à ce plan intérieur : il possède un donjon carré central plus élevé que les tours.

Les églises fortifiées

Nombreuses dans le Sud-Ouest, elles occupent une grande place dans l'histoire de l'architecture militaire.

Les deux types de **mâchicoulis** seraient apparus pour la première fois en France, à la fin du 12e s., sur des églises des pays de langue d'oc : mâchicoulis classiques sur corbeaux et mâchicoulis ménagés sur des arcs bandés entre les contreforts.

Traditionnel **lieu d'asile**, l'église représentait, avec son architecture robuste et son clocher tout désigné comme poste de guet, un refuge pour les populations menacées par les assaillants.

LES « VILLES NOUVELLES » DU MOYEN ÂGE

Sauvetés et castelnaux

Les **sauvetés** sont issues d'initiatives ecclésiastiques : prélats, abbés ou dignitaires d'un ordre militaire de chevalerie ont recours à des « hôtes », initialement des fugitifs et des errants, pour assurer le défrichement et la mise en valeur de leurs terres.

Les **castelnaux** sont à l'origine des agglomérations créées par un seigneur dans la dépendance d'un château. Muret, Auvillar, Mugron, Pau en sont autant d'exemples.

Les bastides

Nées des besoins démographiques, financiers et économiques ou liées aux préoccupations politiques et militaires, les bastides constituent le premier **habitat aggloméré** dans la région Aquitaine.

Nombre d'entre elles sont issues d'un contrat de **paréage** entre le roi et le seigneur du lieu ou entre un abbé et le seigneur laïc. Ce contrat précisait le statut des habitants, le programme du lotissement, les redevances. Le peuplement était encouragé par la garantie du droit d'asile et l'exemption du service militaire.

Si le plan des bastides se rapproche souvent d'un **modèle type**, en échiquier carré ou rectangulaire, il s'en éloigne parfois selon le relief et la nature du site. On reconnaît l'intervention d'un arpenteur professionnel dans le tracé rectiligne des rues se coupant à angle droit et dans le découpage de lots de valeur égale. Les colons recevaient, outre une parcelle à bâtir, une parcelle de jardin et, hors de l'agglomération, une parcelle cultivable.

La multiplication des bastides s'est accompagnée de l'édification de nombreuses **églises**. Bâties près de la place centrale ou à la périphérie, solidaires du cimetière, elles sont caractéristiques du gothique languedocien, avec une nef unique.

Du classicisme à l'Art déco

Du 16e au 19e s., l'Aquitaine s'enrichit de nouvelles bâtisses. Aux fortifications érigées par Vauban succèdent un style Louis XVI inspiré de l'art antique, puis un éclectisme triomphant. Le style néoclassique s'accompagne d'un mélange des genres pour s'offrir de somptueuses villas, rehaussées par l'avènement de l'Art déco.

L'ÉPOQUE CLASSIQUE

La fin de la Renaissance avait été une époque de stagnation pour l'art français. Avec Henri IV commence une ère de prospérité matérielle qui permet aux artistes de s'engager dans une voie nouvelle. L'avènement de la dynastie des **Bourbons** amène un changement radical. L'art dit classique s'étend de 1589 à 1789.

Les fortifications

Nées au 16e s., elles protègent surtout les cités frontalières, courtines et bastions étant couronnés d'une plate-forme où sont placés les canons tandis que des tourelles permettent de surveiller fossés et alentours.
Sébastien Le Prestre de **Vauban** (1633-1707), maître incontesté en matière de fortifications, établit son système caractérisé par des bastions que complètent des demi-lunes, dans un ensemble protégé par de profonds fossés. Profitant des obstacles naturels, utilisant les matériaux du pays, il s'attache à donner aux ouvrages une valeur esthétique.
En Gironde, son empreinte reste manifeste à **Blaye**, où la citadelle protectrice du port de Bordeaux participait d'un système de défense comprenant **fort Pâté** et **fort Médoc**. Dans le Béarn, **Navarrenx** témoigne également des travaux de l'architecte militaire.

L'architecture Louis XVI

De majestueux bâtiments évoquent le style Louis XVI, inspiré de l'art antique, dont l'architecte parisien Louis fut un insigne représentant : sa manière, noble et sobre, s'exprime au Grand Théâtre de Bordeaux et dans maints châteaux du Bordelais.
Quant aux **chartreuses**, ce sont ces petits châteaux caractéristiques de la Guyenne et plus particulièrement du vignoble bordelais. Bâties aux 18e et 19e s., elles ont été conçues par l'aristocratie locale pour servir de maison de campagne. Basses, habituellement sans étage, les chartreuses s'ouvrent de plain-pied sur une terrasse ou un parterre fleuri ; celle de **Loudenne** compte parmi les plus charmantes.

L'ÉCLECTISME DU 19e S.

Au 19e s., l'architecture européenne tend vers l'éclectisme, remettant au goût du jour les styles passés (antique, roman, gothique, Renaissance et classique) et empruntant largement aux styles étrangers, notamment à l'Orient. De la Gironde aux Pyrénées thermales, en passant par la côte, ce type d'architecture est prétexte à des constructions originales, à des **villas** somptueuses qui ont fait la réputation de certaines stations.
En Bordelais, si le style néoclassique domine, il existe de curieux mélanges au **château Lanessan** (Renaissance espagnole et style batave) ou au **château Cos d'Estournel** (orientalisme et classicisme). Terre de prédilection pour les constructions éclectiques, le **bassin d'Arcachon** s'est couvert de bâtiments de tous styles : villa algérienne au Cap-Ferret, ville d'hiver à Arcachon, conçue par les frères Pereire (chalets suisses, maisons basques, cottages anglais, villas mauresques, etc.).
Quand les Pyrénées découvrent le tourisme en 1860, les **stations thermales** bénéficient de cette vague d'éclectisme : à **Eaux-Chaudes**, l'établissement thermal est de style néoclassique, à **Salies-de-Béarn**, il s'affiche résolument oriental.

L'ART DÉCO

L'architecture Art déco hérite de l'Art nouveau le goût pour la décoration ; mais cette fois, les formes sont épurées et les lignes se redressent. Les architectes ont souvent recours à la ferronnerie, à l'art du verre et à la céramique.
À **Hossegor**, dans les Landes, entre 1920 et 1930, les architectes des villas balnéaires s'inspirent fortement de l'habitat rural basco-landais : ce style néorégional allie colombages, appareillage de brique en épi, typiquement landais, aux toits en débord, murs porteurs saillants et façades crépies blanches propres au Pays basque, tout en introduisant çà et là une décoration Art déco.

ABC d'architecture

Les dessins présentés dans les planches qui suivent offrent un aperçu visuel de l'histoire de l'architecture dans la région et de ses particularités. Les définitions des termes d'art permettent de se familiariser avec un vocabulaire spécifique et de profiter au mieux des visites des monuments religieux, militaires ou civils.

Architecture religieuse

BORDEAUX – Plan de la cathédrale St-André (11ᵉ-14ᵉ s.)

La nef de la cathédrale de Bordeaux ne possède pas de bas-côtés. Elle était primitivement divisée en trois travées carrées dont le nombre fut doublé au 13ᵉ puis au 16ᵉ s.

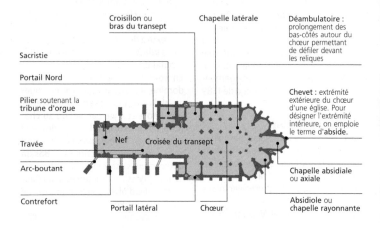

MARMANDE – Coupe longitudinale de l'église Notre-Dame (13ᵉ-16ᵉ s.)

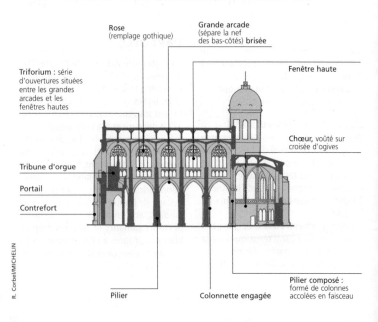

R. Corbel/MICHELIN

MOIRAX – Chœur de l'église Ste-Marie (11ᵉ-12ᵉ s.)

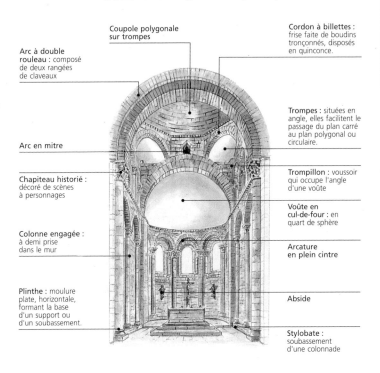

Coupole polygonale sur trompes

Arc à double rouleau : composé de deux rangées de claveaux

Arc en mitre

Chapiteau historié : décoré de scènes à personnages

Colonne engagée : à demi prise dans le mur

Plinthe : moulure plate, horizontale, formant la base d'un support ou d'un soubassement.

Cordon à billettes : frise faite de boudins tronçonnés, disposés en quinconce.

Trompes : situées en angle, elles facilitent le passage du plan carré au plan polygonal ou circulaire.

Trompillon : voussoir qui occupe l'angle d'une voûte

Voûte en cul-de-four : en quart de sphère

Arcature en plein cintre

Abside

Stylobate : soubassement d'une colonnade

PETIT-PALAIS – Église St-Pierre (fin 12ᵉ s.)

La façade occidentale de l'église de Petit-Palais s'inspire de l'art saintongeais (voir le Guide Vert Michelin Poitou-Vendée-Charentes), caractérisé par la superposition d'arcatures et le pignon triangulaire.

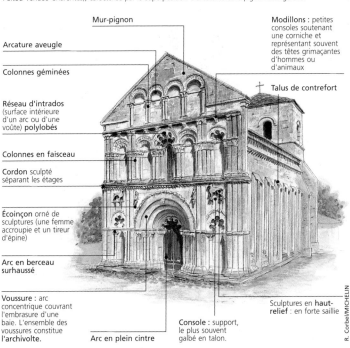

Mur-pignon

Arcature aveugle

Colonnes géminées

Réseau d'intrados (surface intérieure d'un arc ou d'une voûte) polylobés

Colonnes en faisceau

Cordon sculpté séparant les étages

Écoinçon orné de sculptures (une femme accroupie et un tireur d'épine)

Arc en berceau surhaussé

Voussure : arc concentrique couvrant l'embrasure d'une baie. L'ensemble des voussures constitue l'archivolte.

Modillons : petites consoles soutenant une corniche et représentant souvent des têtes grimaçantes d'hommes ou d'animaux

Talus de contrefort

Sculptures en haut-relief : en forte saillie

Console : support, le plus souvent galbé en talon.

Arc en plein cintre

R. Corbel/MICHELIN

Architecture militaire

ORTHEZ – Pont Vieux (13ᵉ-14ᵉ s.)

Ce pont fortifié, édifié au 13ᵉ s. par Gaston VII Moncade, vicomte de Béarn, a été terminé par Gaston Fébus au 14ᵉ s. ; il comporte de nombreuses similitudes avec le pont Valentré à Cahors, qui date de la même époque.

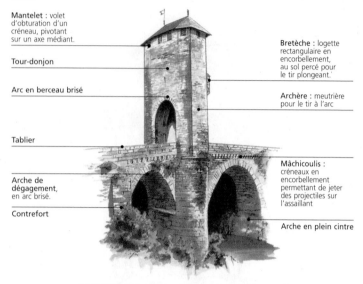

Mantelet : volet d'obturation d'un créneau, pivotant sur un axe médian.

Tour-donjon

Arc en berceau brisé

Tablier

Arche de dégagement, en arc brisé.

Contrefort

Bretèche : logette rectangulaire en encorbellement, au sol percé pour le tir plongeant.

Archère : meurtrière pour le tir à l'arc

Mâchicoulis : créneaux en encorbellement permettant de jeter des projectiles sur l'assaillant

Arche en plein cintre

ROQUETAILLADE – Château neuf (14ᵉ s. – restauré au 19ᵉ s.)

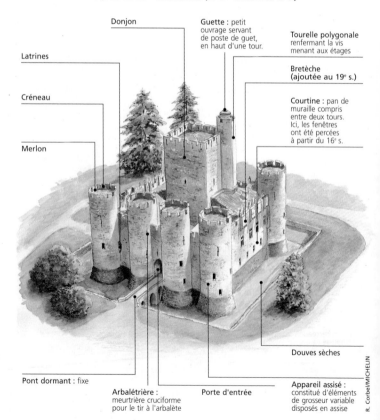

Donjon

Guette : petit ouvrage servant de poste de guet, en haut d'une tour.

Tourelle polygonale renfermant la vis menant aux étages

Latrines

Bretèche (ajoutée au 19ᵉ s.)

Créneau

Courtine : pan de muraille compris entre deux tours. Ici, les fenêtres ont été percées à partir du 16ᵉ s.

Merlon

Douves sèches

Pont dormant : fixe

Arbalétrière : meurtrière cruciforme pour le tir à l'arbalète

Porte d'entrée

Appareil assisé : constitué d'éléments de grosseur variable disposés en assise

R. Corbel/MICHELIN

Architecture civile

Château de MALLE (17e s.)

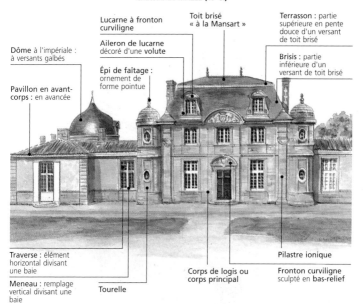

Lucarne à fronton curviligne

Toit brisé « à la Mansart »

Terrasson : partie supérieure en pente douce d'un versant de toit brisé

Aileron de lucarne décoré d'une volute

Dôme à l'impériale : à versants galbés

Brisis : partie inférieure d'un versant de toit brisé

Épi de faîtage : ornement de forme pointue

Pavillon en avant-corps : en avancée

Traverse : élément horizontal divisant une baie

Pilastre ionique

Meneau : remplage vertical divisant une baie

Corps de logis ou corps principal

Fronton curviligne sculpté en bas-relief

Tourelle

BORDEAUX – Palais de la Bourse (18e s.)

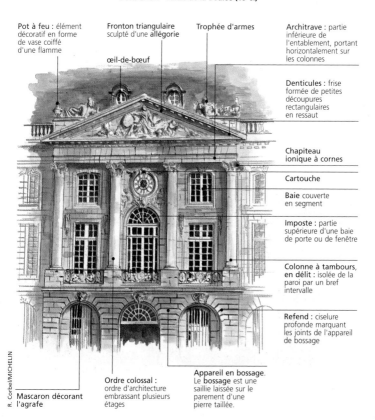

Pot à feu : élément décoratif en forme de vase coiffé d'une flamme

Fronton triangulaire sculpté d'une allégorie

Trophée d'armes

Architrave : partie inférieure de l'entablement, portant horizontalement sur les colonnes

œil-de-bœuf

Denticules : frise formée de petites découpures rectangulaires en ressaut

Chapiteau ionique à cornes

Cartouche

Baie couverte en segment

Imposte : partie supérieure d'une baie de porte ou de fenêtre

Colonne à tambours, en délit : isolée de la paroi par un bref intervalle

Refend : ciselure profonde marquant les joints de l'appareil de bossage

Mascaron décorant l'agrafe

Ordre colossal : ordre d'architecture embrassant plusieurs étages

Appareil en bossage. Le bossage est une saillie laissée sur le parement d'une pierre taillée.

R. Corbel/MICHELIN

BORDEAUX – Cage d'escalier du Grand Théâtre (fin 18ᵉ s.)

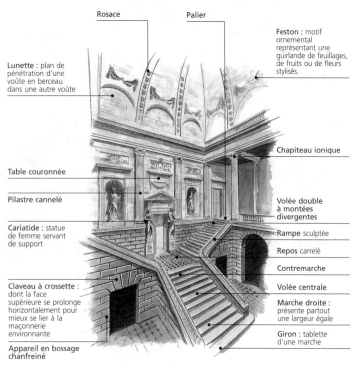

Rosace

Palier

Feston : motif ornemental représentant une guirlande de feuillages, de fruits ou de fleurs stylisés.

Lunette : plan de pénétration d'une voûte en berceau dans une autre voûte

Chapiteau ionique

Table couronnée

Pilastre cannelé

Volée double à montées divergentes

Cariatide : statue de femme servant de support

Rampe sculptée

Repos carrelé

Contremarche

Claveau à crossette : dont la face supérieure se prolonge horizontalement pour mieux se lier à la maçonnerie environnante

Volée centrale

Marche droite : présente partout une largeur égale

Appareil en bossage chanfreiné

Giron : tablette d'une marche

ARCACHON, Ville d'Hiver – Villa Trocadéro (fin 19ᵉ s.)

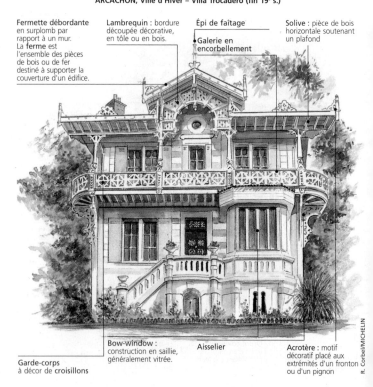

Fermette débordante en surplomb par rapport à un mur. La **ferme** est l'ensemble des pièces de bois ou de fer destiné à supporter la couverture d'un édifice.

Lambrequin : bordure découpée décorative, en tôle ou en bois.

Épi de faîtage

Galerie en encorbellement

Solive : pièce de bois horizontale soutenant un plafond

Garde-corps à décor de **croisillons**

Bow-window : construction en saillie, généralement vitrée.

Aisselier

Acrotère : motif décoratif placé aux extrémités d'un fronton ou d'un pignon

R. Corbel/MICHELIN

LA DESTINATION AUJOURD'HUI

Si l'Aquitaine a joué un rôle mémorable dans l'histoire de France, sa place, plus discrète aujourd'hui, n'en demeure pas moins substantielle dans l'économie française. Mais l'Aquitaine est avant tout une région où il fait bon vivre. Riche de traditions bien présentes qui s'accompagnent souvent de fêtes joyeuses, elle se distingue tout spécialement par la finesse de ses vins et la qualité de sa gastronomie.

Les activités économiques

L'Aquitaine connaît un important rayonnement au niveau national, qu'elle doit particulièrement à l'essor du tourisme, ainsi qu'au dynamisme des villes de Bordeaux et de Pau. Elle reste cependant globalement une région rurale où l'agriculture tient le haut du pavé. En **Gironde**, ce sont les vignes qui dominent le paysage économique. Les vins AOC représentent à eux seuls 40 % de l'ensemble de la production agricole végétale en Aquitaine. Le **Lot-et-Garonne** s'est, quant à lui, spécialisé dans les productions de fruits et légumes, tandis que le maïs a conquis la première place dans les **Landes**, aux côtés d'une importante exploitation forestière. Dans le **Béarn**, ce sont les élevages qui prédominent, permettant à la fois la production de viande et celle de lait et de fromage.

L'industrie demeure plus discrète mais tend à s'affirmer dans les secteurs de pointe. Finies les grandes heures de la métallurgie, de l'industrie de la chaussure ou du pétrole de Parentis. Demeurent quelques grandes entreprises publiques comme la fabrique des pièces de monnaie à Pessac (où fut frappé le premier euro) et quelques grands groupes tournés vers l'agroalimentaire (conserveries) et la transformation du bois.

En plein renouveau, **Bordeaux** se distingue dans les domaines de l'aéronautique, l'aérospatiale (un projet de partenariat avec Toulouse est en cours) et les industries électroniques. À **Pau**, la découverte du gisement de gaz de Lacq en 1951 a contribué au développement du secteur de la chimie (Elf Aquitaine y a installé ses laboratoires de recherches), la ville se tourne aujourd'hui résolument vers les hautes technologies.

LES RESSOURCES DE LA MER

Dans le **port d'Arcachon**, à la pêche industrielle (du thon et de la sardine) a succédé une pêche artisanale importante (soles, merlus, bars, rougets, dorades…). L'huître du bassin connaît une réputation internationale. À bord de pinasses, bateaux traditionnels, 576 ostréiculteurs exploitent environ 800 ha pour une production annuelle de 10 000 t d'huîtres, réalisée principalement à La Teste et Gujan-Mestras. À côté de réalités économiques non négligeables, l'ostréiculture, partagée entre l'élevage et le ramassage, constitue un atout touristique.

Le **port de Bordeaux**, qui fut longtemps l'une des principales sources de richesse de la ville, est aujourd'hui en net déclin. Premier port de France au 18e s., en particulier grâce au commerce entretenu avec les Antilles, il n'occupe plus que la septième place. Sa position au fond de l'estuaire de la Gironde, à plus de 100 km de la pleine mer, a joué en sa défaveur, occasionnant la construction de nombreux avant-ports comme ceux du Verdon, de Blaye, de Pauillac, d'Ambès ou de Bassens. D'autre part, le trafic maritime fut nettement ralenti

Le tourisme sur le littoral aquitain en quelques chiffres

L'Aquitaine se situe en bonne place parmi les destinations favorites des touristes français et étrangers : 5e région française pour le nombre annuel de nuitées (et 2e pour la fréquentation des campings), l'Aquitaine occupe la 6e place en nombre de séjours. Près de 6 % des séjours touristiques effectués sur le sol français ont donc lieu en Aquitaine. La durée moyenne des séjours y est sensiblement supérieure à la moyenne nationale, puisqu'elle dépasse 6 jours.

Le littoral, avec ses 250 km de côtes, représente le plus grand attrait touristique de la région : après une crise en 2003 due au naufrage du *Prestige*, il connaît aujourd'hui une nette hausse de fréquentation et concentre les deux tiers des nuitées durant la période estivale. Le tourisme y a un impact économique non négligeable, notamment sur les emplois : 27 000 emplois, soit 6,4 % de l'emploi salarié, sont liés à l'activité touristique du littoral. Le département des Landes est celui qui dépend le plus du tourisme, économiquement parlant.

par la décolonisation et par la fermeture des trois raffineries bordelaises. Même le vin bordelais destiné aux États-Unis ne part plus de Bordeaux : il est exporté depuis Le Havre ou le Benelux. Bordeaux gagne toutefois la première place dans l'exportation du maïs, du pétrole brut des Landes et du papier kraft.

Sur la rive gauche du port, les quais longtemps laissés à l'abandon sont en cours d'aménagement afin que piétons, cyclistes, tramways et automobilistes circulent harmonieusement (fin des travaux prévue en 2007). Quant aux bassins à flot, ils devraient être reconvertis en port de plaisance.

LES TERRES VITICOLES

L'Aquitaine constitue la **première région viticole française en AOC** avec plus de 30 % de la production française. 50 000 salariés permanents et occasionnels vivent du fruit de la vigne qui représente 4 % du PIB régional et 6 % de l'emploi. Sur les 6 à 8 millions d'hectolitres produits annuellement en Aquitaine, plus de 85 % proviennent de la Gironde. La diversité des produits du vignoble bordelais, premier au monde pour les vins fins, est prodigieuse : 120 000 hectares de vignes, 12 000 « châteaux », **57 appellations**. Chaque année, près de 850 millions de bouteilles sont ainsi prêtes à la dégustation.

Représentant 40 % du chiffre d'affaires annuel, l'exportation constitue un secteur-clé pour le vignoble bordelais : en 2004, le volume total des exportations bordelaises atteignait 1,27 million d'hectolitres, pour une valeur de 786 millions d'euros. En tête des pays amateurs de bordeaux, on trouve l'Allemagne, le Royaume-Uni, la Belgique, le Japon, les Pays-Bas et les États-Unis. Mais la prospérité n'est pas toujours de mise : en réalité, le vignoble connaît une alternance de périodes d'euphorie et de dépression. Le recul de la consommation intérieure et de l'exportation conduit parfois à des crises de surproductions dont la plus marquante sévit dans les années 1990.

Une profession en mutation

Le viticulteur maîtrise l'élevage de la vigne tout au long de l'année, de la taille au choix délicat de la date des vendanges. Après avoir misé sur le perfectionnement des compétences œnologiques dans les années 1980, les professionnels du vin comptent aujourd'hui beaucoup sur la modernisation de la viticulture, grâce à l'apprentissage de nouvelles technologies. Comme en témoigne l'importance croissante du **salon Vinitech** à Bordeaux, les viticulteurs bénéficient aujourd'hui d'outils de plus en plus performants : de nouveaux tracteurs légers, puissants et adaptables ; des sécateurs munis de batteries en lithium ultralégers ; du matériel de guidage par satellite qui permet de planter avec précision les plants de vigne, en tenant compte des textures et des configurations des sols ; des modes de fertilisation qui s'accompagnent d'un souci de préservation de l'environnement. Autant d'outils qui améliorent aussi bien le confort du vigneron que le rendement de la vigne. Les **compétences du viticulteur** doivent être multiples : outre une parfaite connaissance de la vigne, il doit posséder des notions de pédologie (connaissance des sols), de climatologie et être capable de sélectionner les meilleurs cépages.

Les vins de Bordeaux : toute une alchimie.

Stéphane Sauvignier / MICHELIN

Du raisin au vin

Après les vendanges, le viticulteur peut livrer son raisin à une cave coopérative qui assure les opérations de vinification et de commercialisation. Mais il peut aussi choisir de participer lui-même à la fabrication du vin : il lui faudra alors pressurer ou fouler son raisin, vinifier (c'est-à-dire traiter les moûts pour en faire du vin), chaptaliser (ajouter du sucre) et surveiller les fermentations. Il devra ensuite soutirer le vin (le transvaser pour éliminer les dépôts), le mettre dans des fûts puis en bouteilles.

Outre ces aspects techniques, l'exploitant viticole devient de plus en plus un véritable dirigeant et doit acquérir pour cela les savoir-faire spécifiques au management. Ambassadeur de son entreprise auprès du marché et de ses clients, il doit aussi maîtriser les techniques de vente.

L'œnologue et le négociant

Les talents de l'œnologue peuvent être engagés ponctuellement par le propriétaire d'un « château » ou fixement par une coopérative : il veille à la sélection inspirée des cépages, au pressurage et parfois même à la commercialisation des bouteilles. C'est réellement le « scientifique du vin » : intervenant au moment de la vinification, il fait des contrôles et analyse la fermentation, le conditionnement et la distillation.

Quant au négociant, il peut aussi intervenir pour choisir les crus et les commercialiser sous sa marque.

L'influence étrangère

Il arrive aujourd'hui souvent que certains domaines français suivent plus ou moins les goûts et les exigences de leurs clients étrangers, surtout lorsque ceux-ci représentent plus de 30 % des débouchés de la propriété. On assiste d'ailleurs actuellement à l'éclosion de cuvées spécifiques à un pays donné, notamment aux États-Unis et au Japon. La mode des vins concentrés et riches en extraits s'installe lentement mais sûrement.

Cette mondialisation du goût constitue la trame du film *Mondovino* de Jonathan Nossiter, à la frontière entre documentaire et fiction. Le réalisateur américain y montre différents domaines viticoles à travers le monde. On voit ainsi que certains industriels prônent la production d'un vin au goût uniforme, tandis que quelques vignerons se battent pour préserver une idée du vin plus traditionnelle et patrimoniale. Le film ne manque pas de faire apparaître Robert Parker, célèbre critique américain qui a une grande

Les vins bio

Officiellement reconnue depuis une douzaine d'années, la viticulture biologique tend peu à peu à se développer dans le Bordelais. 1 430 ha sont cultivés selon les principes de l'agriculture biologique en Gironde dans une soixantaine de domaines (1 800 ha sur l'ensemble de l'Aquitaine), pour une quantité de 100 000 hectolitres produits. Une grande partie de cette production est exportée vers les pays de l'Europe du Nord, l'Allemagne étant le plus gros importateur. Mais si la viticulture biologique pose des conditions bien précises sur le travail du sol et une fertilisation à base de produits naturels, interdisant absolument d'utiliser des produits chimiques de synthèse, il n'en est pas encore de même pour la vinification qui ne fait l'objet d'aucune réglementation officielle.

influence aux États-Unis. La parution de son guide, où chaque vin reçoit une note sur 100, a sérieusement secoué le monde du vin français.

LES TERRES AGRICOLES

Outre le vin, l'Aquitaine est aussi la première région française productrice de fraise, de kiwi ou encore de noix. La **Chalosse** et le **Tursan** sont de riches régions agricoles où le maïs a de loin détrôné le blé. Côté élevage, on ne tarira pas d'éloge pour le fameux bœuf de Chalosse ni pour les oies et canards qui fournissent des foies gras, faisant des Landes un des plus grands producteurs du Sud-Ouest dans ce domaine (5 000 t de foie gras sont produites chaque année dans la région).

Chaque ville ou bourgade de la **vallée de la Garonne** possède une spécialité : Tonneins a été jusqu'en 2000 la capitale de la cigarette (Gauloise bleue), Port-Sainte-Marie produit pêches et cerises tandis que Marmande, proche du Bordelais, est une importante productrice de tomates et potirons. Dans la **vallée du Lot**, la ville de Villeneuve-sur-Lot s'est spécialisée dans les petits pois, haricots verts et melons, mais surtout dans la prune d'ente, utilisée pour confectionner le pruneau d'Agen : 2 250 producteurs se partagent 10 000 ha de vergers. Depuis le 18e s., des plantations de peupliers permettent de tirer profit des terres inondables, le bois servant en menuiserie et papeterie.

Dans les **Landes**, riches d'une vaste pinède, la sylviculture constitue une part non négligeable de l'économie agricole et permet à l'Aquitaine de se placer en tête de la production nationale pour les lambris, parquets et palettes, ce qui n'a pas empêché l'industrie du papier de traverser une crise sévère.

LES TERRES D'ESTIVE

Vie agricole dans la plaine, vie pastorale dans la montagne, voilà ce qui caractérise le **Béarn**. Brebis et moutons, fournissent laine, viande et surtout lait, notamment utilisé pour la fabrication du fromage. Activité traditionnelle apparue entre le 5e et le 3e millénaire avant J.-C., le pastoralisme joua un rôle essentiel pour le développement des vallées pyrénéennes. Les montagnards des **vallées d'Aspe**, **d'Ossau** et **de Barétous**, jouissant de la propriété collective des pâturages, vécurent jusqu'à la fin de l'Ancien Régime à l'écart du système féodal sous un régime de « fors » assimilable, pratiquement, à l'autonomie politique. Un compte de « feux » datant du Moyen Âge fixe toujours la répartition, par commune, des bénéfices de gestion.

Le **pastoralisme** demeure une activité économique vitale qui permet le maintien d'emplois dans des régions difficiles et qui contribue à des productions de qualité, comme les fromages, dont certains sont labellisés. En assurant l'entretien de paysages ouverts et la préservation de la biodiversité, les pratiques pastorales participent à la protection de l'environnement.

Tradition et folklore

LES MAISONS DU BÉARN

Les **cases béarnaises** sont toutes construites sur un même plan rectangulaire et dotées d'un toit d'ardoises (ou de tuiles, au Nord) dont les quatre pentes sont fortement inclinées, pour évacuer la neige ou la pluie. L'extrémité de la pente du toit est parfois adoucie par un « coyau » qui permet d'écarter l'eau des murs. De vastes dimensions, ces demeures sont bâties avec des matériaux locaux : galets roulés et polis par les gaves pour les murs de clôture ou même pour ceux des bâtiments, pierres de taille issues de la montagne voisine, bois, marbre, pierres sèches que l'on utilise également pour les **cabanes de bergers**.

Si la maison est dotée de dépendances (étable, hangar, poulailler), celles-ci s'articulent autour d'une **cour centrale**, la « parguie ». Vous pourrez observer de telles bâtisses à Oloron-Sainte-Marie, Sarrance, Lourdios-Ichère, Lescun et

Borce, jusqu'aux Hautes-Pyrénées, avec quelques variantes suivant l'altitude où vous vous trouvez.

La **façade** des maisons de plaine est toujours très sobre : le seul élément décoratif est un tympan de marbre que l'on peut observer au-dessus de la porte. Dans les vallées, le marbre est également utilisé pour encadrer les fenêtres et la plupart des maisons sont dotées d'un balcon de bois.

LA LANGUE BÉARNAISE

Dès le 7e s., les Béarnais, comme la plupart des peuples colonisés par l'Empire romain, prennent conscience qu'ils ne pratiquent plus la langue de Virgile, au point d'en perdre complètement leur latin. Et de fait, ils parlent béarnais, un dérivé du bas-latin, langue aux accents chantants qui acquiert ses lettres de noblesse au cœur du Moyen Âge, sous la plume et dans la bouche de quelques troubadours pyrénéens. Mais la langue ne sert pas uniquement la littérature : elle est tout aussi bien administrative et juridique.

À partir de **1270**, les textes officiels cessent d'être rédigés en latin pour être rédigés en béarnais. Henri II d'Albret, puis sa fille Jeanne, le consacrent comme langue d'État au 16e s. Le français, déjà imposé au reste de la France depuis 1539 par l'ordonnance de Villers-Cotterêts, ne prend progressivement sa place qu'à partir de l'annexion de 1620, mais les États de Béarn continuent de rédiger leurs délibérations en béarnais jusqu'à la veille de la Révolution.

Que le béarnais soit une **langue d'oc**, par opposition aux langues d'oïl, parlées au Nord de la Loire et dont provient notre français actuel, nul n'en peut dou-

---

Les siffleurs des montagnes

C'est dans le village d'**Aas**, aux confins de la vallée d'Ossau, que l'on peut encore aujourd'hui rencontrer les derniers dépositaires béarnais de l'art de siffler. Pour communiquer sur de longues distances (jusqu'à 2 km), au cœur d'un relief escarpé, les bergers d'Aas avaient inventé un langage à forts décibels leur permettant d'échanger des phrases courtes relatives à leur vie pastorale ou quotidienne. L'efficacité d'un tel langage fit ses preuves pendant la Seconde Guerre mondiale, lorsqu'un passeur arrêté par les Allemands parvint à s'enfuir et à obtenir l'aide d'un berger des environs pour échapper à ses poursuivants.

ter. Mais s'agit-il d'une variante locale de la langue d'oc, autrement appelée « occitan », parlée dans tout le Sud de la France ? Le débat est encore vif : langue inscrite dans le gascon, lui-même inscrit dans l'occitan, pour certains, le béarnais ne peut être considéré comme une sous-catégorie de l'occitan pour d'autres qui lui confèrent un statut à part.

Quoi qu'il en soit, le béarnais est encore bien vivant aujourd'hui. Vous pourrez entendre parler béarnais sur les marchés de Pau, d'Orthez, de Navarrenx ou d'Oloron. Langue maternelle de la plupart des anciens du pays, le béarnais est également remis à l'honneur dans certaines écoles, les *calandretas*, nées à Pau il y a vingt ans, où l'on pratique l'immersion linguistique en occitan dès la maternelle, avec introduction progressive du français en primaire.

LA TRANSHUMANCE

Au temps des transhumances

Progressivement remplacée par un transport en camion tout au long du 20e s., la transhumance a été remise au goût du jour dans les années 1990. Constatant combien leurs bêtes supportaient mal le voyage routier pour gagner les estives, les bergers ont résolu de renouer avec cette pratique déjà connue de leurs lointains ancêtres vascons.

C'est ainsi que depuis 1996, la **vallée d'Ossau** retentit durant deux jours – ou plutôt durant deux nuits, car les éleveurs font leur possible pour que ces déplacements massifs ne perturbent pas la circulation routière – des sonnailles de milliers de bêtes, ovins, bovins, caprins et équidés. Ces **sonnailles** au timbre unique permettent à l'oreille exercée du berger de surveiller la bonne conduite du troupeau ou de déceler une brebis égarée. En tête des troupeaux sont placées les brebis les plus robustes, tandis que le berger et son chien ferment la marche. Compagnon indispensable du berger, le chien est en effet toujours là pour regrouper ou protéger le troupeau. Le **berger des Pyrénées** ou labrit tend aujourd'hui à être remplacé par son collègue d'outre-Manche, le border collie, réputé moins caractériel et plus efficace pour rassembler les bêtes. Mais ce petit chien noir et blanc n'aboie pas et ne peut donc être utilisé pour protéger le troupeau. Pour cette tâche, le montagne Pyrénées ou patou, se révèle excellent : les associations militant pour la réintroduction de l'ours offrent même des subventions aux bergers qui souhaiteraient en acquérir.

Un prétexte festif

Durant la Fête de la transhumance qui a lieu début juin en **vallée d'Aspe** et début juillet en **vallée d'Ossau**, chaque village traversé résonne de chants béarnais et s'emplit du fumet de la garbure à déguster sans modération, avant d'entamer un solide morceau de fromage de brebis.

Dans la **vallée de Barétous**, élus français et espagnols commémorent encore 600 ans après, dans une ambiance des plus festives, le traité de la Junte de Roncal, conclu le 13 juillet 1375, qui mit fin à d'âpres querelles. En échange de trois génisses, les éleveurs du Barétous acquièrent par ce traité le droit de continuer à faire paître leurs bêtes sur le versant espagnol de la montagne, où les pâtures sont bien plus grasses.

Là-haut, sur la montagne

Pendant tout l'été, les troupeaux vont paître là-haut et la cabane du berger servira de maison, de laiterie et même de fromagerie. Fait de murs en pierres sèches et d'un toit très pentu, le « cuyala » est constitué de deux pièces : l'une pour les bergers, l'autre pour les fromages. Chaque jour, la plupart des bergers consacrent en effet plusieurs heures à la fabrication des fromages ; traite des brebis le matin et le soir (il faut 5 à 6 l de lait de brebis pour donner 1 kg de fromage !), caillage du lait, égouttage, découpage, brassage et chauffage du caillé. Interviennent ensuite le moulage et le pressage. Puis le fromage est salé, et commence alors un affinage de plusieurs semaines, pendant lequel le fromage sera régulièrement retourné et lavé.

Dès les premiers froids, les troupeaux emprunteront le chemin inverse pour redescendre dans la plaine et hiverner.

LES VENDANGES

C'est toute l'année que les viticulteurs sont à pied d'œuvre pour produire un vin de qualité. De janvier à décembre, le vigneron soigne sa vigne par des tailles, des labours, des débourrements, des rognages, l'élimination des mauvaises herbes, des traitements, l'amendement des sols et la sélection des bourgeons : une année bien remplie.

Point d'orgue d'une année de labeur, les vendanges, qui débutent généralement au mois de septembre, donnent une couleur et une ambiance particulières aux vignobles aquitains.

Manuelles ou mécaniques ?

Les vendanges peuvent prendre des formes très différentes selon que les viticulteurs emploient ou non des machines à vendanger. Permettant un net gain de temps, ces machines ne sont cependant utilisées que dans la mesure où leur emploi est compatible avec la qualité du vin. Que les amateurs se rassurent : les vendanges manuelles ont encore de belles heures devant elles.

Pour la plupart des grands crus classés, ainsi que sur les vignobles très en pente ou dans le cas de vins liquoreux nécessitant plusieurs « tries » successives, les vendanges ne peuvent s'effectuer qu'**à la main** : chaque coupeur prélève les grappes à l'aide d'un sécateur et les dépose dans un panier ; il décharge ensuite le contenu du panier dans la hotte d'un porteur ; puis le porteur verse la cueillette dans une benne, qui sera tractée jusqu'au chai. Pour limiter les manipulations, on supprime parfois le passage des grappes dans la hotte : la récolte du coupeur passe directement de la cagette dans la benne. La cueillette à la main fait appel à une nombreuse main-d'œuvre saisonnière. Dans le Bordelais, on attend chaque année des milliers de porteurs et de coupeurs.

La **vendange mécanique** ne s'est répandue en France et dans le Bordelais que depuis une trentaine d'années : parmi les secteurs importants de l'agriculture, la viticulture est celui qui s'est mécanisé le plus tardivement. La machine à vendanger enjambe la rège dont elle va recueillir les raisins. Elle est équipée de batteurs à secouage latéral qui détachent les baies de la rafle. Une chaîne à godets remonte ensuite les raisins vers un aspirateur qui élimine les feuilles et les pétioles risquant d'altérer le goût du vin ; la ven-dange tombe enfin dans une benne. Sur une vigne convenablement conduite, la mécanisation de la vendange n'entraîne pas d'effets dommageables. On a par exemple remarqué que les pertes par égrenage étaient à peine supérieures à celles que provoquent les vendangeurs travaillant manuellement. Mais pour ce qui est de la vitesse de travail, elle est multipliée par plus de dix et dépasse 0,5 ha par heure pour des vignes bien palissées et bien taillées. Les détracteurs de ce procédé reprochent à la machine d'écourter la durée de vie des ceps à cause des secousses qui lui sont imprimées ; d'autre part, toute vendange à la machine nécessite un tri, puisqu'elle ramasse indistinctement les raisins pourris comme ceux qui sont sains.

Le ban des vendanges

Plus connu pour désigner une manifestation folklorique, c'est avant tout un **arrêté préfectoral** qui définit chaque année et pour chaque appellation la date à partir de laquelle les viticulteurs peuvent commencer les vendanges. Le préfet se soumet pour cela à l'avis d'un comité technique composé de responsables syndicaux, de techniciens, d'œnologues et de chercheurs qui analysent le degré de maturité et la richesse en sucre d'une parcelle témoin. Libre ensuite à chaque vigneron de fixer la date de démarrage de ses propres vendanges, après avoir analysé et goûté son raisin, la maturité étant aussi fonction du type de vin recherché. Car si le viticulteur ne peut pas, sauf dérogation, vendanger avant la date autorisée (le non-respect de cette convention entraîne le risque que toute sa récolte soit exclue de l'appellation), rien en revanche ne lui interdit de la retarder. Une telle réglementation vise à garantir la qualité du vin : certains viticulteurs, par crainte de voir leurs raisins endommagés par les premières pluies d'automne, seraient tentés de se livrer à des vendanges précoces.

COURSES LANDAISES ET CORRIDAS

Dans les Landes, la course landaise reste l'événement principal de toute fête de village et de toute **feria**.

La course landaise

Entre l'Adour et le bassin d'Arcachon, la course landaise reste la forme la plus prisée de la tauromachie en Guyenne. Déjà pratiquée au Moyen Âge, comme l'atteste un document de 1457 dans lequel est relatée la coutume immémoriale de faire courir des vaches et

---

La vigne à l'honneur

Quoi qu'il en soit, le début des vendanges est l'occasion de multiples festivités locales.

À la mi-septembre en **Médoc**, la Commanderie du Bontemps proclame officiellement le ban des vendanges, dans un château différent chaque année, devant un parterre de 800 invités. À **Saint-Émilion** le 3e dimanche de septembre, les membres de la Jurade proclament le ban des vendanges du haut de la tour du Roy. Cette manifestation donne ensuite lieu à des intronisations dans le cloître de l'église collégiale. Mais le vignoble bordelais n'est pas le seul à célébrer la vigne : dans les Landes, une fête des vendanges à l'ancienne est organisée à **Montfort-en-Chalosse** le 1er week-end d'octobre.

Les **principales manifestations** autour du vin sont répertoriées dans « Les événements » *(voir p. 52)*.

Entrée des arènes du Pesque à Orthez.

des bœufs dans les rues de Saint-Sever à l'occasion des fêtes de la Saint-Jean, c'est au 19e s. que se fixent les règles de la course landaise telle qu'on la connaît aujourd'hui.

Chaque **écarteur** affronte une vache de course. Installé au centre de la piste, il doit esquiver le coup de tête de la bête maintenue en ligne par un teneur de corde. Quant au **sauteur**, il s'adonne à divers sauts par-dessus les cornes de la vache : saut de l'ange, saut périlleux ou saut les pieds dans le béret. Par souci de sécurité, les cornes sont emboulées. Le spectacle dure deux heures et il n'y a jamais de mise à mort.

À la différence des trois autres formes de tauromachie (corrida, corrida portugaise et course camarguaise), la course landaise se pratique exclusivement avec des femelles. Les **vaches** ne sont autres que les cousines, sœurs ou filles des taureaux de corrida. Élevées spécialement à l'usage de la course landaise, les 1 200 bêtes qui constituent le cheptel landais proviennent pour la plupart d'élevages espagnols et sont réparties entre quinze **ganaderias**. Chaque vache est entourée de soins par son ganadero ; elle participe à une vingtaine de courses par an pendant au moins dix ans.

Pour plus d'informations, consultez la rubrique « Courses landaises » (voir p. 33).

La corrida

C'est en Espagne que la corrida fut codifiée à la fin du 18e s., avant d'arriver en France en 1853. Le spectacle commence par le passage des *bandas* (groupes musicaux) à travers les rues de la ville

et se poursuit par la corrida dans une arène où six taureaux sont combattus et mis à mort par trois matadors. La corrida se déroule en trois parties pendant lesquelles le taureau se fait tout d'abord piquer, puis harponner par deux banderilles avant d'être mis à mort à l'épée au terme du combat. Dans le **Sud-Ouest**, la corrida est pratiquée dans la même zone que la course landaise. Plusieurs arènes constituent des rendez-vous incontournables pour les aficionados, dont les principales sont Aire-sur-l'Adour, Saint-Sever, Mont-de-Marsan (fêtes de la Madeleine) et Dax (feria).

LA PELOTE BASQUE

Malgré un nom très empreint de sa région d'origine, la pelote basque se pratique aussi dans le Béarn et dans la partie Sud des Landes.

Alliant la rapidité au coup d'œil, l'intelligence stratégique à la finesse, la pelote basque revêt plusieurs formes. Le jeu au **grand chistera**, du nom de la gouttière en osier qui prolonge le gant protecteur, se pratique à deux équipes de trois joueurs ; il est de loin le plus prisé des touristes. La pelote, plus grosse qu'une balle de tennis, doit allier la dureté à l'élasticité. Elle comporte un noyau de buis ou de caoutchouc enrobé de laine et garni de cuir de chevrette ou de veau. Lancée contre le mur du fronton, elle est reprise de volée ou après un premier rebond, à l'intérieur des limites tracées sur le terrain.

Une variante importée d'Amérique latine, la **cesta punta**, se joue sur un fronton couvert à trois murs. Le but se marque sur le « mur à gauche », entre deux des lignes verticales numérotées. Les connaisseurs préfèrent cependant des jeux plus anciens et plus subtils, comme le « **jeu net** » au petit gant et le jeu à **main nue**.

LES PÈLERINS DU 21e S.

Nombreux sont les marcheurs qui se lancent aujourd'hui sur les **sentiers de Saint-Jacques**. En dix ans, la fréquentation des chemins a plus que décuplé et les adeptes de Compostelle sont aujourd'hui plusieurs dizaines de milliers chaque été. Les raisons d'un tel engouement sont diverses. Elles tiennent tout d'abord à la médiatisation dont ont bénéficié les chemins de Saint-Jacques au cours des vingt dernières années. En 1987, le Conseil de l'Europe classait le chemin de Saint-Jacques « Itinéraire culturel européen » et, en décembre 1988, l'Unesco inscrivait les itinéraires vers Compostelle au **Patrimoine mondial de l'humanité**. Ainsi, les ouvrages, guides ou récits de voyage sur le sujet se sont multipliés. On sait aussi le regain d'intérêt pour la marche. Le plaisir de redécouvrir ce que le progrès et nos empressements avaient effacé de nos regards y est pour beaucoup. Le goût retrouvé pour ce qui est simple et naturel avec toutes les connotations de bonne santé et de retour à la nature s'y mêlant. Poussés par la foi, le besoin de se ressourcer, les pèlerins du 21e s. acceptent le dénuement et l'effort du chemin.

Pour en savoir plus sur les itinéraires, reportez-vous à la rubrique « Randonnée pédestre » (voir p. 39) ou consultez www. saint-jacques-aquitaine.com

L'Aquitaine gourmande

Fière des ses traditions et de la qualité des produits de son terroir, l'Aquitaine sait cultiver ses foyers d'art culinaire, toujours inventifs. Ici, la saveur est reine.

DANS LES LANDES

Les viandes

Le **foie gras** d'oie et de canard relève d'une tradition régionale qui a depuis longtemps traversé les frontières. Aujourd'hui, à l'aide d'une gaveuse pneumatique, les palmipèdes ingurgitent de la semoule puis des grains de maïs, 2 à 3 fois par jour. Après un mois, l'oie ou le canard sont si lourds qu'ils ne marchent plus qu'avec peine. Quand ils refusent de se lever, ils sont « à point ».

Filet détaché des flancs de la bête, le **magret** se mange frais et grillé, plus ou moins saignant selon les goûts. Fumé, il entre dans la composition de la salade landaise. Quant à la graisse, elle sert à confectionner le **confit**.

Canards des Landes à Aire-sur-l'Adour.

Le salmis

C'est une préparation remarquable à partir d'une pièce de gibier ou d'une volaille rôtie détachée en morceaux. La chair de la carcasse se hache menu avec les abats pour obtenir une sauce épaisse, passée au tamis fin. Après cuisson, on ajoute les morceaux du volatile.

Autre volaille prestigieuse, le **poulet fermier** des Landes, premier produit à s'être vu décerner le Label Rouge en France, en 1965. Élevé en plein air et en totale liberté, sa chair tendre en fait un mets de choix.

Pour le plus grand bonheur des amateurs de gibier à plume, le département des Landes est réputé être le pays de la **palombe** ou pigeon ramier. Elle se mange rôtie, et de préférence saignante, en salmis et en confits. Quant à l'**ortolan**, c'est un petit passereau migrateur qui ne dépasse pas les 30 g. Il se déguste la tête recouverte d'une serviette blanche pour conserver le fumet du volatile et se cacher du spectacle que l'on donne. Mais vous risquez peu de voir figurer l'ortalan sur les cartes des restaurants car l'espèce est aujourd'hui protégée. Bien que la chasse soit interdite, elle est cependant encore pratiquée illicitement au moyen de filets qui permettent de capturer l'oiseau vivant afin de pouvoir l'engraisser avant de le consommer.

Les bovins sont également fièrement représentés dans les Landes, par l'intermédiaire du célèbre **bœuf de Chalosse**, issu de la race limousine ou de la Blonde d'Aquitaine. Élevé en alternance entre prairie et étable, l'animal, nourri de fourrages et de maïs, produit une viande goûteuse et fondante.

Les pibales

À la fin de l'hiver, on pêche les civelles, ici nommées **pibales**, petits alevins d'anguilles qui remontent la Gironde et l'Adour. C'est la nuit que les pêcheurs capturent, avec des filets à mailles serrées, ces petites bêtes qui font la richesse de la ville de Peyrehorade. Vendus à prix d'or sur les marchés aquitains, les pibales, que l'on fait revenir dans l'huile d'olive, constituent un mets très prisé des Espagnols.

Les fruits et légumes

Le **kiwi de l'Adour** est le seul kiwi à être reconnu par un Label Rouge, on dit de lui qu'il est le meilleur d'Europe ! Favorisé par un climat océanique doux et par la richesse des terres alluviales, il est cultivé sur plus de 600 ha dans les vallées du Gave et de l'Adour qui fournissent à elles seules un quart de la production française.

L'**asperge des sables**, dont le département produit 3 500 t par an, vient d'être reconnue par une Identification géographique protégée. Le sol sablonneux des Landes lui fournit un terroir idéal. Blanche, fraîche et tendre, elle apparaît sur les marchés dès le mois de mars. Aussi bien cuisinée en vinaigrette qu'en omelette, elle accompagne également les salades landaises aux côtés des gésiers et du magret.

Les vins

Le **tursan** (VDQS), dont le vignoble s'étend sur 400 ha, se décline en vins blancs, vins rouges et rosés corsés et généreux.

L'inventaire ne serait pas complet sans l'**armagnac**, cette eau-de-vie à l'arôme délicat de pruneau et de violette. Cultivée dans le Bas-Armagnac, pays de sables fauves l'armagnac est obtenu à partir de la distillation de vins blancs ; il titre 40°.

⚓ *Pour en savoir plus sur l'armagnac, allez visiter l'écomusée à Château Garreau (voir Mont-de-Marsan).*

DANS LE LOT-ET-GARONNE

Pruneaux et tomates

La **tomate de Marmande**, cultivée sous serre, se trouve de février à novembre. Agen a acquis une réputation internationale grâce au pruneau. Celui-ci s'obtient à partir d'une prune fraîche, qui provient d'un arbre greffé, le **prunier d'ente**. S'il en existe plusieurs variétés, la Robe-Sergent fournit la presque totalité des plantations actuelles. Mais Agen n'est en réalité qu'un lieu de transit. La prune est surtout cultivée dans la **vallée du Lot** où elle est calibrée dès la cueillette puis séchée au four ou à l'étuve. Étendue sur plus de 10 000 ha, la filière du pruneau rassemble près de 2 250 producteurs.

Le pruneau constitue la base de nombreuses friandises, comme la **tourtière**, gâteau feuilleté garni de pruneaux.

⚓ *Pour en savoir plus, voir Villeneuve-sur-Lot et le musée du Pruneau à Granges-sur-Lot.*

Les vins

Il existe une petite production de blancs et rosés mais le **buzet** est davantage apprécié et reconnu pour ses vins rouges souples et légers, qui prennent beaucoup de corps après quelques années de garde.

Tomates de Marmande.

Le vignoble des **Côtes du Brulhois**, qui se situe au Sud d'Agen, entre Dunes, Donzac, Goulens et Layrac, produit un vin rouge et rosé léger aux parfums fruités et épicés, classé VDQS.

Dans la vallée de la Dourdèze se trouvent les **Côtes de Duras**. Les vins rouges sont légers et fruités, les blancs de sauvignon très fruités.

Au Nord de Marmande, sous l'influence bordelaise, les **Côtes du Marmandais** produisent des vins rouges bien charpentés, aux parfums de fruits.

EN BÉARN

La garbure

C'est le potage de campagne typique en Béarn. Plat complet, il se prépare à partir de légumes : pommes de terre, choux, fèves, haricots… auxquels on ajoute un confit d'oie, plongé dans le bouillon en cours de cuisson.

Recette de la poule au pot

Elle était l'un des mets favoris du bon roi Henri. La tradition exige de barder une poule de deux ans avant de préparer la farce en mélangeant le foie de la volaille, éventuellement 200 g de jambon de Bayonne coupés en petits morceaux, trois œufs battus salés, poivrés et muscadés, un hachis d'échalote, d'ail, de persil et d'estragon, et 30 g de mie de pain préalablement trempée dans du lait froid. Dans une marmite, on porte 3 l d'eau à ébullition avec les bouts de patte et le gésier vidé avant d'y plonger la poule. Après ébullition, on écume, on sale modérément et on laisse frémir pendant une heure à petits bouillons. On ajoute les légumes classiques du pot-au-feu : carottes, navets, poireaux, oignon piqué de clous de girofle, branche de céleri, gousse d'ail et on laisse cuire pendant 1h30. Ce plat savoureux se sert avec une sauce tomate bien onctueuse.

Le saumon

Il est également présent sur les cartes du Béarn. Il remonte les eaux de l'Adour pour venir frayer dans le gave d'Oloron. On le pêche dès l'automne et jusqu'au printemps.

Le jambon de Bayonne

Quoi qu'en laisse croire son nom, il n'est pas fabriqué à Bayonne, mais dans les montagnes environnantes, surtout les montagnes béarnaises. Produit à partir d'élevages porcins qui pâturent dans les forêts de hêtres, de châtaigniers et de chênes, le jambon de Bayonne est mis à sécher neuf mois durant, après une période de salaison de quinze jours. Grâce à un climat où alternent les périodes humides et sèches, il n'est pas nécessaire de le fumer.

Si vous voulez connaître l'histoire de ce produit, rendez-vous à la Maison du jambon de Bayonne à Arzac (voir Aire-sur-l'Adour).

Le fromage de brebis

Ce « fromage du pays » au goût fort et fruité, confectionné par les bergers sur les estives, compte autant de variétés qu'il y a de producteurs. Sur le plateau d'Iraty est fabriqué l'ossau-iraty, AOC depuis 1980. Les bergers béarnais fabriquent également un fromage frais, le **greuilh** (ou breuihl), mousseux et léger.

Les vins

Une appellation vient immédiatement à la bouche : le **jurançon** ! Les vignobles s'étendent sur la rive gauche du gave de Pau (environ 800 ha), en englobant 25 communes. On distingue le blanc sec du **blanc moelleux**. C'est le cru le plus fameux, dont on a chanté « la couleur de maïs » et « la couleur d'ambre ». Les plants tardifs sont vendangés souvent après la Toussaint au stade de la pourriture noble.

Fromage de brebis.

Stéphane Sauvignier / MICHELIN

La sauce « bordelaise »

Nombre de plats sont agrémentés de cette fameuse sauce au vin.
Pour la préparer, il faut mettre à bouillir deux verres de bordeaux rouge et ajouter 6 échalotes hachées, une branche de thym, une pincée de sel, de poivre blanc et de muscade. Laisser bouillir pour réduire le mélange aux trois quarts. Hors du feu, ajouter 60 g de moelle de bœuf hachée, ébouillantée auparavant et une pincée de persil ciselé. Enfin, ajouter quelques noisettes de beurre et remettre à cuire sans laisser bouillir.

Au Sud-Est de la Gascogne, le **madiran**, vin rouge réputé pour sa vigueur tannique, développe des odeurs de pain grillé et d'épices, à côté du **pacherenc** du Vic-Bilh, vin blanc sec ou moelleux, apprécié pour son bouquet agréable. Les **Côtes de Saint-Mont** se déclinent en vins blancs, rouges et rosés corsés et fruités (VDQS).
Également de vieille réputation, le rosé léger et fruité est produit principalement près de **Salies-de-Béarn** et **Bellocq**. Le rouge est un vin puissant et généreux.

EN GIRONDE

Poissons et fruits de mer

Si vous passez dans le bassin d'Arcachon, impossible d'en repartir sans une bourriche sous le bras, après avoir goûté les **huîtres** dans une cabane traditionnelle de pêcheur.

Pour tout savoir sur l'huître, suivez la Route de l'huître (voir p. 40).

La cuisine bordelaise accommode **aloses**, saumons, **lamproies**, anguilles et éperlans que lui apporte la Garonne. La lamproie à la bordelaise est cuite dans son sang, comme un civet, avant d'être agrémentée de vin rouge corsé et de poireaux. Avant d'être servie, l'alose est préalablement marinée dans le vin blanc et l'huile parfumée de laurier.
Mais le « poisson-roi » de l'estuaire demeure l'**esturgeon**. C'est vers 1920, qu'un Russe blanc apporta en Aquitaine la recette de la confection du caviar. En une quinzaine d'années, l'industrie du caviar s'est véritablement organisée et jusque dans les années 1950, la production était de 3 à 5 t par an.
Les **chevrettes** de l'Estuaire sont devenues une spécialité de Bourg-sur-Gironde. Ces crevettes blanches que l'on pêche en été se préparent avec du laurier et un peu d'anis. Nombreux sont les cafés qui vous en proposeront à l'apéritif.

Les viandes

En matière d'élevage, la Gironde n'est pas en reste. L'**agneau de Pauillac** est réputé pour son exceptionnelle tendreté. Élevé en bergerie, il est abattu non sevré à l'âge de 75 jours maximum.

Label Rouge lui aussi, le **bœuf de Bazas**, réputé pour sa finesse, est issu d'élevages sélectionnés des meilleures races à viande, en particulier de la fameuse bazadaise. Élevé en pâturage, il est nourri de maïs, d'orge ou de blé.

Quelques douceurs

À Bordeaux, on se régale de **cannelés**, petits gâteaux caramélisés dont l'intérieur est moelleux. La ville de Saint-Émilion est quant à elle célèbre pour ses délicieux **macarons**. Trempés dans du vin rouge ou du champagne à l'apéritif, ou servis avec le café, ces petites merveilles moelleuses et délicatement croustillantes existent depuis 1620, date de leur invention par les religieuses de la ville. La légende affirme que les **pralines** furent créées à Blaye, en 1649 par le duc César de Choiseul du Plessis-Praslin. Quoi qu'il en soit, vous pourrez déguster ces délicieuses confiseries dans cette ville. Enfin, la **figue de Bourg** une spécialité sucrée encore peu connue.

Les vins de Bordeaux

LES APPELLATIONS

Une garantie de qualité

Un « bordeaux » est une appellation générique donnée à tous les vins issus du département de **Gironde** en tenant compte du caractère de chacun.

Ces vins sont des Appellations d'origine contrôlée (AOC) : l'**étiquette** révèle avec franchise la région, la sous-région ou la commune de production.

Enfin, ce ne sont pas seulement la bouteille et le verre qui font preuve de transparence, mais le vin lui-même ! Un gage de qualité précieux pour le consommateur.

Le jeu des sept familles

On distingue sept grandes appellations :
- les bordeaux supérieur et bordeaux ;
- les saint-émilion, pomerol et fronsac ;
- les vins blanc secs ;
- les côtes ;
- les vins blancs moelleux et liquoreux ;
- les médoc et les graves ;
- les rosé, clairet, crémant et fine.

Chacune de ces sept familles réserve encore des subtilités déclinées en différents styles de vins.

Tenir son rang

Une appellation particulière peut être liée au classement : grand cru, premier cru, cru bourgeois…

Le premier classement officiel, calé sur le prix du vin, remonte à l'Exposition universelle de Paris de **1855** : le premier grand cru classé était le plus cher ; le cinquième grand cru classé le moins onéreux.

Le système qui prévaut aujourd'hui a été fixé en **1973**, après quelques modifications apportées au classement de départ : des crus précédemment oubliés (mouton-rothschild) ont été classés, d'autres ont perdu leur titre.

La classification est désormais révisable en fonction de la qualité du millésime, ce qui pique fortement l'attention des maîtres des lieux.

LECTURE D'UNE ÉTIQUETTE

Qualité du vin comme « grand cru »

Nom du château, du cru, du domaine

Appellation (obligatoire)

Mention Appellation Contrôlée avec la région d'origine (obligatoire)

Millésime

Nom et adresse de l'embouteilleur (obligatoire)

Degré d'alcool (obligatoire)

Lieu de mise en bouteille (obligatoire)

Volume net (obligatoire)

Mention exigée pour l'exportation

MICHELIN

LES GRANDS CRUS

Au total, la production se partage entre 75 % de vins rouges et 25 % de vins blancs.

La carte des rouges

L'aptitude des vins rouges au vieillissement est remarquable.

À l'élégance des **médocs** (les grands bordeaux rouges) auxquels s'apparentent les graves rouges fins et bouquetés, font écho l'arôme puissant, le caractère corsé des **saint-émilion**.

Les **pomerols**, chauds et colorés, rappellent à la fois les médocs et les saint-émilion.

Les **fronsacs**, fermes et charnus, plutôt durs en primeur, s'affinent avec l'âge.

Plus en aval, les régions du **Bourgeais** et du **Blayais** sont réputées pour leurs « grands ordinaires », rouges et blancs.

Le vignoble de l'or blanc

Avec une gamme très harmonieuse, les vins blancs ont également une belle réputation.

Ici, la place d'honneur revient aux grands vins de **Sauternes** et à ceux de **Barsac**, premiers vins blancs liquoreux du monde, obtenus à partir d'un raisin cueilli grain à grain et à un stade de maturation très particulier : la fameuse « pourriture noble ».

Sur la rive opposée de la Garonne, les **sainte-croix-du-mont** et **loupiacs** ont aussi gagné leurs galons d'excellence. Radicalement différents au palais, les **graves secs** ont fini par représenter le type du bordeaux blanc, un vin nerveux. Les produits des **vignobles de Créon** forment le trait d'union entre les meilleurs graves et les grands sauternes.

Dans les premières **Côtes de Bordeaux**, le **cadillac** donne des vins blancs veloutés, moelleux, à l'agréable fraîcheur.

Enfin, la large région de l'Entre-Deux-Mers est une grande productrice de vins blancs secs et de rouges « grands ordinaires ».

LA DÉGUSTATION

Après la sélection délicate et judicieuse des bons crus, il faut savoir servir le vin en suivant certaines règles qui assurent à l'amateur le meilleur plaisir de bouche. Pour un **vin rouge**, il est conseillé de lais-

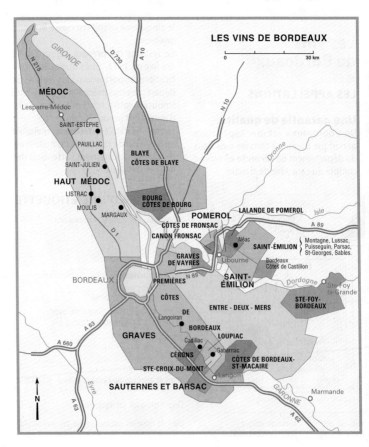

Vocabulaire relatif à la dégustation

« **Bien en bouche** » : vin riche et équilibré, qui remplit la bouche.

« **Charnu** » : vin qui a du corps, qui donne la sensation de mordre dans un fruit.

« **Gras** » : vin à la fois moelleux, charnu, corsé et riche en alcool (signes d'un grand vin).

« **Corsé** » : vin riche en alcool ; on dit aussi qu'il a du « corps », de la « cuisse », de la « jambe ».

« **Souple** » : vin peu chargé en tanin, agréable au palais.

« **Gouleyant** » : vin facile à boire, fruité, frais.

« **Mâché** » : vin assez consistant, qui donne la sensation de pouvoir être mâché.

« **Nerveux** » : vin qui dénote un caractère vif, avec une pointe d'acidité.

« **Rond** » : vin souple, charnu, légèrement velouté.

« **Chaleureux** » : vin qui procure, par sa richesse en alcool, une sensation de chaleur.

« **Épais** » : vin très coloré, donnant une sensation de lourdeur et d'épaisseur.

« **Râpeux** » : vin très astringent, qui racle le palais.

ser reposer la bouteille quelques heures à température ambiante (18 à 20 °C) puis de l'ouvrir une heure avant le repas. Un vin rouge de grand âge demande à être servi dans un panier verseur ; il peut ainsi mieux décanter, en particulier s'il présente des impuretés en suspension. Selon leur âge, les rouges sont servis plutôt chambrés (14° à 18 °C) ou relativement frais, comme on le conseille pour les vins jeunes (5 ans) qui se boivent à 12 -14 °C.

Les **vins blancs secs** et les **rosés** seront eux appréciés frais (à 8 °C), et les blancs **moelleux** encore plus frais (environ 6 °C).

👁 Il est préférable d'aller crescendo pendant le repas : commencez par le cru le plus jeune et le plus léger pour finir par le plus âgé et le plus corsé.

L'ART ET LA MANIÈRE

Avant même de porter votre verre aux lèvres, goûtez le vin avec les yeux, avec le nez. Prenez votre temps et oubliez les complexes ! Si vous voulez mettre des mots sur vos sensations, nous vous indiquons les termes les plus usités (voir l'encadré ci-dessus).

La vue

La dégustation commence par un examen visuel de la « robe » et du « disque » du vin. La robe, différente selon les crus, désigne la couleur et la limpidité du vin. Le disque est la surface du vin dans le verre : il doit être brillant et ne présenter aucune particule.

L'odorat

Chaque vin a son parfum, à l'odeur évocatrice classée en 10 familles : animale, boisée, épicée, balsamique, chimique, florale, fruitée, végétale, empyreumatique et éthérée. On commence par inhaler le nectar puis à le faire tourner dans le verre pour mieux libérer les arômes, en essayant de distinguer chaque famille. Avec les années, un vin dégage des odeurs sauvages et épicées.

Le goût

L'examen gustatif débute lui par une « attaque en bouche » de quelques secondes, où le vin entre brièvement en contact avec la langue. Ensuite, l'« évolution en bouche » permet d'apprécier plus longuement toutes les nuances du vin qui éclatent sur le palais. On avale alors une gorgée pour se délecter de la « fin de bouche ».

*Randonnée dans la vallée d'Ossau
(descente vers le refuge de Pombie).*

DÉCOUVRIR LES SITES

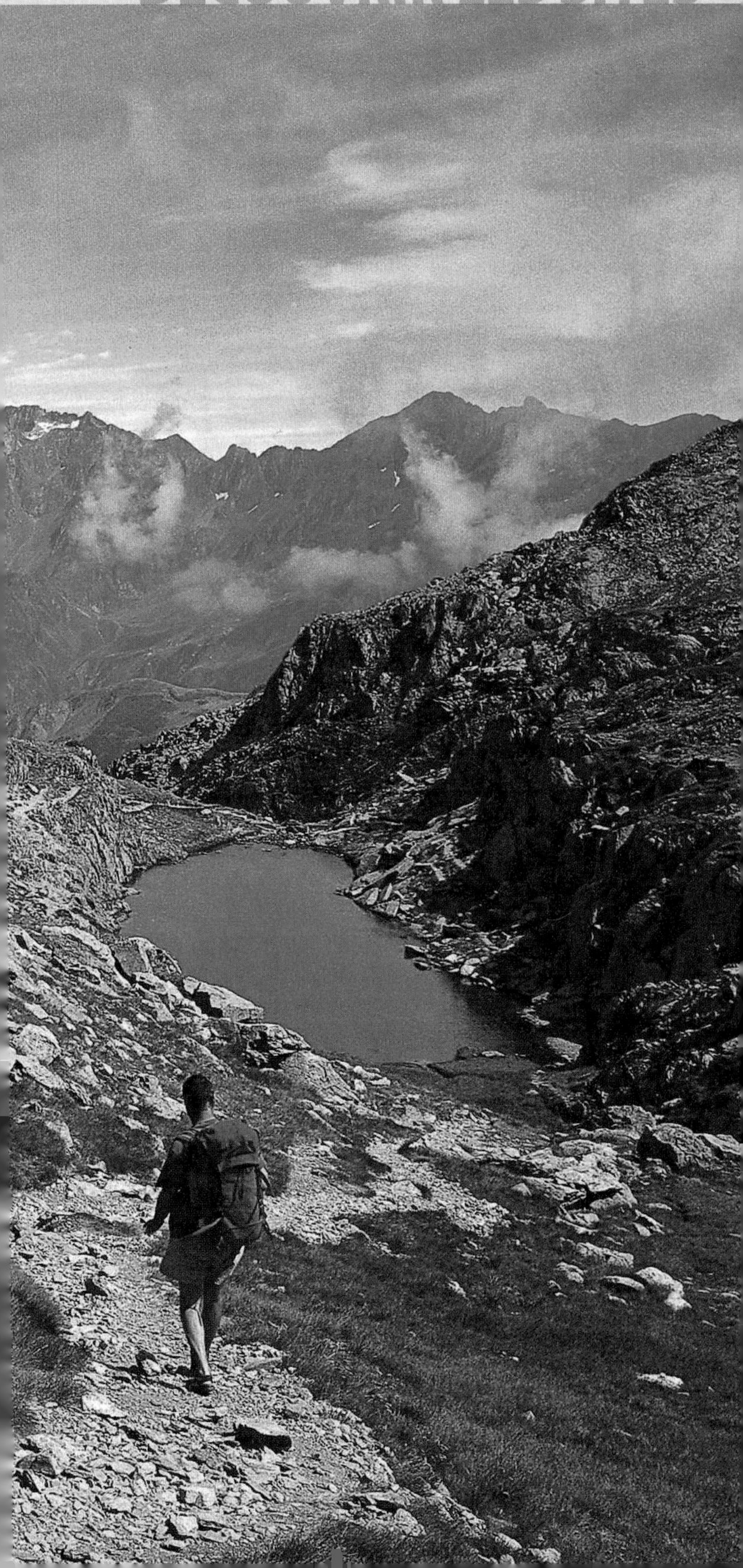

Agen★

30 170 AGENAIS OU AGENOIS
CARTE GÉNÉRALE D3 – CARTE MICHELIN LOCAL 336 F4 – LOT-ET-GARONNE (47)

Ave' l'accent… et Agen prend tout son relief. Celui d'une cité du soleil où il fait bon se balader loin des villes embouteillées, et où même les boulevards prennent des allures de rues piétonnes. N'a-t-elle pas été élue « Ville la plus heureuse de France » ? Cette bonhomie, cette insouciance se lisent au gré des rues pavées et des places ombragées, au fil de la Garonne qui nourrit la vallée.

▶ **Se repérer** – Pour un accès rapide, prenez l'A 62 ou la N 113 (Bordeaux-Toulouse). Si vous avez le temps, les départementales vous feront profiter de la très belle campagne agenaise. La ville est longée au Nord par le canal, à l'Ouest par la Garonne. Centre névralgique : le carrefour des boulevards de la République et Carnot et les petites rues avoisinantes.

🅿 **Se garer** – Nombreux parkings à la périphérie du centre-ville *(voir le plan)*.

👁 **À ne pas manquer** – Le musée des Beaux-Arts ; la rue Beauville ; la confiserie Pierre-Boisson pour tout savoir sur la fabrication du fameux pruneau, dégustation à la clé.

🕐 **Organiser son temps** – Comptez une demi-journée pour faire le tour de la vieille ville et visiter le musée des Beaux-Arts, ouvert toute la journée. Attention : il est fermé le mardi. En été, nombreuses possibilités de promenades fluviales.

👪 **Avec les enfants** – Le musée des Beaux-Arts pour se cultiver en s'amusant ; le parc d'attractions Walibi Aquitaine ; Les Vallons des Marennes et le poney-club *(voir l'encadré pratique)* pour se détendre.

🕯 **Pour poursuivre la visite** – Voir aussi Nérac, Villeneuve-sur-Lot.

Le saviez-vous ?

La Renaissance brille à Agen d'un bel éclat : banni de Milan, l'aventureux **Bandello**, connu pour ses contes et ses nouvelles, trouva un asile doré sur les rives de la Garonne ; **Jules César Scaliger**, né à Padoue, donna à Agen, sa ville adoptive, une grande célébrité par son érudition et par son influence sur les hommes de lettres ; son fils, **Joseph Juste Scaliger**, fut un éminent philologue. Plus tard, **Jacques Jasmin**, perruquier-poète de son état retint, l'attention. Il composait des chansons et de petits poèmes qu'il déclamait à ses clients ! Tant et si bien qu'il fut un jour reçu, ce n'est pas rien, à la cour de Napoléon III, et fêté dans tous les salons parisiens pour son œuvre en occitan.

Se promener

LA VIEILLE VILLE

2h. Partir de la place Dr-Pierre-Esquirol.

Place Dr-Pierre-Esquirol (A2)

Sur la place, du nom d'un ancien maire de la ville, se dressent l'hôtel de ville, ancien tribunal du 17ᵉ s., le musée des Beaux-Arts *(voir description dans « visiter »)* et le **théâtre** (A1/2) « à l'italienne » Ducourneau dont la première pierre fut posée en 1906 sous l'œil d'Armand Fallières, président de la République originaire de la région.

Rue Beauville (A2)

Atmosphère d'antan garantie avec ses maisons médiévales restaurées. Au nº 1, très belle maison à pans de bois et à encorbellement.

Tourner à droite dans la rue Richard-Cœur-de-Lion. Au carrefour avec la rue Moncorny, la façade à pans de bois du débit de tabac vaut le coup d'œil. La rue Garonne mène à la place des Laitiers.

Place des Laitiers (A1)

Vous êtes au cœur du vieil Agen, marchand depuis le Moyen Âge. De nos jours, de nombreux commerces continuent d'investir les arcades. Sur la place, remarquez la sculpture contemporaine d'un pèlerin de Compostelle, reconnaissable à sa coquille.

Traverser le boulevard de la République pour rejoindre la rue des Cornières.

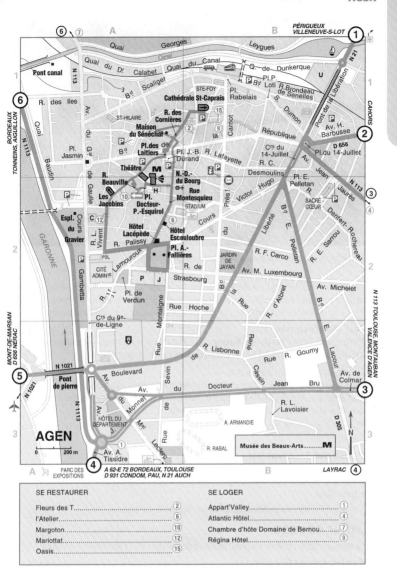

SE RESTAURER		SE LOGER	
Fleurs des T.	②	Appart'Valley	①
l'Atelier	⑥	Atlantic Hôtel	④
Margoton	⑩	Chambre d'hôte Domaine de Bernou	⑦
Mariottat	⑫	Régina Hôtel	⑨
Oasis	⑮		

Rue des Cornières (A1)

Jolie rue commerçante toute de pans de bois et de pierre sur arcades (cornières).

Prendre à gauche la rue Puits-du-Saumon.

Maison du Sénéchal (A1)

Demeure du 14ᵉ s. percée de fenêtres gothiques. À travers une porte vitrée, on aperçoit divers objets appartenan au musée des Beaux-Arts.

Tourner à droite dans la rue Floirac pour reprendre la rue des Cornières jusqu'à la place de la Cathédrale.

Cathédrale St-Caprais (B1)

Fondée au 11ᵉ s., mais cathédrale seulement depuis 1802. L'intérieur, restauré au siècle dernier, est décoré de fresques représentant les saints tutélaires de l'Agenais. De la place Raspail, vue sur le chevet du 12ᵉ s. aux modillons sculptés.

Non loin, la petite **église Sainte-Foy** arbore la devise nationale : « Liberté, Égalité, Fraternité. », gravée dans la pierre. Cette étonnante inscription pour un monument religieux est le signe d'une tradition républicaine agenaise qui s'affiche jusque sur les plaques de rue. Elles rendent hommage aux notables radicaux locaux et à la République.

Le dimanche rue Beauville, lorsque sonnent les cloches de l'office, on se croirait au temps jadis !

Revenir dans la rue des Cornières, puis prendre à gauche la rue Banabéra. À l'angle de la rue Jacquard, belle maison à pans de bois. Traverser le boulevard de la République en direction du marché couvert que l'on laisse à gauche avant d'arriver rue Montesquieu.

Rue Montesquieu (A1/2)
Pittoresque église **N.-D.-du-Bourg** des 13ᵉ-14ᵉ s. (A1) en brique et pierre avec un clocher-mur et, au nº 12, l'**hôtel Escouloubre** du 18ᵉ s. (A2).

Place Armand-Fallières (A2)
Au milieu des magnolias et des cèdres voisinent l'imposant palais de justice du 19ᵉ s. et la préfecture, ancien palais épiscopal du 18ᵉ s. Au Nord de la place, l'**hôtel Lacépède** du 18ᵉ s. (A2) abrite la bibliothèque municipale.

Prendre à gauche la rue Palissy, puis à droite la rue Louis-Vivent. Prendre en face la rue Richard-Cœur-de-Lion.

Église des Jacobins (A2)
Vaste édifice gothique en brique présentant deux nefs identiques qui, contraire-ment aux Jacobins de Toulouse, aboutissent à des chevets plats. Elle accueille des expositions.

Revenir à la place du Dr-Esquirol par la rue Beauville à droite.

AU FIL DE L'EAU
Si vous aimez les balades à pied, profitez des berges de la Garonne et du canal.

Esplanade du Gravier (A2)
La plus courue des balades agenaises. Le Gravier, espace vert aménagé au 19ᵉ s. au bord de la Garonne, entretient, sous ses platanes, des pelouses fleuries ponctuées de statues, bassin, kiosque à musique, allées… de gravier. Jolie vue de la passerelle qui enjambe le fleuve. À droite, les vingt-trois arches du **pont-canal** (A1), long de 500 m, permettent au canal latéral de franchir la Garonne. À gauche, le **pont de pierre** (A3) fut commandé par Napoléon lors de son passage à Agen.

Visiter

Musée des Beaux-Arts★★ (A1/2 M)
Pl. du Dr-Esquirol - ☎ 05 53 69 47 23 - www.ville-agen.fr/musee - mai-sept. : 10h-18h ; oct.-avr. : 10h-12h30, 13h30-18h - fermé mar., 1ᵉʳ janv., 1ᵉʳ mai, 1ᵉʳ nov., 25 déc. - 3,70 € gratuit 1ᵉʳ dim. du mois. ⚲ *Demander le document pour le jeu de piste.*
Un bien joli écrin pour ce musée. Les quatre hôtels particuliers d'Estrades, de Vaurs, Vergès et Monluc, des 16ᵉ et 17ᵉ s., ont, en grande partie, gardé leurs façades d'origine alors que les murs intérieurs ont été abattus pour permettre l'agrandissement du musée.

Archéologie médiévale – Dans la salle, les murs sont garnis de chapiteaux romans et gothiques ornés de feuillages et d'animaux fantastiques. C'est ici que reposent les **gisants** d'Étienne de Durfort et de son épouse. Remarquez la tapisserie de Bruxelles (16ᵉ s.), intitulée *Le Mois de mars*.

Archéologie de l'Antiquité – Mosaïques, amphores, céramiques et petits bronzes (tête de cheval celte d'une grande finesse). La Vénus grecque de marbre (1er s. av. J.-C.), découverte au siècle dernier près du Mas-d'Agenais, est le plus bel ornement de cette collection.

La chasse et la guerre – Il fallait bien une cheminée monumentale Renaissance pour cette pièce consacrée aux armes anciennes. Tapisserie du 17e s. représentant une chasse au cerf. Profil féminin en marbre du 15e s., d'après Mino da Fiesole. À côté se dresse un grand Minotaure de bronze, œuvre de François-Xavier Lalanne, artiste natif d'Agen.

Préhistoire et minéraux – Dans les caves voûtées de l'hôtel de Vaurs, anciennes prisons de la ville (chaînes et bracelets fixés au mur, soupiraux, gémissement du vent… Chair de poule assurée !), ont pris place les collections de préhistoire, des plus anciens galets taillés aux formes les plus évoluées du néolithique agenais, ainsi qu'une collection de minéraux.

Peintures et arts décoratifs – Un superbe escalier à vis mène aux spacieuses et lumineuses pièces des étages supérieurs. Belles œuvres (natures mortes, portraits, grands sujets) d'écoles françaises et étrangères des 16e et 17e s. (*Tentation de saint Antoine* par David Teniers le Vieux, *Portrait d'homme* de Philippe de Champaigne), faïences européennes (14e-19e s.) dont des plats de **Bernard Palissy**. Étonnante série de sulfures (camées incrustés dans du cristal) de l'Agenais Boudon de Saint-Amans (1774-1856) et exemplaires uniques de faïence fine par laquelle il tenta de concurrencer l'Angleterre. La salle du 18e s., outre des portraits de Greuze et un beau Tiepolo *(Page expirant)*, abrite cinq toiles de **Goya**, léguées au musée par un ancien ambassadeur d'Espagne. Notez l'œil acerbe de ce peintre de cour, impitoyable et se jouant des conventions, dans l'*Autoportrait* très expressif.

La peinture du 19e s. est très bien représentée par une œuvre de Corot, *L'Étang de Ville-d'Avray*, plusieurs toiles de Courbet, une collection de préimpressionnistes (Boudin) et d'impressionnistes (Caillebotte, Sisley, Guillaumin, Lebasque). Agen possède la collection la plus importante en France d'œuvres du peintre impressionniste roumain **Grigurescu** : remarquez les différentes versions de *Tête de paysanne roumaine*. Le tableau *Bord du Loing*, de Picabia, un peu insolite par son côté impressionniste, annonce le 20e s.

Salle du Dr-Esquirol – Tableaux, meubles et figurines asiatiques. Deux beaux portraits par Clouet, ainsi qu'une charmante *Tête d'enfant* de Greuze.

Aux alentours

Walibi Aquitaine★

4 km au Sud-Ouest par la D 656, route de Nérac, en venant du centre-ville. En venant de l'autoroute A 62, prendre la sortie n° 7 Agen. 📞 *05 53 96 58 32 - www.walibi.com - de mi-juin à fin août : tlj ; de mi-avril à mi-juin et sept.-oct. : w.-end et j. fériés - se renseigner pour horaires d'ouverture - 22,50 € (3-11 ans : 18,50 €).*

👥 Voilà un parc de loisirs où passer une divertissante journée en famille. Virer, rouler, glisser, il y en a pour tous les goûts et tous les âges. Après avoir tourné dans les tasses à café géantes ou descendu la Radja River en furie, assistez au spectacle des fontaines musicales (650 jets d'eau animés) et aux acrobaties des otaries savantes. Pour la pause-déjeuner, pique-nique ou restaurant. Prenez le temps d'observer les cèdres bicentenaires et les rapaces rares qui volent parfois aux alentours du château.

Clermont-Dessous

19 km à l'Ouest par la N 113 qui longe de très près la Garonne.

Le village, ranimé par le tourisme grâce à sa situation au-dessus de la plaine de la Garonne, est signalé par son église romane trapue, qui émerge des ruines du château. Au départ du parc de stationnement, le circuit balisé *(compter 30mn)* vous permet d'admirer la vallée et ses vergers. Vous reconnaîtrez au loin Port-Sainte-Marie, ancienne ville de mariniers étirée entre l'abrupt du coteau et le fleuve.

Circuit de découverte

LE BRULHOIS

41 km – environ 3h. Quitter Agen à l'Ouest par la N 1021, prendre à gauche la D 656.

La campagne à perte de vue… Un paysage de pentes douces et d'abrupts calcaires. Un patchwork de collines cultivées de vignes, de maïs et de vergers. De-ci, de-là apparaît une demeure perchée sur une butte ou égarée au milieu des champs.

Près de Moirax, lignes strictes des vignes et courbes des collines s'entremêlent.

Château d'Estillac

Le **château de Monluc**, ouvrage militaire (13ᵉ-16ᵉ s.), masqué par les arbres, surveille la plaine de la Garonne agenaise du haut du dernier ressaut des collines du Brulhois. Blaise de Monluc, fameux homme de guerre qui gagna ses galons lors des guerres d'Italie, s'installa au château d'Estillac aux environs de 1550. Il est l'inventeur du pousse-rapière, liqueur à base d'armagnac et de macération de fruits.

Aubiac

L'**église romane** fait corps avec le village qu'elle semble défendre. À l'intérieur, chœur tréflé éclairé par une tour-lanterne où courent des frises de billettes et de palmettes.

Laplume

Ancienne capitale du Brulhois, ce bourg se tient sur une crête dans un site très dégagé. Autrefois, de nombreux moulins à vent tournaient sur ces hauteurs.

À Laplume, prendre la D 15 à gauche sur 3 km, puis encore à gauche, la D 268 vers Moirax.

Église★ de Moirax

Datant pour sa plus grande partie du 12ᵉ s., l'église est un très bel exemple d'architecture romane. Elle appartenait à un prieuré clunisien fondé au 11ᵉ s.

Sa silhouette très allongée est rehaussée d'un clocheton conique et d'un campanile de façade. Les éléments décoratifs les plus intéressants sont ceux qui parent le chevet et les absidioles.

À l'intérieur, l'avant-chœur est sans doute la partie la plus originale : carré à la base, il devient octogonal avant de se terminer en coupole tronconique. Les **chapiteaux** du chœur sont décorés de feuillages et de personnages. À la croisée du transept, on reconnaît Daniel dans la fosse aux lions *(à gauche)*, le Péché originel *(à droite)*. La statue de la Vierge, dans le chœur, les stalles et les panneaux sculptés en noyer dans les bas-côtés sont l'œuvre du sculpteur Jean Tournier (fin du 17ᵉ s.).

Layrac

La terrasse de la place du Royal est encadrée au Sud par l'**église Notre-Dame** (12ᵉ s.). La dernière restauration de celle-ci, en ramenant le chœur à son ancien niveau, a dégagé un fragment de mosaïque romane : Samson luttant contre le lion. Au Nord se trouve l'église St-Martin, dont il ne subsiste que le clocher. La vue sur la vallée du Gers débouchant dans la plaine de la Garonne vaut le coup d'œil.

Retour à Agen par la N 21.

Agen pratique

Adresses utiles

Office du tourisme d'Agen – *107 bd Carnot -* ℰ *05 53 47 36 09 - www.ot-agen. org - juil.-août : tlj sf dim. et j. fériés 9h-19h, dim. et j. fériés 9h30-12h30 ; sept.-juin : tlj sf dim. et j. fériés 9h-12h30, 14h-18h30.*

Office du tourisme de Layrac – *R. du Dr-Ollier -* ℰ *05 53 66 51 53 - www.bruhlois. com - mar., jeu. et ven. 9h-12h, 14h-18h30, mer. et sam. 9h-12h (juil.-août : sf dim. et lun.).*
Vous trouverez ici toutes les informations sur le Brulhois.

Visite

Visite guidée de la ville –
Renseignements à l'office de tourisme pour jours et horaires des visites.

Se loger

Bon à savoir – Tous les ans, à la mi-mars, se tient le SIFEL (Salon international des fruits et légumes) qui rassemble les professionnels de la filière venus du monde entier. Difficile de trouver une chambre à Agen et dans les environs à cette époque de l'année !

Régina Hôtel – *139 bd Carnot -* ℰ *05 53 47 07 97 - reginagen@wanadoo.fr -* **P** *- 24 ch. 29/40 € -* ⌑ *5 €.* Une rénovation réussie a doté cet hôtel central de tout le confort moderne. Ses chambres personnalisées par de jolis coloris sont souvent grandes et toutes équipées d'un double vitrage efficace. Jetez un coup d'œil à la jolie fresque bretonne ornant le hall.

Atlantic Hôtel – *133 av. Jean-Jaurès - à l'E d'Agen par N 113 -* ℰ *05 53 96 16 56 - atlantic.hotel@wanadoo.fr - fermé 23 déc.-3 janv. -* **P** *- 44 ch. 46/52 € -* ⌑ *5,50 €.* Cet hôtel construit dans les années 1970 est à l'écart du centre-ville, derrière une station-service. Ne vous fiez pas à l'environnement et prenez votre petit-déjeuner au bord de la piscine. Les chambres sont agréables et les plus récentes sont spacieuses et modernes.

Appart' Valley – *1350 av. du Midi -* ℰ *05 53 69 65 10 - www.appartvalley.com -* **P** *- 77 ch. dont 10 studios 51/53 € -* ⌑ *8 €.* Cette résidence moderne située aux portes d'Agen abrite près de 80 appartements (dont une dizaine de studios) complets et fonctionnels. Les couleurs (noir, gris et blanc) offrent un aspect un peu froid mais assez élégant. Surface habitable agréable avec accès direct à la piscine pour un prix très intéressant.

Chambre d'hôte Domaine de Bernou – *47340 La Croix-Blanche - 14 km au N d'Agen rte de Villeneuve-sur-Lot -* ℰ *05 53 68 88 37 ou 06 17 36 50 32 - www. domainedebernou.com -* ⌑ *- réserv. obligatoire hors sais. - 3 ch. 65 € -* ⌑ *- repas*

20 €. Édifiée en 1780, au milieu d'un domaine de 25 ha, cette demeure abrite aujourd'hui une maison d'hôte, un relais équestre et un élevage de chevaux. Les chambres, aux volumes impressionnants, sont très calmes. Table honorable et accueil chaleureux.

Se restaurer

Bon à savoir – La rue Voltaire située en centre-ville est « la » rue des restaurants à Agen. Il y en a pour tous les goûts et pour toutes les bourses : crêpes, grillades, pâtes, cuisine asiatique, etc. Parmi les adresses à retenir : L'Épicerie où l'on propose une cuisine traditionnelle dans un cadre convivial.

Fleurs des T – *13 r. des Héros-de-la-Résistance -* ℰ *05 53 47 32 83 - fermé 1 sem. en mars, 1 sem. en août, dim. sf nov.-déc. - 6,50/10 €.* Cet agréable salon de thé-boutique vous accueille pour une pause-déjeuner (petits plats maison, tartes salées), le soir pour un dîner d'été ou en journée autour d'un thé, un café ou un chocolat à l'ancienne. Comptoir au rez-de-chaussée et salle aménagée à l'étage. Nombreuses idées cadeaux : mugs, théières, etc.

Restaurant Oasis – *46 r. Molinier -* ℰ *05 53 66 89 33 - fermé le soir, dim. et j. fériés - réserv. conseillée - 10/22 €.* Dans ce petit restaurant situé le long d'une rue commerçante, vous avez le choix : sa petite salle moderne ou celle aux couleurs du Sud. La carte est volontairement courte : tartes salées, plat du jour et pâtisseries. Salon de thé l'après-midi. Bon accueil et prix sages.

Margoton – *52 r. Richard-Cœur-de-Lion -* ℰ *05 53 48 11 55 - fermé 21-28 fév., 15-30 août, 22 déc.-3 janv., dim. soir du 1er oct. au 30 juin, sam. midi, dim. soir et lun. de juil. à sept. - 15/30 €.* Une chaleureuse ambiance familiale règne dans cette salle de restaurant dotée de meubles peints et agrémentée de boiseries. Quelques touches créatives personnalisent la cuisine traditionnelle du chef. Le repas terminé, vous repartirez d'un bon pied à la découverte de la vieille ville d'Agen.

L'Atelier – *14 r. du Jeu-de-Paume -* ℰ *05 53 87 89 22 - restaurant. latelier@wanadoo.fr - fermé 9-22 août, sam. midi et dim. - 17 € déj. - 24/30 €.* Cet ancien atelier de menuiserie est aujourd'hui ouvert à tous, les tables ayant remplacé les établis. À midi, les habitués se bousculent autour des formules rapides proposées à petits prix. Le soir, on prend davantage de temps pour déguster une alléchante cuisine régionale mitonnée avec soin.

Mariottat – *25 r. L.-Vivent -* ℰ *05 53 77 99 77 - contact@restaurant-mariottat.com - fermé vac. de fév., sam. midi, dim. soir et lun. - 23 € déj. - 35/58 €.*

Cet ancien hôtel particulier du 19e s. possède un caractère certain avec son dessus-de-porte sculpté et son toit d'ardoise. Un bel escalier de pierre dessert les sobres salles à manger. Agréable terrasse ombragée. Cuisine soignée.

En soirée

👁 **Place Jasmin** – Bruissante de conversations, de tintements de verres et de couverts, cette place est occupée par de nombreux bars et brasseries dont les terrasses, à la belle saison, attirent beaucoup d'Agenais. Ne pas manquer : La Bodega et ses concerts de musique latine (jeudi soir).

Étal de pruneaux au marché couvert.

Alain Cassaigne / MICHELIN

Que rapporter

👁 **Fruits et primeurs** – C'est dans les vallées du Lot et de la Garonne, voie de passage entre l'Atlantique et la Méditerranée, que l'Agenais concentre l'essentiel de son économie. Leur climat particulièrement doux donne les cultures maraîchères et fruitières qui font leur renommée. N'hésitez pas à vous gaver de chasselas, prunes et autres pêches achetés sur les marchés ou directement chez les producteurs. Foire de la prune à la mi-sept., pl. du 14-Juillet.

Marchés traditionnels – Tlj au marché couvert, mer. et dim. à la halle du Pin.

Marchés fermiers – Sam. mat., sur l'esplanade du Gravier et pl. des Laitiers ; mer. mat. et dim. mat. à la halle du Pin.

Marché bio – Sam. mat., pl. des Laitiers.

Marché au gras – Mer., sam. et dim. mat. de nov. à mars.

Confiserie Pierre-Boisson – *20 r. Grande-Horloge -* 📞 *05 53 66 20 61 - pierre. boissonsarl@wanadoo.fr - 9h-12h30, 14h-19h30 ; dim. et j. fériés : groupes sur demande préalable.* Depuis 1835, la famille Boisson excelle dans la fabrication de confiseries à base de pruneaux. Son premier succès remonte à 1876, quand un mitron eut l'idée de fourrer les pruneaux. Un diaporama gratuit relate l'histoire de cet illustre lignage. Dégustation.

Ferme Roques – *D 119 - Quartier « Le Vacqué » - 15 km au SO d'Agen par D 119 - 47130 Montesquieu -* 📞 *05 53 68 60 39 - fermeroques@wanadoo.fr - lun.-sam. 8h30-12h, 14h-19h - fermé j. fériés.* Cette exploitation agricole est spécialisée dans l'arboriculture fruitière. Outre des prunes, elle produit aussi pommes, poires, kiwis, pêches et brugnons. Le fleuron de la maison, c'est bien sûr le pruneau d'Agen préparé à l'ancienne, sans conservateurs. On y propose également jus de fruits, alcools, liqueurs et apéritifs.

Sports & Loisirs

Méca Plus - Vélo et Oxygen – *18 av. du Gén.-de-Gaulle -* 📞 *05 53 47 76 76 - http:// meca.plus.free.fr - tlj sf lun. mat. et dim. 9h30-12h30, 14h-19h.* Voici le seul loueur de vélos de la ville : VTC, VTT et bicyclettes pour enfants.

Canoë-kayak club de l'Agenais – *2 quai du Canal -* 📞 *05 53 66 25 99 - tlj 9h-12h, 14h-18h, sam.-dim. sur RV - fermé 15 j. en sept., 15 j. en déc. et j. fériés.* Ce club loue des kayaks et propose des randonnées. Ouvert à tous, y compris aux débutants, il organise aussi des cours d'initiation.

Base de loisirs de Caudecoste – 👥 - *47220 Caudecoste -* 📞 *05 53 87 31 42 - www.karting.fr - tlj sf mar. matin en été et mar. en hiver : 10h-12h30, 14h-21h.* Cette base de loisirs propose de nombreuses activités : ULM (baptême et leçons), karting sur circuit homologué compétition, quad (avec responsable pour les 4-10 ans), paintball, kart à pédales (dès 7 ans), petit train, balades en calèche, pêche à la truite, minigolf, etc. Café, restaurant et aire de pique-nique.

Les Vallons de Marennes – 👥 - *47340 Laroque-Timbaut -* 📞 *05 53 95 97 32 - 15 juin-15 sept. : 10h-19h ; hors sais. sur réserv.* Prévoyez une journée entière pour profiter pleinement des 22 ha d'aventure ludique et pédagogique que propose cette ferme : vous y découvrirez pas de moins de 800 animaux, un arboretum, des chemins de contes, etc. Un lieu idéal pour les enfants. Aire de pique-nique ou petite restauration possible sur place.

Poney-club de Darel en Agenais – 👥 - *Darel - 7,5 km au NE d'Agen par D 656 - 47480 Pont-du-Casse -* 📞 *05 53 96 90 33 - www.darel.fr.st - mar.-dim. 8h-12h, 14h-19h - fermé j. fériés.* Situé sur les hauteurs d'Agen, ce centre dispense des cours et organise des promenades et des randonnées, à cheval ou à poney, dans un agréable site boisé et dans la campagne.

Locaboat Plaisance – *Quai de Dunkerque -* 📞 *05 53 66 00 74 - www.locaboat.com - mars-oct. : tlj 8h-12h, 13h30-19h ; nov.-fév. : lun.-jeu. 8h-12h, 13h30-16h30 - fermé déc.* Pour découvrir la région à travers ses rivières et ses canaux.

Golf Club d'Agen-Bon-Encontre – *Lieu-dit Barre - 5 km d'Agen, dir. Toulouse, à Bon-Encontre prendre dir. St-Ferréol - 47240 Bon-Encontre -* 📞 *05 53 96 95 78 - barre. golf@free.fr - 10h-20h.* Parcours de 9 trous situé sur le plateau dominant la vallée de la Garonne.

Aire-sur-l'Adour

6 003 ATURINS
CARTE GÉNÉRALE C3 – CARTES MICHELIN LOCAL 335 J12 – LANDES (40)

Plaisante petite cité dynamique sise entre l'Adour, aux berges aménagées en promenades, et le coteau de la Chalosse, Aire-sur-l'Adour, réputée pour sa douceur de vivre, est la capitale du pays du Tursan. Au calme de la colline du Mas répond l'effervescence de la ville basse.

- **Se repérer** – Sur la frontière avec le Gers, entre Mont-de Marsan et Pau (N 124, N 134). Son centre commerçant et administratif se trouve entre la cathédrale et la halle aux grains. Pour accéder à Sainte-Quitterie (colline du Mas), prenez place du Commerce l'avenue des Pyrénées, puis montez la rue Félix-Despagnet.

- **Se garer** – Parking sur les berges de l'Adour (à côté des arènes).

- **Organiser son temps** – Une demi-journée permet de se promener dans la ville basse et de visiter l'église St-Pierre-du-Mas. Vous consacrerez le reste de la journée à vous évader aux alentours.

- **Avec les enfants** – Le musée du Jambon de Bayonne à Arzacq, très ludique.

- **Pour poursuivre la visite** – Voir aussi Saint-Sever, le château de Ravignan *(voir Mont-de-Marsan)*.

Se promener

Plan et descriptif d'un itinéraire disponible à l'office de tourisme.
La ville basse invite à une déambulation au gré de ses envies. De la place du Commerce où se tient l'ancienne halle aux grains à la cathédrale plusieurs fois remaniée, en passant près du canal qui traverse la ville et au marché couvert.

Visiter

Église St-Pierre-du-Mas (dite de Ste-Quitterie)

Visite guidée de mi-mai à fin sept. : tlj sf dim. et j. fériés 9h-12h, 14h30-18h, lun. 14h30-18h ; reste de l'année sf w.-end : sur demande. Mairie ✆ 05 58 71 47 00, office de tourisme ✆ 05 58 71 64 70 ou ✆ 06 77 02 43 44.
À mi-versant du plateau, l'église est, depuis l'évangélisation de la région au 4e s., le sanctuaire le plus vénérable de la cité. Le grand portail gothique est consacré au Jugement dernier. Le chœur a été remanié au 18e s., mais il a conservé deux belles séries d'arcatures romanes du 12e s. Ses chapiteaux historiés sont ciselés avec une précision de dentellière.

> ### Le saviez-vous ?
>
> En un temps où il ne faisait pas bon être chrétien à Aire (alors capitale wisigothique en Aquitaine), la jeune chrétienne Quitterie se refusa au seigneur Germain. Son promis la fit décapiter au pied de la colline du Mas. Elle se releva, ramassa sa tête et marcha jusqu'à la crypte actuelle. Un culte se répandit par la suite qui l'invoquait pour la guérison de la folie… Est-ce parce qu'elle-même perdit la tête ? L'histoire ne le dit pas. Toujours est-il que sainte Quitterie est devenue la patronne de la Gascogne.

La **crypte** fut aménagée à la fin du 11e s. à l'emplacement d'un temple romain consacré à Mars (dont une pierre sculptée de feuilles de laurier a été réemployée dans le dallage). Une source « miraculeuse » vient abreuver un baptistère. Dans une niche repose ledit **sarcophage de sainte Quitterie**★ (4e s.) qui aurait été réalisé à l'origine pour saint Sever. Ce chef-d'œuvre antique, admirable par la beauté du marbre et la douceur du modelé, use curieusement de représentations antiques pour des thèmes chrétiens. En face, s'ouvre la chapelle St-Désiré. Chuchotez debout devant l'autel (ancienne pierre de sacrifice), vous n'en croirez pas vos oreilles !

Circuit de découverte

LE TURSAN★

90 km – compter 4h. Quitter Aire-sur-l'Adour au Sud par la D 2.

Geaune

Bastide d'origine anglaise, Geaune, où se trouve la Cave coopérative des vignerons du Tursan (*voir p. 45*), conserve une place bordée d'arcades sur trois côtés. À l'Ouest, les maisons sont en bois. Allez voir l'église de type gothique languedocien.

Sortir du village au Sud (D 111).

Pimbo

C'est la plus ancienne bastide des Landes, mais vous vous arrêterez surtout pour la **collégiale Saint-Barthélemy** (12ᵉ s.) et son petit jardin botanique, étape sur le chemin de Saint-Jacques-de-Compostelle.

Poursuivre sur la D 111 en direction d'Arzacq.

La Maison du jambon de Bayonne à Arzacq

☏ 05 59 04 49 93 - www.jambon-de-bayonne.com - ♿ - *visite audioguidée (1h30 dernière entrée 1h av. fermeture) tlj sf lun. et dim. matin (sf juil.-août) 10h-13h, 14h30-18h30 - fermé 1ᵉʳ janv., 1ᵉʳ nov., 25 déc., lun. fériés - 6 € (enf. 2,30 €).*

👥 Un espace muséographique pour mettre en émoi vos papilles qui se régaleront d'une dégustation à la fin de la visite (vous pourrez faire vos emplettes à la boutique) ! Quatre **contes** évoquent les relations entre l'homme et le cochon le long d'un parcours ponctué de différentes représentations de l'animal (planche anatomique, affiches…). Un film retrace l'histoire du jambon de Bayonne, sa consommation régie par un calendrier et la place qu'il occupe dans la société. Un autre film explique l'importance de la climatologie et sa spécificité dans le bassin de l'Adour, aire de production du jambon de Bayonne. Panneaux explicatifs sur le sel et le maïs (nourriture du cochon), film sur le salage et le séchage. Voilà, vous savez tout sur le jambon, reste à aller voir des cochons bien vivants dans l'**airial** qui présente huit races du monde entier.

Quitter Arzacq au Nord, par la D 944.

Musée de la Faïencerie et des Arts de la Table★ à Samadet

☏ 05 58 79 13 00 - www.museesamadet.org - ♿ - *de déb. avr. à mi-oct. : tlj sf lun. 10h-12h30, 14h-18h30 ; de mi-oct. à fin mars : tlj sf lun.14h-18h - fermé de mi-déc. à fin janv., 1ᵉʳ mai, 1ᵉʳ et 11 nov. - 4 € gratuit 1ᵉʳ dim. du mois.*

Il abrite de riches et rares collections des célèbres faïences et céramiques de la manufacture royale de Samadet.

Dans la première salle est relatée l'histoire de la Manufacture à l'appui d'un plan commenté et d'une maquette du site. Sont également présentés les étapes successives de la fabrication ainsi que les différents types de faïence. Dans la deuxième salle se trouvent les collections et dans la troisième une passionnante exposition sur l'**art de la table** du Moyen Âge à nos jours : à chaque période sa table dressée. S'ajoutent des vitrines présentant des faïences de différentes époques et diverses provenances et un parcours retraçant la **route de la céramique**, voie commerciale entre l'Occident et la Chine au Moyen Âge.

> ### Le « samadet »
>
> La grande époque se situe entre 1732 et 1811. La faïencerie utilisait alors la technique du « grand feu » mettant en valeur le fondu de l'émail et des couleurs et celle du « petit feu » permettant une palette plus raffinée.

Pousuivre vers le Nord, sur la D 2. Après 5 km prendre à gauche la D 446.

Vielle-Tursan

De la terrasse de la mairie, vue agréable sur le pays vallonné de Tursan, dont le **vignoble**, exportateur au 17ᵉ s., connaît un regain de faveur. Les arènes accueillent des courses landaises.

Sortir à l'Est par la D 65.

La route, accidentée, franchit les dos de terrain qui séparent les vallées parallèles des affluents de l'Adour.

Eugénie-les-Bains

La commune, créée en 1861, doit son nom à l'**impératrice Eugénie**, qui en fut la marraine. Deux sources, L'Impératrice et Christine-Marie, offrent leurs propriétés curatives (affections rhumatologiques, métaboliques, urologiques et gastro-entérologiques). La station est également spécialisée dans les stages « minceur ».

Quitter Eugénie au Nord-Est et prendre à gauche la D 11 en direction de Grenade-sur-l'Adour. Avant d'arriver à Larrivière prendre à droite (fléchage).

Notre-Dame-du-Rugby à Larrivière

Un lieu incontournable pour ceux qui vouent un culte au ballon rond ! Ils apprécieront la centaine de maillots sous vitrine et quelques objets personnels.

Aller à Larrivière, suivre la direction Grenade-sur-l'Adour.

Grenade-sur-l'Adour

Après une promenade dans cette **bastide** anglaise (14ᵉ s.), qui conserve sa charmante place à couverts, faites un saut dans les deux petits musées.

Petit musée de l'Histoire landaise – ☎ 05 58 76 05 25 ou 06 70 45 24 20 - du 4 juil. au 30 sept. : tlj sf lun. et dim. 14h-18h ; reste de l'année tlj sf lun., mar. et dim. 14h-18h - 3 € (10-14 ans 1 €). Il met en scène le terroir au début du 20ᵉ s. (à travers différents objets d'époque) et accueille des expositions temporaires.

Pavillon de la Résistance et de la Déportation – ☎ 05 58 45 91 14 - visite audio-guidée - même horaires que le petit musée de l'histoire landaise. Il rend hommage aux villageois déportés, en représailles à une action de la Résistance grenadoise qui arrêta une convoi allemand le 13 juin 1944.

Quitter Grenade à l'Est, la N 124 ramène à Aire-sur-l'Adour.

Aire-sur-l'Adour pratique

Adresses utiles

Office du tourisme d'Aire-sur-l'Adour – *Pl. du Gén.-de-Gaulle -* ☎ *05 58 71 64 70 - www.aire-sur-adour.org - de mi-juil. à mi-août : tlj sf sam. 8h30-12h30, 14h30-18h, sam. 9h-12h, 14h30-16h ; de mi-juin à mi-juil. et de mi-août à mi-sept. : tlj sf sam. 8h30-12h, 14h-17h30, sam. 9h-12h ; de mi-sept. à mi-juin : tlj sf sam. 9h-12h, 14h-17h - fermé le dim. et j. fériés.*

Office du tourisme du pays grenadois – *1 pl. des Déportés -* ☎ *05 58 45 45 98 - www.tourismegrenadois.com - juil.-août : lun. 8h30-12h, 13h-18h, mar. 8h30-12h, 13h-17h, mer. 8h30-12h, 13h30-17h30, jeu. 8h30-12h, 13h-17h30, ven. 8h30-12h ; reste de l'année : lun. 8h30-12h, 16h-18h, mar. 8h30-12h, 14h-17h, jeu. 8h30-12h, 15h-17h, ven. 8h30-12h - fermé w.-end et j. fériés.*

Office du tourisme intercommunal de Tursan (Geaune) – *1 rte de Chalosse -* ☎ *05 58 44 42 00 - lun.-jeu. 8h30-12h30, 13h30-17h30, ven. 8h30-12h30, 13h30-16h30 - fermé dim. et j. fériés.*

Visite

Visite guidée de la ville – Organisée par l'office de tourisme, elle permet de découvrir les principaux monuments.

Se loger

☺ **Le Relais Fasthôtel** – *28 av. du 4-Septembre -* ☎ *05 58 71 66 17 - 31 ch. 36/45 € -* ☲ *6 €.* Vous serez au calme dans cette bâtisse moderne postée au bord de l'Adour. Les chambres sont pratiques et bien équipées et c'est un vrai plaisir de goûter au charme de la piscine et de la terrasse face au fleuve.

☺ **Camping Les Ombrages de l'Adour** – *R. des Graviers -* ☎ *05 58 71 75 10 - hetapsarl@yahoo.fr - ouv. avr.-oct. - 100 empl. 13 €.* Ce camping voisin du centre-ville et des arènes propose des emplacements bien tenus et ombragés.

☺☺☺ **Château de Projan** – *32400 Projan - 16 km au S d'Aire-sur-l'Adour dir. Pau puis Riscle -* ☎ *05 62 09 46 21 - http://*

www.projan.fr - fermé janv. et ven. soir hors sais. - ▣ *- 8 ch. 98/160 € -* ☲ *10 € - restaurant 26/45 €.* Cette demeure juchée sur une colline vaut le détour : la vue sur les vallées du Leez est superbe. Chambres de bon confort, spacieuses et claires. Beau parc et court de tennis.

Se restaurer

☞ **Chez l'Ahumat** – *2 r. Pierre-Mendès-France -* ☎ *05 58 71 82 61 - fermé 9-23 mars et 1ᵉʳ-14 sept. - 10,50/26 € - 12 ch. 25/44 € -* ☲ *5 €.* Une étape Chez l'Ahumat permet de découvrir quelques goûteuses recettes gastronomiques dont la Gascogne a le secret. Les copieux plats régionaux, déclinés sous la forme de plusieurs menus à tous les prix, sont servis dans deux salles à manger rustiques.

☞☞ **Les Bruyères** – *1 km au N d'Aire-sur-l'Adour par N 124 -* ☎ *05 58 71 80 90 - fermé 25 oct.-7 nov. et dim. - 11 € déj. - 15/26 €. - 8 ch. 32/39 € -* ☲ *6,50 €.* Une ancienne maison recouverte de vigne vierge en été. Coin jardin avec une petite piscine et une terrasse sympathique. La patronne cuisine avec attention les recettes d'ici. Les chambres au décor dépouillé sont sur l'arrière et bien insonorisées.

Que rapporter

👁 **Bon à savoir** – La ville donne à voir un spectacle pantagruélique, lors de ses grands **marchés au gras** annuels, le mar. (nov.- fév.).

Ferme de Lastre – *31 rte des Pêcheurs - 7 km au N de l'Aire-sur-l'Adour par N 124 et D 934 - 40270 Le Vignau -* ☎ *05 58 52 21 42 - tlj sf lun. et mar. - fermé en mai.* Ce jeune couple d'agriculteurs céréaliers élève et nourrit le canard gras à partir de leur production de maïs jusqu'à l'abattage. Sur place, dans leur atelier de fabrication, ils confectionnent foie gras, confits, rillettes.

Sports & Loisirs

Randonnées pédestres et VTT – Les « Guides-Plans » du Tursan et de Grenade sont en vente dans les offices de tourisme.

Arcachon ★★

11 454 ARCACHONNAIS
CARTE GÉNÉRALE B2 – CARTE MICHELIN LOCAL 335 D7 – SCHÉMA P. 114 – GIRONDE (33)

Des senteurs balsamiques d'océan et de pin. Un air de vacances les pieds dans l'eau, l'épuisette à la main. Une pincée de snobisme. Des villas éclectiques, plantées au cœur des bois. Un parfum d'autrefois… Plus n'est besoin de faire la réputation d'Arcachon, belle aux quatre saisons, née de l'imagination hallucinée de pionniers audacieux. Elle a ses fidèles, ses inconditionnels. Elle sait les retenir et les faire revenir.

▶ **Se repérer** – À 60 km de Bordeaux (N 250 ou A 63). Les quatre « villes » d'Arcachon correspondent à quatre quartiers, chacune avec ses caractéristiques propres. La plus fréquentée est bien sûr la ville d'été, qui borde la mer. D'autre part, Arcachon est le point de départ d'une excursion dans le bassin d'Arcachon *(voir ce nom)*.

👁 **À ne pas manquer** – La ville d'hiver, la jetée Thiers et le boulevard de la Mer, qui offrent une vue d'ensemble sur le bassin d'Arcachon.

🕐 **Organiser son temps** – Si le bain de mer s'impose en été, après une petite promenade sur le front de mer (1h), la ville d'hiver se visite toute l'année (comptez 2h). Le soir, Arcachon est toujours très animée. Le samedi, en juillet et en août, des compétitions de chistera rappellent que le Pays basque n'est pas loin *(voir « En soirée » dans l'encadré pratique)*.

👫 **Avec les enfants** – L'aquarium, pour faire connaissance avec les animaux marins du bassin d'Arcachon.

⛵ **Pour poursuivre la visite** – Voir aussi Parc naturel régional des Landes de Gascogne, Biscarrosse.

Comprendre

Arcasoun (origine celte) voudrait dire « pot de résine ». N'oublions pas que nous sommes à deux pas de la forêt landaise…

Naissance d'une cité balnéaire – En 1841, une ligne de chemin de fer relie déjà Bordeaux et La Teste, plage de prédilection des Bordelais. Quatre ans plus tard, un débarcadère, desservi par une route tracée à travers les prés-salés, est édifié sur la baie à 5 km au Nord de la Teste. Quelques villas se construisent : Arcachon, station balnéaire, est née.

L'envol – 1852 : les **frères Pereire**, habiles banquiers bordelais, fondent la Compagnie des chemins de fer du Midi. Ils rachètent la ligne Bordeaux-La Teste, la prolongent jusqu'à Arcachon (1857) où ils ont acquis des terrains, et, pour rentabiliser la ligne, créent des infrastructures : une gare, un « buffet chinois », un Grand Hôtel, un casino mauresque et des villas. Lorsque la ville est ainsi bâtie, au beau milieu du 19ᵉ s., l'essor industriel bat son plein. C'est donc un ingénieur, **Paul Régnault**, qui est choisi pour

La plage Pereire, on passe de la plage au parc par une longue promenade ombragée.

réaliser les premiers édifices. Il sera secondé par un jeune homme du nom de… Gustave Eiffel. Les frères Pereire organisent ensuite une promotion de la nouvelle ville et, bon coup de pub, y invitent Napoléon III. Il n'en fallait pas plus pour que le Tout-Paris et le Tout-Bordeaux se pressent à Arcachon. Déjà fréquentée pour ses bains de mer, elle devient très rapidement une station d'hiver réputée pour son air balsamique, propre à enrayer la tuberculose pulmonaire qui fait alors des ravages. La ville d'hiver fut pendant des décennies un lieu de rendez-vous pour célébrités politiques, littéraires et artistiques, d'Alexandre Dumas à Cocteau en passant par Marylin…

Vieux loups de mer – Dans l'histoire de la pêche maritime, Arcachon fait figure de port pionnier. En effet, en 1837 y est mis en service le *Turbot*, premier chalutier à vapeur du monde, doté de roues à aubes. En 1865, ce sont les premiers vapeurs à hélices et coque en fer français qui y sont lancés. Au tournant du siècle, Arcachon est le deuxième port de pêche de France après Boulogne-sur-Mer. Toujours en quête d'innovation, une société y fait construire en 1927 le *Victoria*, premier chalutier à moteur du pays.

> ### Clin d'œil
> Les stars de la marine, elles ne sont pas oubliées : Tabarly, Florence Arthaud, Yves Parlier, et bien d'autres, ont imprimé leur pied dans le bronze. Suivez-les sur la **chaussée des Pieds marins**, près de la jetée Thiers !

La pêche industrielle arcachonnaise décline dans les années 1950, les chalutiers gagnant les ports bretons, et laisse le relais aux pêcheurs artisans.

Sur les quais – Aujourd'hui, les quais d'Arcachon accueillent bon an mal an 2 000 t de poisson, dont de nombreuses espèces fines : sole, bar, merlu, rouget, turbot, encornet, etc. La flottille, qui opère au large dans le golfe de Gascogne, se compose de chalutiers traditionnels et de catamarans fileyeurs. À l'intérieur du bassin, les techniques de pêche restent traditionnelles : suivant le maillage des filets et la façon de les faire tenir, on pêche à la jagude, au loup, au palet, au balai (bouquets de genêts où s'agglutinent les crevettes), à l'esquirey (sorte de poche de filet poussée devant soi, au bout d'un manche), à la trahine ou à la foène (trident servant à attraper les anguilles).

Séjourner

La ville d'été (A3)
À la fois détendue aux terrasses des restaurants de fruits de mer, mondaine dans son casino ou sportive lors des régates à la voile, la ville d'été, qui occupe une position centrale, longe la mer entre la jetée de la Chapelle et la jetée d'Eyrac. De part et d'autre de la **jetée Thiers** (embarcadère pour les promenades en mer dans le bassin d'Arcachon), les promeneurs affluent dès le début de soirée.

La ville d'hiver★ (A3)
En retrait de la ville d'été, elle est bien abritée des vents du large. La paisible vieille dame chic et excentrique est toute en dentelle festonnée. Ses belles artères jalonnées de villas fin 19e s.-début 20e s. sillonnent une forêt de pins. C'est l'endroit le plus reposant d'Arcachon.

La ville d'automne (B1)
À l'Est, Arcachon revêt sa vareuse. C'est son côté maritime, avec son port de plaisance où s'alignent les voiliers et son port de pêche où vont et viennent les chalutiers.

La ville de printemps (A1)
Sportive (tennis, piscine, fronton) et cossue, elle tient ses quartiers à proximité du **parc Pereire**. À l'extrémité Sud, les Arbousiers sont le *spot* des surfers. La **source des Abatilles** (dans le quartier du même nom) donne un très bon cru d'eau minérale, en vente dans le commerce.

Se promener

LE FRONT DE MER★ (AB3)
Partir de la jetée d'Eyrac (à l'Est).

Vous passez devant le **palais des congrès** (B3) et le **casino** (B3), ancien château Deganne. De la jetée de Thiers, **vue**★ d'ensemble sur le bassin et la station.
Poursuivre sur le front de mer puis, le bd de la Plage.

Sur la jetée de la Chapelle s'élève la **croix des Marins**. Remontant la rue, vous arrivez à la **basilique Notre-Dame** (A3), du 19ᵉ s. À l'intérieur, la **chapelle des Marins** est tapissée d'ex-voto.

Rejoignez le **boulevard de la Mer★** (A1), à l'Ouest, quittant la ville d'été pour celle de printemps. Face au Cap-Ferret, il est bordé de pins et de sable.

La **plage Pereire** est bordée d'une longue promenade piétonne ombragée (3 km). Vous pouvez pousser jusqu'au **Moulleau** (voir « En soirée » dans l'encadré pratique), pour voir la surprenante église perchée sur une dune.

LA VILLE D'HIVER★

De la place du 8-Mai, prendre l'amusant ascenseur, dont la station supérieure, située en bordure du parc mauresque, domine la ville d'été. Un conseil : suivez une visite guidée (1h30) de la ville d'hiver. ☎ 05 57 52 97 97 - visite guidée (1h30, sur demande à l'office de tourisme) avr.-oct. : lun., mer., ven. 10h30-12h, sam. 14h30-16h - 6 €.

Conçue pour des tuberculeux, la ville d'hiver est une sorte de parc urbain où les villas se parent de dentelles de bois sur les pignons, les balcons, les escaliers extérieurs, les vérandas !

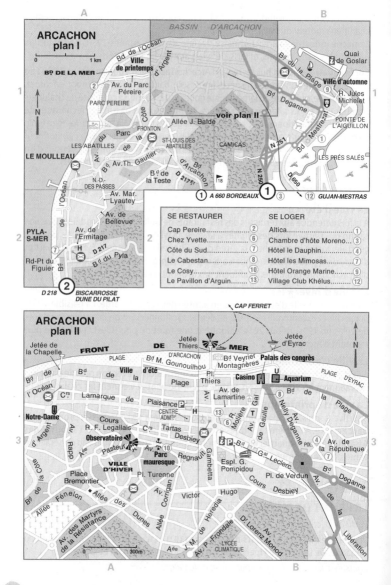

Vue sur la ville d'hiver depuis l'observatoire Ste-Cécile.

Ci-après quelques buts de promenade.

Parc mauresque (A3)

Regroupant de nombreuses essences exotiques, il s'ouvre sur la ville et le bassin d'Arcachon. Tous les édifices d'origine n'ont pas été conservés. Le casino mauresque, notamment, qui s'inspirait à la fois de l'Alhambra de Grenade et de la mosquée de Cordoue, a été détruit dans un incendie en 1977.

Observatoire Ste-Cécile (A3)

Si vous avez le vertige, évitez l'ascension à la plate-forme. L'escalier ajouré, en colimaçon et légèrement houleux, risque de vous donner un bon mal de mer.

Construction à charpente métallique due à Gustave Eiffel, l'observatoire est accessible par une passerelle franchissant l'allée Pasteur. De la plate-forme, **vue** sur la ville d'hiver, Arcachon et le bassin.

Villas

Chalets à pans de bois, suisse ou basque, cottage anglais, villa mauresque, manoir néogothique ou maison coloniale, les architectes s'en sont donné à cœur joie ! Les villas sont pour la plupart construites sur le même plan : un étage de service en partie excavé, un rez-de-chaussée surélevé, réservé aux pièces de réception et au salon-véranda ; à l'étage supérieur, les chambres de maître.

Pins atlantiques aux longs fûts, chênes, érables, robiniers, prunus, micocouliers, platanes, tilleuls… c'est comme si les arbres avaient voulu rivaliser avec l'extravagance des toitures ! À la floraison, les mimosas, les catalpas et les magnolias ajoutent une touche de couleur. Un vrai paradis !

Allée Rebsomen – La villa Theresa (n° 4) est aujourd'hui devenue l'hôtel Sémiramis.

Allée Corrigan – On y voit la villa Walkyrie (n° 12), l'hôtel de la Forêt, la villa Vincenette avec son bow-window garni de vitraux.

Allée Dr.-F.-Lalesque – Villas L'Oasis (ancien Hôtel Continental), Carmen et Navara.

Angle de la rue Velpeau et de l'allée Marie-Christine – Villa Maraquita (n° 8).

Allée du Moulin-Rouge – La villa Toledo (n° 7) possède un superbe escalier en bois découpé ; il s'agit de l'ancien gymnase Bertini.

Allée Faust – Villas Athéna, Fragonard, Coulaine, Graigcrostan (n° 6), Faust et Siebel.

Allée Brémontier – Villas Brémontier (n° 1), avec tourelle et balcon, Glenstrae (n° 4) et Sylvabelle (n° 9).

Allée du Dr.-Festal – Villas Trocadéro (au n° 6, balcon en dentelle de bois) et Monaco.

Allée Pasteur – Villas Montesquieu et Myriam. À l'angle des allées Pasteur et Alexandre-Dumas se trouve la villa Alexandre-Dumas (n° 7).

Visiter

Aquarium et musée (B3)

2 r. Prof.-Jolyet - ☏ *05 56 54 89 28 - juin-août : 9h45-12h15, 13h45-19h ; reste de l'année : 9h45-12h15, 13h45-18h30 (dernière entrée 30mn av. fermeture) - fermé de déb. janv. à mi-février - 4,50 € (enf. 2,80 €).*

L'aquarium, à l'entresol, présente les animaux marins les plus représentatifs du bassin et du proche océan. À l'étage, collections d'oiseaux, de reptiles, de poissons et d'invertébrés divers de la région, section réservée aux huîtres, produit de fouilles archéologiques locales.

Arcachon pratique

Adresse utile

Office du tourisme d'Arcachon – *Espl. G.-Pompidou -* ☏ *05 57 52 97 97 - www.arcachon.com - en saison : 9h-19h ; hors saison : tlj sf dim. 9h-18h.*

Visites

Visite guidée thématique – D'avr. à la Toussaint, réservation à l'office de tourisme.

À pied (1h30) - Ville d'hiver : lun., mer., ven., sam. ; RV à l'office de tourisme à 10h30. La criée au poisson : lun., jeu. ; RV au port à 7h. Promenade en forêt : ven.

À vélo (2h) - Pointe de l'Aiguillon (avec visite chez un ostréiculteur) : jeu. Plage Pereire : mar.

Visite audioguidée de la ville d'hiver – Location de l'audioguide à l'office de tourisme - 7 €.

Transports

Eho – Ces minibus électriques circulent dans la ville (marquage bleu au sol). Ligne A : centre-ville, La Chapelle, Pereire, Le Moulleau ; ligne B : centre-ville, ville d'hiver, Abatilles ; ligne C : centre-ville, Aiguillon, St-Ferdinand. Tlj sf dim. : 8h15-12h30, 14h15-18h15. 2 € carte journalière (en vente dans le minibus).

Pistes cyclables – Vous pourrez parcourir les quatre saisons d'Arcachon à vélo, et suivre la balade du front de mer, de la jetée d'Eyrac à celle du Moulleau *(voir « Se promener »)*.

Se loger

🛏 **Hôtel Orange Marine** – *35 bd Chanzy -* ☏ *05 57 52 00 80 - www.hotel-orange-marine.com - fermé janv. - 21 ch. 29/75 € - ☖ 6 € - restaurant 14 €.* Voici une petite adresse qui ne vous ruinera pas. Située à deux pas du port de pêche, elle abrite des chambres sobres et impeccablement tenues, à choisir de préférence côté mer. Les autres donnent sur un joli patio agrémenté d'une fontaine où l'on dresse le couvert en été.

🛏 **Altica** – *Av. de Brighton - 33260 La Teste-de-Buch -* ☏ *05 57 52 52 17 - altica-la-teste-sud@altica.fr -* 🅿 *- réserv. obligatoire - 46 ch. 40 € - ☖ 4,50 €.* Idéalement situé à deux pas des parcs de loisirs et de la N 250, cet hôtel de chaîne a su adopter les couleurs de la région. Chambres claires, propres, climatisées et fonctionnelles. Tarifs économiques en saison.

🛏 **Chambre d'hôte Moreno** – *33 chemin de la Peguilleyre, Port du Rocher - 33260 La Teste-de-Buch -* ☏ *05 56 66 57 54 - www.littoral33.com -* 🗐 *- 3 ch. 42/54 € -* ☖. Cette accueillante et grande villa récente se trouve dans un quartier résidentiel calme. Les deux chambres et la suite, bien aménagées et fonctionnelles, disposent toutes d'un balcon. Le petit-déjeuner accompagné de confitures maison est servi sur la terrasse aux beaux jours. L'accueil reste simple et discret.

🛏🛏 **Hôtel Le Dauphin** – *7 av. Gounod -* ☏ *05 56 83 02 89 - www.dauphin-arcachon.com -* 🅿 *- 49 ch. 45/89 € - ☖ 7 €.* Cette demeure bourgeoise du 19ᵉ s. à la jolie façade de briquettes jouit d'une situation privilégiée, à 300 m de la mer, dans un quartier calme d'Arcachon. Les chambres confortables sont toutes climatisées. Piscine. Accueil chaleureux.

🛏🛏 **Hôtel Les Mimosas** – *77 bis av. de la République -* ☏ *05 56 83 45 86 - contact.hotel@wanadoo.fr - fermé 31 déc. -1ᵉʳ mars -* 🅿 *- 21 ch. 55/78 € - ☖ 6 €.* Cette villa a des faux airs d'ancienne maison bourgeoise. À l'intérieur, confort assez modeste et petites chambres bien tenues. Même en été, les prix pratiqués restent plutôt raisonnables pour cette station balnéaire.

🛏🛏 **Village Club Khélus** – *33470 La Hume -* ☏ *05 56 66 88 88 - kheluss@enfrance.com - 120 chalets et maisonnettes 288/865 € la sem. pour 6 pers. - restauration.* Bel ensemble locatif inscrit dans un immense parc arboré de 20 ha. Les maisonnettes, les chalets en bois et les mobile homes sont tous très bien équipés. Nombreuses activités proposées de jour (piscine, concours de foot, pétanque, etc.) comme de nuit (soirées, spectacles). Possibilité de louer pour deux nuits.

Se restaurer

Le Cosy – 116 cours Desbiey - ℘ 05 57 52 15 70 - fermé dim., lun. et mar. sf fériés - 16/30 € (dîner seul.). Ce bar à vins propose une bonne sélection de crus d'origines géographiques variées et, annoncées sur l'ardoise du jour, des salades composées et de copieuses tartines garnies. Ambiance très conviviale dans un cadre plaisant et… « cosy », comme de bien entendu !

Le Cabestan – 6 bis av. du Gén.-de-Gaulle - ℘ 05 56 83 18 62 - fermé déc. sf j. fériés, mar. sf le soir en juil.-août et lun. - 17,50/26 €. Le chef, qui a fait ses classes dans des restaurants gastronomiques de renom, commence lui aussi à être réputé dans la région. Il mise d'ailleurs davantage sur sa cuisine, raffinée, que sur le cadre, très simple, de son établissement. Accueil très agréable, service rapide et efficace.

Le Pavillon d'Arguin – 63 bd du Gén.-Leclerc - ℘ 05 56 83 46 96 - fermé 15 j. en janv. et 15 j. en nov. - 17,50/59 €. Voici une petite adresse comme on aime à en dénicher. Le décor d'inspiration maritime – filets de pêche au mur, grand aquarium, fresque – est très agréable et le service jeune et souriant. La cuisine honore les produits frais. L'établissement est entièrement non-fumeur.

Chez Yvette – 59 bd du Gén.-Leclerc - ℘ 05 56 83 05 11 - 18,50 €. Le banc d'écailler extérieur signale aux passants cette véritable institution locale où l'on se régale de produits de la mer (pêche du jour, huîtres provenant des parcs des patrons), dans un cadre nautique agrémenté de maquettes de bateaux, de quincaillerie marine, etc. Ambiance animée et décontractée.

Cap Pereire – 1 av. du Parc-Pereire - ℘ 05 56 83 24 01 - fermé mar. - 24/38 €. Ce restaurant, proche du paisible parc Pereire, permet de se soustraire à l'animation du centre de la station balnéaire le temps d'un repas. Architecture d'inspiration coloniale, salle à manger au décor marin, terrasse dressée face à l'Océan et cuisine de la mer.

Côte du Sud – 4 av. du Figuier - 33115 Pyla-sur-Mer - ℘ 05 56 83 25 00 - cote. du.sud@wanadoo.com - fermé déc.- janv. - 21,50/28 € - 8 ch. 95/120 € - 🖵 6,50 €. Cuisine de la mer servie dans une salle à manger très colorée, sous la véranda ou encore sur l'agréable terrasse tournée vers l'Océan. Le décor des confortables chambres fait le tour du monde : Maroc, Polynésie, Inde, etc.

Faire une pause

Au Cornet d'Amour – Av. N.-D.-des-Passes - ℘ 05 56 54 52 16 - cornedamaour@wanadoo.fr - 9h-1h (hors sais. : 14h-19h30) - fermé janv. Le plus grand artisan glacier du bassin d'Arcachon propose 90 parfums de glaces et de sorbets maison et fabrique lui-même ses cornets. Les desserts glacés telles la Marmite nougatine garnie de 16 glaces, ou la Pinasse en nougatine (30 boules) sont à emporter.

A. Guignard – 11 av. Notre-Dame-des-Passes - ℘ 05 56 54 50 92 - en sais. : 7h30-20h ; hors sais. : mar.-dim. 8h-12h30, 16h-19h et vac. scol. ; fermé janv. En été, les glaces maison de cet artisan connaissent un succès équivalent à celui des chocolats qu'il prépare hors saison. Les habitués apprécient aussi ses cannelés et ses fameuses tartes feuilletées aux fruits en ruban, que l'on coupe à la demande et qui, lorsqu'elles sortent du four, peuvent mesurer jusqu'à un mètre de long !

En soirée

👁 **Bon à savoir** – C'est au cœur du **Moulleau**, quartier chic d'Arcachon, que se concentre l'essentiel de l'animation nocturne. L'été, de nombreux bars, des restaurants et des boutiques de luxe attirent un monde fou.

Café de la Plage – 1 bd Veyrier-Montagnères - ℘ 05 56 83 31 94 - 8h-2h ; de mi-juin à mi-sept. : 8h-3h. Ce bar bientôt centenaire jouit d'une situation idéale sur la plage d'Arcachon, près du casino et du palais des congrès. On vient là pour se montrer et boire un whisky en terrasse, choix judicieux car la carte n'en propose pas moins de 90. Concerts de jazz tous les quinze jours ; très bonne ambiance musicale le soir.

Le Fronton – 14 av. du Parc, quartier les Abatilles - ℘ 05 56 83 17 87 - pierre. cleaz@wanadoo.fr - tlj horaires diurnes ; mur à gauche : 9h-23h - de 6 € à 10 € (par pers.) selon les parties. Ce fronton de pelote basque fut construit en 1932 dans le parc des Abatilles. Chaque vendredi soir en juillet et en août, des **compétitions de chistera** s'y déroulent. Notons l'excellence des Arcachonnais dans cette discipline : ils ont obtenu plusieurs titres de champion de France en grand chistera. Un fronton mur à gauche couvert permet la pratique d'autres spécialités : la cesta-punta, le yokogarbi, le frontennis, etc.

Casino de la Plage – 163 bd de la Plage - ℘ 05 56 83 41 44 - casino-arcachon@g-partouche.fr - tlj 10h-4h. Ce casino est doté d'une salle de jeux traditionnels et de 100 machines à sous. Mais on peut tout aussi bien profiter du restaurant, des bars et de la discothèque (Le Scotch-Club). De nombreuses soirées et apéritifs y sont organisés.

Que rapporter

Marché – Pl. du Marché - 6h à 13h. Cette grande halle située derrière la mairie abrite des poissonniers, des vendeurs exclusifs de fruits de mer, un caviste, un boucher, un charcutier, un fromager, des marchands de primeurs et un bel étal de produits du Sud-Ouest… En saison, les tréteaux des petits producteurs locaux débordent dans les rues voisines.

Le Bec Fin – *19 av. Gambetta -* ☎ *05 56 83 68 50 - mar.-dim. 9h30-12h30, 15h-19h - ouv. j. fériés.* Cette petite épicerie fine située en plein centre d'Arcachon donne l'occasion de s'initier à toutes les spécialités régionales. Ses rayons débordent de foies gras, de confits et de cassoulets. Sa cave aligne spiritueux et crus du Sud-Ouest et, au centre du magasin, une table présente les produits maison : soupe de poisson, Arcachonnettes (caramels), Pignots (biscuits aux pignons de pin)…

Michel Gruel – *43 r. Lamarque -* ☎ *05 56 83 31 74 - mar.-sam. 8h30-12h45, 15h30-19h30 (dim. 12h45) ; tlj en sais.* Jambon de Paris et saumon fumé maison, conserves du Sud-Ouest estampillées Michel Gruel : le comptoir et les rayonnages de ce vaste magasin ne proposent que des produits entièrement préparés sur place par un artisan qui se veut avant tout charcutier. Mais son rayon traiteur mérite également le détour…

La Clé des Châteaux – *R. Lagrua - 33260 La Teste-de-Buch -* ☎ *05 56 54 40 86 - prodiwines@wanadoo.fr - lun.-sam. 8h30-12h30, 14h30-19h30 (dim. 12h30).* Ce caviste propose dans son vaste magasin de la périphérie plus de 300 appellations vendues en bouteille, en cubitainer et parfois en magnum. Tous ces bordeaux proviennent autant de grandes cuvées que de petits domaines : le maître des lieux en assure le suivi toute l'année afin d'obtenir le meilleur rapport qualité-prix.

Sports & Loisirs

Dingo Vélos – *1 r. Grenier - entre la jetée Thiers et la jetée d'Eyrac (sur le front de mer) -* ☎ *05 56 83 44 09 - dingo-velo.com - avr.-juin et sept. : 9h30-18h30 ; juil.-août : 9h-0h. Reste de l'année : contactez le 06 87 27 39 86.* Outre les vélos traditionnels (VTT et VTC), ce magasin de location de cycles propose d'étranges montures : tandems, vélos à trois ou encore à cinq places qui méritent bien leur surnom de « Dingo ». Également, karts à pédales (enfants et adultes), rosalies (pour toute la famille) et patinettes électriques.

Centre nautique Pierre-Malet – *Quai de Goslar -* ☎ *05 56 22 36 83 - juil.-août : 9h30-12h, 15h-19h30 ; reste de l'année se renseigner à l'office de tourisme - ouv. mai-fin août.* Outre les stages et les locations de bateaux à voile, le centre Pierre-Malet propose nombre d'activités nautiques, parmi lesquelles le kayak de mer, l'aviron et la plongée.

L'Étrier sportif – *25 av. Pierre-Frondaie -* ☎ *05 56 83 21 79 - hiver : tlj 8h-21h ; reste de l'année 7h-22h.* Ce beau centre équestre organise des cours, des stages et des balades en forêt ou sur la plage (d'octobre à fin mai). Il est équipé d'un manège couvert, de deux carrières et d'un club-house avec terrasse.

Plage de sable fin à Arcachon.

Étienne Larribère / MICHELIN

Tennis-club d'Arcachon – *Av. du Parc -* ☎ *05 57 72 09 50 - tcarcachon@free.fr - été 8h-20h30 ; hors sais. : 9h-12h, 14h30-19h - 18 € (1h).* Ce magnifique centre, situé à 200 m du bassin, comprend douze courts en terre battue (dont deux couverts) et dix courts en dur. Club-house moderne avec un bar.

L'Agence Nautique – *2 quai Goslar, port de plaisance -* ☎ *05 57 73 63 90 - www.agence-nautique.com - 9h30-12h30, 14h-19h - fermé janv.-fév. et jeu.* Cette agence propose à la location un large choix de bateaux à moteur (de 5 à 6,50 m), mais aussi des équipements liés aux activités nautiques (skis, bouées, wakeboard, etc.).

École Pyla Parapente – *Maison forestière Gaillouneys - 33115 Pyla-sur-Mer -* ☎ *05 56 22 15 02 - de déb. mai à fin sept. : tlj horaire variable, se renseigner.* Située à proximité de la dune du Pilat et de ses 118 m de hauteur, cette école propose des vols en parapente et en deltaplane et des stages de parapente.

Golf – *35 bd d'Arcachon - 33120 La Teste-de-Buch -* ☎ *05 56 54 44 00 - golfdarcach@aol.com.* Parcours de 18 trous à proximité du bassin.

Thalazur Arcachon – *Av. du Parc -* ☎ *05 57 72 06 66 - www.thalazur.fr - lun.-sam. 8h30-19h15 ; dim. 8h30-12h30, 14h30-18h30.* Institut de thalassothérapie voisin de l'hôtel Novotel. Parcours marin (piscine, hammam, Jacuzzi, sauna, cours de gymnastique en salle et aquagym) et soins à la carte (bain hydromassant, douche à jet, enveloppement d'algues, détente, esthétique, etc.) sont accessibles à tous.

Événements

Concours international de piano – Avr.

Les 18 Heures d'Arcachon Sud-Ouest – 1er w.-end de juil. : régates en mer et village de guinguettes plage Pereire.

Fête de la mer – Les 14 et 15 août : bénédiction des bateaux, régates de pinasses à voile et musique en soirée.

Cadences – Festival de danse : sept.

Bassin d'**Arcachon**★★

CARTE GÉNÉRALE B2 – CARTE MICHELIN LOCAL 335 D6/7 – GIRONDE (33)

Mer ou étang, lac ou océan ? Le bassin est une échancrure dans la longue Côte d'Argent, une lagune (vaste vivier pour les pêcheurs) sertie par la forêt (autrefois domaine des résiniers). Il est difficile de résister à cet univers entre deux eaux : l'eau douce de l'Eyre et le sel des marées. Les oiseaux, les bateaux colorés, les sites naturels protégés, tout incite à faire le tour de ce morceau de mer pris sur la terre. Enfin, vous grimperez la dune du Pilat d'où se découvre le banc d'Argin à l'horizon.

- ▶ **Se repérer** – À marée haute, le bassin couvre 15 500 ha. De chaque côté de la passe d'entrée, des ports ostréicoles apparaissent entre les pins et les mimosas. Les côtes bordées de dunes boisées s'étalent sur plus de 80 km.

- 👁 **À ne pas manquer** – L'ascension de la dune du Pilat, plus haute dune d'Europe ; le panorama depuis le phare du Cap-Ferret (52 m) ; L'Herbe, un des plus jolis villages ostréicoles du bassin ; une dégustation d'huîtres dans une cabane de pêcheur.

- 🕐 **Organiser son temps** – Il est possible de faire le tour du bassin en une journée, du Cap-Ferret à la dune du Pilat, mais il ne faudra pas perdre de temps (attention aux limitations de vitesse, pratiquement 50 km/h sur l'ensemble du trajet) et vous passerez à côté de beaucoup de choses ! Mieux vaut prévoir de vous attarder quelques jours sur place (Audenge se situe à mi-parcours). Enfin, la circulation autour du bassin est infernale en été, venez de préférence hors-saison.

- 👪 **Avec les enfants** – Le parc de loisirs à La Hume ; la promenade en pinasse jusqu'à l'île aux Oiseaux ; le parc ornithologique du Teich et le plan d'eau (*voir « Sports & Loisirs » dans l'encadré pratique*) ; le zoo à La Teste ; le petit train du Cap-Ferret.

- 🕯 **Pour poursuivre la visite** – Voir aussi Arcachon, Biscarrosse, Parc naturel régional des Landes de Gascogne.

Comprendre

Essor et luttes de pouvoir – L'exploitation abusive des bancs naturels d'huîtres a fini par entraîner leur épuisement. En 1859, l'intervention du naturaliste Coste permit heureusement le développement de l'ostréiculture. Jusqu'en 1920, l'huître plate d'Arcachon, ou **gravette** (*Ostrea edulis*), est la reine incontestée du bassin, n'offrant à l'huître creuse portugaise qu'un rôle secondaire. Mais cette dernière accède au-devant de la scène lorsqu'une maladie ravage les parcs d'huîtres gravettes, la laissant seule indemne… Règne de courte durée, puisqu'en 1970, malgré les soins dont elle fait l'objet, une nouvelle épidémie l'évince au profit d'une variété japonaise.

Du chenal à la bourriche – Le cycle de développement de l'huître dure environ quatre ans. Il commence, en juillet, par le captage du naissain (larve) sur les collecteurs, tuiles

Les ostréiculteurs proposent des dégustations d'huîtres à l'intérieur des cabanes.

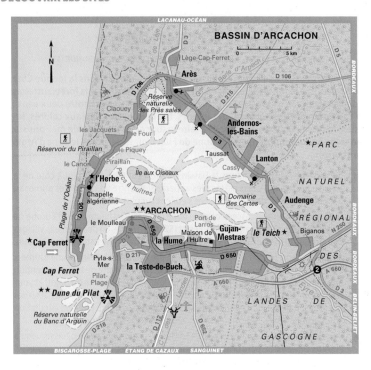

demi-rondes enduites d'un mélange de chaux et de sable, qui sont disposées dans des cages en bois, ou ruches, placées le long des chenaux. Au printemps suivant a lieu le détroquage, opération consistant à détacher les jeunes huîtres de leur support. Elles sont ensuite placées dans des parcs entourés de grillages à mailles serrées, les protégeant contre les crabes, leurs prédateurs. À dix-huit mois, les huîtres agglutinées sont séparées les unes des autres, c'est le désatroquage. Elles vont alors rejoindre les parcs d'engraissement, dont les eaux riches en plancton assurent leur croissance jusqu'à la troisième année. Pendant cette période, on les tourne et on les retourne, ce qui leur donne une forme régulière. Parvenues à maturité, elles sont triées puis débarrassées de leurs impuretés grâce à un séjour dans des bassins-dégorgeoirs. Un dernier lavage et un conditionnement en caissettes de bois ou bourriches et elles sont fin prêtes pour leur dernier voyage… vers nos assiettes.

Plaisir du palais – Les huîtres du bassin d'Arcachon sont connues et appréciées depuis fort longtemps. Les poètes latins Ausone, Sidoine Apollinaire, puis plus tard Rabelais les ont goûtées… et chantées. Aujourd'hui, avec une production de 18 000 t par an, le bassin d'Arcachon est l'un des grands sites ostréicoles d'Europe (800 ha de concessions). C'est le **premier centre naisseur**, qui fournit la laitance aux bassins bretons, normands, languedociens et hollandais.

Pour rencontrer les ostréiculteurs, rendez-vous aux cabanes, quand la marée est assez haute et qu'ils reviennent des parcs à huîtres.

Coquillages et crustacés – À marée basse, il suffit de se baisser pour récolter des trésors. Les coques et les palourdes se pêchent à la main en grattant le sable sur 5 cm (deux petits trous signalent qu'elles sont là). On en trouve beaucoup du côté du banc d'Arguin et sur les crassats.

Avant de les consommer, laissez-les dégorger quelques heures dans l'eau salée. Les bigorneaux se ramassent à la main sur les crassats. Pour les déguster en apéritif, passez-les quelques minutes au court-bouillon. Les moules sauvages se détachent au couteau près des parcs à huîtres. Les crabes verts, nombreux sur les plages à marée basse, s'attrapent à l'épuisette. Ils se mangent cuits au court-bouillon. Les crevettes se pêchent à l'esquirey ou à l'épuisette. On repère la présence des couteaux par la trace en forme de clé qu'ils laissent sur le sable ; il faut y déposer un ou deux grains de gros sel : croyant la marée revenue, les couteaux remontent. Si leur goût n'est pas des plus raffinés, ils sont tout indiqués comme appât pour la pêche à la ligne. La cueillette des huîtres, même sauvages, est quant à elle interdite.

Se promener

EN PINASSE

Ligne effilée et couleurs vives, la **pinasse** est le symbole du bassin. Construite autrefois en bois de pin (d'où son nom), elle est aujourd'hui en iroko (bois d'Afrique), acacia ou acajou. De faible tirant d'eau, elle s'échoue aisément et peut remonter les chenaux même quand leur niveau est très bas : c'est l'embarcation des ostréiculteurs du bassin. Avec leur allure de gondoles, les pinasses font l'objet de toutes les attentions : on restaure et on bichonne les anciennes pour les faire concourir lors de régates.

🖐 *Pour ces promenades, s'adresser à l'Union des bateliers arcachonnais (voir l'encadré pratique).*

L'île aux Oiseaux

Les oiseaux en question fuient un peu cette petite île plate, boisée d'une forêt naine. En effet, les crassats, bancs de sable envasés portant une végétation sous-marine, font désormais les beaux jours des ostréiculteurs.

Deux étranges échassiers restent fidèles au poste : les fameuses **cabanes tchanquées** (*tchanque* signifie « échasse » en gascon) qui se dressent au-dessus de l'eau à marée haute.

Réserve naturelle du banc d'Arguin

Sepanso - 1 r. Tauzia - 33800 Bordeaux - 📞 *05 56 91 33 65 - visite guidée.*
Situé à l'embouchure des passes, le banc d'Arguin est un îlot de sable qui change constamment de forme en fonction des humeurs de l'océan Atlantique. Il a été classé réserve naturelle en 1972. N'oubliez pas vos jumelles pour observer, de mars à août, de nombreuses sternes caugek (4 500 couples) et des huîtriers-pies ; l'hiver, le courlis cendré, la barge rousse, le bécasseau variable, le pluvier argenté, le goéland, la mouette rieuse.

Circuit de découverte

DE CAP-FERRET À LA DUNE DU PILAT

80 km – compter une journée. La route ne présente que peu d'intérêt mais à tout moment, vous pouvez gagner un point du rivage ou une jetée pour avoir une vue sur le bassin.

À marée basse, dans le bassin, les **crassats**, bancs de sables envasés, font le bonheur de la faune et de la flore marines. Ils sont encerclés par des chenaux secondaires, les **esteys**.

Cap-Ferret★

Cette station balnéaire est située sur l'étroite bande de terre entre océan et bassin. Le cap court sur une vingtaine de kilomètres. Balades à vélo dans la pinède (piste cyclable dans la forêt de Lège), baignades au calme dans le bassin ou plus houleuses côté océan (les plages de l'Horizon et du Truc Vert au Cap-Ferret, du Grand Crohot à Lège-Océan sont surveillées en saison), dégustation d'huîtres dans les petits restaurants en plein air (près du débarcadère de Bélisaire)… un vrai programme de vacances.

🚶 *8 km.* Un **sentier d'interprétation** a été aménagé entre la plage de l'Horizon et la pointe du Cap-Ferret. La **dune** est un espace naturel protégé, vous pourrez suivre des visites naturalistes de découverte du site *(voir « Visites naturalistes » dans l'encadré pratique)* et de découverte de la migration.

> ### Cap-Ferret pratique
>
> 👥 Depuis le débarcadère Bélisaire (côté bassin), un service de **petit train** permet de se rendre jusqu'à la côte de l'Océan (plage de l'Horizon).
>
> 📞 *05 56 60 60 20 - dép. débarcadère Bélisaire juil.-août : 11h15, 11h50, 12h30, 14h10-18h10 (ttes les 20mn) ; du 15 juin au 7 juil. et du 29 août au 18 sept : 11h15, 14h45-17h45 (ttes les 30mn) ; de déb. juin à mi-juin et de mi-sept. à fin sept. : 14h45, 15h15-17h15 (ttes les 30mn) ; avr.-mai : 14h45-16h45 (ttes les 30mn). Dép. océan juil.-août : 11h30, 12h05, 12h45, 14h30-18h30 (ttes les 20mn) ; du 15 juin au 7 juil. et du 29 août au 18 sept. : 11h45, 15h-18h (ttes les 30mn) ; de déb. juin à mi-juin et de mi-sept. à fin sept. : 15h00-17h30 (ttes les 30mn) ; avr.-mai : 15h-17h (ttes les 30mn). Tarif affiché en gare.*

Phare – 📞 *05 56 03 94 49 - www.lege-capferret.com - juil.-août : 10h-19h30 ; avr.-juin et sept. : 10h-12h30, 14h-18h ; oct.-mars : tlj sf lun. et mar. 14h-17h - fermé du 15 nov. au 20 déc. - 4,50 € (enf. 3 €).* De ses 52 m de haut, il veille la nuit sur l'Océan et l'étroite passe d'entrée dans le bassin (3 km de large). Sa lentille tournante porte à 50 km. À l'intérieur, l'univers de la presqu'île et du phare sont présentés à travers un spectacle

Dune du Pilat et parc à huîtres au premier plan : le bassin d'Arcachon dans toute sa splendeur.

audiovisuel et une galerie d'écrans. Le **panorama★** sur la presqu'île, le bassin et Arcachon, la dune du Pilat, les passes d'entrée et l'Océan vaut la montée des 258 marches, courage ! *Quitter Cap-Ferret par l'avenue de la Vigne en direction de Bordeaux.*

La route sinueuse se faufile entre des dunes boisées, parsemées de villas. L'air sent le pin et la marée.

Après 4 km, au rond-point de l'Herbe suivre la direction du bd de la Plage pour atteindre le parking.

L'Herbe★

Il y a 150 ans, Léon Lesca, constructeur du port d'Alger, fit bâtir une demeure mauresque : la **villa algérienne**. Il ne reste de cette « folie » que l'anachronique chapelle qui fait face à la mer. Jolie vue sur le bassin et l'île aux Oiseaux. Empruntez la rue semi piétonnière pour rejoindre le **village ostréicole★** où les cabanes rivalisent de couleurs.

Revenir sur la D 106.

> ### Patrimoine
>
> Les **villages ostréicoles** du Cap-Ferret, de l'Herbe, du Canon, du Piraillan, de Piquey et des Jacquets sont inscrits à l'inventaire des sites classés : c'est dire l'inétrêt qu'ils suscitent et l'attention qu'on leur prête.

Réservoirs de Piraillan

À la sortie du village. Ces anciens réservoirs à poissons, 40 ha au millieu de la forêt, sont devenus un royaume pour les oiseaux (notamment les hérons cendrés). N'oubliez-pas vos jumelles ! Agréable promenade à faire seul ou en compagnie d'un guide naturaliste *(voir les « Visites naturalistes » dans l'encadré pratique).*

Poursuivre sur la D 106.

Réserve naturelle des Prés-Salés

Après Claouey au lieu-dit Jane-de-Boy, parking le long de la route.

Rejoint Arès (12 km). Avant de partir, se renseigner sur les indices de marée. Prévoyez des chaussures de marche. Le sentier serpente jusqu'à Arès, dans cette zone de 500 ha qui vit au rythme des marées. Possibilité de découverte avec d'un guide naturaliste *(voir « Visites naturalistes » dans l'encadré pratique).*

La **cabane du résinier**, autrefois occupée par les gemmeurs, abrite une exposition sur la faune et la flore. Elle propose également des animations et la visite du sentier. 06 09 68 67 94 - juil.-août : 15h-18h ; avr.-oct. : w.-end 15h-18h - 2 €.

Poursuivre sur la D 106.

Arès

Petite station balnéaire avec port ostréicole et port de plaisance. Sur le front de mer (près de l'office de tourisme), la tour ronde est le reste d'un ancien **moulin** à vent décapité au 19e s. pour échapper aux taxes ! Les familles se rendront au plan d'eau de St-Brice pour la baignade.

🐾 *2 km*. Le **sentier du littoral** rejoint la plage des Quinconces à Andernos.

D'Arès à Biganos défile le décor immuable des pins.

Andernos-les-Bains

Abrité au fond du bassin, le site a été habité dès la préhistoire. Avec ses 4,6 km de plages et son casino, c'est une importante station balnéaire, très animée en saison.

Dans le centre-ville, la **maison Louis-David** (villa 19e s.), qui abrite un petit musée et des expositions artistiques temporaires, vaut le coup d'œil *(avril-sept. : 10h-19h)*.

Devant la plage et à côté de la petite **église St-Éloi** (abside du 11e s.), vestiges d'une villa gallo-romaine du 4e s. De la **jetée** (la plus longue d'Europe !), belle vue sur le bassin d'Arcachon, le port ostréicole, le port de plaisance et l'ensemble des plages.

Poursuivre sur la D 3.

Lanton

Cette commune comprend **Taussat** avec sa plage et son charmant port ostréicole et Cassy où se trouvent également des cabanes à huîtres.

Dans le bourg de Lanton, jolie **église** romane (12e s.) dont l'abside surélevée, présente des lignes sobres et harmonieuses. Baie centrale encadrée de colonnettes géminées supportant des chapiteaux ornés, à gauche, de hérons et de pommes de pin, à droite, de feuillages stylisés.

Audenge

Centre ostréicole, le village est aussi connu pour le **domaine des Certes**, site préservé de 396 ha où l'on chemin le long d'un sentier d'interprétation, d'écluse en prairies marécageuses et zones agricoles, jumelles au cou !

🐾 *15 km AR. Parking devant le château des Certes, avant d'arriver à Audenge*. Cette partie du delta de la Leyre a été endiguée au 18e s. La faible rentabilité des salines a entraîné la reconversion en réservoirs à poissons au 19e s. La faune et la flore y sont donc riches et variées, pour les apprécier pleinement suivez une viste naturaliste *(voir « Visites naturalistes » dans l'encadré pratique)*.

À la sortie de Biganos (passer au moulin de la Cassadote, voir la rubrique « Que rapporter ? » dans l'encadré pratique), prendre à droite pour gagner la D 650 par la D 3^{E12}.

La route passe à la base du delta marécageux de l'Eyre *(voir le Relai nature du delta de la Leyre dans l'encadré pratique)*. Le bassin conserve là une frange de végétation jusqu'aux abords du Teich.

Parc ornithologique du Teich★

𝄢 *05 56 22 80 93 - ♿- www.parc-ornithologique-du-teich.com - juil.-août : 10h-20h ; de mi-avr. à fin juin et de déb. sept. à mi-sept. : 10h-19h ; de mi-sept. à mi-avr. : 10h-18h - 6,60 € (enf. 4,70 €).*

Cette réserve naturelle de 120 ha contribue à sauvegarder les espèces d'oiseaux sauvages menacées et à préserver leur milieu naturel. Vous pouvez y découvrir l'avifaune européenne en sillonnant les quatre parcs à thème : le parc des Artigues, le parc de la Moulette, le parc de Causseyre et le parc Claude-Quancard. On a le choix entre plusieurs parcours pédestres, le plus grand atteignant 6 km ; tous sont fléchés et jalonnés de postes d'observation surélevés permettant au regard d'embrasser le bassin d'Arcachon. Jumelles recommandées.

Avis aux pêcheurs

Si la cueillette des coques et des palourdes est libre, n'en ramassez pas plus de 2 kg par personne et par marée. Parfois, elle est interdite en raison de conditions sanitaires particulières (forte chaleur par exemple). Enfin, attention aux crassats où les risques d'envasement sont constants.

Aire de repos pour oiseaux

À chaque saison son oiseau. Au printemps et à l'automne, les prairies et les digues qui bordent l'**Eyre** sont l'étape traditionnelle de dizaines de milliers de migrateurs (comme l'oie cendrée ou la mouette rieuse). L'hiver, c'est au tour de la sarcelle, du bécasseau variable ou du grand cormoran d'y faire une halte. On y dénombre aussi plus de 1 000 couples de hérons cendrés, d'aigrettes garzettes ou de hérons garde-bœufs. Le gorge bleue préfère pousser son chant en été, au bord des sentiers. Les amateurs de botanique seront également comblés : arbres à baies (arbousiers, ronciers) dont sont friands les oiseaux frugivores, iris d'eau, joncs, aulnes où viennent se nourrir et nicher canards et poules d'eau ; tamaris et chênes plantés pour consolider les digues.

La dune du Pilat : tous les rêves de désert et d'aventure, à portée de la ville.

Gujan-Mestras

Constituée de sept ports ostréicoles, Gujan-Mestras est la capitale de l'huître du bassin d'Arcachon avec ses cabanes à toiture de tuiles, ses chenaux encombrés de pinasses, ses dégorgeoirs à huîtres et ses magasins d'expédition-vente.

Dans le port de Larros, la **Maison de l'huître** vous fera découvrir la culture de l'huître, de la préparation des collecteurs à la consommation, par un film et une exposition. Également possible, la visite d'un atelier de construction de pinasses et d'un atelier de conditionnement d'huîtres. Après ça, vous serez incollable. *Visite guidée (45mn) avr.-sept. : 10h-12h30, 14h30-18h ; oct.-mars : tlj sf dim. 10h-12h30, 14h30-18h. Fermé du 25 déc. à déb. janv., 1er et 11 nov. 2,80 €. 05 56 66 23 71.*

La Hume offre une agréable plage et une zone de **parc de loisirs** *(le long de la D 652)* pour tous les goûts, les âges et les envies *(voir la rubrique « Sports & Loisirs » dans l'encadré pratique).*

La Teste-de-Buch

Ancienne capitale du pays de Buch, peuplée par les Boii ou Boiens avant la colonisation romaine. Plus vaste commune de France (18 000 ha), elle offre trois profils différents.

Côté bassin, des cabanes à huîtres et un sentier sur les **digues de Bordes** qui mène au complexe ostréicole. Dans le bourg, sur la place Jean-Hameau (où se trouve l'office de tourisme), la façade de la **maison Lalanne** (18e s.) est décorée d'une ancre, de cordages et des têtes représentant les enfants du propriétaire.

Côté mer, de belles plages au Pyla-sur-Mer et bien sûr... la **dune du pilat** *(voir ci-dessous)* et le **banc d'Arguin** *(voir « Se promener en pinasse »).*

Enfin vous pourrez rejoindre le **lac de Cazaux** à travers la forêt, en voiture ou à vélo (piste cyclable), pour la baignade ou les activités nautiques *(voir l'encadré pratique).*

En cours de route, le **zoo** ravira les amateurs de fauves et autres grands mammifères des cinq continents. *05 56 54 71 44 - du 1er avr. au 25 sept. : 10h-19h ; 26 sept. au 31 oct. : mer., w.-end et vac. scol. ttes zones 14h-18h30 ; janv.-mars : mer., w.-end, j. fériés et vac. scol. ttes zones 14h-18h30 (dernière entrée 1h30 av. fermeture) ; nov.-déc. : se renseigner - 10 € (enf. 8 €).*

Arcachon★★ *(voir ce nom)*

La route traverse successivement les stations balnéaires du Moulleau, de Pyla-sur-Mer et de Pilat-Plage avant de s'élancer vers la dune.

Dune du Pilat★★

Accès par la D 218 au Sud de Pilat-Plage. Laisser la voiture au parking payant. Pour gagner le sommet, escalader à flanc de dune (montée assez difficile) ou emprunter l'escalier (présent seulement lors de la saison estivale). S'équiper de chaussures montantes de randonnée ; attention, le sable peut être très chaud.

Énorme ventre de sable qui enfle chaque année sous l'action des vents et des courants (actuellement environ 2,7 km de long, 500 m de large et 107 m de haut), c'est la plus haute dune d'Europe. Le versant Ouest descend en pente douce vers l'Océan alors que le versant Est plonge en pente abrupte vers l'immense forêt de pins : une vraie piste noire ! Une revigorante balade à ne pas manquer.

Le **panorama★★** sur l'Océan et la forêt landaise est superbe au coucher du soleil…

Bassin d'Arcachon pratique

Adresses utiles

Syndicat mixte du bassin d'Arcachon – 16 allée Corrigan - ℘ 05 57 52 74 74 - www. bassin-arcachon.com - tlj sf w.-end. et j. fériés : 8h-12h30, 13h30-17h.

Office du tourisme d'Andernos-les-Bains – Espl. du Broustic - 33510 Andernos-les-Bains - ℘ 05 56 82 02 95 - en saison : 9h30-12h30, 14h30-18h30, dim. et j. fériés 10h-12h30, 15h-18h ; hors saison : tlj sf dim. et j. fériés 9h30-12h30, 14h30-17h30.

Office du tourisme d'Arès – Espl. G.-Dartiguelongue - 33740 Arès - ℘ 05 56 60 18 07 - juil.-août : 9h-19h, dim. 10h-12h, 16h-19h ; juin et sept. : 9h-12h15, 14h15-18h ; mars-mai et oct. : tlj sf dim. 9h-12h15, 14h15-18h ; nov.-fév. : tlj sf w.-end 9h-12h15, 14h15-18h.

Office du tourisme de Gujan-Mestras – Av. du Gén.-de-Lattre-de-Tassigny - 33470 Gujan-Mestras - ℘ 05 56 66 12 65 - de mi-juin à mi-sept. : 8h30-12h30, 14h-18h30, dim. et j. fériés (jusqu'à fin août) 9h30-12h30 ; reste de l'année : tlj sf dim. et j. fériés 8h30-12h, 13h30-17h30 (dim. et lun. de Pâques et dim. des vac. scol. de Pâques : 9h30-12h30).

Office du tourisme de Lanton – 1 rte du Stade - ℘ 05 57 70 26 55 - juil.-août : 9h30-19h ; sept.-juin : tlj sf dim. 9h30-12h30, 14h-18h, sam. 9h30-12h30,14h-17h.

Office du tourisme de Lège-Cap-Ferret – ℘ 05 56 60 63 26 - juil.-août : 10h-18h30, dim. 10h-13h, 15h-18h30 ; juin et sept. 10h-13h, 15h-17h.

Office du tourisme de La-Teste-de-Buch – Pl. Jean-Hameau - 33260 La Teste-de-Buch - ℘ 05 56 54 63 14 - tlj sf dim. 9h-12h30, 14h-18h, sam. 9h-12h, 14h-17h.

Visites

Route de l'huître – Voir p. 40.

Union des bateliers arcachonnais – 33120 Arcachon - ℘ 0 825 163 316 (0,15 €/mn) - www.bateliers-arcachon.asso.fr pour tout renseignement et tarifs. Parmi les prestations proposées par ces professionels de la mer : tour de l'île aux Oiseaux, journée au banc d'Arguin, cap sur la grande dune du Pilat, location de pinasses. Elle assure aussi les traversées trans-bassin, embarquements et arrivées : Arcachon (jetées Thiers et d'Eyrac), Cap-Ferret, le Moulleau, dune du Pilat, Andernos, le Canon, Grand-Piquey.

Vent d'Arguin Organisation – 1 r. Jean-Larrieu - 33260 La Teste-de-Buch - ℘ 05 57 15 11 97 - www.ventdarguin.com - 15 juin-15 sept. sur réserv., 5/6 pers. minimum. Découverte du bassin d'Arcachon à bord du *Tip Top One*, maxi-catamaran de 23 m de long, ou du *Vent d'Arguin*, catamaran de 12 m. Sorties en mer pour la matinée, l'après-midi, la journée ou même à l'occasion d'un dîner.

Maison de la nature du bassin d'Arcachon – 33470 - Le Teich - ℘ 05 56 22 80 93. C'est l'un des trois centres permanents du Parc naturel régional des Landes de Gascogne *(voir ce nom)*. Il propose la descente accompagnée de la Leyre en barque (2h) ou la location d'un canoë pour une descente libre, des sorties en kayak sur le bassin (3h) et des promenades au crépuscule dans le parc ornithologique du Teich.

Relai nature du delta de la Leyre – 33470 Le Teich - ℘ 05 56 22 61 53 - juin-sept. : 10h-13h, 14h-18h - gratuit. Expositions, documentations et informations sur les visites guidées.

Visites naturalistes – En partenariat avec le conseil général de la Gironde, des visites guidées gratuites sont proposées du 15 juin au 15 sept. sur des sites protégés : dune du Cap-Ferret, réserve des Prés-Salés à Arès-Lège, domaines de Certes-Graveyron à Audenge-Lanton, prés-salés et dune de Camicas à La Teste. *Renseignements et réservation auprès des offices de tourisme.*

Se loger

⌨ **Hôtel de la Plage « Chez Magne »** – À l'Herbe - 33950 Lège-Cap-Ferret - ℘ 05 56 60 50 15 - fermé janv. -5 fév. - 10 ch. 42 € - ⌨ 6 €. La façade rouge et jaune de l'hôtel situé au bord de l'eau est à l'image de ce pittoresque village composé de maisonnettes peintes et toutes colorées. Chambres sobrement équipées et bien tenues, donnant parfois sur le bassin. Douche et WC en commun sur le palier.

⌨ **Chambre d'hôte Les Tilleuls** – 17 bis r. des Écoles - 33380 Mios - ℘ 05 56 26 67 85 - gitemios@club-internet.fr - fermé 1er nov. -30 avr. sf w.-end et vac. scol. -⌨ - 3 ch. 42/52 € ⌨. Joli mariage de brique rouge et de bois dans ces anciennes granges et écuries rénovées, situées à l'écart de l'animation du bassin d'Arcachon. Les chambres, meublées à l'ancienne, sont décorées avec goût et simplicité. Salon-bibliothèque et agréable jardin planté de tilleuls centenaires.

➾ **Chambre d'hôte Les Oyats** – 20 bd du Page - 33510 Andernos-les-Bains - ℘ 05 56 82 47 14 - www.oyats.com - ⛔ - 3 ch. 46/50 € ⌷. Trois chambres de plain-pied, agréables quoiqu'un peu exiguës, sont aménagées dans une maison située en léger retrait de la station balnéaire. Plaisante décoration intérieure inspirée du bassin d'Arcachon et deux terrasses d'été.

➾⊜ **Hôtel Le Colibri** – 59 bis r. du Gén.-de-Gaulle - 33740 Arès - ℘ 05 56 60 22 46 - hotelcolibriares@aol.com - 🅿 - 15 ch. + 6 appart. 50/67 € - ⌷ 6,20 €. Depuis la rue, rien ne laisse deviner la véritable originalité de ce lieu : 17 petits chalets blancs dotés de terrasses couvertes sont installés sur une pelouse, autour de la piscine, juste derrière l'immeuble abritant des studios et des chambres. Une formule intéressante entre hôtel et hébergement de plein air.

➾⊜ **Le Grain de sable** – 37 av. de la Libération - 33740 Arès - ℘ 05 56 60 04 50 - www.hotelgraindesable.com - 🅿 - 14 ch. 52/66 € - ⌷ 7 €. Cette charmante maison régionale arbore une décoration intérieure évoquant les vacances et l'évasion. Les chambres, spacieuses, sont personnalisées sur des thèmes variés, tandis que le cadre de la salle des petits-déjeuners et du salon s'inspirent du bassin d'Arcachon.

➾⊜ **Chambre d'hôte Les Albatros** – 10 bd de Verdun - 33510 Andernos-les-Bains - ℘ 05 56 82 04 46 - jmalfere@club-internet.fr - fermé nov.-janv. - ⛔ - 3 ch. 52/65 € ⌷. Cette belle maison blanche entourée d'un joli jardinet fleuri est située à 100 m de la plage, du bassin et du bourg. Ses trois chambres personnalisées portent des noms évocateurs : « Romantique », « Mer » et « Safari » pour la plus spacieuse. Les propriétaires sont aux petits soins pour leurs hôtes.

➾⊜ **Les Rives du Lac** – 33740 Arès - ℘ 05 57 26 99 31 - réserv. conseillée - 70 chalets 108/927 € la sem. pour 6 pers. Construit dans un esprit « village de pêcheurs », cet ensemble de petits chalets colorés disséminés dans un parc boisé diffuse une ambiance de vacances… Les bungalows, sobres mais fonctionnels, existent pour 4, 6 ou 7 personnes. À l'entrée du site : aire de jeux, buvette et piscine.

Se restaurer

➾ **Le Bistrot** – 3 av. du Gén.-de-Gaulle - 33260 La Teste-de-Buch - 4 km au S d'Arcachon - ℘ 05 57 15 11 11 - c.rochereau@wanadoo.fr - fermé dim. en hiver - 11,50/19 € - 9 ch. 29/40 € - ⌷ 5 €. Cet endroit connaît un grand succès, et ce n'est pas surprenant. Le décor (murs jaunes, objets décoratifs, dessins à thèmes fruitier et floral) est chaleureux, le service efficace et souriant et la terrasse sous les

platanes délicieuse. Plats aux accents régionaux.

➾ **L'Étoile** – 13 pl. de l'Étoile - 33510 Andernos-les-Bains - ℘ 05 56 82 00 29 - fermé 24 déc. - 9,50 € déj. - 11,50/22,50 €. Cet établissement situé à 100 m de la plage est une adresse incontournable pour les gens de la région : la cuisine, traditionnelle et copieuse, affiche un très bon rapport qualité-prix et vous est servie dans une chaleureuse ambiance familiale.

➾⊜ **L'Escale** – 2 av. de l'Océan - 33950 Lège-Cap-Ferret - ℘ 05 56 60 68 17 - escale@restaurant-cap-ferret.com - fermé déc. - 16/22 €. De prime abord, le nombre de couverts impressionne. Mais sitôt installé, seule la vue sur le bassin, le parc à huîtres et, au loin, la dune du Pilat comptent. La cuisine de brasserie, préparée avec la pêche du jour, est honorable et le service efficace.

➾⊜ **L'Escalumade** – 8 r. Pierre-Dignac, au port de Larros - 33470 Gujan-Mestras - ℘ 05 56 66 02 30 - fermé 15 j. en janv., 6-28 oct., dim. soir et lun. sf du 1er juin au 31 août - 21,50/46 €. Une bonne table sans prétention, au calme et au frais ! Cette cabane d'ostréiculteurs convertie en restaurant est coquette avec ses boiseries, ses baies vitrées et sa terrasse aménagée au-dessus de l'eau. Coquillages et crustacés préparés avec soin.

➾⊜ **St-Éloi** – 11 bd Aérium - 33740 Arès - ℘ 05 56 60 20 46 - nlatour2@wanadoo.fr - fermé 5-29 janv., dim. soir et lun. sf le soir en juil.-août - 24/54 € - 8 ch. 65/85 € - ⌷ 8 €. Voici une petite adresse idéale pour une halte gourmande dans le bassin d'Arcachon. À seulement 200 m de la baie, le St-Éloi vous reçoit en toute simplicité dans une agréable salle à manger contemporaine rehaussée de couleurs vives. En cuisine, le chef interprète sans fausse note un bon répertoire classique. Quelques chambres.

➾⊜ **Pinasse Café** – 2 bis av. de l'Océan - 33970 Cap-Ferret - ℘ 05 56 03 77 87 - pinassecafe@wanadoo.fr - fermé 16 nov.-7 fév. - 20/31,50 €. Voilà un bistrot original et décontracté. Les murs de la salle à manger recouverts de lambris sont décorés de tableaux de bateaux et de dessins de poissons. Rien d'étonnant à cela vu sa situation ouverte sur le bassin et le parc à huîtres. Cuisine régionale maison, axée sur les produits de l'Océan.

Que rapporter

➾ **L'huître au marché** – Les huîtres que l'on trouve le plus facilement chez les poissonniers sont les creuses (japonaises) mais on peut encore dénicher des gravettes, huîtres plates arcachonnaises par excellence ; leur prix est plus élevé mais leur goût de noisette est incomparable. On peut manger des huîtres toute l'année car la laitance que l'huître porte au moment de la ponte (mai-août) et qui la fait dire « laiteuse » n'altère en rien sa qualité.

Les Viviers d'Aquitaine – *62 digue Est des ostréiculteurs - sur le port de la Teste - 33260 La Teste-de-Buch - ℘ 05 57 52 56 62 - 8h-12h30, 15h30-19h30.* Ces viviers vous convient à une véritable promenade gastronomique : en effet, ils longent la digue des ostréiculteurs et offrent une vue superbe sur le port de La Teste et ses cabanons. Vous pourrez y acheter huîtres, amandes, palourdes, bigorneaux, tourteaux, langoustines et même du poisson et des plats cuisinés.

Moulin de la Cassadote (La Truite Argentière) – *Au moulin de la Cassadote - 33830 Biganos - ℘ 05 56 82 64 42 - moulin-cassadote.com - 8h-12h, 14h-19h - fermé déc.-janv.* Autrefois, les bars à vins du Bordelais servaient des sandwichs au caviar de Gironde… denrée rare que l'élevage de Cassadote fabrique et vend à nouveau aujourd'hui (à partir de 27 € les 30 g). Sont également proposés pêche à la truite dans l'étang (6 €/kg) et parcours de pêche à la mouche (3 km).

Sports & Loisirs

Balades – Une **piste cyclable** fait le tour du bassin, qui par ailleurs offre de nombreux circuits balisés pour les marcheurs. *Plans dans les offices de tourisme et au Syndicat mixte du bassin.*

Cycles Roumegoux & Fils – *53 ter av. du Gén.-de-Gaulle - 33740 Arès - ℘ 05 56 60 20 88.* Location de VTT, VTC, vélos classiques, monocycles et remorques pour transporter les enfants.

≛≛ PARC DE LOISIRS DE LA HUME

Aqualand – *℘ 0 892 686 613 - www.aqualand.fr - du 4 juil. au 28 août : 10h-19h ; du 11 juin au 3 juil. et du 29 août au 4 sept. : 10h-18h - 21 € (–12 ans : 16 €).* Parc aquatique avec jeux d'eau et de glissade.

Kid Parc – *Parc de la Hume, rte des lacs - 33470 Gujan-Mestras - ℘ 05 56 66 06 90 - www.kidparc.com - fermé nov.-mars.* Dans ce parc conçu comme une île entourée d'une rivière, tout est adapté à la taille des enfants : toboggan, trampoline, manèges, bateau pirate, etc. Pensez aux maillots de bain pour les nombreuses attractions dans l'eau.

La Coccinelle – *℘ 05 56 66 30 41 - www.la-coccinelle.fr - ⌖ - du 1er juil. au 27 août : 10h30-19h ; du 20 mai au 30 juin : 10h30-18h30 - 8 € (enf. 7 €).* Parc animalier où vos petits pourront câliner d'autres petits, plus poilus, plus cornus et plus têtus. Quelques attractions. Les enfants donnent eux-mêmes le biberon aux agneaux, chevreaux et veaux à 11h15, 11h30, 11h45 et toutes les h. entre 14h et 18h.

Les jardins du Bassin – *Rte des Lacs - 33470 La Hume - ℘ 05 56 66 00 71 - tlj sf sam. 14h-18h - fermé 26 août -29 mai - 5 € (–13 ans 3 €).* Ce parc botanique ravira les enfants qui découvriront différents espaces aménagés de manière thématique : arbres fruitiers, vignes, cactées, roseraie, plantes exotiques, conifères, potager, etc. Les parents seront quant à eux séduits par l'approche pédagogique et ludique des lieux.

AUTRES ACTIVITÉS

Le Petit Port – *≛≛ - Lac de la Magdeleine - près d'Aqualand - 33470 Gujan-Mestras - ℘ 06 88 37 84 34 - 15 juin-31 août ; avr.-oct. : apr.-midi, mer. w.-end et j. fériés.* Ce petit port offre aux enfants la possibilité de naviguer sur le lac de la Magdeleine et de piloter (dès 9 ans) des bateaux miniatures ayant l'avantage d'être électriques, insubmersibles, silencieux et non polluants.

Becalou Canoë-Kayak – *Port ostreicole - 33740 Arès - ℘ 05 57 70 49 00 - becalou@hotmail.com.* Les balades en canoë-kayak sont organisées en fonction des marées et se déroulent entre le bassin d'Arcachon et le Lège, rivière sinueuse bordée de plages. Possibilité de sorties au coucher du soleil.

Centre permanent de kayak de mer – *Pont de Bredouille - 2 bis av. du Canal - 33950 Lège-Cap-Ferret - ℘ 05 57 70 45 55 - cpkm@wanadoo.fr.* Outre le kayak de mer, ce centre propose toute une kyrielle d'activités nautiques : wave-ski, cerf-volant et char tracté par un cerf-volant.

Cercle de voile de Cazeau Lac – *Halte nautique - Port de Cazaux - 33260 La Teste-de-Buch - ℘ 05 56 22 91 00 - cvcl@wanadoo.fr.* Stages de voile, formations et régates.

Centre équestre-ranch – *≛≛ - Rte du Truc-Vert, Petit-Piquey - 33950 Lège-Cap-Ferret - ℘ 05 56 60 82 85.* Promenades, leçons, stages, initiation et perfectionnement à l'équitation. En juillet et en août, ouverture du ranch proposant des balades, en forêt et au bord de l'Océan, accessibles à tous les niveaux.

Aéro-club du bassin d'Arcachon – *Aérodrome de Villemarie - 33260 La Teste-de-Buch - ℘ 05 56 54 72 88 - www.acba-fr.com - accueil : 9h-12h, 14h-18h ; aéro-club : (location d'avion) été 8h-22h.* Cet aéro-club organise des baptêmes de l'air et de voltige, des stages de pilotage et, depuis peu, des vols de nuit. À proximité, sur l'aérodrome de Villemarie, vous trouverez d'autres clubs : parachutisme et vol à voile (planeur).

Événements

Chaque été, l'huître y est dignement fêtée dans les **ports ostréicoles**. À cette occasion, les ostréiculteurs sortent de leurs cabanes colorées pour parader dans leur costume traditionnel : vareuse bleu marine et pantalon de flanelle rouge ; musique, danses et distractions sont proposées à côté des stands de dégustation d'huîtres. Ces fêtes ont lieu à la mi-juil. aux ports de Lanton, Lège-Cap-Ferret et Andernos-les-Bains, à la mi-août dans les ports de Gujan-Mestras et Arès.

Arette-la-Pierre-Saint-Martin★

1 121 ARETTOIS
CARTE GÉNÉRALE B4 – CARTE MICHELIN LOCAL 342 H5 – SCHÉMA P. 127 –
PYRÉNÉES-ATLANTIQUES (64)

Perchée à la frontière espagnole, cette petite station de sports d'hiver dégage une ambiance latine bien sympathique. Pour godiller en famille loin des autoroutes à skieurs. Et lorsque la neige fond, c'est pour dévoiler le fantastique relief des « arres », champs de lapiaz truffés de crevasses qui défendent les approches du pic d'Anie.

- ▶ **Se repérer** – La Pierre-Saint-Martin est à 23 km au Sud d'Arette. De l'A 64, sortez à Salies-de-Béarn pour rejoindre Oloron-Sainte-Marie par la D 933 puis, la D 936 (50 km). Si vous venez de Pau, suivez la N 134 et D 24 (30 km) pour arriver à Oloron. De là, vous atteindrez Arette par la vallée du Barétous.

- 👁 **À ne pas manquer** – Les nombreuses possibilités de randonnées *(voir la rubrique « Sports & Loisirs » dans l'encadré pratique)* ; la superbe forêt d'Issaux.

- 🕓 **Organiser son temps** – En hiver, la station propose de nombreuses activités après le ski. En été, si vous êtes de passage aux alentours du 13 juillet, ne manquez pas la cérémonie de la Junte de Roncal au col de la Pierre-Saint-Martin. En saison, Aramits organise des soirées pastorales *(voir la rubrique « Événements » dans l'encadré pratique)*.

- 👥 **Avec les enfants** – La Pierre-Saint-Martin fait partie des « Stations Kid » *(voir p. 48)* ; en été, rendez-vous à l'Aventure Parc à Aramits *(voir la rubrique « Sports & Loisirs » dans l'encadré pratique)*.

- 🕯 **Pour poursuivre la visite** – Voir aussi Vallée d'Aspe, Oloron-Sainte-Marie, Vallée d'Ossau.

La Pierre-Saint-Martin : la glisse en famille.

Horizons Photos / OT de la Vallée de Barétous

Comprendre

Arette est la commune située en contrebas de la station et signifie « pierre ». Quant à la pierre Saint-Martin, c'est une petite borne-frontière numérotée 262.

Ici, chaque 13 juillet on commémore la **Junte de Roncal** : en vertu d'un traité de 1375 relatif au droit de pacage dans la vallée navarraise de Roncal, une délégation de maires du Barétous vient remettre aux syndics de Roncal un tribut symbolique de trois génisses (les Navarrais reçoivent en réalité une compensation en argent). Cette cérémonie vieille de six siècles donne lieu à un rituel précis : les mains superposées au-dessus de la borne, les maires scandent « *Paz Abant* ! » (« Paix d'abord ! ») avant de procéder à l'échange.

Séjourner

Domaine skiable de la Pierre-St-Martin

Alt. 1 600-2 200 m. Station très familiale, elle possède le label « Station Kid » ; elle est aussi adaptée pour accueillir les personnes handicapées *(voir p. 20)*. Un programme d'animation vous attend toutes les semaines pour un après-ski des plus conviviaux !

Réparties sur quatre secteurs (14 remontées mécaniques), les 18 pistes de **ski alpin** de tous niveaux plongent dans les forêts de pins ou flirtent, sur les hauteurs, avec la frontière espagnole. Le Boulevard des Pyrénées, piste bleue de 4,5 km, offre par temps clair un panorama remarquable sur les arres d'Anie. L'espace nordique de la forêt du Braca, avec ses 25 km de pistes, vous permettra de pratiquer le **ski de fond** ou les **raquettes**.

Domaine skiable d'Issarbe

Situé juste en dessous de la station de la Pierre-St-Martin. Suivre la D 113 sur 5 km jusqu'au col de Suscousse.

Alt. 1 450-1500 m. Il comprend 31 km de pistes de **ski de fond** de tous niveaux en 9 boucles, plus un parcours pour les **raquettes**. Très belle vue sur le pic d'Anie (2 504 m), le piémont du Béarn et le Pays basque.

Aux alentours

Forêt d'Issaux★

Du col de Labays, 6 km avant la Pierre-Saint-Martin, au col d'Houratate.

La route, praticable en été, serpente à travers les futaies de hêtres mêlés de bouleaux et de sapins. Cette forêt fut exploitée de 1772 à 1778 par la Marine nationale pour la construction navale, tout comme le bois du Pacq *(voir le chemin de la Mâture dans la vallée d'Aspe)*. Les billots étaient acheminés jusqu'au port d'Athas.

Col de la Pierre-St-Martin

3 km au Sud de la Pierre-Saint-Martin.

Alt. 1 760 m. C'est ici qu'a lieu la Junte de Roncal, à la borne-frontière 262.

En contrebas, en territoire espagnol *(accès, du parking du col, par une piste recoupant le virage de la route)* s'ouvrait l'orifice du **gouffre** de la Pierre-St-Martin, ou gouffre Lépineux, maintenant obturé par une dalle. Une plaque y a été posée à la mémoire des spéléologues Loubens et Ruiz de Arcaute. C'est le plus grand réseau spéléologique d'Europe.

Au fond du gouffre

En août 1950, au cours d'une prospection des « arres », le physicien belge **Max Cosyns** et le spéléologue **Georges Lépineux** font descendre leur sonde par un orifice tout proche du col jusqu'à… 346 m ! un à-pic exceptionnel ! Dès lors, les expéditions se succèdent. En 1951, Lépineux descend au fond du puits, relayé par Marcel Loubens, qui atteindra vers 450 m de profondeur une rivière souterraine. Endeuillée par la mort de Loubens (1952) trahi par le câble de suspension, l'équipe reconstituée en 1953 dévale un chapelet de grandes salles et découvre la gigantesque salle de la Verna, longue de 230 m, large de 180 m et haute de 150 m.

Circuit de découverte

LA VALLÉE DU BARÉTOUS

22 km entre Arette et Oloron-Ste-Marie.

La plus petite des trois vallées du Béarn *(voir les vallées d'Aspe et d'Ossau)* compte six villages. Ce pays de transition, entre le Pays basque et le Béarn, semble un damier de champs de maïs et de magnifiques prairies, entrecoupé de bouquets de chênes, avec en arrière-plan des sommets calcaires.

Arette

Ce bourg fut reconstruit après le tremblement de terre du 13 août 1967.

L'office de tourisme abrite le **musée du Barétous** qui présente le patrimoine de la vallée, centré sur l'exploitation de bois (matériau de base) et le pastoralisme (activité traditionnelle).

Suivre au Nord-Ouest la D 918.

Lanne

Le village conserve une jolie église à double porche. L'ancienne chapelle du château fut la résidence d'Isaac de Porthau.
Revenir sur ses pas et prendre à gauche la D 919.

Un pour tous, tous pour un

Les mousquetaires d'**Alexandre Dumas** ne sont pas qu'une invention : M. de Tréville est le véritable Arnaud Jean de Peyrer, comte de Trois-Villes, qui fut nommé capitaine-lieutenant des mousquetaires en 1625. C'est Arnaud de Sillègue d'Athos qui inspira… Athos : originaire d'Autevielle, sur la rive gauche du gave de Pau, il devint mousquetaire en 1640. **Porthos** fut Isaac de Porthau : né à Pau en 1617, il devint mousquetaire en 1643, après avoir été garde du roi. Il avait une résidence à **Lanne**. Quant à **Aramis**, c'est Henri d'Aramits, écuyer et abbé laïque d'**Aramits**, devenu mousquetaire en 1643. C'est le cousin de Tréville. Enfin, le Gascon du lot : d'Artagnan, qui emprunte ses traits à Charles de Batz, mousquetaire en 1647.

Aramits

C'est l'ancienne capitale du Barétous. Aramits se prévalait du titre d'une abbaye disparue aujourd'hui (seule reste le portail à bossage), dont il recevait le bénéfice comme abbé laïque.

Oloron-Ste-Marie *(voir ce nom)*

Arette-la-Pierre-Saint-Martin pratique

Adresses utiles

Office du tourisme de la vallée du Barétous et de la Pierre-St-Martin – *Maison de la pierre -* 🕿 *05 59 66 20 09 - juil.-août : lun.-mer., ven.-sam. 9h-12h30, 13h30-18h, dim. 9h-12h30 ; mai-juin et sept.-oct. : sam. 10h-12h30, 13h30-17h ; déc.-avr. : 9h-18h.*

Office du tourisme de la vallée du Barétous et d'Arette – *Pl. de la Mairie -* 🕿 *05 59 88 95 38 - www.ot-vallee-baretous. fr - juil.-août : 9h-12h30, 14h-19h ; mai-juin et sept.-oct. : 9h-12h ; 14h-17h ; déc.-avr. : mer.-sam. 9h-12h, 14-17h - fermé dim. et j. fériés.*

Transport

Navette – *Au départ de Pau, une navette relie à Arette-la-Pierre-St-Martin tous les week-ends et tous les jours pendant les vacances scolaires de Noël et février.*

Se loger

🛏 **Hôtel de l'Ours** – *8 pl. de l'Église -* 🕿 *05 59 88 90 78 - hoteldelours64@wanadoo.fr - fermé 2 sem. avr. et nov. -* 🅿 *- 15 ch. 36/45 € -* 🍴 *6 € - repas 13 €. Cet hôtel familial borde la place de l'Église. Les chambres, sobrement décorées et bien tenues, sont confortables. Bar de type espagnol (ambiance musicale), jardin et agréable terrasse côté cour. Accueil chaleureux.*

🛏 **Camping Barétous-Pyrénées** – *64570 Aramits - sortie O par D 918, rte de Mauléon-Licharre, bord du Vert de Barlanes -* 🕿 *05 59 34 12 21 - atso64@hotmail.com - 3 janv.-16 oct. - réserv. conseillée - 50 empl. 23,50 €. La situation de ce camping offre un bon compromis pour un séjour entre montagne et campagne. Trois bungalows toilés et meublés complètent les équipements traditionnels de ce terrain impeccablement entretenu. « Borne VTT » face à l'accueil pour démarrer une randonnée dans les environs.*

🛏🍴 **Chambre d'hôte Le Château de Boues** – *64570 Féas - 9 km au N d'Arette par D 919 -* 🕿 *05 59 39 95 49 - fermé fin sept. au 1er mai -* 🖃 *- 4 ch. 50/59 € -* 🍴*. Ce château du 18e s. à l'air très fier avec sa façade blanche dominant la route mais les hôtes vous accueilleront avec simplicité et joie de vivre. Jolie vue des chambres sur la campagne et le jardin avec piscine.*

🛏 **Chambre d'hôte Maison Rachou** – *64570 Lanne-en-Barétous - 5 km au NO d'Arette par D 918 -* 🕿 *05 59 34 10 30 - www.gites64.com/maison-rachou -* 🖃 *- 5 ch. 46 € -* 🍴 *- repas 17 €. Les propriétaires de cette ancienne ferme ont beaucoup œuvré pour vous recevoir dans ce lieu désormais impeccable et méticuleusement tenu. Chambres à peu près toutes identiques : plafond lambrissé, parquet, murs blancs et salle d'eau fonctionnelle. Le maître de maison, autrefois cuisinier, prépare lui-même le dîner.*

Se restaurer

👁 **Bon à savoir** – Le centre commercial de la station abrite une dizaine de petits restaurants. Quelle que soit l'heure ou le jour, vous trouverez donc toujours un en-cas à grignoter avant de repartir dévaler les pistes de ski.

🍽 **Le Fœhn** – *Rte de la Pierre-St-Martin -* 📞 *05 59 88 91 18/06 08 53 95 95 - www.vallee-baretous.com - 10h-21h - 6 à 10 €.* Cette ancienne bergerie abrite aujourd'hui une grande salle à manger rustique où l'on sert d'appétissants casse-croûte. Crudités, charcuteries et fromages du pays figurent au menu ; grillades sur commande. La terrasse donne sur un bassin de pisciculture. Pêche à la truite ; vente de produits régionaux.

🍽 **Chez Gouaillardeu** – *Au bourg -* 📞 *05 59 88 90 94 - fermé 1 sem. en oct. -* 12/17 €. La façade un brin austère de cette petite adresse dissimule une salle à manger rénovée et joliment colorée. La cuisine est copieuse, rustique et sans fioritures : garbure, assiette de charcuteries, truite et tarte aux pommes donnent le ton !

Que rapporter

Fromagerie du Pays d'Aramits – *D 19 - 64570 Aramits -* 📞 *05 59 34 63 03 - fromagerie.aramits@wanadoo.fr - tlj sf dim. 8h-13h, sam. 9h-12h - fermé j. fériés.* Dans cette fromagerie pyrénéenne totalement artisanale, les affineurs grattent encore la croûte naturelle à l'eau salée… La boutique propose de nombreux fromages AOC parmi lesquels on citera l'ossau-iraty, fleuron de la production régionale, ainsi qu'une sélection de divers produits locaux.

Sports & Loisirs

Randonnées – Un plan local comprenant 32 itinéraires de balades pour découvrir la vallée du Barétous est en vente à l'office de tourisme (5 €).

Ski – *Voir la carte N'Py p. 26.*

Aventure Parc Aramits – 👥👤 - *Espace Forêt-Loisirs - 64570 Aramits -* 📞 *05 59 34 64 79 - www.aventure-parc-aramits.com - 10h-18h - fermé nov.-avr. - 19 € (enf. 14 €).* Si vous avez toujours rêvé de sauter d'arbre en arbre tel un écureuil, ces parcours composés de 80 jeux aériens vous tendent leurs branches. On accepte les enfants mesurant plus de 1,5 m bras levés. Également au programme : saut à l'élastique, descente de canyons, escalade, spéléologie et randonnée pédestre. Miniparc pour les petits (3 à 8 ans), espace bar-restaurant et aire de pique-nique.

Les Écuries du Barétous – 👥👤 - *Au bourg - 64570 Lanne-en-Barétous -* 📞 *05 59 34 65 52 ou 06 20 59 42 88 - sylviepetit@hotmail.com - fermé 1er-15 sept. - 28 €/2h ; 34 €/demi-j.* Sylvie Petit organise en toutes saisons, sur terre ou sur neige, des promenades guidées à cheval ou à poney dans la vallée du Barétous. Elle dispense aussi des cours d'initiation ou de perfectionnement aux sports équestres. Hébergement possible.

VTT - Pascal Hourticq – 👥👤 - *16 lotissement Longis -* 📞 *05 59 88 90 05 - www.vallee-baretous.com/loisirs/hourticq-vtt - 9h-18h ; ouv. j. fériés.* Initiation, perfectionnement, descente ou randonnée : à vous de choisir la formule adaptée à votre niveau et à votre motivation. Pascal Hourticq, moniteur diplômé d'État, organise toutes ces activités et vous invite à découvrir les pentes pyrénéennes en VTT. Formules à la journée ou à la 1/2 journée.

Événements

Soirées pastorales – Juillet-août, tous les jeudi à Aramits.

Pelote basque – En juillet-août, tous les mardis à 18h au fronton d'Arette.

Fête des bergers – En septembre a lieu à Aramits une grande fête pastorale. À cette occasion, les bergers font revivre une année de leur travail. Rencontres vocales, marché artisanal, concours de chiens de berger, démonstration de tonte de brebis et fabrication du fromage. 📞 *05 59 88 95 38.*

Vallée d'Aspe ★★

CARTE GÉNÉRALE B4 – CARTE MICHELIN LOCAL 342 I 3/6 – PYRÉNÉES-ATLANTIQUES (64)

Malgré les améliorations apportées à la route et l'ouverture, en 1928, d'une voie ferrée transpyrénéenne à grand renfort d'ouvrages d'art (désormais fermée), cette vallée étranglée a gardé sa rudesse montagnarde et c'est ce qui en fait le charme. Il se dégage une certaine harmonie de cette nature préservée, aux forêts habitées encore de quelques ours protégés par le Parc national des Pyrénées, et de ces villages sans coquetterie qui ont conservé leur architecture typique. Sans oublier la tradition pastorale toujours vivace. Vous viendrez ici pour la grande bouffée d'air frais… le véritable dépaysement.

Marie-Hélène Carcanague / MICHELIN

Paysage pastoral de la vallée d'Aspe.

- ▶ **Se repérer** – La vallée d'Aspe se répartit de part et d'autre de la N 134, entre Escot et le col du Somport.
- 🅿 **Se garer** – Dans les petits villages les rues sont étroites, évitez donc de les traverser en voiture, garez-vous à l'extérieur sur les aires de stationnement.
- 👁 **À ne pas manquer** – L'écomusée de la vallée d'Aspe réparti sur quatre sites : Sarrance, Lourdios-Ichère, Accous et Borce, qui propose de mieux comprendre la vie singulière de la vallée.
- 🕓 **Organiser son temps** – Vous survolerez la vallée d'Aspe en une journée… Cependant si vous envisagez quelques courses en montagne ou si vous souhaitez « vivre » la vallée, il faudra y rester plus longtemps.
- 👪 **Avec les enfants** – Le parc animalier de Borce.
- 🖒 **Pour poursuivre la visite** – Voir aussi Arette-la-Pierre-Saint-Martin, Oloron-Sainte-Marie, Vallée d'Ossau.

Circuit de découverte

120 km – compter une journée. 57 km séparent Oloron-Sainte-Marie du col du Somport par la N 134 mais le circuit proposé fait quelques crochets. Sortir d'Oloron par le quartier Ste-Croix et la rue d'Aspe.

La route de la rive droite du Gave remonte la vallée toute campagnarde avec ses champs de maïs coupés de rideaux de peupliers. Le **pic Mail-Arrouy** (alt. 1 251 m) semble fermer le passage au Sud.

Escot

C'est le premier village aspois, au débouché de la vallée du Barescou. Avant d'y pénétrer, le vicomte du Béarn devait, suivant le « for » (droit), échanger les otages avec les représentants de la vallée. Un peu plus tard, Louis XI se rendant en pèlerinage à Notre-Dame de Sarrance signifia ici qu'il sortait de son royaume en ordonnant à son porte-épée de baisser sa garde.

Sarrance

Centre de pèlerinage béarnais *(1er week-end de septembre)*, Sarrance reçut autrefois la visite de Louis XI (1461) et celle de Marguerite de Navarre, sœur de François Ier, qui y écrivit une partie de son *Heptaméron*.

Entrez dans l'**église** pour découvrir les panneaux de bois naïvement sculptés, du 18e s. Le **cloître** de l'ancien couvent (17e s.) s'abrite sous quatorze petits combles transversaux, couverts d'ardoises. Une porte dérobée ouvre sur un chemin qui monte au **calvaire**.

Écomusée de la vallée d'Aspe★ – **Notre-Dame-de-la-Pierre** – ℘ 05 59 34 55 51 - www.vallee-aspe.com/eco-musee/ - juil.-sept. : 10h-12h, 14h-19h ; reste de l'année et vac. scol. : w.-end et j. fériés 14h-18h - fermé janv. et 25 déc. - 4 €. Il retrace l'histoire du pèlerinage à Sarrance grâce à des costumes d'époque et des objets de culte de la vallée d'Aspe. Il raconte aussi, à travers un récit dit par le chanteur béarnais Marcel Amont, les rapports entre l'homme, la pierre et l'eau.

Après Sarrance, tourner à droite dans la D 241.

La route quitte la vallée à droite pour grimper en serpentine au milieu des prairies et vallons montagnards.

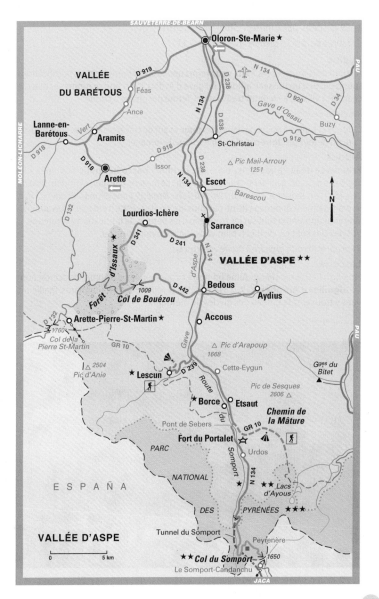

Lourdios-Ichère

Écomusée de la vallée d'Aspe★ – **« Un village se raconte »** – ✆ *05 59 34 44 84 - mêmes conditions de visite que l'écomusée Notre-Dame-de-la-Pierre à Sarrance.* Une visite indispensable ! En effet, ici sont évoqués le rythme des saisons, les activités et les traditions pastorales de la vallée (diaporama, chants de bergers, etc.).
Dans le village vous pourrez suivre le **sentier de découverte**.

Après le village, prendre à gauche la D 241.

En prenant à gauche, la D 442 *(route déconseillée en hiver)* traverse les pittoresques gorges d'Issaux et remonte la **forêt d'Issaux★** *(voir Arette-la-Pierre-Saint-Martin)*. Arrivé au **col de Bouézou**, le paysage change à nouveau de ton : la route s'accroche aux pentes du pic de Layens (1 625 m), dont on a un beau point de vue à gauche.

Rejoindre la N 134.

Vous découvrez le bassin médian de la vallée, où se groupent sept villages. À l'arrière-plan se découpent les crêtes d'Arapoup et, à l'extrême droite, les premiers sommets du cirque de Lescun (pic de Burcq).

Bedous

Village de service (tous commerces), vous pourrez y visiter, sur la place de la Mairie, la Maison d'exposition qui présente les **artisans d'art** installés dans la vallée. ✆ *05 59 34 59 75 - de mi-juil. à mi-sept. : 10h-12h30, 16h30-19h30.*

À la sortie de Bedous prendre à gauche la D 237.

Aydius

Au bord de la route, après 2 km, vous verrez une cascade formée par les pétrifications spongieuses d'un ruisseau affluent du gave d'Aydius. Il fait bon se promener dans ce charmant village, à l'habitat traditionnel, fermé par un beau cirque.

Revenir à Bedous.

La route s'engage à nouveau dans une gorge avant de traverser Accous. Vous pouvez faire un détour par **Jouers** pour voir la chapelle romane.

Accous

Écomusée de la vallée d'Aspe★ – **Les fermiers basco béarnais** – ✆ *05 59 34 76 06 - de déb. juil. à mi-sept. : 9h-13h, 14h-19h ; de mi-sept. à fin juin : tlj sf dim. 9h-12h, 14h-18h ; vac. scol. et w.-end : 9h-12h, 14h-18h - fermé 1ᵉʳ janv., 1ᵉʳ mai, 1ᵉʳ nov., 25 déc.* Il serait vraiment dommage de ne pas vous arrêter dans cette fromagerie. Un audiovisuel vous apprendra tout sur les troupeaux, les bergers, la fabrication du fromage… Vos papilles sont en éveil ? Eh bien vous allez pouvoir déguster.

3 km après Accous, prendre à droite vers Lescun.

Lescun★

Parking à l'entrée du village. Aimé pour son cirque calcaire aux sommets acérés, dont les **aiguilles d'Ansabère** (alt. 2 377 m), c'est le repaire des montagnards. D'ailleurs, vous y trouverez le bureau des guides de montagne.

Le village de Lescun fermé par un cirque.

Le « va-nu-pieds »

Les Béarnais l'appellent *pe descaous*, le « va-nu-pieds ». L'ours brun européen ne subsiste plus en France qu'en très petit nombre, dans la partie Ouest des Pyrénées centrales. Il a élu domicile à 1 500 m d'altitude, sur les versants rocheux et dans les forêts de hêtres et de sapins qui surplombent les vallées d'Aspe et d'Ossau.

Ce plantigrade, autrefois carnivore, est devenu omnivore et, selon les saisons, se nourrit de tubercules, de baies, d'insectes, de glands mais aussi de petits mammifères et parfois de brebis (au grand dam des habitants du cru…). L'aménagement du réseau routier, l'exploitation forestière et l'engouement touristique, joints à un cycle de reproduction très lent (la femelle met bas un ourson tous les deux ans), ont entraîné la régression de l'espèce.

Pour en savoir plus, reportez-vous au chapitre « Nature » dans la partie « Comprendre la région ».

30mn AR. Possibilité de suivre la boucle de 3h. Pour admirer le **panorama★★**, suivez la rue en montée à hauteur de l'église : remarquez au passage le lavoir. Continuez un peu sur le sentier… Retournez-vous. Vous voyez le **pic d'Anie** à droite, le Billare, le Dec de Lhurs, à gauche.

La N 134, **route du Somport★**, remonte la vallée presque continuellement étranglée. Les villages, toujours deux par deux, semblent se surveiller l'un l'autre (Eygun et Cette, Etsaut et Borce).

Etsaut

À l'entrée du village, arrêtez-vous à la **Maison du Parc national des Pyrénées** *(voir la rubrique « Adresses utiles » dans l'encadré pratique),* qui présente notamment une exposition sur l'ours des Pyrénées.

Borce★

Suivez le parcours de découverte fléché dans cette petite cité médiévale. Maisons fortes, lavoir, four à pain, abreuvoir : Borce conserve tous les éléments architecturaux typiques des villages de la vallée.

Écomusée de la vallée d'Aspe★ – « Une halte sur le chemin de St-Jacques » – *05 59 34 57 65 - été : 9h-19h30 ; hiver : 9h30-17h30 - 1 € (10mn).* Dernière étape pour découvrir l'écomusée. Muni de votre bourdon, vêtu de votre cape et la coquille autour du cou, entrez dans l'ancien hôpital pour compléter vos connaissances sur le fameux pèlerinage.

Parc animalier – *05 59 34 89 33 - de Pâques à fin sept. : 9h30-19h ; d'oct. à Pâques : 14h-18h - 7 € (enf. 4,50 €, enf. de –1 m gratuit).* Au-dessus du village, ce cadre naturel rassemble sur 10 ha la faune sauvage et domestique des Pyrénées. Prévoyez 2h de promenade, surtout si vous êtes accompagné d'enfants qui se prendront au jeu d'un parcours conçu pour eux. En outre, l'observation des animaux en semi liberté invite à la patience. Munis d'une réglette, qui permettra au petits de mesurer les empreintes des animaux et de reconnaître le feuillage des arbres, et qui servira de pense-bête aux grands (plan du parc), vous suivrez l'itinéraire ponctué de paneaux explicatifs. Beau point de vue depuis la terrasse panoramique.

Chemin de la Mâture

Se garer au pont de Sebers en saison et marcher 15mn. Autrement stationner au point de départ de la randonnée.

3h AR par le GR 10. Faire demi-tour en atteignant les prairies de la combe supérieure. Attention : parcours vertigineux sans protections (glissant les jours de pluie), très exposé au soleil (penser à la crème solaire et à l'eau).

Au 18e s., pour exploiter le bois du Pacq, les ingénieurs de la **Marine royale** taillèrent ce passage dans les dalles mêmes de la paroi au-dessus de la gorge du Sescoué. Débardés par ce chemin, les troncs étaient assemblés en train de bois, en période de hautes eaux du gave, pour être dirigés sur les chantiers navals de Bayonne. Vues en cours de route sur les superstructures du fort du Portalet.

Fort du Portalet

Verrouillant depuis le début du 19e s. l'un des passages les plus encaissés de la vallée, le fort est entré dans l'Histoire comme lieu de détention de personnalités, entre 1941 et 1945.

À la sortie de la gorge apparaît la chaîne frontière, avec l'encoche du pas d'Aspe et le pic de la Garganta (alt. 2 636 m), habituellement taché de neige.

Le bout du tunnel

Partant des Forges d'Abel et aboutissant à Canfranc en Espagne, le **tunnel ferroviaire** du Somport fut mis en service en 1928. Long de près de 8 km, il permettait aux trains de passer de France en Espagne. Un véritable exploit technique, en particulier le tunnel hélicoïdal après le viaduc d'Arnousse. Peine perdue ! Loin des grands axes de communication, le chemin de fer n'est pas rentable. La SNCF décide, après l'effondrement d'un pont en 1970, de fermer la ligne, donc le tunnel.

En 1992 les gouvernements français et espagnol signèrent un accord pour la construction d'un **tunnel routier** qui doublerait le tunnel ferroviaire désaffecté, aménageant ainsi un passage transpyrénéen entre Pau et Saragosse. Malgré les manifestations écologistes, le tunnel a vu le jour. Les élus de la vallée d'Aspe ont boycotté l'inauguration le 17 janvier 2003, considérant que la route qui menait au tunnel n'avait pas été aménagée comme il se devait.

Au-delà d'**Urdos** (dernier village), le **viaduc d'Arnousse** rappelle l'ancienne voie ferrée.

Domaine skiable du Somport *(voir la rubrique « Sports & Loisirs » dans l'encadré pratique)*

Col du Somport★★

Alt. 1 632 m. Ce col, le seul des Pyrénées centrales accessible en toute saison, est chargé de souvenirs historiques depuis le passage des légions romaines. Les pèlerins de St-Jacques-de-Compostelle l'empruntèrent jusqu'au 12e s. Le grand gîte d'étape était alors l'hospice de Ste-Christine, disparu, sur le versant Sud. Vues imposantes sur les Pyrénées aragonaises, aux sommets très découpés. Les roches rouges contrastent avec le vert des forêts et le bleuté des lointains.

Vallée d'Aspe pratique

Adresses utiles

Office du tourisme de la vallée d'Aspe – Pl. Saraille - 64490 Bedous - ℰ 05 59 34 57 57 - www.aspecanfranc.com - 15 juin-15 sept. : 9h-12h30, 14h-18h30, dim. 10h-13h ; reste de l'année : tlj sf dim. : 9h-12h30, 14h-17h30.

👤 *Voir aussi l'office du tourisme d'Oloron.*

Maison de la vallée d'Aspe – ℰ 05 59 34 88 30 - de mi-mai à fin oct. : 10h-12h30, 14h-18h30 ; reste de l'année fermé. Elle donne des informations sur la flore et la faune du Parc, les randonnées en montagne et présente diverses expositions permanentes ou temporaires, ainsi que des films ou des documents multimédias.

Parc national des Pyrénées – *Voir Vallée d'Ossau.*

Se loger

⌂ **Chambre d'hôte L'Arrayade** – *Au bourg* - 64490 Accous - ℰ 05 59 34 53 65 - jean-francois.lesire@tele2.fr - fermé oct.-déc. - 🍽 - 5 ch. 27/40 € 🖵. Cette imposante maison située dans le bourg propose un hébergement simple à la tenue sans défaut. La salle des petits-déjeuners qui bénéficie d'un accès indépendant dessert directement les chambres. Agréable jardin à l'arrière. Bon rapport qualité-prix.

⌂ **Chambre d'hôte Maïnade** – *6 pl. Cazenave* - 64260 Buzy - 4 km au N d'Arudy par D 920 - ℰ 05 59 21 01 01 - rolandeaugareils@free.fr - fermé janv. - 🍽 - 5 ch. 38/52 € - 🖵 8 € - repas 18/24 €. Voilà une bien jolie maison derrière son portail en fer forgé avec sa cour et ses fenêtres fleuries. Chambres coquettes, dotées de meubles et dentelles de famille. Vous serez convié à partager avec les hôtes sympathiques leur vraie cuisine béarnaise.

⌂ **Chambre d'hôte La Ferme aux Sangliers** – *Micalet* - 64570 Issor - 10 km à l'O de St-Christau par D 918 jusqu'à Asasp puis N 134 et D 918 dir. Arette - ℰ 05 59 34 43 96 - 🍽 - réserv. obligatoire - 5 ch. 40/53 € - 🖵 6 € - repas 15 €. Restaurée dans le respect de la ferme d'origine, cette maison isolée est remarquablement située face aux Pyrénées. Jolies chambres où se mêlent pierres et poutres apparentes. Dégustez les produits maison, notamment le civet de sanglier, élevé dans le parc.

⌂ **Chambre d'hôte Chez Michel** – *R. Gambetta* - 64490 Bedous - ℰ 05 59 34 52 47 - fermé janv., sam. midi et dim. soir - 4 ch. 45 € 🖵 - repas 10/18 €. Ne vous fiez pas à l'aspect un peu anodin de la façade car l'intérieur de cet établissement a été rénové et les chambres climatisées, joliment décorées de faïence. Après une journée de randonnée, profitez du sauna avant de goûter aux recettes régionales servies au restaurant : garbure, truite, tarte aux myrtilles…

🍴 **Hôtel Au Bon Coin** – *Rte des Thermes - 64660 Lurbe-St-Christau -* 📞 *05 59 34 40 12 - thierrylassala@wanadoo.fr - fermé dim. soir, lun. et mar. midi du 10 oct. au 30 mars -* 🅿 *- 18 ch. 52/82 € -* 🛏 *9 € - restaurant 35/48 €.* Une maison toute en longueur tournée vers la campagne. Les chambres, actuelles et confortables, sont plus calmes sur l'arrière. Appétissante cuisine régionale personnalisée et belle carte des vins servies dans une salle à manger champêtre ou en véranda. Piscine de l'autre côté de la petite route.

Se restaurer

👁 **Bon à savoir** – En vallée d'Aspe, 4 restaurants proposent la formule « L'assiette de pays » *(voir p. 30)*.

🍴 **Auberge Cavalier** – *L'Estanguet - 64490 Accous, 3,5 km au S d'Accous par N 134 -* 📞 *05 59 34 72 30 - www.auberge-cavaliere. com - fermé 1 sem. à Noël, ven. soir sf vac. scol. - 11/25,50 € - 6 ch. 38,50 € -* 🛏 *6 €.* Pierres et poutres apparentes, grande cheminée, mobilier rustique… Cette auberge typiquement montagnarde propose une appétissante cuisine régionale : garbure, confits, grillades, etc. On y organise aussi des randonnées équestres (un à plusieurs jours) à travers les montagnes françaises et espagnoles.

🍴 **Voyageurs-Somport** – *Rte de Somport - 64490 Urdos -* 📞 *05 59 34 88 05 - hotel.voyageurs.urdos@wanadoo.fr - fermé 22 oct.-1er déc., dim. soir et lun. sf vac. scol. - 12/28 €.* Cet ancien relais de diligences sur le chemin de St-Jacques est tenu par la même famille depuis plusieurs générations. On apprécie l'accueil chaleureux, les chambres rustiques (plus calmes sur l'arrière) et la salle à manger campagnarde où l'on déguste des recettes régionales comme la garbure ou la truite aux cèpes.

🍴 **Au Château d'Arance** – *Le Bourg - 64490 Cette-Eygun -* 📞 *05 59 34 75 50 - auchateaudarance@wanadoo.fr - fermé jeu. d'oct. à mars sf vac. scol. - 15/25 €.* Mariage réussi entre l'ancien et le contemporain dans ce château du 13e s. dominant la vallée d'Aspe. La salle à manger, moderne, occupe les anciennes caves mais, si vous le pouvez, profitez de la terrasse et de son superbe panorama. Cuisine de tradition. Chambres au décor épuré (parquet, murs blancs, mobilier design).

🍴 **La Pimparela** – *Plateau d'Ipère - 64490 Osse-en-Aspe -* 📞 *05 59 34 52 23 - sarl. ipere@wanadoo.fr -* 📷 *- réserv. obligatoire hors sais. - 15/25 €.* Dominant la vallée, c'est une ferme de montagne authentique au milieu des pâturages tapissés de *pimparelas* (pâquerettes). Un régal de produits maison - fromages, terrines, grillades - à savourer en terrasse ou dans

la charmante salle à manger. Sur rendez-vous, on peut aussi visiter la ferme (fabrication du fromage).

🍴 **Pic d'Anie** – *Le Bourg - 64490 Lescun -* 📞 *05 59 34 71 54 - fermé 16 sept.-14 juin - 15/30 €.* Enchâssé dans un cirque de montagnes, Lescun est connu pour être le point de départ de nombreuses randonnées, notamment vers le pic d'Anie et les aiguilles d'Ansabère. Idéale pour l'étape, cette pension familiale centenaire, située au centre du bourg, propose des chambres modestes mais bien tenues.

🍴 **Auberge des 3 Baudets** – *Maison Escoubès - 64570 Issor, 5,5 km à l'E d'Arette par D 918 -* 📞 *05 59 34 41 98 - www.3baudets-pyrenees.com - réserv. obligatoire hors sais. - 17/28 € - 2 ch. 45/55 €* 🛏. Cette ferme restaurée avec goût est une adresse idéale pour ceux qui recherchent le calme. On y sert une cuisine traditionnelle sans chichi dans une salle joliment décorée par les propriétaires qui réservent à leurs hôtes un accueil extrêmement chaleureux. Piscine et vue imprenable sur le village.

Sports & Loisirs

Randonnées – Un topoguide « 45 randonnées en vallée d'Aspe » est en vente (9 €) à l'office de tourisme.

Maison de la Montagne – *64490 Lescun -* 📞 *05 59 34 79 14.* Gîte, accompagnement en montagne et location d'ânes pour la randonnée.

Domaine skiable de Somport-Candanchu – 📞 *05 59 36 00 21 - www. lesomport.com ou www.aspecanfranc. com* Alt. 1 600-1 700 m. Au cœur du Parc national des Pyrénées, il comprend 34 km de pistes de ski de fond de tous niveaux et un itinéraire de balades en raquettes pour les amateurs. Le domaine est relié à Candanchu et permet ainsi une tranquille traversée de la frontière espagnole. Chaque année, une course entre la France et l'Espagne, la « Trace sans frontière », réunit de nombreux skieurs.

Rand'en âne - La Garbure – *Le Bourg - 64490 Etsaut -* 📞 *05 59 34 88 98 - www. anepyrenees.com - fermé de fin oct. à mi-avr.* Envie de sortir des sentiers battus ? Adressez-vous à Pierre-Yves Pose qui vous invite à découvrir les Pyrénées en compagnie d'un âne. Plusieurs formules au choix : randonnées d'une heure, d'une journée ou d'une semaine, libres ou avec un guide, avec ou sans hébergement.

Ascendance – *R. de la Poste - 64490 Accous -* 📞 *05 59 34 52 07 - www. ascendance.fr - 9h-20h.* Cette école propose des stages tous niveaux de parapente ou de biplace.

Événements

🎭 Deux manifestations à ne pas manquer pour apprécier la tradition pastorale : la Fête de la transhumance à Lourdios-Ichère et la Fête du fromage à Etsaut *(voir p. 53)*.

Bazas★

4 357 BAZADAIS
CARTE GÉNÉRALE C2 – CARTE MICHELIN LOCAL 335 J8 – GIRONDE (33)

Si vous ne connaissez de Bazas que le bœuf du même nom, prenez le temps d'y passer quelques heures. Convoitée de tous côtés à travers l'Histoire, la cité fut ballottée au gré des invasions et fut même élevée à la dignité de cité épiscopale. Presque plus italienne que girondine, l'ancienne sous-préfecture offre un peu de calme au-dessus de la vallée.

- ▶ **Se repérer** – À 60 km au Sud-Est de Bordeaux (A 62 et D 932) et à 40 km au Sud-Ouest de Marmande (D 116, D 3 puis D 655).

- ▣ **Se garer** – Laissez votre voiture place de la Cathédrale.

- 👁 **À ne pas manquer** – La cathédrale St-Jean, le jardin du Chapitre, la promenade de la Brèche ; la vierge du 13e s. dans la collégiale d'Uzeste ; le château de Villandraut.

- 🕐 **Organiser son temps** – Comptez une demi-journée pour faire le tour de la ville. Au château de Villandraut, la visite dure 1h (hors saison, il n'ouvre que l'après-midi). N'hésitez pas à poursuivre la journée par une visite des magnifiques châteaux de Roquetaillade et Cazeneuve *(voir ces noms)*. Si vous êtes de passage peu avant le Mardi gras, ne manquez pas la Fête des bœufs gras.

- 👥 **Avec les enfants** – Le poney club à Bazas et la base nautique de Villandraut *(voir « Sports & Loisirs » dans l'encadré pratique)*.

- 🕯 **Pour poursuivre la visite** – Voir aussi le château de Cazeneuve, le château de Roquetaillade, Saint-Macaire, Verdelais, les circuits des Côtes-de-Bordeaux et de Sauternes et Barsac *(voir Vignoble de Bordeaux)*, La Réole.

Place de la Cathédrale aux belles maisons à couverts.

Se promener

Place de la Cathédrale
Très jolie place entourée de maisons sur couverts du 16e s. et 17e s., particulièrement animée le samedi matin, jour du marché. Au n° 23, la maison dite de l'Astronome est décorée de symboles astronomiques (visages graves de la lune et du soleil, mage oriental à chapeau pointu…).

Cathédrale Saint-Jean★
Elle fut édifiée aux 13e-14e s., sur le modèle des grands sanctuaires gothiques du Nord de la France. Malgré les différences de style de ses trois étages – 13e s., 16e s. et 18e s. *(de bas en haut)* –, la façade ne manque pas d'harmonie. Les Bazadais sauvèrent les **portails** du vandalisme protestant en versant 10 000 écus, ce qui en valait bien la peine. Le portail central est consacré au Jugement dernier et à l'histoire de saint Jean

Baptiste, les portails latéraux à la Vierge et à saint Pierre.

L'**intérieur** est assez sobre. La perspective de la nef, étroite et longue, produit une grande impression. Dans le chœur, maître-autel Louis XIV en marbre de couleurs variées, un peu maniéré… c'était la mode à l'époque. Dans la chapelle axiale, toiles de François Lemoyne (18e s.).

Jardin du Chapitre
À droite de la cathédrale. Composé comme un jardin médiéval, il abrite quelques vestiges (de l'âge du fer au 15e s.). Il offre une jolie vue sur le vallon, où coule la petite Beuve.

> ### Le saviez-vous ?
> 👁 Le nom Bazas vient de l'ancien peuple aquitain de la région, les **Vasates**, qui signifie « ceux de la ville » (*basa*, « ville » en aquitain).
> 👁 Sur les armes de la ville, on reconnaît **saint Jean Baptiste** en prière, au moment où on s'apprête à lui trancher le cou. En effet, la légende veut qu'au 1er s., une pieuse Bazadaise ait rapporté de Palestine un linge taché du sang du prophète.

Revenir à la cathédrale et prendre à gauche (avant la mairie) la rue Théophile-Servière puis la rampe Maurice-Lapierre.

Promenade de la Brèche
Avant de vous engager sous les tilleuls verts de la promenade pour une très agréable balade au pied des vieux remparts, arrêtez-vous dans la roseraie du jardin du Sultan.

Visiter

Musée de Bazas
Juil.-août : w.-end et j. fériés 15h-18h ; sept. : sam. 15h-18h ; juin : sam. et j. fériés 15h-18h - possibilité de visite commentée par l'office de tourisme, se renseigner - tarif non communiqué.
Ce musée municipal est installé au rez-de-chaussée de l'ancien hôtel de ville (façade du 17e s.). Il regroupe des collections historiques, archéologiques et d'art sacré.

Aux alentours

Collégiale d'Uzeste★
8 km à l'Ouest par la petite D 110. 📞 *05 56 25 87 48 - de Pâques à Toussaint : w.-end et j. fériés 15h-18h.*
Une bien belle église pour un tout petit village ! Elle rivalise même avec la cathédrale de Bazas. Il est vrai que le pape Clément V y mit du sien. Le résultat dut lui plaire puisqu'il la désigna dans son testament comme lieu de sa sépulture.
Pénétrez dans l'église par le portail Sud dont le tympan porte le Couronnement de la Vierge. Dans la chapelle axiale, Vierge de la fin du 13e s., vénérée par le pape en sa jeunesse ; dans la chapelle voisine, gisant d'un membre de la famille de Grailly (14e s.) ; derrière l'autel, gisant de marbre blanc de Clément V, dont les protestants ont cassé la tête.

Villandraut
13 km à l'Ouest par la D 110 passant par Uzeste puis la D 3.
Environné par la forêt landaise, Villandraut domine la rive gauche du Ciron. Le bourg a donné naissance à **Bertrand de Got**, élu pape en 1305 sous le nom de Clément V.

Château – 📞 *05 56 25 87 57 - juil.-août : 10h-19h ; sept.-oct. et mars-juin : 14h-18h ; de déb. nov. à mi-déc. et de mi-janv. à fin fév. : w.-end et j. fériés 14h-18h - 3,20 €.* Décidément, Clément V est partout : cette forteresse fut construite pour lui, sur le modèle des châteaux forts de plaine, à l'époque gothique. Une grande partie est

Villandraut : un château bien défendu.

Stéphane Sauvignier / MICHELIN

consacrée aux aménagements résidentiels, comme il était d'usage en Italie au Moyen Âge. Le côté Sud est le plus spectaculaire par l'alignement de ses quatre grosses tours, celle de droite ayant été arasée en 1592, par ordre du parlement de Bordeaux.

Château de Roquetaillade★★
8 km au Nord-Ouest de Bazas par les D 1 et D 223. Voir ce nom.

Château de Cazeneuve★★
10 km au Sud-Ouest de Bazas par la D 9. Voir ce nom.

Bazas pratique

Adresse utile

Office du tourisme de Bazas – *1 pl. de la Cathédrale - 📞 05 56 25 25 84 - www.ville-bazas.fr - mai-sept. : 9h-12h30, 14h-18h30, dim. 15h-18h30 ; oct.-avr. : tlj sf dim. et j. fériés 9h-12h, 14h-17h30.*

Visite

Visite guidée de la ville – *Sur rendez-vous à l'office de tourisme - 5 €. 1h à 3h de visite pour tout connaître de la ville.*

L'office de tourisme propose un plan de la cité *(gratuit)* et un guide pour découvrir Bazas à votre rythme *(1 €).*

Se loger

😊≗ Le Roi Kysmar – *≗ - 33730 Villandraut - 1 km au NO de Bazas par D 110 - 📞 05 56 25 33 91 - www.le-roi-kysmar.com - 20 chalets 55 € pour 4/6 pers. - restauration.* Les 20 chalets sont répartis dans un parc arboré, au bord d'un lac. Pédalos, tennis, piscine, Jacuzzi, hammam et sauna à disposition. Le must de l'adresse : la formule hôtelière avec location à la nuitée, draps fournis, ménage quotidien et possibilité de petit-déjeuner au restaurant, « les pieds dans l'eau ».

😊😊 Dousud – *33430 Bernos-Beaulac - 6 km au S de Bazas par D 932 et à droite dir. Pompéjac - 📞 05 56 24 43 23 - www.dousud.fr - 5 ch. 45/76 € 🖵 - repas 16 €.* Priorité à la nature ! Ce corps de ferme bâti au cœur d'un immense parc constitue un bon point de départ pour des randonnées pédestres, cyclistes et même équestres. Les coquettes chambres sont aménagées dans les anciens boxes de l'écurie. Kitchenette et barbecue à disposition ou table d'hôte, sur réservation.

Se restaurer

😊 Café-restaurant Indigo – *25 r. Fondespan - au centre du bourg - 📞 05 56 25 25 52 - fermé dim. soir - réserv. obligatoire - 11,50 € déj. - 15/29 €.* Ce café-restaurant a conquis les gens de la région et mieux vaut réserver si l'on veut avoir la possibilité de découvrir les recettes mi-régionales, mi-exotiques du chef. Plaisant décor moderne, terrasse d'été, service décontracté mais efficace.

😊 Ferme-auberge Aux Repas Fermiers de Haoun Barrade – *33430 Cudos - 5 km au S de Bazas par D 932 dir. Mont-de-Marsan - 📞 05 56 25 06 69 - ouv. 10 juil.-*
1er sept., w.-end et j. fériés le midi - 🍽 - 14/24 €. Dans une ambiance simple, à la campagne, vous apprécierez les produits de fermiers réunis en coopérative. Foie gras, magrets, canards, chevrettes, coqs, lapins et marcassins se dégustent... avec les meilleurs vins locaux.

Que rapporter

Marché – Pl. de la Cathédrale, sam. mat.

Palmagri – *Centre bourg - 10 km au NE de Bazas par D 12 - 33124 Auros - 📞 05 56 65 40 81 - 8h30-12h30, 13h30-18h30 - fermé dim. et lun.* Foie gras, boudin, plats cuisinés... Tous les produits vendus dans cette boutique sont élaborés à partir de canards élevés de façon traditionnelle. Des cours de cuisine sont aussi dispensés pour apprendre à découper et cuisiner un canard ou préparer un foie gras.

Sports & Loisirs

Cycles Clavé – *13-15 cours du Mar.-Foch - 📞 05 56 25 93 99 - 9h-12h, 14h-19h30 - fermé 15 j. en fév., dim. et lun.* Cette boutique qui loue des VTT, des vélos pour adultes et enfants fait aussi office de réparateur en tout genre. Située au centre du bourg, à deux pas de l'office de tourisme, l'adresse ne paie pas de mine, mais l'accueil y est souriant et généreux.

Base nautique – *≗≗ - 33730 Villandraut - 📞 05 56 25 86 13.* Canoë-kayak bien sûr, mais aussi cyclotourisme, tir à l'arc, rollers, randonnées libres ou accompagnées, circuits VTT balisés, quilles landaises, etc.

Poney club de Bazas – *≗≗ - 2 Garlope - 📞 05 56 25 98 63 - poneyclubdebazas@wanadoo.fr - fermé dim. et lun.* Cours de dressage, attelage, voltige, promenades et randonnées. Le site organise également des animations et dispose d'un club-house avec livres, jeux et petit matériel de sellerie. Idéal pour les enfants.

Les Écuries de Libet – *Lieu-dit Libet - 8 km au S de Pau et à droite dir. Pompéjac - 33430 Bernos-Beaulac - 📞 05 56 25 46 35.* Ce centre équestre de qualité dispose de belles infrastructures et propose des balades accompagnées toute l'année, de préférence sur rendez-vous.

Événement

La bazadaise est à l'honneur lors de la **Fête des bœufs gras**, le jeudi précédant Mardi gras.

Sites de **Bétharram** ★

CARTE GÉNÉRALE C4 – CARTE MICHELIN LOCAL 342 K4 – SCHÉMA P. 259 –
PYRÉNÉES-ATLANTIQUES (64) ET HAUTES-PYRÉNÉES (65)

Un miracle de la Vierge, des grottes, les hauteurs pyrénéennes… un petit air de « déjà vu » dans les environs (Lourdes est à quelques petits kilomètres) ! Pourtant à Bétharram, nulle apparition mariale dans un rocher. Le chemin de la religion et celui de la spéléologie ne se sont pas croisés ici.

▶ **Se repérer** – Lestelle-Bétharram est à 23 km au Sud-Est de Pau. Pour le sanctuaire : continuez sur la D 937 au Sud du village. Pour les grottes : après le sanctuaire, poursuivez sur la D 937 puis, prenez à droite la petite D 526 sur 2,5 km.

Le saviez-vous ?

Beth Arram signifie à fois « beau rameau » en gascon et « Maison du Très-Haut » en hébreu. À vous de choisir.

👁 **À ne pas manquer** – La chapelle Notre-Dame (17e s.), chef-d'œuvre unique du baroque en Béarn ; les bas-reliefs d'Alexandre Renoir, le long du chemin de croix.

🕐 **Organiser son temps** – Après un passage par le sanctuaire dont vous pouvez faire le tour en 1 à 2 heures (attention, la chapelle-rotonde ferme entre 12h et 14h), la visite des grottes arrive à point nommé lors des chauds après-midi d'été (comptez 1h30). Hors saison, les grottes ferment le midi.

👪 **Avec les enfants** – Les féeriques grottes de Bétharram, parcourues à pied, en barque et en train.

👣 **Pour poursuivre la visite** – Voir aussi la vallée d'Ossau, le zoo d'Asson *(voir le circuit du « Gave de Pau » à Pau)*.

Visiter

SANCTUAIRE

Tous les **14 septembre**, il se transforme en lieu de pèlerinage et ce, depuis le 15e s. On raconte en effet que des bergers y virent un jour une statue miraculeuse de la Vierge apparaître dans un buisson. D'autres affirment qu'à cet endroit, une jeune femme qui se noyait dans le gave fut sauvée par un rameau divin envoyé par Marie.
Le cadre d'accueil est classique pour ce type de sanctuaire : de vastes bâtiments conventuels où loge aujourd'hui la congrégation des prêtres du Sacré-Cœur de Jésus et son collège. En surplomb de la chapelle, un **chemin de croix** du 19e s. jalonne la colline. Remarquez en particulier les huit bas-reliefs d'Alexandre Renoir (1845). Du calvaire, panorama sur les collines environnantes et la plaine du gave de Pau.

Chapelle Notre-Dame

Côté pont routier, elle affiche une façade classique (1661) en marbre gris. À l'intérieur, parmi la profusion baroque, on distinguera : en entrant à gauche, derrière une grille, une *Vierge allaitant* (bois polychrome du 14e s.), vénérée jadis au maître-autel ; à droite, un *Christ à la colonne* du 18e s. ; au maître-autel, statue de N.-D.-de-Bétharram, en plâtre (1845).
Adossée au chevet *(accès par une porte à gauche du chœur)*, la **chapelle-rotonde de St-Michel-Garicoïts** (1926) abrite un sépulcre de marbre et de bronze doré, propre à faire honneur au saint homme qui restaura le sanctuaire et le calvaire et qui fonda la congrégation.
📞 *05 59 71 92 30 - juil.-août : 9h-12h, 14h-18h ; avr.-juin et sept. : 9h-12h, 14h-17h ; de déb. oct. à Pâques : 14h-17h.*

Marie-Hélène Carcanague / MICHELIN

Chapelle Notre-Dame.

Stalactites, stalagmites, excentriques…

L'eau de pluie s'infiltre dans les fissures des massifs calcaires et, au cours de sa circulation souterraine, elle abandonne le calcaire dont elle s'est chargée, ciselant ainsi des concrétions aux formes fantastiques : pendeloques, pyramides, draperies. Les stalactites se forment à la voûte de la grotte. Les fistuleuses sont des stalactites offrant l'aspect de longs macaronis effilés pendant aux voûtes. Les stalagmites s'élèvent du sol vers le plafond. Une colonne est la réunion d'une stalactite et d'une stalagmite. La formation de ces concrétions est extrêmement lente ; elle est, actuellement, de l'ordre de 1 cm par siècle sous nos climats. Les excentriques, très fines protubérances dépassant rarement 20 cm de longueur, se développent en tous sens sous forme de minces rayons ou d'éventails translucides. Des phénomènes complexes de cristallisation les libèrent des lois de la pesanteur.

Au-delà de la chapelle, vers les bâtiments conventuels, **vieux pont** en dos d'âne daté de 1687.

GROTTES★

Attention, il y fait frais ; pensez à vous munir d'un pull, même en été. Arrivez le plus tôt possible pour éviter le bain de foule. ☎ *05 62 41 80 04 - visite guidée (1h20) juil.-août : 9h-18h ; du 25 mars au 25 oct. : 9h-12h, 13h30-17h30 ; du 5 fév. au 24 mars : tlj sf w.-end 13h30 et 16h, ven. 14h30 - 10 € (enf. 6 €).*

En 1819, un ancien grognard de Napoléon, le sergent Caoules, découvre les grottes, mais leur exploration méthodique attendra 1888 avec la visite du Club alpin français. Elle durera dix ans et révélera 5 200 m de galeries souterraines au décor fantasmagorique. C'est **Léon Ross**, un artiste-peintre, qui aménagera la grotte en vue de la faire visiter. Elle ouvrira au public en 1903 ; à présent, le premier étage est accessible aux handicapés.

Cinq étages de galeries, où scintillent de véritables trésors d'Ali Baba taillés dans l'eau et la roche : lustres, colonnes, cloches, cloître roman… On lit dans les concrétions comme dans les nuages ! L'étage inférieur correspond au niveau actuel de la rivière née de l'écoulement des eaux. On la suit en **barque** sur quelques mètres. Un **petit train** épargne le parcours du tunnel ramenant au jour.

Circuit de découverte

LE GAVE DE PAU★ *(voir Pau)*

Lestelle-Bétharram pratique

Se loger & Se restaurer

☺ **Chambre d'hôte St-Paul** – *19 chemin Arriuthouet - 64800 Asson - 10 km au NO de Bétharram par D 937 rte de Pau et à droite par D 35 -* ☎ *05 59 71 05 05 - www.gites64-com/maison-palu -* ⚹ *- 5 ch. 32/40 € .* Un chemin à travers champs conduit à cette imposante ferme ordonnée autour d'une cour. Les chambres, aménagées dans une dépendance, sont d'une taille correcte et dotées de meubles en sapin blanc. Les enfants seront ravis d'approcher moutons, chèvres, chevaux…

☺☺ **Hôtel du Vieux Logis** – *Rte de Lestelle-Bétharram - 64800 Lestelle-Bétharram -* ☎ *05 59 71 94 87 - contact@hotel-levieuxlogis.com - fermé 25 janv. 4 mars, 25 oct.-8 nov., dim. soir et lun. hors sais. -* 🅿 *- 35 ch. 42/65 € - * ⚏ *10 € - restaurant 25/45 €.* Cette ancienne ferme proche des grottes de Bétharram abrite deux chaleureuses salles à manger rustiques. Une aile récente dispose de chambres fonctionnelles et bien équipées. Les enfants inciteront leurs parents à choisir l'un des cinq amusants chalets situés dans le vaste parc. Accueil aux petits soins.

Biscarrosse

9 281 BISCARROSSAIS
CARTE GÉNÉRALE B2 – CARTE MICHELIN LOCAL 335 E8 – LANDES (40)

Des aviateurs de haut vol lui avaient donné ses lettres de noblesse. Biscarrosse a retrouvé une nouvelle jeunesse sous l'assaut d'autres chevaucheurs de rêve : les surfeurs, qui ont entraîné dans leur sillage maints adeptes de sensations fortes. Aujourd'hui, ça bouge à Biscarrosse, tant sur les eaux que dans les airs et aussi sur terre où l'on enfourche sa bicyclette pour répondre à l'appel de la forêt !

▶ **Se repérer** – À une trentaine de kilomètres au Sud d'Arcachon. Trois sites distincts : **Biscarrosse-Plage**, sur l'Océan (par la D 218), et **Biscarrosse-Ville**, à l'intérieur des terres (par la D 652), distants de 10 km. Entre, sur les rives du lac Nord (Biscarosse-Sanguinet), s'étend **Biscarrosse-Lac**. Au Sud du bourg, se trouve l'étang de Biscarrosse-Parentis.

🕐 **Organiser son temps** – Réservez la visite du musée de l'Hydravation aux jours de grisaille ou aux après-midi caniculaires, pour profiter des nombreuses activités de plein-air que proposent Biscarrosse et ses alentours. Attention : hors-saison, le musée n'ouvre que l'après-midi et il est fermé le mardi.

👪 **Avec les enfants** – Le musée historique de l'Hydraviation et Aventure Parc *(voir « Sports & Loisirs » dans l'encadré pratique)* à Biscarrosse-Bourg.

🕯 **Pour poursuivre la visite** – Voir aussi la dune du Pilat *(voir Bassin d'Arcachon)*, Parc naturel régional des Landes de Gascogne, Mimizan.

Sky surf sur la plage de Biscarrosse.

Comprendre

Biscarrosse, un nom biscornu à première vue… et pourtant, *Biskar* signifie « dos, dune ». Biscarrosse, c'est « l'endroit où il y a des dunes ».
L'ingénieur **Brémontier** met au point, à partir de 1788, le projet de fixation des dunes envisagé dès le Moyen Âge. En 1867, 3 000 ha de dunes littorales sont couverts de **gourbet** (plante dont les racines fixent le sable) et 80 000 ha de dunes intérieures sont plantés en pins maritimes.

Séjourner

Biscarrosse-Plage

Voilà la zone littorale idéale pour qui aime les énormes rouleaux (plages surveillées en saison) : on y surfe évidemment, on y pêche aussi, on y lézarde… au choix !
Comme toute station balnéaire d'été (hors saison, les lieux sont morts), l'animation se concentre autour de la rue principale où alternent boutiques, cafés et restaurants. Le soir, on se retrouve sur la place centrale qui regroupe un petit centre commercial, le fronton et le cinéma.

Étang de Cazaux et de Sanguinet

Également appelé « lac Nord ». Il offre un magnifique plan d'eau de 3 600 ha piqueté de voiles, avec 5 km de plage entre port Maguide et port Navarrosse. Sports de glisse en tous genres mais aussi possibilité de fendre les airs avec un parachute ascensionnel. Détente plus au calme dans la forêt que vous pourrez parcourir à pied comme à vélo. Et, pour les amateurs de golf, parcours de 18 trous *(voir la rubrique « Loisirs » dans l'encadré pratique)*. Au départ de port Navarrosse, agréables promenades en bateau sur le lac Nord ou sur le lac Sud, *via* le canal.

Étang de Biscarrosse et de Parentis

Également appelé « lac Sud ». Une seule plage : port et jeux pour les enfants *(tout près du musée de l'Hydraviation)*. Il est relié à l'étang voisin par un **canal** bordé d'une piste cyclable. Vous l'emprunterez si vous vous engagez sur le circuit pédestre fléché du **petit lac** (7 km).

Visiter

Musée historique de l'Hydraviation

332 av. Louis-Breguet - ✆ 05 58 78 00 65 - www.asso-hydraviation.com - &- juil.-août : 10h-19h ; sept.-juin. : 14h-18h (dernière entrée 1h av. fermeture). Fermé mar., 1ᵉʳ janv., lun. de Pâques, 1ᵉʳ mai, Ascension, 8 mai, 1ᵉʳ et 11 nov., 25 déc., 1ᵉʳ lun. de sept. - 4,20 € (enf. 0,90 €) gratuit Nuit des musées.

Un système de flotteurs : rien de tel pour se poser en douceur quand les avions sont trop lourds pour les trains d'atterrissage. C'est entre les deux guerres que l'hydraviation voit son heure de gloire. **Pierre Latécoère**, fondateur de la célèbre Aéropostale auréolée par les hauts faits de Mermoz, implantera usine de montage et base d'essai à Biscarrosse (1930-1956).

Le musée retrace cette époque pionnière de l'aéronautique. Nombreux documents (cartes de vol, décorations, etc.), maquettes et pièces originales (moteurs, hélices, etc.) évoquent les grandes figures de l'histoire de l'hydraviation, la naissance des compagnies aériennes, l'aventure de l'Aéropostale, les premiers grands raids... En ouverture, projection d'un film (20mn) : *Naissance et crépuscule des hydravions géants.*

En face du musée, dans le grand hall vitré, exposition d'un hydravion 1912 reconstruit à l'identique et appareils grandeur nature de la Seconde Guerre mondiale.

Ancienne affiche illustrant l'aventure de l'Aéropostale.

Musée des Traditions

216 r. Louis-Breguet - ✆ 05 58 78 77 37 - http://traditions.bisca.free.fr - juil.-août : tlj sf dim. matin 9h30-19h ; juin et sept. : tlj sf dim. et lun. 10h-12h, 14h-18h ; de mi-fév. à fin mai : tlj sf dim. et lun. 14h-18h - 4 €.

Il faudra y passer si vous voulez découvrir l'histoire de Biscarrosse liée à son paysage de lacs et marais, et aux activités qui s'y développèrent, notamment dans la forêt où l'on exploita la résine. Mais rien ne vaut une explication sur le terrain, au cours d'une promenade en barque proposée par le musée *(voir la rubrique « Sports & Loisirs » dans l'encadré pratique)*.

Aux alentours

Sanguinet

13 km de Biscarrosse, au Nord-Est de l'étang de Sanguinet.

L'intéressant **Musée archéologique** expose clairement et de façon didactique les résultats de fouilles entreprises dans l'étang : vestiges préhistoriques, dont d'étonnantes pirogues monoxyles (faites d'une seule pièce de bois) en pin datant du 1er âge du fer et vestiges gallo-romains.   ✆ *05 58 78 54 20 - www.musee-de-sanguinet. com - juil.-août : 10h-12h30, 14h30-19h - 3,50 €.*

Parentis-en-Born

9 km de Biscarrosse, au Sud-Est de l'étang de Biscarrosse.

Le nom de cette modeste localité, qui rappelle l'origine ancienne de l'un des plus typiques « pays » des Landes, le **pays de Born** (pays « du bout des terres »), possède maintenant la notoriété grâce au pétrole. Mais vous y viendrez pour profiter des activités autour du **lac** *(voir la rubrique « Loisirs » dans l'encadré pratique).*

Biscarrosse pratique

Adresses utiles

Office du tourisme de Biscarrosse – *55 pl. Georges-Dufau - ✆ 05 58 78 20 96 - www.biscarrosse.com - juil.-août : 9h-20h ; avr.-juin et sept. : tlj sf w.-end. et j. fériés 9h-18h, w.-end et j. fériés 10h-12h, 14h-17h ; oct.-déc. : tlj sf w.-end. et j. fériés 9h-12h, 14h-17h, sam. 10h-12h ; janv.-mars : tlj sf w.-end. et j. fériés 9h-18h, sam. 10h-12h ; vac. scol. de fév., Pâques, Toussaint et Noël : en semaine horaires du mois en cours, w.-end et j. fériés 10h-12h, 14h-17h.*

Office du tourisme de Parentis-en-Born – *Place du Gén.-de-Gaulle - ✆ 05 58 78 43 60.*

Office du tourisme de Sanguinet – *Pl. de la Mairie - 40460 Sanguinet - ✆ 05 58 78 67 72.*

Transports

Navette – Un service est assuré entre le bourg et la plage en saison.

Piste cyclable – 9 km entre Biscarrosse-Bourg et Parentis.

Se loger

⊖ **Hôtel Les Vagues** – *99 r. des Iris - ✆ 05 58 83 98 10 - www.lesvagues.com - fermé de mi-oct. à fin fév. -* ▯ *- 29 ch. 34/98 € - ⊐ 6 € - restaurant 17/38 €.* Situé dans un quartier résidentiel calme, cet établissement s'adresse à ceux qui redoutent l'animation du centre-ville. Les chambres, bien équipées, sont parfois dotées d'un balcon. Aire de jeux pour les enfants et minigolf. Très agréables terrasses et jardin à l'ombre des pins.

⊖ **Camping Domaine de la Rive** – *Rte de Bordeaux - 8 km au NE de Biscarrosse par D 652, rte de Sanguinet, bord de l'étang de Cazaux - ✆ 05 58 78 12 33 - info@camping-de-la-rive.fr - avr.-25 sept. - réserv. conseillée - 640 empl. 36 € - restauration.* Laissez-vous aller au rêve, le paysage de ce camping sous les pins vous y invite. Vous goûterez la baignade dans le lac ou dans l'une des jolies piscines aux formes rondes avec leurs toboggans. Théâtre de plein air. Club enfants. Mobile homes et bungalows.

⊖⊖ **Hôtel La Caravelle** – *5314 rte des Lacs - 40600 Ispe - 6 km au N de Biscarrosse par D 652 puis D 305 - ✆ 05 58 09 82 67 - fermé 1er nov.-14 fév., lun. midi et mar. midi sf juil.-août -* ▯ *- 15 ch. 60/90 € - ⊐ 7 € - restaurant 15/37 €.* Cet hôtel a « les pieds dans l'eau » et dispose d'un ponton privé. Dans le bâtiment principal, chambres tournées vers le lac et meublées en rotin ; à la villa, aménagements plus récents mais pas de vue. Salle à manger-véranda et terrasse panoramique.

⊖⊖ **Camping Forêt Lahitte** – *Rte des Plages - 40160 Parentis-en-Born - 9 km au SE de Biscarrosse par D 652 - ✆ 05 58 78 47 17 - laforet3@wanadoo.fr - avr.-sept. - réserv. conseillée - 69 € 2 nuits pour 2 pers. hors juil.-août - 135 empl.* Ce camping aménagé au bord d'un lac propose de nombreuses formules d'hébergement, allant de l'emplacement simple au mobile home géant, en passant par le chalet. La diversité des activités organisées fait de ce site un paradis des sports et des loisirs, pour les grands et les petits.

Se restaurer

❧ **Bon à savoir** – Vous trouverez de nombreuses guinguettes et des stands de restauration rapide sur la place Georges-Dufau à Biscarrosse-Plage, face à l'office de tourisme. Vente à emporter ou à consommer sur place en terrasse, lorsque le temps le permet.

⊖ **La Fontaine Marsan** – *Pl. Marsan - ✆ 05 58 82 81 29 - fontaine. marsan@wanadoo.fr - fermé 15-31 oct., 20 janv.-10 fév., dim. soir et lun. - 13,80/34,90 €.* Le patron de ce restaurant expose sa collection de triporteurs miniatures dans une agréable salle à manger divisée en deux parties : un espace dédié aux plats « bistrot », et un autre réservé à une carte plus traditionnelle. La terrasse dressée face à une fontaine accueille aussi plaisamment les convives.

⊖ **Restaurant de la Poste** – *12 av. du 8-Mai-1945 - 40160 Parentis-en-Born - 10 km au SE de Biscarrosse par D 652 - ✆ 05 58 78 40 23 - fermé lun. - 9/23 €.*

Ce restaurant situé face à la poste est intéressant tant pour sa cuisine copieuse et savoureuse (salade landaise, civet de canard sauce au vin…) que pour son bon rapport qualité-prix. Salle à manger sobrement décorée et très bien tenue ; accueil très chaleureux.

◉ Cousseau – *R. St-Barthélemy - 40160 Parentis-en-Born -* ℘ *05 58 78 42 46 - fermé 17 oct.-6 nov., ven. soir et dim. soir - 10,50/40 € - 9 ch. 29/32 € - ⬚ 5 €.* Cet hôtel-restaurant sans prétention, niché à proximité de l'église de Parentis-en-Born, constitue un pied-à-terre gourmand idéal. La salle à manger principale s'agrémente de voilages et de couleurs pastel et la carte se singularise par une forte identité landaise.

◉◉ La Garole – *215 av. de la Plage -* ℘ *05 58 78 29 08 - fermé 15 déc.-déb. janv. - 15,50/25 €.* Fruits de mer et poissons jouent les vedettes sur la carte de ce restaurant situé dans une rue piétonne animée par de nombreux commerces. Intérieur classiquement aménagé, service souriant et efficace et prix plutôt sages.

En soirée

◉ Bon à savoir – Toutes les années paires (généralement pendant le week-end de l'Ascension) Biscarrosse accueille le Rassemblement international d'hydravions sur le site Latécoère.

Le Casino – *Bd des Sables -* ℘ *05 58 78 26 99 - casinobiscarrosse@wanadoo.fr - 10h-4h.* Bien sûr, ce n'est pas Las Vegas, mais avec trente machines à sous, deux tables et une boule, les amateurs de jeux pourront passer un agréable moment dans ce casino balnéaire. Également sur place, un restaurant et un piano-bar.

Sports & Loisirs

Balades à pied et en vélo – Une dizaine de circuits sont balisés, demandez le *Plan Guide* à l'office de tourisme.

Loisirs'Boulevard – *543 bd d'Arcachon -* ℘ *05 58 78 33 63 - www.loisirs-boulevard. com - avr.-sept. : 9h30-20h.* Vélos traditionnels, remorques pour les enfants, VTT, scooters et rollers : petites ou grandes roues, toutes se louent chez Loisirs'Boulevard. Bonnes balades !

Promenades en barque – ♣♣ - *216 r. Louis-Breguet -* ℘ *05 58 78 77 37 - http:// traditions.bisca.free.fr - juil.-août : tlj sf dim. mat. 9h30-19h ; juin et sept. : tlj sf dim. et lun. 10h-12h, 14h-18h ; de mi-fév. à fin-mai : tlj sf dim. et lun. 14h-18h - réserver et prévoir 1h30 à 2h30 de balade.* Découverte au fil de l'eau d'un environnement verdoyant et préservé en glissant en douceur sur le canal et les étangs en compagnie d'un batelier.

Aventure Parc – ♣♣ - *440 rte de Bordeaux - 6,8 km de Biscarrosse-Bourg 14 juil.-22 août : 10h-20h (dernière entrée 2h av. fermeture) ; 1er-30 juil. et 23-29 août : 10h-19h ; fév.-juin* *et de déb. sept. à déb. nov. : w.-end, j. fériés et vac. scol. : 10h-18h. Fermé 30-31 août - 19 € (enf. 13 €) -* ℘ *05 58 82 53 40 - www. aventure-parc.fr* Tous les amoureux de Tarzan et d'Indiana Jones (à partir de 8 ans révolus) vont pouvoir s'élancer d'arbre en arbre dans la tranquillité de la pinède. En tout, quatre parcours sécurisés.

Au ranch de l'Eldorado – ♣♣ - *Rte de Narp, quartier en Hill - 3 km du centre-ville, suivre la signalétique -* ℘ *05 58 82 89 94 ou 06 81 67 77 50 - 1er juil.-15 sept. : tlj sf dim. mat. 9h-12h, 17h-20h ; du 15 sept. à fin juin : tlj sf mar. et dim. mat. 9h-12h, 17h-20h.* Ce centre équestre organise des cours, des stages, des balades en forêt ou au bord du lac, ainsi que des randonnées à la demi-journée. Il propose également un programme spécifique pour les enfants à partir de 4 ans. Un gîte offre la possibilité de dormir sur place.

Club de voile de Sanguinet – *BP 8 - 40460 Sanguinet -* ℘ *05 58 78 64 30 - http:// cv.sanguinet.free.fr - mai-oct., w.-end et j. fériés 9h-12h, 13h30-18h30.* Dériveurs, catamarans et planches à voile sont proposés par ce club nautique en formule école de voile ou en location. Des stages de perfectionnement en catamaran de sport sont également organisés en été.

École de voile de Parentis-en-Born – *À l'entrée de Biscarrosse-Plage, au rd-pt à gauche - 40160 Parentis-en-Born -* ℘ *05 58 78 58 47 - www.parentis.com - avr.-oct. : lun.-dim. sf dim. mat. 10h-12h30, 14h-19h.* Stages de catamaran, planche à voile, Optimist. Location de catamaran et de planches à voile.

Alizés Speed - Char à voile – ℘ *06 81 35 82 74 - alises.speed@free.fr - fermé mai-sept.* Ce club vous propose de pratiquer le speed-sail, le char à voile ou le char à cerf-volant (initiation, stages, promenade, etc.). Contrairement aux autres activités, celles-ci restent fermées entre les mois de mai et septembre : sécurité oblige, la plage doit être vide de ses touristes.

La Vigie maison du surf – *31 av. du Grand-Vivier -* ℘ *05 58 78 37 79 ou 06 08 95 03 80 - lavigie-surf@wanadoo.fr.* Ici, tout est prévu pour vous faire découvrir le sport numéro 1 de la station : cours (1h, 1h30 ou 2h) en formule découverte, initiation ou perfectionnement. Location de surf et transport possible entre votre lieu d'hébergement et l'école (aller et retour).

Golf de Biscarrosse – *Av. du Golf, rte d'Ispe -* ℘ *05 58 09 84 93 - www. biscarrossegolf.com - 9h-19h - fermé 25 déc. - 19/49 €.* Le golf de Biscarrosse comporte trois parcours distincts : le Lac, la Forêt et l'Océan qui bénéficient d'un bel environnement boisé et constituent un par 72. Practice de 25 postes (dont 6 couverts), restaurant, boutique et location de villas.

Blaye

4 666 BLAYAIS
CARTE GÉNÉRALE B1 – CARTE MICHELIN LOCAL 335 H4 – GIRONDE (33)

Un tertre colonisé par les Romains, une tombe de héros chevaleresque, une citadelle de Vauban. Et puis des vignes de bon aloi, un port sur la Gironde où débarquent au printemps lamproies et aloses, du caviar de l'estuaire. Un petit détour par Blaye s'impose donc ; on pourra toujours prétexter que ce n'est que pour les beaux yeux de l'Histoire…

- ▶ **Se repérer** – Sur la rive droite de la Gironde, à 43 km en aval de Bordeaux. Il est possible de traverser le fleuve : un bac relie Blaye à Lamarque dans le Médoc *(voir la rubrique « Transport » dans l'encadré pratique).*

- 👁 **À ne pas manquer** – Dans la citadelle, la vue sur l'estuaire depuis la tour de l'Éguillette ou depuis la place d'Armes ; la route de la Corniche qui relie Blaye à Bourg ; la villa gallo-romaine de Plassac.

- 🕐 **Organiser son temps** – Pour la visite guidée de la citadelle, comptez 1h. Prévoyez un peu plus si vous souhaitez aussi visiter les musées et expositions ou vous attarder auprès de l'échoppe d'un artisan.

- 👫 **Avec les enfants** – Le jeu de l'oie pour découvrir la citadelle.

- 🕑 **Pour poursuivre la visite** – Voir aussi Bourg, vignoble de Bordeaux.

Comprendre

À l'origine – Sur le rocher escarpé où les légions romaines avaient établi leur camp, une ville grandit à l'époque gallo-romaine. Son nom ? *Blavia* (« route de la guerre »).

Laboureurs d'estuaire – Les nombreux petits ports du Blayais et du Médoc ont le vent en poupe : on récolte des trésors dans l'estuaire. L'hiver, les grands poissons migrateurs (l'alose et la monstrueuse lamproie sortie tout droit de la préhistoire) remontent l'estuaire pour frayer en amont. Au printemps s'ouvre la chasse à la précieuse **pibale**, alevin d'anguille dont les Espagnols raffolent. La Gironde est aussi la seule réserve d'**esturgeons** (espèce aujourd'hui protégée dont la capture est interdite) d'Europe occidentale ; ses élevages approvisionnent le Bordelais en caviar maison.

> ### Le saviez-vous ?
>
> **Roland le Preux** (LE Roland de la chanson !) était comte de Blaye. Au 8e s., il y fut enterré avec sa dame (la belle Aude) dans l'ancienne abbaye St-Romain.

Se promener

LA CITADELLE★

Un plan de la citadelle est disponible à l'office de tourisme qui localise les bâtiments et les 9 artisans installés sur le site. 📞 05 57 42 12 09 - visite guidée (1h) juil.-août : mar., mer. et jeu. 15h ; avr.-sept. : visite guidée (1h) dim. et j. fériés organisé par l'office de tourisme - visite guidée juil.-août 5 € avr.-sept. 4,60 €. 👫 Une découverte ludique (1h30), « Jeu de l'oie en citadelle », est proposée aux 8-12 ans.

Au 17e s. la ville perchée fut rasée et céda la place à la citadelle terminée par Vauban en 1689. Le fort Paté sur un îlot de la Gironde et le fort Médoc, sur la rive gauche, complétaient ce système de défense destiné à protéger Bordeaux de la flotte « angloise ». Accès à pied par la porte Dauphine, en voiture par la porte Royale, toutes deux timbrées de l'écusson fleurdelisé. Encore habitée en partie, c'est une véritable petite ville à l'ancienne (près de 1 km de long), animée, en saison, par les artisans et qui s'enflamme lors des festivals de musique et de théâtre *(voir l'encadré pratique).*

Château des Rudel

C'est le berceau de **Jaufré Rudel**, troubadour du 12e s. qui inspira nombre de romantiques. Il s'éprit sans la voir d'une « princesse lointaine », Melissende de Tripoli. Il s'embarqua pour la rejoindre, mais tomba malade sur le vaisseau et expira à l'arrivée dans les bras de sa bien-aimée…

Il subsiste deux tours du château médiéval, ainsi que les bases des murs et le pont d'accès. Au centre de la cour se trouve un vieux puits à la margelle usée par les frottements de la corde ou de la chaîne. Du haut de la tour des Rondes, **vue** sur la ville, l'estuaire de la Gironde et la campagne *(table d'orientation).*

Stéphane Sauvignier / MICHELIN

Les remparts de la citadelle attestent le passé militaire de Blaye. Vauban est passé par là…

Tour de l'Éguillette

Vue en enfilade, sur la Gironde, peuplée d'îlots jusqu'à l'Océan.

Place d'Armes

De l'esplanade, au bord de la falaise sur la Gironde, vue sur l'estuaire et les îles. C'est justement pour cela que le **conservatoire de l'Estuaire** s'est installé à cet endroit *(voir l'exposition à la Manutention)*.

Près de la place d'Armes, l'ancien **couvent des Minimes**, du 17ᵉ s., avec sa chapelle et son cloître, accueille régulièrement des expositions temporaires.

La Manutention

Ce bâtiment carré, construit en 1677 pour abriter la prison de la citadelle et de la ville, servit ensuite de boulangerie, de magasin et de manutention.

Il abrite l'intéressante **exposition** du conservatoire de l'Estuaire : « Estuaire vivant ». Dans plusieurs salles sont évoqués les thèmes maritimes, les différentes méthodes de pêche, la faune et la flore. ℘ 05 57 42 80 96 - www.estuairegironde.net - expositions sur l'estuaire - de mi-avr. à mi-nov. : 13h30-19h - 2,80 €.

à voir également : le **musée de la Boulangerie**, où l'histoire du pain est présentée autour de deux anciens fours, et le **Musée archéologique** qui retrace l'histoire de la citadelle. ℘ 05 56 56 54 49 - avr.-oct. : 13h30-19h ; reste de l'année : 14h-18h - fermé du 24 déc. au 4 janv. - 2,90 €.

Aux alentours

Plassac

3,5 km au Sud. Quitter Blaye par la D 669 qui longe la Gironde.

Près de l'église, en contrebas, des fouilles ont mis au jour une **villa gallo-romaine**. Trois villas se sont succédé à cet endroit entre le 1ᵉʳ et le 5ᵉ s., les deux premières d'inspiration romaine, la troisième décorée de **mosaïques polychromes** de style aquitain. Un musée retrace l'historique des villas (reconstitution en 3D) et expose des peintures murales (troisième style pompéien, 40-50 après J.-C.), ainsi que les produits des fouilles : céramiques, bronzes, monnaies, outillage, etc. ℘ 05 57 42 84 80 - visite libre du musée, visite guidée de la villa (30mn) mai-oct. : 9h-12h, 14h-19h ; avr. : 9h-12h, 14h-18h - 3 €.

Circuit de découverte

ROUTE DE LA CORNICHE FLEURIE

16 km au départ de Blaye – environ 45mn.

Quitter Blaye à l'Est en direction de Bourg (D 669). Après 6 km, prendre à droite.

La route, entre falaises calcaires et fleuve, traverse une série de hameaux qui possèdent quelques habitations troglodytes et offre de jolies vues sur l'estuaire. Elle est particulièrement charmante au petit matin ou au soleil couchant.

Faites un premier arrêt à la **Roque-de-Thau**, petit port où les yoles se groupent dans l'estey, et admirez l'île Verte. À **Marmisson**, levez le nez pour apercevoir les abris-sous-roche. Ensuite se succèdent les villages de pêcheurs, bordés de cabanes sur pilotis avec leurs carrelets flottant au vent.

La route s'éloigne de la rive pour remonter à **Bayon-sur-Gironde**. Là, ne manquez pas l'église romane qui possède une abside à sept pans. Sur la corniche, en surplomb de l'estuaire, les châteaux de Tayac et d'Eyquem occupent des sites panoramiques et produisent des bons vins. À St-Seurin-sur-Gironde, remarquez les deux moulins à vent. De retour au bord de l'eau, vous arrivez au **Pain-de-Sucre**, ultime point de vue à contempler avant de rejoindre Bourg.

Blaye pratique

Adresse utile

Office du tourisme de Blaye – *Allées Marines - ℘ 05 57 42 12 09 - www. tourisme-blaye.com - De fin avr. à fin sept. : 9h30-12h30, 14h-18h, dim.11h-13h, 14h-17h ; de déb. oct. à mi-avr. : tlj sf dim. 10h-12h30, 14h-17h.*

Visite

Voir le Pass'Estuaire p. 25.

Transport

Bac Blaye-Lamarque – *Pour les horaires, adressez-vous au Service maritime départemental : 6 cours du Gén.-de-Gaulle, 33390 Blaye - ℘ 05 57 42 04 49. Elles sont aussi disponibles à l'office de tourisme ou consultables sur Internet : www.bernezac. com. La traversée dure environ 30mn. Voyageur : 3 € (–4 ans : gratuit), véhicule 12,40 €.*

Se loger

L'Escale Chez Olga – *RN 137 - 33390 Cartelègue - 10 km au NE de Blaye par N 137 - ℘ 05 57 64 71 18 - fermé 15-31 août, 1 dim. par mois et sam. - P - 12 ch. 32/36 € - 5 € - restaurant 11/27 €.* Cet hôtel offre des chambres simples, confortables et très bien tenues. Après les deux salles à manger entièrement rénovées, c'est au tour de la terrasse, très prisée, d'être embellie… Un petit plus pour cette adresse qui séduit déjà par sa cuisine sans chichi préparée avec des produits frais.

Chambre d'hôte Château Pontet d'Eyrans – *25 le Pontet Nord-Est - 33390 Eyrans - 9 km au NE de Blaye par D 937 - ℘ 05 57 64 71 07 - www.chateaupontet. com - réserv. obligatoire - 5 ch. 35/76 € .* Ce château achevé en 1860 est tout simplement charmant. Les anciennes dépendances abritent les chambres d'hôte et trois gîtes ; tous sont confortables, bien aménagés et donnent sur la piscine. Agréable parc sur l'arrière.

Chambre d'hôte La Sauvageonne – *2 les Mauvillains - 33820 St-Palais - à St-Ciers, rte de St-Palais et chemin à gauche - ℘ 05 57 32 92 15 - www.relax-in-gironde.com - 3 ch. + 2 gîtes 65/80 € - repas 25 €.* Les extérieurs soignés révèlent le charme de cette propriété bordée de bois et de vignes. À l'intérieur, les élégantes chambres offrent de beaux volumes. En cuisine, les produits du jardin sont mis à l'honneur par l'un des deux associés, pâtissier-traiteur de métier.

Villa Prémayac – *13 r. Prémayac - ℘ 05 57 42 27 39 - www.villa-premayac. com - 5 ch. 85 € .* Étape pleine de charme au pied de la citadelle, cette demeure du 18e s. dispose de plaisantes chambres au décor personnalisé. Le propriétaire, ancien professeur de golf, organise des séjours panachant découverte des greens régionaux et du vignoble bordelais.

Se restaurer

La Citadelle – *Pl. d'Armes - ℘ 05 57 42 17 10 - www.hotel-la-citadelle.com - 25/35 € - 21 ch. 61/90 € - 9 €.* Sa situation au cœur de la citadelle de Blaye est l'atout majeur de cette adresse. La salle à manger, moderne et éclairée de grandes baies vitrées, et la terrasse offrent une vue superbe sur l'estuaire de la Gironde. Cuisine traditionnelle. Chambres pratiques. Piscine.

Que rapporter

Maison du vin de Blaye – *12 cours Vauban - ℘ 05 57 42 91 19 - www. boutique-vin-blaye.com.* Derrière la jolie façade lie-de-vin, 300 références sont stockées, dont 250 en rouge et 50 en blanc, issues de 300 domaines différents. Essayez absolument les premières-côtes-de-blaye en blanc et le blaye en rouge. Les dégustations répondent à des horaires très précis, aussi est-il prudent de se renseigner.

Sports & Loisirs

Randonnées – Des boucles et sentiers pédestres partent de Blaye. Demandez les cartes à l'office de tourisme. Une piste cyclable relie Blaye à Étauliers (13 km au Nord de Blaye).

Événements

Blaye – Musique en citadelle fin juil.

Étauliers – Fête de l'asperge du Blayais le 1er mai.

Château de **Bonaguil**★★

CARTE GÉNÉRALE D2 – CARTE MICHELIN LOCAL 336 I2 – LOT-ET-GARONNE (47)

Aux confins du Périgord noir et du Quercy, cette stupéfiante forteresse se dresse, sur une éminence rocheuse, au milieu des bois. Difficile de ne pas succomber à son charme lorsque sa silhouette altière se découpe soudain au loin sur le bleu du ciel. L'esprit vagabonde, s'émeut devant la pierre blonde. Des images de preux chevaliers et de Belle au bois dormant viennent à l'esprit. Pourtant, Dieu sait qu'en son temps Bonaguil n'inspirait pas la sérénité qu'on lui connaît aujourd'hui.

▶ **Se repérer** – De Fumel, suivez la direction de Condat pour prendre à gauche dans la D 673. Après 3 km, tournez à nouveau à gauche dans la charmante petite D 158, qui marque la frontière entre le Lot-et-Garonne et le Lot.

👪 **Avec les enfants** – De mai à août, animations médiévales et visites nocturnes avec reconstitutions historiques. Consultez l'office du tourisme de Fumel.

🕑 **Pour poursuivre la visite** – Voir aussi Fumel, Penne-d'Agenais, Villeneuve-sur-Lot.

Comprendre

L'orgueil de Roquefeuil – « Par Monseigneur Jésus et touts les Saincts de son glorieux Paradis j'eslèveroi un castel que ni mes vilains subjects ne pourront prendre, ni les Anglais s'ils ont l'audace d'y revenir, voire même les plus puissants soldats du Roy de France », proclame, en 1477, Béranger de Roquefeuil. Fils de l'une des plus anciennes familles du Languedoc, l'orgueilleux baron ne lésine ni sur les exactions ni sur les violences. Mais ses sujets se révoltent ! Béranger fait alors transformer le château de Bonaguil, qui existait depuis le 13ᵉ s., en une forteresse inexpugnable.

Un fort inébranlable – Il fallut quarante ans à Roquefeuil pour édifier ce nid d'aigle, déjà anachronique à une époque où la mode tend à la demeure de plaisance. Mais Bonaguil présente la particularité d'offrir, sous la carapace traditionnelle des châteaux forts, une remarquable adaptation aux techniques nouvelles des armes à feu : canonnières et mousqueteries. Jamais attaqué, c'est l'un des plus parfaits spécimens de l'architecture militaire de la fin du 15ᵉs. et du 16ᵉ s. La Révolution, dans son ardeur à supprimer les symboles de l'Ancien Régime, démantèlera et décoronnera bien le colosse, mais sans pour autant réussir à le déposséder de sa puissance.

Visiter

🖉 *05 53 71 90 33 - www.bonaguil.org - possibilité de visite guidée sur demande 3 sem. av. au château de Bonaguil ou mairie de Fumel - juin-août : 10h-18h ; avr.-mai : 10h30-13h, 14h30-17h30 ; sept. : 10h30-13h, 14h30-17h ; fév.-mars : 11h-13h, 14h30-17h30 ; oct. : 11h-13h, 14h30-17h ; nov. : vac. scol., dim. et j. fériés 11h-13h, 14h30-17h ; déc. : vac. scol. 14h30-17h (dernière entrée 30mn av. fermeture) - fermé janv. - 6 € (enf. 3,50 €).*

Perché sur son rocher, le puissant château fort garde fière allure malgré son âge avancé.

Stéphane Sauvignier / MICHELIN

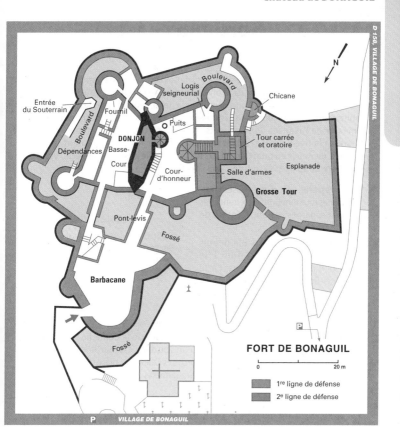

On pénètre dans le château par la **barbacane**, énorme bastion qui avait sa garnison autonome, ses magasins et son arsenal. La barbacane faisait partie de la première ligne de défense, longue de 350 m, dont les bastions permettaient le tir rasant grâce à des canonnières.

La seconde ligne se composait de cinq tours, dont la « **Grosse Tour** » qui est l'une des plus importantes tours de plan circulaire jamais construites en France. Haute de 35 m, couronnée de corbeaux, elle servait à ses étages supérieurs de logis d'habitation, tandis que ses étages inférieurs étaient équipés de mousqueterie, couleuvrines, arquebuses, etc.

Dominant ces deux lignes, ultime bastion de la défense, le **donjon** à pans coupés était le poste de guet et de commandement. Ni circulaire ni carré, il a la forme d'un vaisseau dont la proue est tournée vers le Nord, secteur le plus vulnérable. À l'intérieur, une salle abrite des armes et des objets provenant de fouilles effectuées dans les fossés. Panorama depuis la terrasse.

Un puits taillé dans le roc, des dépendances (dont un fournil) où l'on accumulait les provisions, des cheminées monumentales, un réseau d'écoulement des eaux fort bien conçu, des fossés intérieurs secs, voire des tunnels admirablement voûtés constituant de véritables axes de circulation rapide des troupes, permettaient à près d'une centaine d'hommes de soutenir un siège (ce qui n'arriva jamais).

Bordeaux★★★

215 363 BORDELAIS
CARTE GÉNÉRALE B2 – CARTE MICHELIN LOCAL 335 H5 – GIRONDE (33)

Au front des maisons de Bordeaux, des silènes couronnés de pampres invitent le passant à goûter la capitale de la dive bouteille. Cette ville de courses lointaines, qui depuis des siècles a le commerce dans la peau, séduit le nouveau venu par ses multiples facettes façonnées au fil du temps et qui continue de se métamorphoser à mesure de l'avancée de ses projets : l'arrivée du tramway, l'aménagement des quais sur la rive gauche rendant l'accès au fleuve, le développement sur la rive droite d'un nouveau quartier qui laisse la part belle aux espaces verts. Voilà une ville fière de son passé tournée vers l'avenir.

▶ **Se repérer** – De nombreuses communes jouxtent Bordeaux dont elles sont séparées par une ceinture de grands boulevards.

La **rocade** est accessible depuis les quais de la Garonne. Elle rejoint plusieurs autoroutes : l'A 10 (Paris-Bordeaux), l'A 63 (Bordeaux-Bayonne-Espagne) et l'A 62 (Bordeaux-Toulouse-Marseille).

Le saviez-vous ?

C'est bien la **Garonne** qui coule à Bordeaux. Elle se fera Gironde au bec d'Ambès (au Nord de Bordeaux) où elle rencontrera la Dordogne.

🅿 **Se garer** – *Voir la rubrique « Transports » dans l'encadré pratique.*

👁 **À ne pas manquer** – Le Grand-Théâtre, place de la Comédie ; la cathédrale St-André ; la vue depuis la tour Pey Berland ou depuis la tour St-Michel ; le musée d'Aquitaine ; les portes de la Grosse Cloche et Cailhau, la place de la Bourse ; la rue Ste-Catherine ; la boutique Baillardran Cannelés ; le Conseil interprofessionnel du vin de Bordeaux.

🕐 **Organiser son temps** – Plusieurs jours sont nécessaires pour visiter Bordeaux jusque dans ses moindres recoins. Pour une visite guidée de la ville, comptez 2h. Un passage par l'exposition Bordeaux monumental vous donnera un aperçu général de la ville et vous permettra de bâtir votre itinéraire en fonction de vos centres d'intérêt. Vous pouvez prévoir une journée culturelle autour du quartier Pey-Berland où sont rassemblés les principaux musées. Sachez que tous les premiers dimanches du mois, le centre-ville est interdit aux voitures et l'entrée des musées municipaux est gratuite.

👥 **Avec les enfants** – Le musée d'Aquitaine ; le musée d'Art contemporain ; le croiseur *Colbert*, Cap Sciences ; une visite de la ville en calèche.

♿ **Pour poursuivre la visite** – Voir aussi Vignoble de Bordeaux, La Brède, Libourne, Saint-Émilion, Saint-Macaire, La Sauve, Verdelais.

Fontaines des Girondins, place des Quinconces.

Jean Malburet / MICHELIN

Comprendre

Bordeaux est la capitale de l'Aquitaine. Le mot *Aquitania*, qui signifie « le pays des eaux », apparaît pour la première fois dans les *Commentaires* de César. Avec la prononciation anglaise, Aquitaine se transforme en Guyenne et ce nom lui restera jusqu'à la Révolution.

La cité des « rois du monde » – *Burdigala* est fondée par une tribu celte au 3e s. avant J.-C., les Bituriges vivisques. Leurs noms signifient « rois du monde », rien de moins ! Au 7e s., le bon **roi Dagobert** crée un duché d'Aquitaine dont Bordeaux est la capitale. L'un des ducs d'Aquitaine, le mythique **Huon de Bordeaux**, est resté célèbre. Ayant occis, sans le connaître, l'un des fils de Charlemagne, il est condamné à l'exil. Après moult aventures, il épouse la fille de l'émir de Babylone. Une chanson de geste (13e s.) reprit ce thème en or pour broder d'étonnantes péripéties : afin de gagner son pardon, Huon doit se rendre à Babylone, couper la barbe de l'émir, lui arracher quatre molaires et rapporter le tout à l'empereur. Exploit couronné de succès, bien entendu, et cela grâce au roi des elfes Obéron.

La dot d'Aliénor – En 1137, Louis, fils du roi de France, épouse Aliénor d'Aquitaine, qui lui apporte en dot le duché d'Aquitaine, le Périgord, le Limousin, le Poitou, l'Angoumois, la Saintonge, la Gascogne et la suzeraineté sur l'Auvergne et le comté de Toulouse. Le mariage a lieu dans la cathédrale de Bordeaux. Le couple est mal assorti. Louis, devenu le roi Louis VII, est une sorte de moine couronné, la reine est frivole. Après quinze années de vie conjugale, le roi, à son retour de croisade, fait prononcer son divorce (1152). Outre sa liberté, Aliénor recouvre sa dot. Son remariage, deux mois plus tard, avec Henri Plantagenêt, comte d'Anjou et suzerain du Maine, de la Touraine et duc de la Normandie, est pour les Capétiens une véritable catastrophe politique : les domaines réunis d'Henri et d'Aliénor sont déjà aussi vastes que ceux du roi de France. En 1154, le Plantagenêt devient, par héritage, roi d'Angleterre, sous le nom de Henri II. Cette fois l'équilibre territorial est rompu, et la lutte franco-anglaise qui s'engage durera trois siècles.

Un vin doux au palais

La vigne a été introduite dans la région par les Romains. Ce vin, que les Anglais appellent « claret », est très apprécié des Plantagenêts : pour les fêtes du couronnement, mille barriques sont mises à sec. Le raisin est alors sacré : qui dérobe une grappe a l'oreille coupée. La qualité des vins est l'objet de tous les soins : six dégustateurs jurés les vérifient et aucun tavernier ne peut mettre une pièce en perce avant qu'elle n'ait été soumise à leur dégustation. Les marchands pratiquant le coupage sont punis ainsi que les tonneliers dont les barriques sont défectueuses.

La capitale du Prince Noir – Au 14e s., Bordeaux est la capitale de la Guyenne, rattachée depuis deux siècles à la couronne anglaise. Le commerce ne se ralentit pas pendant la guerre de Cent Ans : la ville continue d'exporter ses vins en Angleterre et fournit des armes à tous les belligérants. Le Prince Noir (fils du roi d'Angleterre Édouard III), ainsi nommé à cause de la couleur de son armure, y établit son quartier général et sa cour. C'est l'un des meilleurs capitaines de son temps et l'un des plus féroces pillards. Il terrifie tour à tour le Languedoc, le Limousin, l'Auvergne, le Berry et le Poitou. Atteint d'hydropisie, l'héritier anglais meurt sans avoir pu régner ailleurs qu'à Bordeaux. En 1453, Bordeaux est repris définitivement par l'armée royale française avec toute la Guyenne. C'est la fin de la guerre de Cent Ans.

Le Bordeaux des intendants – C'est Richelieu qui, le premier, a installé dans les provinces ces hauts représentants du pouvoir central et Colbert qui a mis l'organisation au point. D'une cité aux rues étroites et tortueuses, entourée de marais, Claude Boucher, le marquis de Tourny, et Dupré de St-Maur font au 18e s. l'une des plus belles villes de France, aux solides constructions de pierre. Alors apparaissent les grandioses ensembles que forment les quais, la place de la Bourse, les allées de Tourny, des monuments comme l'hôtel de ville, le Grand Théâtre, l'hôtel des Douanes, l'hôtel de la Bourse, des plantations comme les cours et le jardin public. Bordeaux exploite au maximum les avantages de sa situation atlantique et devient le premier port du royaume.

Des hauts et des bas – La ville fait grise mine à l'Empire, car son commerce maritime est profondément atteint par le blocus. Elle retrouve le sourire sous la Restauration.

Le grand pont de Pierre, l'immense esplanade des Quinconces datent de cette époque. Sous le Second Empire, le commerce continue à se développer grâce à l'amélioration des communications et à l'assainissement des Landes.

En 1870, en 1914 devant l'offensive allemande et en 1940, Bordeaux sert de refuge au gouvernement. On la dit « capitale tragique ». À la fin de la dernière guerre, la cité du 18ᵉ s. retrouve le dynamisme de ses armateurs, financiers et négociants d'autrefois.

Un ancien grand port – Sur la Garonne, Bordeaux (à 98 km de l'Océan) occupe la situation privilégiée de « ville de premier pont » et, par la vallée de la Garonne et le seuil de Naurouze (franchi par le canal du Midi), commande la plus courte liaison continentale Atlantique-Méditerranée. L'exportation du « claret » au temps de la domination anglaise ainsi que le trafic des denrées et des esclaves en provenance des « Isles » au 18ᵉ s. avaient déterminé son dynamisme portuaire. Aujourd'hui, le port de Bordeaux *intra-muros*, qui a vu décliner ses activités au bénéfice du Verdon, a déménagé vers l'aval.

Une ville en mutation – Avec l'arrivée du tramway, c'est tout un programme de réhabilitation des rues qui a été mis en œuvre (centre piétonnier), parallèlement à un plan de sauvegarde du patrimoine architectural (façades nettoyées). Les places de la Comédie, de Pey-Berland, de la Victoire ont fait peau neuve ; bientôt celle de la Bourse se reflétera dans un miroir d'eau, et celle des Quinconces sera recouverte d'une pelouse.

Sur la rive gauche, les **quais** (4,5 km de long sur 80 m de large) sont en cours d'aménagement afin que piétons, cyclistes, tramways et automobilistes circulent harmonieusement. Différentes escales paysagées agrémenteront le parcours qui sera achevé en 2007 ; mais déjà les Bordelais redécouvrent petit à petit les bords du fleuve qui deviennent le cadre de manifestations et où des guinguettes font leur apparition.

🕯 *Pour plus d'informations rendez-vous à l'espace « Les projets de Bordeaux » - 1 pl. Jean-Jaurès - ☎ 05 56 52 84 02 - mer.-sam. et 1ᵉʳ dim. du mois 10h-13h, 13h30-18h - gratuit.*

Se promener

LE VIEUX BORDEAUX★★

Le secteur du Vieux Bordeaux inclus entre le quartier des Chartrons et le quartier St-Michel compte quelque 5 000 immeubles d'une architecture 18ᵉ s. La vaste campagne de réhabilitation redonne tout son éclat à la belle pierre ocre extraite des carrières alentour (St-Macaire, Bourg-sur-Gironde).

Des Quinconces aux Chartrons 1

Le quartier des Quinconces s'inscrit autour du triangle de grandes artères formé par le cours Clemenceau, le cours de l'Intendance, piétonnier, et les allées de Tourny, pourvues d'une agréable esplanade.

Esplanade des Quinconces (DE1)

Son intérêt réside avant tout dans sa superficie (126 000 m²). Elle a été aménagée, pendant la Restauration, sur l'emplacement du château Trompette qui avait été bâti après la guerre de Cent Ans par Charles VII et agrandi par Louis XIV. On planta alors l'esplanade d'une série d'arbres disposés en quinconce, d'où son nom.

Vous saluerez au passage deux grandes figures de Bordeaux : **Montaigne**, qui fut maire de la ville à deux reprises, et **Montesquieu**, qui résidait au château de la Brède *(voir ce nom)* et était membre du parlement de Bordeaux (statues datant de 1858). Face au fleuve se dressent deux colonnes rostrales.

Pendant longtemps parc de stationnement, l'esplanade, en cours d'embellissement, est célèbre pour son **monument aux Girondins** (D1). Monument allégorique érigé entre 1894 et 1902 à la mémoire des Girondins décapités en 1792, il forme un ensemble sculptural étonnant. En haut d'une colonne de 50 m de haut, la *Liberté brisant ses fers* surmonte deux remarquables **fontaines★** en bronze : des chevaux marins toute crinière au vent, cabrés et levant haut leurs sabots palmés, y tirent les chars du *Triomphe de la République* (côté Grand

Les Girondins

Pendant la Révolution, les députés de Bordeaux – dont le plus célèbre est **Vergniaud** – créent le parti des Girondins qui aura la majorité à la Législative et au début de la Convention. Comme ils sont de tendance fédéraliste, les Montagnards les accusent de conspirer contre l'unité et l'indivisibilité de la République ; vingt-deux d'entre eux sont mis en accusation, condamnés à mort et exécutés.

Fastueuse décoration intérieure du Grand Théâtre.

Théâtre) et celui du *Triomphe de la Concorde* (côté jardin public). À terre, côté Grand Théâtre, les trois personnages tragiques ne représentent pas les Girondins, mais le Vice, l'Ignorance et le Mensonge.

Place de la Comédie (D1)

Elle délimite, avec les places Tourny et Gambetta, le cœur des plus beaux quartiers de Bordeaux. La restauration du *Grand Hôtel de Bordeaux* achève de lui redonner tout son cachet.

Grand Théâtre★★ (D1)

&- *visite guidée (1h) selon le planning des répétitions et sur réservation à l'office de tourisme - 5,20 €.*

Situé place de la Comédie, il fut élevé de 1773 à 1780 sur les vestiges d'un temple gallo-romain détruit par ordre de Louis XIV. Récemment restauré, il compte parmi les plus beaux de France et symbolise richesse architecturale et culture. Construit par l'architecte Victor Louis, il se distingue par son péristyle à l'antique, surmonté d'une balustrade ornée des neuf Muses et des trois Grâces.

Le plafond à caissons du **vestibule** repose sur seize colonnes. À l'arrière s'ouvre un bel escalier droit, puis à double volée, dominé par une coupole (disposition imitée par Garnier pour l'Opéra de Paris).

La **salle de spectacle**, parée de lambris et de douze colonnes dorées à l'or fin, témoigne d'une harmonieuse géométrie et d'une acoustique parfaite. Du plafond, peint en 1917 par Roganeau sur le modèle des fresques primitives de Claude Robin, se détache un lustre scintillant de 14 000 cristaux de Bohème.

En face du théâtre, la petite rue Mautrec mène à la place du Chapelet.

Église Notre-Dame★ (D1)

℘ *05 56 81 44 21 - 8h30-12h, 14h30-18h30, dim. 10h-12h (été : 15h-18h).*

La façade de l'église Notre-Dame de style jésuite-baroque donne un air très romain à la place du Chapelet. Ancienne chapelle des Dominicains, elle fut édifiée entre 1684 et 1707. Le portail central est surmonté d'un bas-relief illustrant l'apparition de la Vierge à saint Dominique. Elle lui remet le chapelet qui a donné son nom à ladite place.

L'**intérieur** frappe par la pureté du travail de la pierre : voûte en berceau de la nef percée par les lunettes des fenêtres hautes, voûtes d'arêtes des collatéraux, tribune d'orgues prolongée sur les côtés par deux balcons arrondis aux courbes harmonieuses. La décoration de ferronnerie contribue également à la noblesse de l'ensemble ; remarquez en particulier les portes qui ferment les deux côtés du chœur.

Un **cloître** du 17e s. est accolé au mur latéral droit de l'église.

Prendre le passage Sarget à gauche de la place du Chapelet et emprunter le cours de l'Intendance sur la droite.

Cours de l'Intendance (D1)

Ici alternent les commerces de luxe et des enseignes à la mode. S'y trouve également la **Maison du tourisme de la Gironde** *(voir p. 19)*. À droite, au niveau de la rue Voltaire, on aperçoit la jolie rotonde des Grands-Hommes (centre commercial).

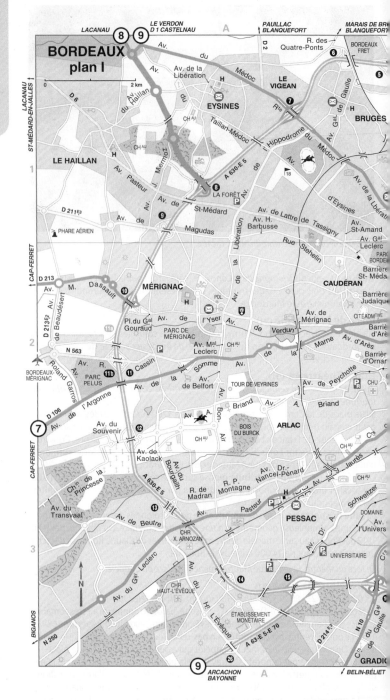

Des abords du n° 57 (maison de Goya, qui y mourut en 1828, aujourd'hui centre culturel espagnol), bel aperçu sur les tours de la cathédrale St-André, dans l'échancrure de la rue Vital-Carles.

Place Gambetta (D1)

Remarquable unité architecturale de maisons Louis XV, au rez-de-chaussée sur arcades et au dernier étage mansardé. Sur la place, agrémentée d'un petit jardin à l'anglaise, se dressa l'échafaud, durant la Révolution.

Un peu en retrait s'élève la **porte Dijeaux (D1)**, datée 1748, point de départ de la rue commerçante piétonnière du même nom.

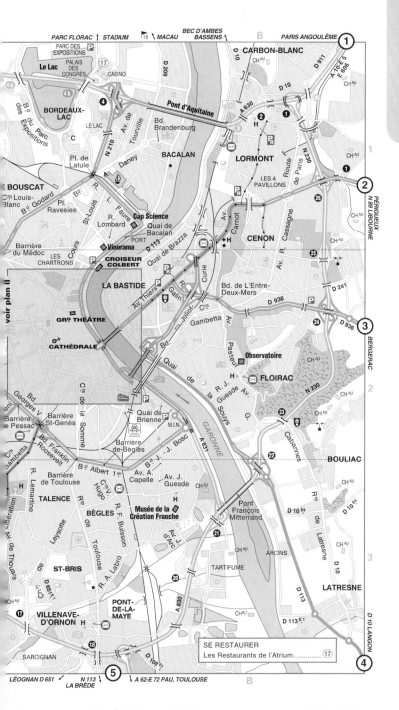

Remonter la rue du Palais-Gallien, puis faites le tour par la gauche pour rejoindre l'entrée rue. du Dr A.-Barraud.

Palais Gallien (C1)

www.bordeaux-tourisme.com - s'adresser à l'office de tourisme juin-sept. : 14h-19h - 2,50 €.

Amphithéâtre romain dont les gradins en bois pouvaient contenir 15 000 spectateurs. Il n'en reste que quelques travées et arcades envahies par les herbes folles, qui charmeront les âmes romantiques.

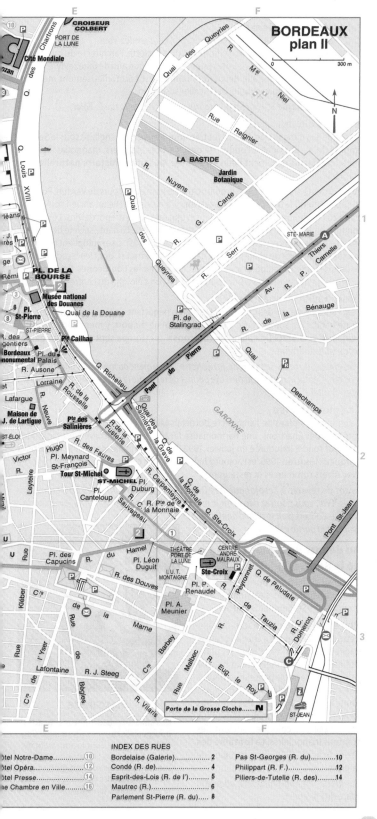

BORDEAUX
plan II

0   300 m

LA BASTIDE

Jardin
Botanique

CROISEUR
COLBERT

PORT DE
LA LUNE

Cité Mondiale

PL. DE LA
BOURSE

Musée national
des Douanes

PL.
St-Pierre

Quai de la Douane

ST-PIERRE

Pte Cailhau

Bordeaux
monumental

Palais

R. Ausone

Lorraine

Lafargue

Maison de
J. de Lartigue

Pte des
Salinières

ST-ÉLOI

Victor

Hugo

Pl. Meynard
St-François

Tour St-Michel

ST-MICHEL Pl.
Duburg

Pl.
Canteloup

Pl. des
Capucins

R. des Douves

Pl. Léon
Duguit

I.U.T.
MONTAIGNE

Pl. P.
Renaudel

THÉÂTRE
PORT DE
LA LUNE

CENTRE
ANDRÉ
MALRAUX

Ste-Croix

Pl. A.
Meunier

Marne

R. J. Steeg

R. Vilaris

Barbey

Malbec

R. Eug. le Roy

ST-JEAN

STE-MARIE

Bénauge

GARONNE

Q. de Paludate

Porte de la Grosse Cloche.......N

INDEX DES RUES

Poursuivre rue du Dʳ A.-Barraud, traverser la rue Fondaudège pour prendre en face la rue St-Laurent.

Petit Hôtel Labottière (C1)

📞 *05 56 48 44 10 - toute l'année visite-conférence sur rendez-vous.*

Cet hôtel particulier néoclassique (fin 18ᵉ s.) dû à Laclotte, l'architecte du musée des Arts décoratifs *(voir « Visiter »)*, a été restauré à l'identique afin de faire revivre l'esprit des lieux. Chaque pièce à la décoration raffinée est harmonieusement meublée d'époque. À droite du vestibule, bel escalier suspendu.

Continuer dans la rue St-Laurent puis tourner à droite dans la rue É.-Zola.

Jardin public (D1)

Aménagé à la française au 18ᵉ s., il fut transformé en parc à l'anglaise sous le Second Empire. On s'y promène à l'ombre de beaux arbres (palmiers, magnolias, etc.), au milieu de massifs richement fleuris. Il abrite le **Muséum d'histoire naturelle** *(voir « Visiter »)*.

Au Nord des Quinconces, entre le quai du même nom et les cours de Verdun, Portal et St-Louis, s'étend le **quartier des Chartrons**. Ce nom rappelle un ancien couvent de chartreux qui fut transformé au 15ᵉ s. en un gigantesque entrepôt de vins. Le quartier connut, comme toute la ville, son heure de gloire au 18ᵉ s. La haute société bordelaise, enrichie par le négoce, y édifia alors de beaux hôtels. Au 19ᵉ s. se multiplient de petites maisons populaires de plain-pied aux hautes portes étroites, dont les façades ornées de clefs de fenêtres sculptées imitent celles des demeures bourgeoises. Ces échoppes dessinent le paysage urbain bordelais, dès que l'on s'éloigne du centre-ville.

Cours Xavier-Arnozan (DE1)

C'est l'ancien « pavé » des Chartrons. De grands négociants, qui souhaitaient disposer d'une habitation somptueuse à l'écart de la cohue du port, y firent bâtir de belles demeures vers 1770. De splendides **balcons★** sur trompe sont ornés d'un garde-corps en ferronnerie.

À mi-chemin du cours, sur la droite, la rue Notre-Dame mène au musée des Chartrons (voir « Visiter »), et sur la gauche, la rue Foye permet de rejoindre le musée d'Art contemporain (voir « Visiter »).

Cité mondiale (E1)

Conçue sur les plans de l'architecte bordelais Michel Petuaud-Letang, elle arbore, côté quai des Chartrons, une harmonieuse façade de verre incurvée, où s'imbrique une tour ronde. Inaugurée en janvier 1992, la Cité mondiale, consacrée aux vins et spiritueux jusqu'en 1995, est aujourd'hui devenue un centre d'affaires et de congrès, avec divers commerces et restaurants.

Avant de revenir à l'esplanade des Quinconces par les quais des Chartrons puis Louis-XVIII, vous pourrez découvrir le musée des Chartrons et Vinorama, ainsi que le croiseur Colbert *(voir le plan d'agglomération et la partie « Visiter »).*

Au départ de la place de la Bourse ②

Cette visite fait parcourir le lacis de ruelles pittoresques s'étendant entre les quartiers St-Pierre et St-Michel.

Place de la Bourse★★ (E1)

Cette jolie place en fer à cheval fut aménagée de 1730 à 1755, d'après les plans des architectes Gabriel père et fils. Elle est cantonnée par le palais de la Bourse au Nord et l'ancien hôtel des Fermes, qui abrite le **musée national des Douanes** *(voir « Visiter »)*, au Sud, caractérisés aux étages par des colonnes portant des frontons triangulaires. La **fontaine des Trois-Grâces** (1860) orne le milieu de la place.

Par la rue Fernand-Philippart, gagner la place du Parlement.

Antonin Thuillier / MICHELIN

Mascarade

Des **mascarons** ornent les façades bourgeoises du Vieux Bordeaux. Ces clefs de fenêtres dont le nom vient de l'italien *maschera* (« masque »), représentent des têtes souvent grotesques et introduisent des éléments évoquant le vin (pampres, tonneaux).

Le bordeluche

Issu du gascon, le bordeluche fut longtemps le parler des quartiers populaires de Bordeaux. Sur le marché des Capucins, au contact des « étrangers » venus du Périgord, de l'Agenais, du Médoc, de la Chalosse et même d'Espagne, il s'est enrichi d'expressions truculentes et imagées. C'est un parler vrai et affectif qui, aujourd'hui, réapparaît sur les places et les marchés de Bordeaux.

Loin des conventions, le bordeluche est fait de mots simples, évoquant la vie de tous les jours : une *mounaque*, c'est une poupée et par extension une femme quelconque ; *grigoner* signifie nettoyer, *se harter* se goinfrer ; une *escarougnasse* est une égratignure ; être *dromillous*, c'est être mal réveillé, attardé ; une *bernique* est une femme maniaque du ménage et de la propreté, un *sangougnas* un homme sans goût ; celui qui est *quintous* est coléreux ; s'il est *pignassous*, c'est qu'il est fâché ; enfin, avoir les *monges*, c'est avoir peur.

Remarquez les façades Louis XV : arcades au rez-de-chaussée, fenêtres hautes des deux étages surmontées de mascarons et d'agrafes, balcons ornés de ferronnerie.

Place du Parlement★ (DE1)

Anciennement place du Marché-Royal, elle présente un harmonieux quadrilatère d'immeubles Louis XV, ordonnés autour d'une cour centrale au pavage ancien, remis en valeur. Au centre, fontaine du Second Empire.

Par la rue du Parlement-St-Pierre, gagner la place St-Pierre.

Place Saint-Pierre (E1)

Cette placette charmante est illuminée par son église des 14e et 15e s. (très remaniée au 19e s.).

Poursuivre par la rue des Argentiers.

Remarquez au n° 14 de cette rue la **maison dite de l'Angelot** construite vers 1750, qui présente un beau décor sculpté (haut-relief avec un enfant et agrafes rocaille).

Bordeaux monumental (E2)

Au n° 28 - ℘ 05 56 48 04 24 - www.bordeaux-tourisme.com - ఛ- mai-oct. : 9h30-13h, 14h-19h, dim. 10h-13h, 14h-18h ; nov.-avr. : 10h-13h, 14h-18h, dim. 14h-18h - fermé 1er janv., 25 déc. - gratuit. ≗≗ Animation pour les enfants (jeu d'énigmes).

Le rez-de-chaussée de cet autre bâtiment du 18e s. abrite une exposition (vitrine permanente du patrimoine), qui retrace les grandes étapes du développement de la ville. Plus d'une centaine de monuments sont présentés donnant un aperçu de la richesse architecturale. Cette remontée dans le temps (de la ville actuelle à la ville gallo-romaine) est une invitation à partir à la découverte de Bordeaux selon ses centres d'intérêt. Plan lumineux et vidéos complètent le dispositif multimédia (une borne interactive permet de consulter des fiches thématiques et d'imprimer l'itinéraire de son choix).

Poursuivre jusqu'à la place du Palais.

Place du Palais (E2)

Elle doit son nom au palais de l'Ombrière, qui fut érigé au 10e s. par les ducs de Guyenne. Reconstruit au 13e s., il devint le séjour des rois d'Angleterre, ducs d'Aquitaine, puis en 1462, sous Louis XI, le siège du parlement de Bordeaux avant d'être démoli en 1800 pour ouvrir la rue du Palais.

Porte Cailhau (E2)

Cet arc de triomphe dédié à Charles VIII date de 1495. Il juxtapose les éléments défensifs et décoratifs (toits coniques, mâchicoulis, lucarnes et fenêtres surmontées d'arcs en accolade), à tel point qu'il prend des airs de décor de théâtre. Son nom viendrait soit des Cailhau, vieille famille bordelaise, soit des cailloux accumulés à ses pieds par la Garonne et qui servaient à lester les navires. À l'intérieur, une **exposition** retrace l'histoire de cette porte. Au dernier niveau, sous les combles, vue insolite sur les quais et le pont de Pierre, terminé en 1822. ℘ 05 56 00 66 00 - www.bordeaux-tourisme. com - juin-sept. : 14h-19h - 2,50 €.

Prendre la rue Ausone et traverser le cours d'Alsace-et-Lorraine, pour emprunter à droite la rue Porte-St-Jean qui rejoint la rue de la Rousselle.

Dans cette rue s'alignent les anciennes boutiques de marchands de vins, de grains ou de salaisons, caractérisées par un rez-de-chaussée en hauteur, surmonté d'un entresol bas de plafond. Au n° 25 se trouve la **maison de Montaigne**.

Prendre à droite pour rejoindre la rue Ste-Colombe et tourner à gauche pour gagner l'impasse de la rue Neuve.

Elle conserve, du 14ᵉ s., un mur percé de deux fenêtres géminées à remplage. Après le porche, à droite, s'élève la **maison de Jeanne de Lartigue** (E2), épouse de Montesquieu, aux arcades surmontées de bustes.

Tourner à gauche dans la rue Renière puis à droite.

En traversant le cours Victor-Hugo, vue sur la **porte des Salinières** (E2), ancienne porte de Bourgogne (18ᵉ s.).

Emprunter en face à gauche la rue de la Fusterie qui mène à la place Duburg et à la basilique St-Michel.

Basilique Saint-Michel★ (E2)

☎05 56 94 30 50 - jeu. 14h30-18h30 (hors sais. : 14h30-17h) ; 1ᵉʳ et 3ᵉ dim. de chaque mois : visite guidée 15h-18h.

La construction de la basilique, commencée en 1350, se poursuivit durant deux siècles, au cours desquels elle subit nombre de remaniements ; à partir de 1475 débuta l'édification des chapelles latérales. L'ensemble s'impose par l'ampleur des dimensions. Dans la 1ʳᵉ chapelle du bas-côté droit, statue de sainte Ursule abritant mille vierges sous son manteau. Les vitraux modernes, derrière le maître-autel, sont dus à Max Ingrand. Le croisillon gauche offre un portail à voussures moulurées qui abrite un tympan orné, à gauche, de la scène du péché originel et, à droite, de celle d'Adam et Ève chassés du paradis. Tribune d'orgues et chaire datent du 18ᵉ s. ; la chaire, faite d'acajou et de panneaux de marbre, est surmontée d'une statue de saint Michel terrassant le dragon.

Tour Saint-Michel (E2)

www.bordeaux-tourisme.com - juin-sept. : 14h-19h - 2,50 €.

C'est le clocher (fin 15ᵉ s.) isolé de la basilique St-Michel. Les Bordelais en sont fiers car c'est le plus haut du Midi. Avec ses 114,60 m (cathédrale de Strasbourg 142 m), il laisse loin derrière lui les 50 m de la tour Pey-Berland.

Prendre la rue Camille-Sauvageau.

Église Sainte-Croix (F3)

Jeu. 9h30-12h, dim. 9h30-11h.

Des 12ᵉ et 13ᵉ s. et fortement restaurée au 19ᵉ s. **Façade★** de style roman saintongeais ; la tour de gauche est moderne. Les voussures des fenêtres aveugles qui encadrent le portail central sont décorées de curieuses sculptures représentant l'Avarice et la Luxure.

Rejoindre la place de la Victoire en passant par la place Léon-Duguit et la place des Capucins.

Porte d'Aquitaine (D2/3)

Piqué de manière un peu anachronique au milieu de la place de la Victoire où se déploient les terrasses de cafés, cet imposant **arc de triomphe** élevé au 18ᵉ s. arbore un fronton triangulaire aux armes royales et aux armes de la ville.

Prendre la rue Ste-Catherine et tourner à droite dans le cours Victor-Hugo.

Porte de la Grosse Cloche★ (E2 N)

Les Bordelais sont très attachés à leur « Grosse Cloche », rescapée de la démolition d'un beffroi du 15ᵉ s. Autrefois, quand le roi voulait punir Bordeaux, il faisait enlever la cloche et les horloges.

Prendre l'étroite rue St-James qui passe sous la Grosse Cloche, et la place F.-Lafargue, puis suivre en face la rue du Pas-St-Georges, pour atteindre à gauche la place Camille-Jullian. Prendre à gauche vers la rue Ste-Catherine.

Rue Sainte-Catherine (D1/2)

Cette très longue rue piétonne, qui suit le tracé d'une ancienne voie romaine, est

Porte de la Grosse Cloche.

Le pont de Pierre enjambe la Garonne pour relier le Vieux Bordeaux au quartier La Bastide.

la plus commerçante de la ville. En la remontant, remarquez certaines maisons au rez-de-chaussée sous arcades et au 1er étage percé de larges baies en arc de cercle. À l'angle avec la rue de la Porte-Dijeaux s'ouvre la **Galerie-Bordelaise**, passage couvert édifié par Gabriel-Joseph Durand en 1833, qui débouche sur le Grand Théâtre.

À droite, la rue St-Rémi rejoint la place de la Bourse.

QUARTIER MÉRIADECK

Son nom rappelle **Ferdinand Maximilien de Mériadeck**, prince de Rohan, archevêque de Bordeaux au 18e s. Ce quartier, érigé dans les années 1970, est le centre directionnel de la région Aquitaine. Englobant bureaux, bâtiments administratifs, habitations, centre commercial, bibliothèque municipale, patinoire, il est aussi agrémenté de pièces d'eau et d'espaces verts. Des passerelles suspendues assurent l'accès vers les rues limitrophes. Les immeubles sont en verre et béton, arrondis ou cubiques et parfois encagés dans des structures métalliques. Les plus caractéristiques sont la **Caisse d'épargne** avec ses plans courbes et rectangulaires empilés, la **bibliothèque** aux parois réfléchissantes, l'**hôtel de région** (C2) à la façade rythmée par des lames verticales en béton et l'**hôtel des impôts** où triomphe le métal.

LA BASTIDE

Pour rejoindre ce quartier prendre la ligne A du tramway.

De la rive droite, vous aurez belle vue sur la prestigieuse façade des quais d'une parfaite homogénéité, qui épouse la courbe de la Garonne sur plus de 1 km.

Jardin botanique (F1)

Quai de Queyries - ℘ 05 56 52 18 77 - www.bordeaux.fr - 8h30-17h30 - gratuit.
Conçu par l'architecte paysagiste Catherine Mosbach, il renouvelle le genre du jardin botanique, à vocation scientifique d'étude et de préservation des espèces, par sa présentation thématique. Le visiteur est sensibilisé à l'écologie à travers une « galerie des milieux » (reconstitution d'une prairie humide, d'un coteau calcaire, etc.), à l'ethnobotanique avec les « champs de cultures ». Outre un jardin aquatique et un jardin urbain (entretenu par les habitants du quartier), une serre tropicale complétera prochainement l'ensemble.

Visiter

QUARTIER DE LA BOURSE

Musée national des Douanes (E1)

℘ 05 56 48 82 82 - ♿- tlj sf lun. 10h-18h - fermé 1er janv., 25 déc. - 3 € gratuit 1er dim. du mois.
C'est dans une grande salle aux belles voûtes restaurées de l'**hôtel des Fermes** qu'est retracée l'histoire des douanes en France. À droite, présentation chronologique : gravures, archives, matériel, dont la balance de l'hôtel des Fermes (1783). À côté du guichet, remarquez le portrait de saint Matthieu, patron des douaniers : il exerçait les

fonctions de publicain (collecteur d'impôts et douanier) lorsque Jésus fit sa rencontre. À gauche, la douane est présentée suivant plusieurs thèmes : la douane armée (uniformes, armes), la vie de la brigade et la vie des bureaux, les activités douanières (saisies de drogues ou de contrefaçons) et, pour clore la visite, l'ordinateur, nouvel allié du douanier qui a avantageusement supplanté l'arithmomètre !

QUARTIER PEY-BERLAND

Musée d'Aquitaine★★ (D2)

20 cours Pasteur - ℘ 05 56 01 51 00 - www.bordeaux.fr - &- tlj sf lun. et j. fériés 11h-18h, possibilité de visite guidée sur demande - 4 € gratuit 1er dim. du mois. 👤👤 Demander le livret « Jeu de découverte sur les collections permanentes ».

Aménagé dans les locaux de l'ancienne faculté des lettres et des sciences, ce musée d'histoire retrace, à travers d'importantes collections réparties sur deux niveaux, la vie de l'homme aquitain de la préhistoire à nos jours.

On aborde tout d'abord la section **préhistoire et protohistoire** : précieux témoins des activités artisanales et artistiques des chasseurs de l'âge de pierre. Vous verrez notamment la *Vénus à la corne*, trouvée à Laussel (20 000 ans avant J.-C.) et le bison de l'abri du Cap-Blanc (magdalénien moyen). Une vitrine montrant un ensemble de haches trouvées dans le Médoc illustre la diversité de l'outillage façonné par les métallurgistes de l'**âge du bronze** (4000-2700 avant J.-C.). L'**âge du fer** est représenté par l'abondant matériel funéraire (urnes, bijoux, armes) découvert dans les nécropoles girondines ou les tumulus pyrénéens, mais surtout par le prestigieux **trésor de Tayac**, masse d'or composée d'un torque, de monnaies et de petits lingots datant du 2e s. avant J.-C.

La section **gallo-romaine** rassemble, autour du rempart antique reconstitué, des mosaïques, des fragments de corniches ou de bas-reliefs, des céramiques, verreries, et autres objets illustrant tous les aspects de la vie quotidienne, économique et religieuse dans la capitale de la province d'Aquitaine. Remarquez, en particulier : l'autel dit des Bituriges vivisques en marbre gris des Pyrénées, le **trésor de Garonne** composé de 4 000 pièces de monnaie aux effigies des empereurs Claude à Antonin le Pieux, et l'altière statue d'Hercule en bronze.

Les premiers temps chrétiens et le Haut Moyen Âge sont évoqués à travers des sarcophages en calcaire ou en marbre gris, des mosaïques et d'autres pièces significatives découvertes lors de travaux urbains (chapiteaux romans de la cathédrale St-André, rosace flamboyante du couvent des Grands Carmes). D'autres pièces proviennent de Gironde, dont de beaux bas-reliefs en albâtre.

L'âge d'or bordelais (18e s.) s'accompagne de la mise en œuvre de grands projets d'urbanisme et de la construction de magnifiques hôtels particuliers luxueusement aménagés (belle armoire bordelaise provenant du château Gayon, céramiques et verreries). Au 19e s., l'**Aquitaine** est une société rurale. Plusieurs scènes illustrent l'habitat et l'agriculture traditionnels. L'accent est mis sur les principales ressources des pays aquitains que recèlent le territoire pastoral béarnais, les Landes de Gascogne, la Gironde et son vignoble, le bassin d'Arcachon et l'ostréiculture. Enfin une dernière salle présente, au moyen d'une frise chronologique et d'objets symboliques, les changements et enjeux du 20e s.

Musée des Arts décoratifs★ (D2)

39 r. Bouffard - ℘ 05 56 00 72 53 - www.bordeaux.fr - tlj sf mar. et j. fériés 14h-18h - 4 € (enf. gratuit) gratuit 1er dim. du mois.

L'**hôtel de Lalande** (1779), l'un des plus beaux bâtiments anciens de Bordeaux, a conservé ses lucarnes et ses hauts toits d'ardoise.

Dans l'aile des communs, quatre petits salons, traités dans le goût et l'esprit du 19e s., présentent la **collection Jeanvrot**.

Viennent ensuite les salles du musée proprement dit, aux élégantes boiseries et pièces de mobilier, dont la salle de compagnie, décorée d'une terre cuite du 18e s. symbolisant l'Amérique. La **salle à manger** rassemble une collection de faïences stannifères bordelaises et un ensemble de porcelaines dures du 18e s. À côté, le **salon Cruse-Guestier**, avec ses meubles en marqueterie et ses bronzes de Barye, est caractéristique d'un intérieur de négociant bordelais.

Par l'**escalier d'honneur**, embelli par une belle rampe en fer forgé, on atteint les pièces du 1er étage : céramiques françaises et étrangères, verreries. Belles carafes et gourdes du 18e s. dans le **salon Jonquille**, décoré d'un lustre en verre de Venise. Une pièce regroupe le mobilier bordelais que l'on trouvait chez les aristocrates de la ville. Dans les combles, collections antérieures au 18e s. : mobilier Renaissance et

17e s., ferronnerie, serrurerie, émaux champlevés. Une salle expose le design des années 1950 à nos jours.

Musée des Beaux-Arts★ (CD2)

20 cours d'Albret - ℰ *05 56 10 25 17 - tlj sf mar. et j. fériés 11h-18h - 4 € gratuit 1er dim. du mois.*

Aménagé dans les galeries Sud et Nord du jardin de l'hôtel de ville, le musée conserve de très belles œuvres du 15e au 20e s.

L'**aile Sud** abrite des tableaux de la Renaissance italienne, des œuvres françaises du 17e s. dont une toile très caravagesque de Vouet, *David tenant la tête de Goliath* ; des œuvres de l'école hollandaise du 17e s. dont le *Chanteur s'accompagnant au luth* par Ter Brugghen, le symbolique *Chêne foudroyé* par Van Goyen et le beau portrait de *L'Homme à la main sur le cœur* attribué un temps à Frans Hals ; des tableaux de l'école flamande du 17e s. avec l'admirable *Danse de noces* par Bruegel de Velours, d'un style populaire et rustique. Le 18e s. et le début du 19e s. sont représentés, entre autres, par deux saisissantes toiles du Génois Magnasco, qui évoquent la vie des galériens, le gracieux *Portrait de la princesse d'Orange-Nassau* par Tischbein, la *Nature morte au carré de viande* par Chardin et quatre tableaux du Bordelais Pierre Lacour, qui fut le premier conservateur du musée en 1811.

L'**aile Nord** est consacrée à la peinture moderne et contemporaine. L'école romantique est présente à travers la célèbre toile de Delacroix, *La Grèce sur les ruines de Missolonghi*. Une œuvre de Diaz de la Peña (né à Bordeaux), *La Forêt de Fontainebleau*, illustre l'école de Barbizon, qui fut la première à peindre en plein air. La seconde moitié du 19e s. s'ouvre sur le scandaleux *Rolla* d'Henri Gervex, tableau de nu refusé au Salon en 1878, puis sur la grande toile d'inspiration symboliste d'Henri Martin,

Odilon Redon

Bertrand-Jean, dit Odilon Redon (1840-1916), est natif de Bordeaux. Une petite salle du musée lui rend hommage à travers quelques-unes de ses œuvres : *Char d'Apollon* (1909), *Chevalier mystique*, *La Prière*, *La Lecture*…

Chacun sa chimère. Du 20e s. : *L'Église Notre-Dame à Bordeaux* de l'expressionniste autrichien Kokoschka, le sinueux et tourmenté *Homme bleu sur la route* par Soutine et le très beau *Portrait de Bevilacqua* (1905), visage cerné de bleu, par Matisse. À ces œuvres viennent s'ajouter *L'Entrée du bassin à flot à Bordeaux* (1912) du Bordelais André Lothe, qui intègre les concepts cubistes à la tradition picturale. La dernière salle est consacrée à des œuvres contemporaines.

La **galerie des Beaux-Arts** *(pl. du Colonel-Raynal)*, où sont organisées des expositions temporaires, complétera la visite de ce musée.

Cathédrale Saint-André★ (D2)

9h-11h30, 14h30-17h30, 1er dim. du mois 14h30-17h30 - fermé lun.

La cathédrale St-André et sa célèbre tour occupent le centre de la place Pey-Berland, aux alentours de laquelle se situent les principaux musées de la ville. C'est le plus majestueux des édifices religieux de Bordeaux. La nef a été élevée aux 11e-12e s. et modifiée aux 13e et 15e s. ; le chœur, de style gothique rayonnant, et le transept actuel furent reconstruits aux 14e et 15e s. Plus tard, la voûte de la nef menaçant de s'écrouler, on ajouta les importants contreforts et arcs-boutants qui la flanquent irrégulièrement. *Aborder la cathédrale par la face Nord et la contourner par la droite.*

Le **portail Royal**, du 13e s., est célèbre pour ses sculptures inspirées de la statuaire de l'Île-de-France. Remarquables sont les dix apôtres qui ornent les ébrasements, et le tympan représentant le Jugement dernier, belle œuvre du gothique. Le **portail Nord** (porche de bois) date quant à lui du 14e s. Ses sculptures illustrent l'Ascension. Le **chevet** se distingue par l'harmonie de ses proportions et par son élévation. Remarquez, dans les contreforts séparant la chapelle axiale de la chapelle de gauche, Thomas, patron des architectes, tenant une équerre et Marie Madeleine, avec son vase de parfum. Enfin, allez jusqu'au **portail Sud** : ce dernier est surmonté d'un fronton percé d'un oculus et de trois rosaces. L'étage supérieur, orné d'arcades trilobées, est dominé par une élégante rose, inscrite dans un carré.

À l'intérieur de l'édifice, la nef forme un beau vaisseau dont les parties hautes, de la fin du gothique, prennent appui sur des bases du 12e s. L'opulente chaire, en acajou et marbre de différentes couleurs, est du 18e s. Le **chœur★** gothique, est plus élevé que la nef. Son élévation est accentuée par la forme élancée des grandes arcades surmontées d'un triforium aveugle, éclairé par les fenêtres hautes flamboyantes. Il est entouré d'un déambulatoire sur lequel ouvrent des chapelles.

Le portail Royal de la cathédrale St-André.

Contourner le déambulatoire par la droite.
Contre le 4ᵉ pilier à droite du chœur, jolie sculpture du début du 16ᵉ s. figurant sainte Anne et la Vierge. La chapelle axiale renferme des stalles du 17ᵉ s. En face, fermant le chœur, belle porte en bois sculpté du 17ᵉ s. Revenez vers la façade Ouest, au revers de laquelle s'élève la tribune d'**orgues Renaissance**. En dessous, deux bas-reliefs Renaissance. À droite, le Christ descendant aux Enfers ; à gauche la Résurrection, figurant le Christ monté sur un aigle comme Jupiter.

Tour Pey-Berland★ (D2)

☎ 05 56 81 26 25 - Juin-sept. : 10h-18h ; oct.-mai : tlj sf lun. 10h-12h30, 14h-17h30 - accessible uniquement par escalier (231 marches) - fermé 1ᵉʳ janv., 1ᵉʳ mai, 25 déc. - 4,60 €.
La montée est assez ardue (229 marches par un étroit escalier à vis). À la 2ᵉ terrasse, faire attention à ne pas se cogner la tête : la porte est étroite et très basse.
Construite au 15ᵉ s. à l'initiative de l'archevêque du même nom et couronnée d'un clocher, elle est toujours restée isolée du reste de la cathédrale. La flèche, tronquée par un ouragan au 18ᵉ s., supporte la statue de Notre-Dame d'Aquitaine installée au 19ᵉ s. *(restaurée en 2002).*
Du sommet de la tour, **vue★★** panoramique sur la ville et ses clochers. Prenez un peu de recul pour voir, côté Sud, les deux flèches dominant le transept Nord et, au premier plan, les deux puissantes tours carrées en terrasses qui flanquent le transept Sud.

Centre Jean-Moulin (D2)

Pl. Jean-Moulin - ☎ 05 56 79 66 00 - tlj sf lun. et j. fériés 11h-18h, w.-end 14h-18h - fermé 1ᵉʳ janv., lun. Pâques, 8 mai, Ascension, 14 juil., 15 août, 11 nov., 25 déc. - gratuit.
Le centre Jean-Moulin constitue un véritable musée de la Résistance et de la Déportation et présente un panorama de la Seconde Guerre mondiale.
Au rez-de-chaussée, tracts, correspondances clandestines, imprimerie, poste radio… illustrent la Résistance et la clandestinité, notamment le rôle de Jean Moulin.
Au 1ᵉʳ étage, la déportation et le nazisme sont évoqués par des toiles pathétiques de J.-J. Morvan sur le thème Nuit et Brouillard ainsi que par des maquettes, photos de camps, uniformes de détenus.
Au 2ᵉ étage, les Forces françaises libres : les hommes, le matériel dont le bateau *S'ils-te-mordent* qui relia Carantec à l'Angleterre, rempli de volontaires. Reconstitution du bureau clandestin de Jean Moulin.

Hôtel de ville - palais Rohan (D2)

☎ 05 56 00 66 00 - www.bordeaux-tourisme.com - ♿ - visite guidée (1h) sur demande préalable mer. 14h30 - 2,50 €.
Il occupe l'ancien palais épiscopal, construit au 18ᵉ s. pour l'archevêque **Ferdinand Maximilien de Mériadeck**, prince de Rohan, et marque l'introduction du néoclassicisme en France.
La **cour d'honneur** est fermée sur la rue par un portique à arcades ; à l'opposé s'élève le palais dont la façade, quelque peu solennelle, est animée par le ressaut de l'avant-corps central et des pavillons d'angle. Pendant la visite, on remarquera l'escalier d'honneur, des salons ornés de beaux lambris d'époque et une salle à manger avec grisailles de Lacour.

QUARTIER DES CHARTRONS

Musée d'Art contemporain★ (D1)

Entrée 7 r. Ferrère - ℰ 05 56 00 81 50 - www.bordeaux.fr - tlj sf lun. et j. fériés 11h-18h, mer. 11h-20h, possibilité de visite guidée sur demande - 3,50 € (enf. gratuit) gratuit 1er dim. du mois. 👤👤 *Le capcMusée propose des activités pédagogiques ; il organise également conférences, entretiens et visites commentées.*

Le capcMusée d'art contemporain est installé dans l'ancien **entrepôt Laîné★★**, construit en 1824 pour servir de stockage aux denrées coloniales de Bordeaux. Il a été réaménagé de façon particulièrement réussie.

Autour de la spectaculaire **nef centrale** sont réparties les galeries d'exposition, une bibliothèque et le centre d'architecture Arc en rêve. La terrasse, située au second étage entre les toits du bâtiment, abrite le café du Musée (aménagé par Andrée Putman). Le **musée** présente ses collections permanentes qui couvrent une période allant de la fin des années 1960 jusqu'aux tendances les plus actuelles de la création, et des expositions temporaires.

Croiseur Colbert★★ (B2)

ℰ 05 56 44 96 11 - avr.-sept. : se renseigner pour les horaires - fermé 1er janv., 25 déc. - 7,80 €. Le circuit comporte trois sections balisées de couleurs. Les sections rouge et bleu faisant emprunter des escaliers raides, elles sont déconseillées aux personnes peu agiles.
👤👤 Le bâtiment intimide d'abord puis livre son histoire dans un parcours jalonné d'expositions sur le thème de la marine.

On découvre suivant les itinéraires choisis la salle de l'armement, la salle des machines arrière, les postes de commandement, les deux carrés des officiers, mais aussi la cuisine et la boulangerie de l'équipage, le service sanitaire (salle d'opération, cabinet dentaire…), l'agence postale et bien d'autres aménagements conçus pour la vie quotidienne à bord d'un navire de guerre de la seconde moitié du 20e s.

On voit également les cabines des différents membres de l'équipage et l'appartement coquet de l'amiral *(circuit vert/jaune)* qui a reçu des hôtes célèbres, comme le général de Gaulle. Les accès aux plages avant et arrière du bâtiment permettent de voir la plate-forme destinée aux hélicoptères et des pièces d'armement.

Vinorama (B1)

10-12 cours du Médoc - ℰ 05 56 39 53 02 - juil.-août : tlj sf lun. 10h30-12h, 14h15-19h, dim. et j. fériés 14h30-18h30 ; sept.-juin : tlj sf lun., sam. et j. fériés 10h30-12h, 14h15-19h - fermé 1er et 31 janv., 14 juil., 15 août, 25 déc. - tarif non communiqué.
👤👤 Restons dans le domaine du vin. À travers treize scènes reconstituées avec des personnages en cire, on découvre l'histoire, les techniques d'élaboration puis la commercialisation des vins de Bordeaux, de l'époque gallo-romaine au 19e s. En fin de parcours, dégustation d'un vin romain (additionné de miel et d'épices), d'un vin type 1850 et d'un vin moderne.

Un bateau sous les drapeaux

Admis au service actif en mai 1959, le croiseur anti-aérien *Colbert* a été affecté comme navire amiral à l'escadre de la Méditerranée à Toulon, puis à l'escadre de l'Atlantique à Brest après avoir été transformé en croiseur lance-missiles dans les années 1970.

Ayant peu servi dans des opérations militaires, il a cependant effectué des missions mémorables : aide aux victimes du tremblement de terre d'Agadir en mars 1960, retour du Maroc des cendres du maréchal Lyautey en 1961, voyages du général de Gaulle en Amérique du Sud en 1964, puis au Québec en 1967, fêtes du bicentenaire de l'Indépendance des États-Unis en 1976, opération Salamandre (été 1990, guerre du Golfe).

Le « Colbert » amarré au port de la Lune.

Alain Cassaigne / MICHELIN

Cap Sciences

Hangar 20 - quai de Bacalan - ℘ 05 56 01 07 07 - tlj sf lun. 14h-18h, w.-end 14h-19h ; vac. scol. : lun. 14h-18h - 5,50 € (grande exposition).

👥 Le Centre de Culture scientifique technique et industrielle de la région Aquitaine accueille des grandes expositions temporaires.

Muséum d'histoire naturelle (D1)

5 pl. Bardineau - ℘ 05 56 48 29 86 - www.bordeaux.fr - tlj sf mar. et j. fériés 11h-18h, w.-end 14h-18h - 5,50 € (enf. gratuit) gratuit 1er dim. du mois.

Un petit air vieillot qui ne manque pas d'un certain charme, pour ce musée installé dans un hôtel du 18e s. en bordure du jardin public. Collections minéralogiques, paléontologiques et zoologiques consacrées, en partie, au Sud-Ouest de la France.

QUARTIER ST-SEURIN

Basilique Saint-Seurin (C1)

Visite libre tlj sf lun. 9h-11h45, 14h30-19h, dim. 16h-18h ; possibilité visite guidée juin-sept. : sam. 14h30-17h30, dim. 16h-18h ; reste de l'année : sam. 14h30-17h30.

Comme la cathédrale St-André et la basilique St-Michel, qui se trouvent elles aussi sur le chemin de St-Jacques-de-Compostelle, la basilique St-Seurin est depuis 1999 inscrite au Patrimoine mondial de l'Unesco.

Entrez par le porche Ouest (11e s.), aux intéressants chapiteaux romans. Il est enterré d'environ 3 m. L'ensemble manque d'envolée, l'église fut, comme le porche, remblayée au début du 18e s.

À l'entrée du **chœur** : beau siège épiscopal en pierre (14e-15e s.). En face, retable orné de quatorze bas-reliefs en albâtre retraçant la vie de saint Seurin. À gauche du chœur, dans la chapelle N.-D.-de-la-Rose (15e s.), retable orné de douze panneaux d'albâtre figurant la vie de la Vierge.

La **crypte**, du 11e s., recèle des colonnes et des chapiteaux gallo-romains, de beaux sarcophages en marbre sculpté du 6e s. et le tombeau (17e s.) de saint Fort.

Site paléochrétien de St-Seurin (C1)

Pl. des Martyrs-de-la-Résistance - ℘ 05 56 00 66 00 - www.bordeaux-tourisme.com - juin-sept. : 14h-19h - 2,50 €.

Une nécropole, des fresques, des sarcophages et des amphores, constituant un véritable musée archéologique, nous révèlent l'art des premiers chrétiens.

Aux alentours

Musée de la Création franche à Bègles

58 av. du Mar.-de-Lattre-de-Tassigny - ℘ 05 56 85 81 73 - www.musee-creationfranche. com - 15h-19h - fermé jours fériés sf 1er et 11 nov. - gratuit.

Voilà un site original qui ne laisse pas indifférent. D'abord c'est une histoire : celle d'une galerie (créée en 1989) attachée à diffuser « **l'Art Brut et ses apparentés** », devenue musée municipal en 1996 et qui fait désormais référence (prêtant des œuvres à des musées de par le monde). Ensuite c'est un lieu : une ancienne maison bourgeoise entourée d'un parc qui accueille au rez-de-chaussée les expositions temporaires (5 par an dont celle de l'automne, « Visions et créations dissidentes », qui présente le travail de 8 artistes) et à l'étage la collection permanente (le fonds compte 10 000 œuvres). Qu'on apprécie ou pas, on ne peut ignorer ce courant d'art basé sur la spontanéité de la créativité, en marge de toutes institutions.

Marais de Bruges

Au Nord de Bordeaux, sortie n° 6 de la Rocade. Prendre l'av. des Quatre-Ponts. Accès libre tlj sauf jeudi et dim. 10h-18h. Sepanso - 1 r. Tauzia - 33800 Bordeaux - ℘ 05 56 91 33 65 - visite guidée.

Dans ce milieu préservé, suivez l'itinéraire balisé et ne vous aventurez pas hors des cheminements autorisés. Des grands marais de Bruges, il ne reste que cet îlot de 280 ha qui se partage entre prairies humides pour les trois quarts, *jalles* (anciens bras de rivières), plans d'eau et boisements. Cette réserve naturelle est située sur l'un des axes migratoires les plus importants d'Europe.

Floirac

À l'Est de Bordeaux (sortie n° 23 de la Rocade).

L'**observatoire astronomique de Bordeaux-Floirac** (B2) s'élève au bout de la route montant à l'église. *2 r. de l'Observatoire - 33270 Floirac - ℘ 05 57 77 61 00 - www.obs. u-bordeaux1.fr - visite guidée (2h) oct.-juin : 1er sam. du mois 10h-12h sur demande écrite (15 j. av.) à Mme Élisabeth Speletta, BP 89, 33270 Floirac - gratuit.*

En chemin, le petit **parc municipal**, devant un château adossé à la falaise verdoyante, propose ses pins parasols et ses pelouses fleuries.

Ancien prieuré de Cayac
À la sortie Sud de Gradignan (Sud de Bordeaux), par la N 10.
Bâti au début du 13e s., mais restauré au 17e s., ce prieuré constituait jadis une étape sur la route de Compostelle.

Bordeaux pratique

Voir également l'encadré pratique Vignoble de Bordeaux.

Adresses utiles

Offices du tourisme de Bordeaux – *12 cours du 30-Juillet - ℘ 05 56 00 66 00 - www.bordeaux-tourisme.com - juil.-août : 9h-19h30, dim. et j. fériés 9h30-18h-30 ; mai-juin et sept.-oct. : 9h-19h, dim. et j. fériés 9h30-18h30 ; nov.-avr. ; 9h-18h30, dim. et j. fériés 9h45-16h30 (9h45-18h 1er dim. du mois) - fermé 1er janv., 25 déc.*

Maison du tourisme de la Gironde – *Voir p. 19.*

Visites

◉ Bon à savoir – Tous les 1ers dim. du mois, le centre-ville est interdit aux voitures et l'entrée dans les musées municipaux est gratuite (prêt de vélos pl. des Quinconces).

Forfaits « Bordeaux Découverte » – *Voir p. 26.*

Visites guidées de la ville – *De mi-juil. à mi-août : 10h et 15h ; le reste de l'année 10h - 6,70 € - renseignements à l'office de tourisme ou sur www.vpah.culture.fr et www.bordeaux-tourisme.com*
Bordeaux, qui porte le label Ville d'art et d'histoire, propose des visites-découvertes (2h) animées par des guides-conférenciers agréés par le ministère de la Culture et de la Communication.

À vélo – *Réservation et rendez-vous à l'office de tourisme - 1er dim. de chaque mois à 15h - 6,50 €.* Tour commenté de la ville (2h) : trois circuits en alternance (Bordeaux Art déco, Bordeaux Art nouveau, Bordeaux vu des coteaux).

En autocar – *De déb. avr. à mi-nov. : mer. et sam. 10h - 6,70 €- rendez-vous et réservation à l'office de tourisme.* Tour commenté de la ville (2h).

En omnibus « Belle Époque » – *Dép. de l'office de tourisme - juil.-août : 11h, 14h, 15h30, 17h ; juin et sept. : 11h, 14h - 10 € (enf. 5 €).*

En attelage à chevaux – *Juil.-août : 11h30, 14h, 16h, 18h, ven. 21h30 ; juin et sept. : mer., sam., dim. 11h30, 14h, 16h, 18h - 9,50 € (enf. 6 €) - renseignements à l'office de tourisme.*

En bateau – *Réservation et rendez-vous à l'embarcadère des Quinconces, quai Louis-XVIII - ℘ 05 56 52 88 88.* Visite commentée du port à bord du bateau *Ville de Bordeaux (15h-16h30 - 8 €).* En supplément, en juil.-août, l'histoire de Bordeaux racontée par son fleuve *(lun. et jeu. 15h-16h30 - 10 €).*

Bateau-Croisière Aliénor – *Réservation et rendez-vous à l'embarcadère des Quinconces, quai Louis-XVIII - ℘ 05 56 51 27 90 - dîner dansant 21h-2h - fermé en fév.* Visite du port, du Bordelais et croisières fluviales vers le bec d'Ambès, Langoiran, Blaye, Cadillac, Libourne, etc., à bord du bateau-promenade.

Segway – *373 av. Thiers - ℘ 05 57 54 05 31 - segwaypro@wanadoo.fr.* Voici la nouvelle façon de découvrir la ville sans effort : un brin futuriste, ce mode de locomotion est muni de gyroscopes reproduisant le sens de l'équilibre humain. Debout, le promeneur se penche en avant pour avancer et en arrière pour faire reculer le Segway. Les prix comprennent initiation et accompagnement.

Transports

REJOINDRE BORDEAUX

Aéroport Bordeaux-Mérignac – *Informations, tarifs, réservations : ℘ 05 56 34 50 50 - www.bordeaux.aeroport.fr*

Navette (Jet'bus) – *Aller simple 6,50 €.* Vers le centre-ville (pl. de la Comédie, 30mn) et la gare (45mn) ttes les 45mn (7j./7).

Gare St-Jean – *Informations, tarifs, réservations : ℘ 08 36 35 35 35. www.sncf.fr* Pour rejoindre le centre-ville, prenez le tramway (ligne C).

Parkings – Pour les automobilistes, une vingtaine de parkings permettent de se garer en ville. Parmi les plus grands : parking couvert de Tourny *(pl. de Tourny),* parking couvert du centre commercial Mériadeck *(r. Claude-Bonnier),* parking couvert de la Cité mondiale *(20 quai des Chartrons),* parking couvert de la place de la Bourse *(pl. de la Bourse),* parking couvert du Chapeau-Rouge *(cours du Chapeau-Rouge)* et parking couvert des Salinières *(quai des Salinières).*

RÉSEAU URBAIN

Il se renouvelle avec la mise en service du tramway qui se combine avec les lignes de bus. Un même titre de transport dans les deux cas, la « Tickarte » (carte magnétique) valable pour un voyage ou plus selon la formule choisie.

Renseignements – *Espace-accueil Quinconces - lun.-sam. 7h-19h30 - ℘ 05 57 57 88 88 - www.infotbc.com*

Tarifs – Un trajet coûte 1,30 € et un titre journalier 3,75 €. Des distributeurs se trouvent sur les quais des stations.

Bordeaux compte **3 lignes** de tramway :
A - Mériadeck-Jardin botanique (d'Ouest en Est)
B - Quinconces-Place de la Victoire (du Nord au Sud)
C - Gare St-Jean-Quinconces (du Sud au Nord, le long du fleuve)

Se loger

👁 **Bon à savoir** – Tous les deux ans autour de la deuxième quinzaine de juin, il est presque impossible de se loger à Bordeaux et dans la région. Agen, situé à plus de 100 km, est aussi touché par la vague de professionnels du vin qui déferle sur la ville lors du salon Vinexpo.

🍽 **Étap'Hôtel** – *37 cours du Mar.-Juin - ℘ 0 892 68 05 84 - www.etaphotel.com - P - 109 ch. 34/41 € - � 5 €.* Cet hôtel de chaîne situé en plein centre-ville propose des chambres fonctionnelles toutes identiques : murs blancs crépis, tissus bleus, climatisation, TV. Une adresse pratique à prix sages, pour visiter le quartier historique de Bordeaux.

🍽 **Hôtel Acanthe** – *12 r. St-Rémi - ℘ 05 56 81 66 58 - www.acanthe-hotel-bordeaux. com - fermé 23-30 déc. - réserv. obligatoire - 20 ch. 36/62 € - ⊡ 5,50 €.* La situation centrale et les prix très raisonnables sont les points forts de cet établissement récemment rénové. Les chambres, de taille correcte, sont claires et bien insonorisées, et l'accueil est agréable.

🍽 **Hôtel Opéra** – *35 r. de l'Esprit-des-Lois - ℘ 05 56 81 41 27 - hotel.opera. bx@wanadoo.fr - fermé 24 déc.-2 janv. - 27 ch. 36,50/53,50 € - ⊡ 6 €.* Hôtel familial sans prétention à deux pas du Grand Théâtre et des allées de Tourny. Accueil, entretien régulier (couloirs, moquettes, literie et voilages neufs), chambres fonctionnelles et prix raisonnables pour la ville composent les atouts de l'adresse.

🍽 **Hôtel Notre-Dame** – *36 r. Notre-Dame - ℘ 05 56 52 88 24 - hotelnotredame@free.fr - 21 ch. 39,40/48,60 € - ⊡ 6 €.* Cette maison du 18e s. abrite un hôtel familial plutôt modeste, mais où l'on affiche des prix très raisonnables. Petites chambres bien tenues, confortable salon et plaisante salle des petits-déjeuners. L'ancien « pavé » des Chartrons (belles demeures de négociants) constituera une jolie balade à deux pas de l'établissement.

🍽 **Hôtel Presse** – *6 r. de la Porte-Dijeaux - ℘ 05 56 48 53 88 - info@hoteldelapresse.com - fermé 25 déc.-2 janv. - 27 ch. 48/86 € - ⊡ 8 €.* Sympathique petit hôtel situé dans le quartier piétonnier et commerçant de la vieille ville ; précisons toutefois que l'accès en voiture est parfois un peu difficile. Un escalier agrémenté d'un tapis rouge carmin conduit à de confortables chambres fonctionnelles.

🍽 **Hôtel Continental** – *10 r. Montesquieu - ℘ 05 56 52 66 00 - continental@hotel-le-continental.com - fermé 24 déc.-3 janv. - 50 ch. 56/95 € - ⊡ 7 €.* Hôtel particulier du 18e s. idéalement situé dans le Vieux Bordeaux. D'élégantes boiseries datant de 1913 font le charme de la salle des petits-déjeuners. Les chambres, desservies par un bel escalier, sont assez sobres mais égayées de tons lumineux.

🍽 **Hôtel de la Tour Intendance** – *16 r. de la Vieille-Tour - ℘ 05 56 44 56 56 - www. hotel-tour-intendance.com - P - 24 ch. 58/109 € - ⊡ 8 €.* Rénovation réussie pour cet hôtel du centre-ville : façade typiquement bordelaise bien mise en valeur, pierres apparentes et tomettes à l'intérieur. Les chambres confortables, modernes et personnalisées participent au charme de l'endroit. Accueil agréable et souriant.

🍽 **Hôtel des Quatre Sœurs** – *6 cours du 30-Juillet - ℘ 05 57 81 19 20 - 4sœurs@mailcity.com - 39 ch. 60/90 € - ⊡ 8 €.* Ce vénérable établissement idéalement situé en plein cœur de Bordeaux s'enorgueillit d'avoir hébergé le musicien Richard Wagner et l'écrivain John Dos Passos. Restauré, il abrite aujourd'hui des chambres claires, climatisées, très bien insonorisées et garnies de jolis meubles peints.

🍽 **Chambre d'hôte Une Chambre en Ville** – *35 r. Bouffard - ℘ 05 56 81 34 53 - www.bandb-bx.com - 5 ch. 75/85 € - ⊡ 7 €.* Cet immeuble du centre historique a été entièrement rénové et abrite des chambres personnalisées et parfaitement tenues : la suite « Bordelaise » (teintes chaudes, mobilier de style), la « Nautique » décorée sur le thème de la mer, l'« Orientale » aux couleurs vives et garnie de meubles rapportés du Maghreb…

Se restaurer

👁 **Bon à savoir** – Un déjeuner au marché bio quai des Chartrons le jeudi (7h-16h), ça vous dit ? On y déguste sous une tente de bons petits plats de produits frais, des huîtres et du vin blanc…

👁 **L'huître dans l'assiette** – Le bassin d'Arcachon est proche, mais si vous n'avez pas le temps ou pas prévu d'y faire un saut, vous trouverez facilement un restaurant affichant le traditionnel plateau d'huîtres sur sa carte.

Parc à huîtres du bassin d'Arcachon.

Les huîtres dégustées « à l'arcachonnaise » s'accompagnent de crépinettes bien chaudes (galettes de chair à saucisse) et d'un vin blanc sec. Mais les recettes d'huîtres chaudes développent autrement les arômes de ce mollusque : les beignets d'huîtres se dégustent à l'apéritif, les huîtres en gratin peuvent se manger nature (avec un soupçon de gruyère râpé et de chapelure pour les faire gratiner) ou être à l'occasion de subtiles associations (avec un sabayon au vin blanc, une pointe du purée d'aubergines, etc.). Ce n'est que depuis le Second Empire qu'on les savoure crues : dans l'Antiquité, elles étaient cuisinées au miel ou bien conservées dans le sel, alors qu'au Moyen Âge on en faisait des civets ou des pâtés.

◄ **Le Valentino** – *6 r. des Lauriers - ℘ 05 56 48 11 56 - 7,50/24 €.* Le dernier-né des restaurants de cette rue piétonnière est très sympathique. Le décor offre un charme certain : murs blancs, photos encadrées, chaises en hêtre et éclairage étudié. La cuisine régionale satisfera les plus gourmands.

◄ **La Table du Pain** – *6 pl. du Parlement - ℘ 05 56 81 01 00 - bordeaux360.com - 8/19 €.* Ce concept de restaurant arrivé de Belgique connaît un grand succès. La salle à manger (murs de pierres blondes, étagères anciennes et meubles en pin cirés) est très accueillante. La carte propose une belle sélection de tartines et salades.

◄ **Chez les Ploucs 2** – *49 r. Lafaurie-de-Monbadon - ℘ 05 56 44 03 35 - 9,60/15 €.* Joyeuse ambiance dans cet amusant restaurant campagnard situé au cœur de Bordeaux. Sol couvert de paille, murs en bois brut, outils agricoles, paniers à salade et nombreux autres accessoires rustiques décorent la salle à manger principale. La seconde est dressée sous une verrière. Copieuse cuisine du Sud-Ouest.

◄ **La Bonne Table** – *17 r. Huguerie - ℘ 05 56 01 11 49 - fermé 15-25 août et dim. soir - 10/27 €.* D'appétissants menus à dominante de produits de la mer frais émoulus de la criée d'Arcachon vous seront servis dans ce restaurant de quartier au cadre très sobre. Sachez en outre que le chef fume lui-même son saumon, et que si vous n'avez jamais goûté à la lamproie bordelaise, vous avez frappé à la « bonne table » !

◄ **Bar Cave de la Monnaie** – *34 r. Porte-la-Monnaie - ℘ 05 56 31 12 33 - www. latupina.com - fermé dim. - 11/35 €.* Les clés du succès de ce joli bistrot ? Une restauration proposée à toute heure (omelettes, salades, petits plats traditionnels et un menu le soir), des vins du Sud-Ouest servis au verre, en bouteille ou à la tireuse, des prix sages et une ambiance chaleureuse et décontractée.

◄ **Cheminée Royale** – *56 r. St-Rémi - ℘ 05 56 52 00 52 - fermé lun. midi et dim. - 9 € déj. - 11/27 €.* La grande cheminée où sont préparées les grillades (pavé de bœuf au foie gras, brochettes, etc.) trône dans la salle à manger de ce restaurant du centre-ville. Les menus proposés tournent autour d'une cuisine traditionnelle parfaitement maîtrisée.

◄ **Lou Magret** – *62 r. St-Rémi - ℘ 05 56 44 77 94 - fermé 7-21 juil., dim. et j. fériés - 11,50/22 €.* Dans une rue envahie de les restaurants, laissez-vous tenter par ce sympathique établissement dont la spécialité est le canard de Chalosse, simplement grillé ou accommodé d'une savoureuse sauce. Décor sans façon et terrasse sur la rue.

◄ **Chez Mémère** – *11 r. de la Devise - ℘ 05 56 81 88 20 - michelsedou@wanadoo. fr - 12,50/30 €.* Retrouvez l'ambiance et la saveur des repas pris chez grand-mère sous les voûtes de cette échoppe du 16e s. qui propose garbure landaise, agneau de Pauillac, bœuf de Bazas, encornets frais aux piments d'Espelette et autres recettes du Sud-Ouest. Cave de dégustation de vins régionaux.

◄ **Le Bistro du Musée** – *37 pl. Pey-Berland - ℘ 05 56 52 99 69 - fermé 2 sem. à Noël, 3 sem. en août et dim. - 14,90 € déj. - 21,90/28 €.* D'emblée, on éprouve de la sympathie pour ce bistrot à la jolie devanture en bois vert foncé et au cadre soigné : murs de pierres apparentes, parquet en chêne, banquettes en moleskine et décor d'outils vignerons. Cuisine du Sud-Ouest escortée d'une belle carte de vins du Bordelais.

◄ **Les Restaurants de l'Atrium** – *R. du Card.-Richaud - dans le casino de Bordeaux-Lac - ℘ 05 56 69 49 00 - casino_bordeaux@accor-casinos.com - 12/20 €.* Pas moins de quatre enseignes vous attendent dans l'enceinte du casino. Le Bistrot présente une carte de salades, de grillades et de plats « canailles ». Les amateurs de produits de la mer ont rendez-vous à l'Écailler, tandis que les Escales proposent des saveurs plus exotiques à découvrir sous forme de buffets. Le restaurant de la Passerelle (cadre chic et feutré) n'est quant à lui ouvert que le soir.

Faire une pause

Ailleurs à Bordeaux – *3 pl. du Parlement -* 📞 *05 56 52 92 86 - 13h-20h, dim. 14h-20h.* Cette boutique originale et dépaysante abrite sous le même toit un salon de thé, une librairie consacrée aux voyages et une belle sélection d'objets « d'ailleurs ». L'adresse, pleine de charme et tenue par un couple qui a parcouru de nombreux pays, invite à savourer le bonheur de l'évasion.

Côté Garonne – *111 r. Notre-Dame -* 📞 *05 57 87 69 50 - 11h-19h - fermé mer. mat. et lun.* Cette boutique-salon de thé vous accueille dans un cadre très agréable pour savourer une pâtisserie maison, boire une tasse de thé ou un bon chocolat préparé à l'ancienne. Deux fois par semaine, vous pourrez également y déguster un plat du jour mitonné selon le marché. Nombreuses idées cadeaux « autour de la table ».

L'Heure du Thé – *20 r. des Piliers-de-Tutelle, Bordeaux-St-Pierre -* 📞 *05 56 52 49 79 - lun.-sam. 12h-19h - fermé en août.* Cet établissement confortable et lumineux propose une cinquantaine de thés : verts, noirs, classiques, fumés ou aromatisés, ils accompagnent parfaitement les gâteaux préparés chaque jour par la maison. Une adresse au charme très « british », idéale à l'heure… du thé !

En soirée

👁 **Bon à savoir** – Cinéma, pièces de théâtre, musique, danse… Tout l'agenda des sorties bordelaises est réuni dans l'hebdomadaire *Bordeaux Plus*. Il est également disponible dans quelques offices de tourisme autour de la ville ou dans les hôtels.

Les **quais**, autrefois à l'abandon, ont subi un changement radical : les façades des immeubles ont été ravalées et les hangars transformés en commerces, salles de spectacles, etc. Côté Dordogne, bars et petits restaurants modernes avec terrasses comptent désormais parmi les adresses branchées de Bordeaux.

Bienvenue dans le fief des jeunes Bordelais ! Sur la **place de la Victoire**, une douzaine de bars et de cafés prodiguent en permanence concerts et soirées à thème. Parmi ces établissements, citons El Bodegon réputé pour son ambiance et le Plana, lieu de passage obligé, dit-on, pour tout étudiant digne de ce nom.

Guidés par un instinct festif très sûr, de nombreux lucifuges viennent finir la nuit dans l'un des bars ou l'une des discothèques qui jalonnent le **quai Paludate**. Aux alentours de trois heures du matin, c'est bien simple : l'endroit est tellement bondé qu'il faut jouer des coudes pour ne pas tomber à l'eau. À fréquenter en priorité : le Comptoir du Jazz (concerts de jazz et de blues) et la Distillerie, spécialisée dans les whiskies.

Le Grand Théâtre - Opéra national de Bordeaux – *Pl. de la Comédie -* 📞 *05 56 00 85 95 - www.opera-bordeaux.com - billetterie : tlj sf dim. 11h-18h - fermé j. fériés.* Le Grand Théâtre de Bordeaux est l'un des plus beaux de France. Sa richesse culturelle ne le cède en rien à sa richesse architecturale. Au cours de son histoire, il a accueilli les créations mondiales de *Sampiero Corso* d'Henri Tomasi (1956) et de *Colombe* de Jean-Michel Damase (1961) et la création française de *Gloriana* de Benjamin Britten (1967). Bénéficiant d'une excellente acoustique, il est le lieu de représentation de nombreux concerts symphoniques, d'opéras et de ballets.

Théâtre national de Bordeaux en Aquitaine – *Sq. Jean-Vauthier - quartier Ste-Croix. -* 📞 *05 56 33 36 80 - www.tnba. org - billeterie : 13h-19h - fermé 14 juil.-25 août, dim., lun. et j. fériés.* Trois salles (120, 450 et 750 places) pour une programmation pluridisciplinaire : théâtre, cirque, danse, musique, etc. Pièces classiques et contemporaines et spectacles dédiés au jeune public avec le Théâtre des Enfants.

L'Onyx – *11 r. Fernand-Philippart - quartier St-Pierre -* 📞 *05 56 44 26 12 - www. theatreonyx.net - permanence : 19h-20h les soirs de spectacle ; oct.-mai : mer. 13h-18h ; jeu.-ven. 9h30-12h, 13h-18h - fermé juil.-sept. - 12,5 €.* C'est le plus ancien café-théâtre de la ville et un lieu indispensable pour découvrir la culture « bordeluche ».

Théâtre « La Boîte à Jouer » – *50 r. Lombard -* 📞 *05 56 50 37 37 (réserv.) - billetterie : mer.-sam. 20h ; spectacles 20h30 - fermé juil.-sept.* Ce théâtre compte deux salles de taille modeste (60 et 45 places) où se produisent de petites compagnies régionales, nationales et même internationales, spécialisées dans le théâtre contemporain et musical. Possibilité de dîner sur place.

Théâtre Fémina – *20 r. de Grassi -* 📞 *05 56 79 06 69 - selon spectacles.* D'une capacité de 1 100 places, ce bel édifice accueille pièces de théâtre, comédies, opérettes, chorégraphies et concerts.

Casino de Bordeaux – *R. du Card.-Richaud -* 📞 *05 56 69 49 00 - casino_bordeaux@accor-casinos.com - 10h-4h.*

Grand choix de vins.

Ce casino regroupe des jeux de black-jack, poker, roulettes anglaise et française, ainsi que 250 machines à sous. Restaurants, salle de spectacle, nombreuses animations, etc.

Que rapporter

👁 **Bon à savoir** – La chambre de commerce et d'industrie met en ligne un guide de shopping : www.bordeaux-shopping.com. L'**office de tourisme** abrite un espace boutique où vous trouverez des souvenirs à l'effigie de la ville et des cadeaux autour du vin.

Conseil interprofessionnel du vin de Bordeaux – *1 cours du 30-Juillet -* 📞 *05 56 00 22 88 - www.vins-bordeaux.fr - lun.-ven. 9h-17h - fermé w.-end et j. fériés.* Tout ce que vous avez voulu savoir sur les vignobles et les crus du Bordelais sans jamais oser le demander, ou sans jamais le trouver : stages dispensés par l'École du vin, dégustations, boutique, documentation, conseils, etc. Plusieurs cavistes à proximité.

♿ *Voir notre sélection d'adresses où acheter des vins de Bordeaux dans l'encadré pratique : Vignoble de Bordeaux, Blaye, Bourg, Libourne.*

RUES COMMERÇANTES

La rue **Ste-Catherine**, qui traverse le Vieux Bordeaux, est longue de près de 2 km. Elle est bordée de commerces de tous types, grands magasins, boutiques de mode, bars, restaurants, etc. Formant un angle entre cette rue et la rue de la Porte-Dijeaux, à quelques pas de la Comédie, le passage de la **Galerie-Bordelaise** permet de faire du lèche-vitrine dans un cadre architectural romantique.

La rue **Notre-Dame** (et rues adjacentes), au cœur du quartier des Chartrons, est devenue la rue des antiquaires et des brocanteurs.

MARCHÉS

Marchés traditionnels – Du lun. au sam., pl. de la Ferme-de-Richemont ; dim. cours Victor-Hugo ; du mar. au dim. pl. des Capucins ; dim. quai des Chartrons.

Marchés biologiques – Jeu. quai des Chartrons ; ven. pl. Lucien-Victor-Meunier ; sam. pl. St-Amand (quartier Caudéran).

SPÉCIALITÉS

Huîtres Brunet – *11 r. de Condé -* 📞 *05 56 81 66 60 - mar.-sam. 10h-12h30, 16h-20h30, dim. et j. fériés 9h-13h - fermé juil.-août.* Depuis 25 ans, cet ostréiculteur amène des naissains à maturité dans le bassin d'Arcachon pour les vendre ensuite sur son petit étal bordelais posté non loin de la place des Quinconces. Chaque matin, un nouvel arrivage d'huîtres fraîches et charnues part donc de ses parcs pour prendre place sur ce comptoir. Si vous prenez soin de téléphoner auparavant, la maison peut ouvrir les huîtres pour vous.

Les fameux cannelés.

Stéphane Sauvignier / MICHELIN

Baillardran Canelés – *Galerie des Grands-Hommes -* 📞 *05 56 79 05 89 - lun.-sam. 8h30-19h30.* Située dans le marché des Grands-Hommes, cette boutique confectionne de délicieux canelés (ou cannelés) : ces petits gâteaux bordelais à la robe brune, fine et caramélisée épousent la forme du moule en cuivre dans lequel ils sont cuits. Croquants à l'extérieur, ils sont moelleux à l'intérieur.

Chocolaterie Saunion – *56 cours Georges-Clemenceau -* 📞 *05 56 48 05 75 - tlj sf dim. 9h30-12h30, 13h30-19h15, lun. 14h-19h15 - fermé 15-22 août, j. fériés sf 25 déc., 1er janv. et Pâques, dim. et lun.* C'est l'un des chocolatiers les plus réputés de Bordeaux : donc, à ne pas manquer.

Darricau – *7 pl. Gambetta -* 📞 *05 56 44 21 49 - www.darricau.com - tlj sf dim. 10h-19h, sam. 11h-19h - fermé 1er-15 août et j. fériés.* Depuis 1913, la maison régale les gourmands avec le pavé de Bordeaux, les chocolats au confit de vin ou les fameuses Niniches. Michel Garrigue, qui tient actuellement les rênes de cet établissement, travaille avec de grands crus de cacao et les associe aux épices et herbes aromatiques rapportées de ses nombreux voyages.

Confiserie Cadio-Badie – *26 allées de Tourny -* 📞 *05 56 44 24 22 - cadiotbadie. com - lun. 9h-12h, 14h-19h, mar.-sam. 9h-19h - fermé 15 j. en août ; j. fériés sf Noël et Pâques.* Vous serez sûrement charmé par le style rétro de cette belle boutique fondée en 1826. Truffes et bouchons bordelais confectionnés avec passion valent vraiment le détour.

Librairie Mollat – *15 r. Vital-Carles -* 📞 *05 56 56 40 40 - www.mollat.com - tlj sf dim. 9h30-19h.* La première librairie indépendante de France demeure une véritable institution régionale.

Passage St-Michel – *14-17 pl. Canteloup (quartier St-Michel) -* 📞 *05 56 92 14 76 - www.passage-st-michel.com - lun.-sam. 9h30-18h30, dim. 8h30-14h - fermé 25 déc. et 1er janv.* Ancien entrepôt reconverti en galerie de brocanteurs (48 marchands).

Sports & Loisirs

👁 **Bon à savoir** – Par beau temps ou forte chaleur vous aurez sans doute envie de vous rafraîchir dans l'Atlantique, toute proche. Vous ne serez pas le seul ! Attendez-vous donc à étouffer dans les embouteillages avant d'atteindre la mer promise.

Arcachon est à 50 km à l'Ouest, Lacanau à 60 km au Nord-Ouest et Biscarosse à 74 km au Sud-Ouest.

Le **Porge** est la plage de prédilection des Bordelais, située entre Lacanau-Océan et le bassin d'Arcachon. Il faut avouer que cet endroit présente un charme indéniable avec ses restaurants-bars installés dans des petits chalets de bois, juste derrière la dune de sable.

Le lac – Il couvre 160 ha et offre un centre de voile et d'aviron. Autour du plan d'eau se situent des équipements sportifs (golf, tennis), un ensemble de grands hôtels, un palais des congrès et un parc des expositions. Le quartier du Lac est desservi par le pont d'Aquitaine, mis en service depuis 1967, voie d'accès à l'autoroute A 10 vers Paris.

Centre de voile de Bordeaux-Lac – *Bd du Parc-des-Expositions - 33520 Bruges - ☎ 05 57 10 60 35 - voilebordeaux-lac.fr.st - tlj sf sam. et dim. 9h-12h, 14h-18h30 - fermé 12 avr., 1er, 8, 20, 31 mai, 14 juil. et dim.* Ce centre nautique organise des stages de bateau et de planche à voile pour les jeunes comme pour les adultes. Également, location de matériel.

Golf de Pessac – *R. de la Princesse - 33600 Pessac - ☎ 05 57 26 03 33 - bordeaux. pessac@bluegreen.com - 8h-19h30.* À quelques minutes de l'aéroport, ce golf est agréable car bordé de pins et de plans d'eau. Parcours de 27 trous et 9 trous compact. Club-house et restaurant.

Événements

Fête du fleuve – *www.bordeaux-fete-le-fleuve.com* Les années impaires, le dernier w.-end de juin, les quais s'animent sous les flonflons de la Fête du fleuve. Au programme, dégustations de vins et de fruits de mer, son et lumière, bal, régates et feu d'artifice.

Fête du vin – ☎ *05 56 00 66 00. www. bordeaux-fete-le-vin.com* Dernier w.-end de juin ou 1er w.-end de juil. : les années paires sont dévolues au roi Vin. Dégustations de crus, concerts.

« Scènes de jardins » – Cette manisfestation investit fin juin (années impaires) l'esplanade des Quinconces : paysagistes, designers, décorateurs se mettent au vert pour imaginer des « jardins extraordinaires » où poussent des légumes oubliés ou des labyrinthes de fraises.

Vignoble de **Bordeaux** ★

CARTE GÉNÉRALE BC1/2 –
CARTE MICHELIN LOCAL 335 E/F 3/4 ; I/J/K 6/7 ; K/L5 ; H/I 5/6 – GIRONDE (33)

Ce sont les Romains, dit-on, qui introduisirent la vigne en *Aquitania*. Mais on ne buvait alors qu'une triste piquette relevée de miel et d'épices. Rien à voir avec les vins « aimables » et « épanouis » qui mûrissent aujourd'hui à l'ombre des chais bordelais. Aucun doute, la vigne est souveraine aux portes de Bordeaux. Elle règne sur la vie des hommes comme sur le paysage. C'est une impressionnante mer verdoyante, fleurie çà et là de rosiers, qui monte à l'assaut des collines, occupant chaque parcelle de terrain et ne s'arrêtant qu'à la lisière des bois et au pied des demeures.

▶ **Se repérer** – Les circuits proposés vous font découvrir une partie des terroirs bordelais : au Sud-Est de Bordeaux, les Côtes-de-Bordeaux, l'Entre-Deux-Mers, et le Sauternais ; à l'Est, le terroir de Saint-Émilion ; au Nord de Bordeaux, le Haut-Médoc.

🕐 **Organiser son temps** – Comptez environ une demi-journée pour le circuit de Sauternes et Barsac. Consacrez une journée complète à l'Entre-Deux-Mers, au Haut-Médoc, aux Côtes-de-Bordeaux ou au circuit Saint-Émilion accompagné d'une visite de la ville. Il est agréable de

> 🍷 Pour en savoir plus sur le **vignoble** et les **vins de Bordeaux**, reportez-vous au chapitre « La destination aujourd'hui » dans la partie « Comprendre la région ».

découvrir le vignoble pendant les vendanges, cependant certains châteaux sont précisément fermés à cette période. Pour la visite des chais, il est parfois nécessaire de réserver plusieurs semaines à l'avance.

👪 **Avec les enfants** – La ferme-parc « Oh ! Légumes oubliés » à Sadirac ; la grotte Célestine à Rauzan ; le petit musée des Automates à Pauillac.

🍷 **Pour poursuivre la visite** – Voir aussi : Bordeaux, Château de La Brède, Saint-Macaire, Verdelais, Château de Cazeneuve, Château de Roquetaillade, Bazas, La Réole, Duras, Saint-Émilion, La Sauve, Libourne.

Circuits de découverte

LES CÔTES-DE-BORDEAUX ①

84 km au départ de Bordeaux – compter la journée. Prendre la D 113 puis la D 10 qui suivent la Garonne au Sud-Est de Bordeaux.

Château de Langoiran

🕿 05 56 67 08 55 - www.chateaulangoiran.com - visite guidée (45mn) 9h-12h30, 13h30-17h30, possibilité de visite sur demande les w.-ends et j. fériés - fermé du 22 déc. au 2 janv., w.-ends et j. fériés (sf Pentecôte) - gratuit.
De ce château du 13ᵉ s., laissé à l'abandon pendant plus de trois siècles, seuls subsistaient une enceinte ruinée et un **donjon** rond très imposant envahis par la végétation. Depuis 1972, une association veille à son entretien : dégagement des douves, aménagement de la chapelle oratoire… L'ensemble ne manque pas de charme.

Rions

On pénètre dans cette petite cité fortifiée par la **porte du Lhyan** (14ᵉ s.), qui a conservé ses éléments défensifs d'origine : mâchicoulis, assommoir, rainures de herse et loges latérales pour les hommes d'armes.
Vous ferez une jolie balade au milieu des maisons anciennes en passant par la **halle** du 18ᵉ s. avant de rejoindre le bucolique sentier des remparts, bordé de jardinets.

Cadillac

Cette bastide, fondée en 1280, a donné son nom au cadillac, petite appellation de **vins blancs** liquoreux.
Le **château des ducs d'Épernon** fut élevé et décoré de 1598 à 1620 pour le

> ### La Cadillac
>
> **Antoine de Lamothe-Cadillac**, seigneur de la ville (ou plus vraisemblablement un homme originaire du Tarn-et-Garonne ayant fait emprunt de ce nom), créa en Louisiane un comptoir qui deviendra plus tard Detroit, la capitale de la construction automobile. C'est donc en son honneur qu'une firme reprit son nom.

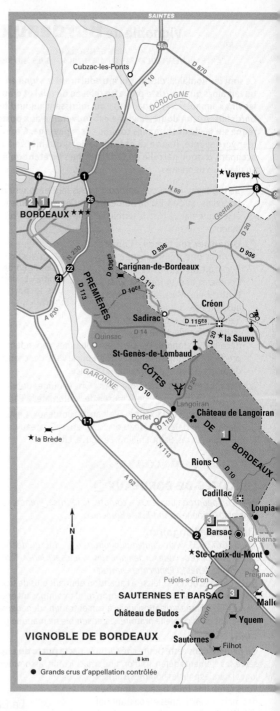

VIGNOBLE DE BORDEAUX

● Grands crus d'appellation contrôlée

fastueux et irascible **Jean-Louis de Nogaret de La Valette** (1554-1642), ancien mignon de Henri III et haut personnage sous Henri IV et Louis XIII. Les vastes appartements aux plafonds à la française abritent huit cheminées monumentales, auxquelles travailla le sculpteur Jean Langlois ; elles sont remarquables par la richesse de leur décor de marbres rares, trophées, Amours, chutes de fleurs et de fruits. Le château n'est pas meublé, il sert de cadre à des expositions temporaires. *℘ 05 56 62 69 58 - juin-sept. : 10h-18h ; oct.-mai : tlj sf lun. 10h-12h30, 14h-17h30 - fermé 1er janv., 1er mai, 25 déc. - 4,60 € (−18 ans gratuit) gratuit 1er dim. du mois (oct.-mai).*

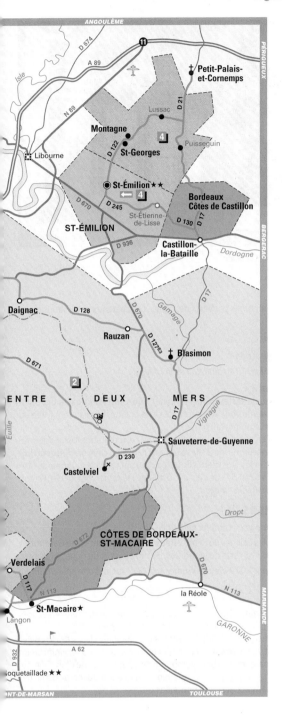

La route longe le coteau calcaire portant les vignobles compris dans l'appellation premières côtes-de-bordeaux : vins blancs, rouges et clairets.

Loupiac

Célèbre pour ses vins blancs, la localité existait déjà du temps des Romains et le poète Ausone (4e s. après J.-C.) y aurait vécu. Témoins de cette époque, les vestiges d'une **villa gallo-romaine** dont les thermes conservent de belles mosaïques. ☏ 05 56 62 93 82 - s'adresser au château le Portail rouge ou ☏ 06 07 01 64 88, M. Jean-Pierre Bernède ou ☏ 06 62 14 74 28, M. Jérôme Marian - visite guidée, tte l'année - 2 €.

Château des ducs d'Épernon à Cadillac.

Prendre la D 117.

La route traverse des mamelons couverts de vignes. Les châteaux se dissimulent au creux de bouquets d'arbres.

Verdelais *(voir ce nom)*

Saint-Macaire★ *(voir ce nom)*

Sortir à l'Est et reprendre la D 10 en direction de Bordeaux.

Sainte-Croix-du-Mont★

De la terrasse du château de Tastes *(actuelle mairie)*, **vue★** très étendue en direction des Pyrénées *(table d'orientation)*. À l'extrémité de la colline, l'**église** remaniée au cours des siècles conserve un portail roman.

Des **grottes★** s'ouvrent en contrebas, creusées dans un banc d'huîtres fossiles déposé par l'Océan à l'époque tertiaire. L'une d'elles a été aménagée en **cave de dégustation** où vous pourrez apprécier les vins blancs liquoreux qui ont fait la réputation de Ste-Croix-du-Mont. 📞 05 56 62 01 54 - de déb. avr. à mi-oct. : tlj sf mer. 14h30-19h, w.-end et j. fériés 10h30-13h, 14h30-20h - gratuit.

L'ENTRE-DEUX-MERS ②

105 km au départ de Bordeaux – compter la journée.

Douces et verdoyantes, les collines de l'Entre-Deux-Mers déroulent entre Garonne et Dordogne leurs versants couverts de vignobles, de bosquets et de riches prairies.

Quitter Bordeaux à l'Est par la D 936 et emprunter la D 936ES sur la droite pour atteindre Carignan-de-Bordeaux.

Maison Ginestet

📞 05 56 20 90 74 - www.ginestet.fr - visite guidée (1h15) juin-sept. : 10h-14h et 16h, w.-end sur demande ; oct.-mai : sur demande - fermé j. fériés - gratuit.

Cette maison de négoce fondée en 1897 ouvre ses installations à la visite, du cuvier au chai de vieillissement, et fait découvrir le métier méconnu d'éleveur et vinificateur. Ne vous fiez pas aux apparences : la bâtisse moderne n'a pas le charme d'un château, mais le guide est passionnant, un vrai puits de science : vous aurez du mal à en toucher le fond… et à repartir sans acheter une bouteille !

Prendre au Sud-Est la D 10^{E4} puis la D 115.

Sadirac

Important centre potier artisanal exploitant surtout l'argile « bleue », le bourg présente cette activité traditionnelle, dont l'apogée se situa au 18e s., dans la **Maison de la poterie-musée de la Céramique sadiracaise**. Aménagée sur le site d'un ancien atelier construit en 1830 (four d'origine au fond du hall), la maison abrite notamment des pièces datant du 14e s. au 18e s. et des maquettes de fours anciens. La production actuelle, assurée par trois ateliers seulement, est axée sur la poterie du bâtiment, la poterie horticole et la reconstitution de formes anciennes. 📞 05 56 30 60 03 - ♿- tlj sf dim., lun. et j. fériés 14h-17h - 1 €.

La **ferme-parc « Oh ! Légumes oubliés »** remet à l'honneur des légumes et des plantes tombés en désuétude : potimarron, rutabaga, nèfles… Au programme : découverte du verger et du potager-conservatoire, initiation aux saveurs anciennes, visite d'une conserverie traditionnelle et de l'exploitation agricole. Enfin, petits et grands s'aventureront dans le **labyrinthe végétal**, pour remonter le fil des grands changements alimentaires survenus au cours des siècles. *05 56 30 62 00 - www.ohlegumesoublies.com -* &. *- 14h-18h - fermé du 19 déc. au 28 fév. - 7,50 € (enf. 5,90 €).*

La D 115^{E8} et la D 671 mènent à Créon.

Créon
Cette ancienne bastide, avec sa place à arcades du 13e s. qui accueille un important marché le mercredi matin, est la capitale de l'Entre-Deux-Mers. Elle occupe un site très vallonné qui lui a valu le nom de « Petite Suisse ». À présent, c'est le premier village à porter le titre de « Station Vélo » *(voir l'encadré pratique).*

Quitter Créon par le Sud, D 20.

Saint-Genès-de-Lombaud
Sur fond de grands arbres se découpe la jolie silhouette de l'**église** N.-D.-de-Tout-Espoir, sise à mi-pente d'un vallon. Siège d'un pèlerinage à la Vierge noire, elle se trouve à l'emplacement présumé d'une villa romaine. Sa façade à clocher-pignon présente un portail roman dont l'archivolte est sculptée d'animaux et de petits personnages. Dans la nef, chapiteaux romans, et, à gauche, pierre sculptée provenant vraisemblablement d'un autel domestique romain.

Revenir à Créon et poursuivre sur la D 671.

La Sauve★ *(voir ce nom)*
Poursuivre sur la D 671 jusqu'à St-Brice. À la sortie du village prendre à droite la D 123 puis, la D 230.

Église de Castelviel
05 56 61 97 58 - visite guidée sur demande à la mairie de Castelviel.
Elle se caractérise par une superbe **porte romane★** de style saintongeais dont les chapiteaux et les voussures portent un riche décor sculpté formant l'un des plus beaux ensembles de la Gironde.
On identifie les Travaux des mois *(1re voussure en partant du haut)*, le Combat des Vertus et des Vices *(2e voussure)*, des personnages reliés par une corde symbolisant la communauté des fidèles *(3e voussure)*. Sur les chapiteaux, remarquez à droite les Saintes Femmes au Tombeau et la Décollation de saint Jean Baptiste, à gauche les péchés capitaux *(le 1er chapiteau à l'extrémité gauche représente la Luxure).*

Revenir à St-Brice et poursuivre sur la D 671.

Sauveterre-de-Guyenne
Cette bastide typique, créée en 1281 par Edouard Ier, devint définitivement française en 1451 après avoir changé dix fois de camp. Elle a conservé ses quatre portes fortifiées. La vaste place centrale entourée d'arcades s'anime le mardi jour de marché.

Jean Malburet / MICHELIN

Le remarquable portail roman de l'église de Castelviel.

Ancienne abbaye de Blasimon

📞 05 56 71 52 12 - lun.-ven. : sur demande à la mairie ; visite libre le w.-end.

Cette abbaye bénédictine ruinée se dissimule au fond d'un vallon. Une enceinte fortifiée, dont témoigne encore une tour isolée, l'entourait.

L'**église** du 12ᵉ-13ᵉ s. associe des éléments romans (décor sculpté, quelques baies en plein cintre) et gothiques (arcs brisés, belles voûtes d'ogives). Clocher-pignon ajouté au 16ᵉ s. Au côté droit de l'abbatiale, le **cloître** a conservé seulement quelques arcades aux beaux chapiteaux romans et une partie de la salle capitulaire.

Rauzan

Gros bourg-marché de l'Entre-Deux-Mers, Rauzan conserve les ruines romantiques d'un **château des Duras** bâti à la fin du 13e s., qui témoigne du conflit franco-anglais durant la guerre de Cent Ans. Une enceinte à merlons et un logis seigneurial (14e-15e s.) percé de fenêtres à meneaux accompagnent le majestueux donjon rond, haut de 30 m, d'où l'on a une belle vue sur la campagne. À voir également la tour d'honneur (fin 15e s.) avec sa magnifique voûte en palmier. *📞 05 57 84 03 88 - juil.-août : 10h-12h, 14h30-18h30 ; reste de l'année : tlj sf lun. 10h-12h, 14h-17h - 3 € - s'adresser à l'office de tourisme.*

De l'autre côté du vallon, au fond duquel niche un charmant lavoir, l'**église** montre trois beaux portails du 13ᵉ s. et un clocher-pignon déjà de type pyrénéen.

Grotte Célestine – *📞 05 57 84 08 69 - réservation obligatoire, visite guidée (45mn) tlj sf lun. 10h-12h, 14h-16h (7j./7 en juil.-août, dernier dép. à 17h) - 6,50 € (–14 ans : 5 € ; 1,20 m minimum pour visiter). 14 °C dans la grotte, prévoir une petite laine. Tout le matériel (casque, bottes) est fourni.*

Les galeries d'une **rivière souterraine** furent découvertes au milieu du 19ᵉ s. lors du creusement d'un puits au centre du village. On y organisa des visites à la lueur d'une bougie jusqu'en 1930, date de fermeture du site afin de le préserver. À l'époque, on accédait aux galeries par un escalier donnant dans une maison au-dessus ; une aire de pique-nique avait été aménagée et les villageoises venaient y cancaner ! Pendant la Seconde Guerre mondiale, la grotte servit de cachette à deux résistants.

À votre tour de descendre à 13 m de profondeur, à présent vêtu de la panoplie du spéléologue, pour explorer les lieux. Vous parcourrez aisément 250 m dans 5 à 15 cm d'eau, appréciant au passage les diverses **concrétions**, dont une impressionnante colonne de 3,50 m de haut et de surprenantes draperies « à dents de baleine ».

Prendre la D 128 vers Daignac.

Daignac

Un ruisseau, le Canedone, a creusé là un ravin que franchit un **vieux pont**. En aval, ruines d'un moulin du 13ᵉ s.

Retour à Bordeaux par la D 936.

SAUTERNES ET BARSAC ③

30 km au départ de Barsac – environ 2h.

Le château Yquem a donné son nom à un cru très recherché.

Alain Cassaigne / MICHELIN

Barsac est à 10 km au Nord-Ouest de St-Macaire (voir circuit **1** *) par la N 113, ou à 39 km au Sud-Est de Bordeaux par l'A 62 puis, la N 113.*

Petit par la surface, mais grand par le renom de ses vins blancs, le vignoble de Sauternes et Barsac est un « pays » constitué par la basse vallée du Ciron, près de son confluent avec la Garonne. Le terroir se limite à cinq communes : Sauternes, Barsac, Preignac, Bommes et Fargues. Sur les coteaux s'alignent les rangées de ceps (muscadelle, sauvignon et sémillon), généralement perpendiculaires au cours du Ciron et séparées en « clos ». Ici, les vendanges sont tardives. Les grains de raisin, parvenus à maturité, ne sont pas cueillis aussitôt, afin qu'ils puissent subir la « pourriture noble », causée par un champignon propre à la région. Ces grains « confits » sont alors détachés un par un et transportés avec d'infinies précautions.

Barsac

L'**église**, curieux monument de la fin du 16e et du début du 17e s., comprend trois nefs de même hauteur dont les voûtes constituent un exemple de la survivance du gothique en période classique. Le mobilier est Louis XV : tribune, autels, retables, confessionnaux. Les sacristies sont revêtues de boiseries ou de panneaux de stuc.
℘ 05 56 27 21 81 ou 06 09 05 98 20 - avr.-sept. : 9h-18h.

Quitter Barsac par le Sud en direction de Pujols-sur-Ciron.

Budos

Un peu extérieur au Sauternais proprement dit, Budos conserve les ruines d'un **château féodal** (début 14e s.), propriété d'un neveu du pape Clément V. Le chemin d'accès passe sous le châtelet d'entrée que couronne une tour carrée à merlons, puis atteint l'esplanade du château. De là, descendez dans le fossé du front Ouest pour vous rendre compte de la puissance de la courtine et des tours, renforcées de bretèches.

Suivre la D 125.

Sauternes

Un bourg viticole typique, incontournable pour les amateurs. Au Sud du village, le **château Filhot** (premier grand cru classé) a été construit au 17e s. et remanié au 19e s.

Quitter Sauternes par le Nord.

Château Yquem

Le plus prestigieux des crus de Sauternes était connu déjà au 16e s. Vue sur le Sauternais en direction de la Garonne.

Poursuivre vers le Nord en direction de Preignac.

Château de Malle

℘ 05 56 62 36 86 - www.chateau-de-malle.fr - visite guidée (30mn) avr.-oct. : 10h-12h, 14h-18h (dernière entrée 17h30), sur demande le matin - fermé 1er Mai - 7 €.
Un portail d'entrée orné de superbes ferronneries donne accès au domaine. L'aimable composition qu'offrent l'ensemble du château et des jardins a été conçue au début du 17e s. par un aïeul de l'actuel propriétaire. Le château lui-même, charmante demeure à pavillon central aux frontons sculptés semi-circulaires, coiffé d'un toit d'ardoises à la Mansart, rappelle par son plan les chartreuses girondines. Deux ailes basses en fer à cheval aboutissent à deux grosses tours rondes. Les bâtiments latéraux renferment les chais. L'intérieur du château, garni d'un beau mobilier ancien, abrite une **collection de silhouettes en trompe l'œil** du 17e s., unique en France. Elles servaient autrefois de figuration immobile au petit théâtre en rocaille du jardin.
Les **jardins** en terrasses, à l'italienne, présentent des groupes sculptés du 17e s. et un curieux nymphée en rocaille orné de statues d'Arlequin, Pantalon et Cassandre. Prolongeant ces jardins, le vignoble s'étend, fait unique en Gironde, sur les deux terroirs de Sauternes (vin blanc) et de Graves (vin rouge).

Par la D 8E4, Preignac et la N 113, regagner Barsac.

LE SAINT-ÉMILION **4**

52 km environ, au départ de St-Émilion (voir ce nom) – compter 3h.

Certes, il est recommandé de parcourir les vignes à l'automne lorsque les rangées de ceps s'animent de la fièvre des vendanges *(2e quinzaine de septembre)* et qu'une lumière caressante dore les contours du paysage. Cependant, en toute saison le promeneur jouira du tableau équilibré que composent les coteaux couronnés de châteaux et de bouquets d'arbres, tandis que se dégagent des échappées sur les vallées de la Dordogne et de l'Isle.

Quitter St-Émilion au Nord près de la porte Bourgeoise par la D 122.

Après St-Émilion et peu avant St-Georges apparaît à droite le **château St-Georges**, bel édifice Louis XVI sommé d'une balustrade et de pots à feu.

Saint-Georges

Petite église romane du 11e s. à tour carrée s'élargissant vers le haut et abside courbe offrant des modillons sculptés aux sujets savoureux, traités dans un style cubiste.

Montagne

Ce petit village abrite une **église** romane à trois absides polygonales que surmonte une tour carrée munie d'une chambre forte. De la terrasse voisine de l'église, vue sur St-Émilion et la vallée de la Dordogne.

À proximité, l'**écomusée du Libournais** propose au visiteur une incursion dans le terroir à travers une présentation des ressources locales, des activités traditionnelles et de l'aspect social dans le vignoble libournais à la fin du 19e s. et au début du 20e s. La seconde partie est consacrée aux **techniques viticoles** actuelles : ce panorama vous permettra de faire le point de vos connaissances ou de les compléter avant de vous rendre sur le terrain. D'intéressants espaces mis en scène (tonnellerie, maréchalerie, charronnage…) complètent la visite. Le **jardin ethnobotanique** est aussi instructif, vous y découvrirez les différentes utilisations (ludiques, curatives, ornementales, etc.) des plantes et arbres. *℘ 05 57 74 56 89 - de déb. avr. à mi-nov. : 10h-12h, 14h-18h, w.-end et j. fériés 14h-18h - fermé reste de l'année - 5,50 € (enf. 2,60 €).*

Continuer la D 122 jusqu'à Lussac et la suivre sur 2 km. Prendre à gauche la D 21 sur 4,5 km.

Petit-Palais-et-Cornemps

Au milieu de son cimetière, l'**église** de Petit-Palais (fin 12e s.) offre une ravissante **façade★** romane saintongeaise, de dimensions réduites mais bien proportionnée et sculptée avec délicatesse d'une profusion de motifs. L'élévation comporte trois étages d'arcs, aux dessins différents, dont plusieurs polylobés suivant une mode venue des Arabes ; la cathédrale de Zamora (Espagne) s'en est inspirée.

Le **portail** est encadré de portes aveugles qui donnent une idée fausse du plan de l'église, pourvue d'une nef sans bas-côté. La disparité entre les deux baies aveugles situées aux extrémités du second registre, l'une polylobée, l'autre régulière, constitue une autre particularité de cette façade. Remarquez, à l'archivolte du portail central, un cordon d'animaux se poursuivant, et, dans les écoinçons, d'amusants personnages figurant d'un côté une femme, de l'autre un homme se tirant une épine du pied.

Revenir sur la D 17 que l'on prend vers le Sud.

Castillon-la-Bataille

En 1453, les troupes anglaises placées sous les ordres du général Talbot subirent une lourde défaite devant les troupes des frères Bureau. Cette bataille marqua la fin de la domination anglaise en Aquitaine. Reconstitution chaque été *(voir la rubrique « Événement » dans l'encadré pratique).*

Vendanges à la main dans le vignoble de St-Émilion.

Construite sur une butte, Castillon domine la rive droite de la Dordogne dont les berges ont inspiré Michel de Montaigne et Edmond Rostand. Ses coteaux produisent un bordeaux supérieur, les côtes-de-castillon.

Revenir à St-Émilion par la D 130, St-Étienne-de-Lisse et la D 245.

LE HAUT-MÉDOC★ ⑤

130 km au départ de Bordeaux – compter une journée. Quitter Bordeaux au Nord-Ouest par la N 215 et à Eysines prendre la D 2 à droite. Pour ceux qui partiraient du Parc des expositions, suivre la D 209.

La presqu'île du Médoc se dresse entre Gironde et Atlantique. Favorisé par des conditions naturelles exceptionnelles et par une tradition viticole remontant au règne de Louis XIV, le Haut-Médoc est le pays des châteaux et des grands crus, précieusement conservés dans les chais. L'appellation s'étend sur 4 200 ha, à l'intérieur de laquelle sont enclavés les six crus villageois : margaux, moulis, listrac, saint-julien, pauillac et saint-estèphe.

Terroir et crus du Médoc

Si les graviers déposés par la Gironde ne constituent pas en eux-mêmes un sol très fertile, ils ont la propriété d'emmagasiner la chaleur diurne et de la restituer au cours de la nuit, évitant ainsi à la plupart des gelées printanières : les vignes médocaines sont donc taillées très bas pour profiter au maximum de cet avantage. D'autre part, les vallons encaissés que parcourent les *jalles*, perpendiculaires à la Gironde, facilitent l'écoulement des eaux et permettent de varier les expositions. Le climat bénéficie, d'un côté, de la Gironde dont la masse d'eau joue un rôle adoucissant et, de l'autre, de l'écran protecteur que forme la pinède landaise face aux vents marins.

La région du Médoc fournit environ 8 % des vins d'appellation du Bordelais. Exclusivement rouges, ils proviennent principalement du cépage cabernet ; légers, bouquetés, élégants, un tantinet astringents, ils plaisent aux palais délicats. Château-Lafite, château-margaux, château-Latour, château-mouton-rothschild sont les crus les plus cotés.

Château Siran

À Labarde. ☎ 05 57 88 34 04 - www.chateausiran.com - &.- *visite guidée (30mn, dernière entrée 17h30) 10h15-18h - fermé 1ᵉʳ janv., 25 déc. - gratuit.*

Cette **chartreuse** (17ᵉ s.-Directoire), entourée d'un bois qui à l'automne se tapisse de cyclamens, a appartenu aux comtes de Toulouse-Lautrec, ancêtres du peintre. Les 40 ha de vignoble sont divisés en 3 parcelles.

Vous verrez d'abord, dans le chai à barriques, la collection d'étiquettes de ce château, qui depuis 1980 sont illustrées chaque année par un artiste, puis des objets de tonnellerie, une série de bouteilles anciennes et de pots « jacquot ».

Vous découvrirez ensuite quelques pièces aménagées dans les communs du château. Dans le couloir, remarquez les gravures signées Rubens, Vélasquez, Boucher, Daumier, et dans l'escalier menant à l'étage, la reproduction du *Bacchus juvénile*, du Caravage. La salle à manger, dite salle Decaris, du nom de l'auteur des tableaux sur le thème du vin, compte quelques faïences (fabrique de Vieillard) portant le liseron comme motif. Mais c'est au rez-de-chaussée, dans la salle de réception, que se trouve l'intéressante collection d'assiettes à dessert Vieillard richement décorées (scènes de chasse, mariage, etc.). Cette pièce renferme en outre de beaux meubles du 19ᵉ s.

Château Margaux

☎ 05 57 88 83 83 - www.chateau-margaux.com - *visite guidée (1h30) sur demande des chais de Château Margaux tlj sf w.-end et j. fériés 10h-12h, 14h-16h - fermé août et pdt les vendanges - gratuit.*

« Premier grand cru classé », le vignoble de Château Margaux fait partie de l'aristocratie des vins de Bordeaux. Il couvre 85 ha. Remarquez quelques rangées de très vieux ceps, noueux et tordus. On visite les chais, les installations de vinification et une collection de vieilles bouteilles.

Le **château** est de proportions harmonieuses. Bâti en 1802 par l'architecte Combes, élève de Victor Louis, il comporte un soubassement, deux étages et un attique. Un jardin à l'anglaise contraste, par sa fantaisie, avec la sévérité des bâtiments.

Dans Margaux prendre la direction Bordeaux, à la sortie du village tourner à gauche et continuer jusqu'au cimetière : c'est juste derrière.

Vignoble du Château Margaux.

Château Maucaillou

*📞 05 56 58 01 53 - www.maucaillou.com - &- mai-sept. : 10h-17h (ttes les h) ; oct.-avr. :
10h, 11h, 14h-16h - fermé 1er janv. - 6,90 € (enf. 3 €).*

Le domaine propose la visite de son chai et de son **musée des Arts et Métiers de
la Vigne et du Vin** exposant les méthodes anciennes et modernes de viticulture
de Maucaillou.

Reprendre la D 5. À Cussac-le-Vieux, prendre à droite.

Fort Médoc

*📞 05 56 58 98 40 - &- mai-sept. : 9h-19h ; avr. et oct. : 10h-18h30 ; nov. : 10h-18h, déc.-
mars : 10h-17h (dernière entrée 30mn av. fermeture) - 2,20 € (enf. 0,60 €).*
Demander le livret « Fort Médoc 1691 ».

Conçu en 1686 par **Vauban** pour interdire les approches de Bordeaux à la flotte
anglaise, l'ouvrage croisait ses feux avec ceux du fort Pâté et de la citadelle de Blaye
(voir ce nom). Par une porte sculptée, la porte Royale au fronton orné d'un soleil
symbolisant le roi Louis XIV, on pénètre dans la cour où les principaux éléments du
fort sont indiqués. Les bâtiments en ruine font l'objet de chantiers de restauration,
ainsi après la chapelle et le casernement Nord, les tailleurs de pierres ont œuvré à la
boulangerie. La visite se clot par le petit musée d'histoire locale.

À partir de la D 2, un chemin pris à gauche donne accès au Château Lanessan.

Château Lanessan

*📞 05 56 58 94 80 - www.lanessan.com - &- visite découverte (1h30) 9h15-12h, 14h-18h -
d'autres visites thématiques sont proposées - fermé 1er janv., 25 déc. - 7 € (enf. gratuit).*

Campé au faîte d'un domaine de 400 ha, il domine vignes, bois et prairies. Construit
en 1878 par Abel Duphot, ce château apparaît comme un mélange de Renaissance
espagnole et de style hollandais, notamment avec ses pignons à crémaillères et ses
hautes cheminées monumentales. La visite des chais qui datent de 1887 (cuves en
ciment) s'achève par une dégustation.

Dans les communs, le **musée du Cheval** présente une intéressante collection de
voitures hippomobiles de 1900, dont une diligence de quinze places. La sellerie expose
mors, harnais, étriers et selles. Remarquez les mangeoires en marbre dans l'écurie.

Château Beychevelle

*📞 05 56 73 20 70 - www.beychevelle.com - visite guidée (1h) juil.-août : tlj sf dim. 10h-
11h45, 13h30-17h ; sept.-juin : tlj sf w.-end 10h-11h45, 13h30-17h - fermé vac. scol. Noël
et j. fériés - gratuit.*

Le nom de Beychevelle (« baisse-voile ») viendrait du salut que les navires devaient
faire au 17e s. devant la demeure appartenant alors au duc d'Épernon, grand amiral
de France, qui percevait un droit de péage.

La blanche et charmante **chartreuse** reconstruite en 1757, agrandie à la fin du 19e s.
et qui a retrouvé sa splendeur originelle suite à une restauration, présente un fronton
sculpté de guirlandes et de palmes.

Au-delà de Beychevelle, vues agréables sur l'estuaire de la Gironde.

Saint-Julien-Beychevelle

Vignobles estimés, tels les Châteaux Lagrange, Léoville, Beaucaillou, Talbot (du nom du célèbre maréchal anglais) et le Gruaud-Larose dont le propriétaire annonçait, dit-on, la qualité en hissant sur la tour un pavillon différent.

Pauillac

À mi-chemin entre Bordeaux et la pointe de Grave, Pauillac est doté d'un port de plaisance. Cette cité est surtout connue comme un centre vinicole important qui s'honore de crus illustres comme les châteaux-lafite-rothschild, latour et mouton-rothschild ainsi que d'une coopérative, la Rose Pauillac, la plus ancienne du Médoc.

Le petit musée d'Automates, dans la rue piétonne face au port, amusera vos enfants. ✆ 05 56 59 02 45 - juin-sept. : 10h-12h30, 14h30-19h ; reste de l'année : se renseigner - 3 € (enf. 2 €).

Autour du village, possibilités de belles balades en famille (voir la rubrique « Sports & Loisirs » dans l'encadré pratique).

Château Mouton Rothschild★

✆ 05 56 73 21 29 - visite guidée (1h) sur demande au service des visites 9h30-11h, 14h-16h (15h ven.) - fermé 25 déc.-1ᵉʳ janv., w.-end et j. fériés - 5 €.

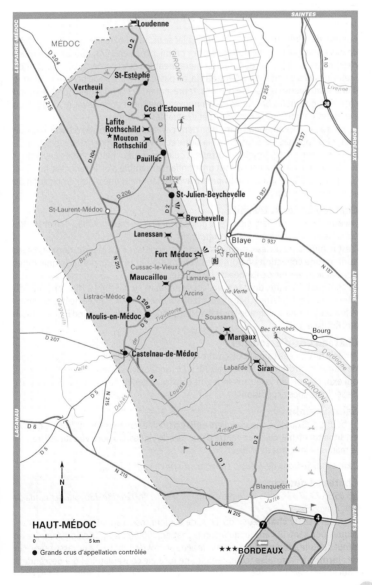

Les chais du Château Mouton Rothschild, aussi célèbres que ses vins.

Au cœur des vignobles qui dominent Pauillac se niche le Château Mouton Rothschild, un des noms glorieux du Médoc, classé « premier cru » en 1973, dont se visitent les **chais★** : de la salle d'accueil superbement meublée et décorée de peintures et de sculptures ayant trait à la vigne ou au vin, on passe dans la salle de banquets, tendue d'une somptueuse tapisserie du 16ᵉ s. représentant les vendanges. Après le grand chai où reposent les barriques de vin nouveau viennent enfin caves et caveaux où s'alignent par milliers de précieuses et vénérables bouteilles.

Le **musée★★** est aménagé dans d'anciens caveaux. Nombreuses œuvres d'art de toutes les époques, se rapportant à la vigne et au vin. On admirera tapisseries, peintures, sculptures, céramiques, verreries, « pierres dures » placées dans un cabinet tendu de drap bleu nuit et surtout un étonnant ensemble d'orfèvrerie des 16ᵉ-17ᵉ s. Une place est faite à l'art contemporain avec notamment une belle composition du sculpteur américain Lippold.

Château Lafite Rothschild

www.lafite.com - sur demande, visite guidée (1h) tlj sf w.-end 9h, 10h30, 14h et 15h30 - fermé août-oct., j. fériés et ponts - gratuit.

C'est le plus fameux des « premiers grands crus classés » du Médoc, dont les caves abritent une collection de bouteilles vénérables parmi lesquelles quelques-unes portent le millésime de l'année de la Comète, 1811.

Le château lui-même, dont le nom, correspondant au gascon La Hite, provient du latin *petra ficta* (« pierre fichée »), est établi sur une terrasse plantée de beaux cèdres et limitée par une balustrade Louis XIV ; il appartient depuis le Second Empire (1868) aux Rothschild.

Château Cos-d'Estournel

Au-delà du Château Lafite Rothschild, à droite de la D 2, apparaît la silhouette orientale de **pagodes indiennes** édifiées au 19ᵉ s. Le fondateur du Château Cos-d'Estournel, qui exporta son vin jusqu'aux Indes, fit construire cet édifice exotique en souvenir de ses lointaines expéditions.

Saint-Estèphe

Le bourg, que domine une singulière **église** d'origine romane et à l'intérieur baroque, est situé sur un mamelon au centre d'une mer de vignes. Du port, vue sur la Gironde, le marais et les côtes de Blaye.

2 km avant St-Izans-de-Médoc, s'engager sur un chemin à droite.

Château Loudenne

☏ 05 56 73 17 97 - www.lafragette.com - mai-oct. : 9h-12h, 13h-18h ; sur demande de nov. à avr. - 5 €.

Cette ravissante **chartreuse** du 17ᵉ s. de couleur rose a appartenu à deux Britanniques pendant 125 ans jusqu'à son rachat en 2000 *(présentation du domaine en début de visite à l'appui d'une maquette et de photos de famille)*. La terrasse ouvre sur des **jardins à l'anglaise** (comprenant une roseraie conservatoire) qui descendent doucement vers l'estuaire où se trouve le petit port privé de la propriété. Les chais victoriens abritent un **musée** retraçant le travail du vin (outils et objets anciens) et de la vigne (intéressante fresque « des quatre saisons »). Possibilité de déguster les vins du Château Loudenne (cru bourgeois du Médoc) mais aussi ceux des autres propriétés de la famille Lafragette (Château de l'Hospital, au cœur des Graves et Château de Rouillac, dans l'appellation Pessac-Léognan).

Revenir à St-Seurin et prendre à droite en direction de Pez.

Vertheuil

L'**église romane** (11e s.), modifiée au 15e s., est une ancienne abbatiale dont l'importance est marquée par ses trois nefs, son chœur à déambulatoire et chapelles rayonnantes, ses deux clochers. Sur le côté droit, restes d'un beau **portail roman** aux voussures ornées de figures. L'intérieur relève du style poitevin par ses bas-côtés presque aussi hauts que la nef, voûtée d'ogives au 15e s. Dans le chœur, tribune suspendue et stalles de la même époque, sculptées de scènes monastiques. Au bas de la nef, fonts baptismaux monolithes également du 15e s.
Les ruines d'un château à donjon du 12e s., restauré, dominent le village.

Moulis-en-Médoc

L'**église romane** a été quelque peu modifiée à l'époque gothique ; la tourelle ronde élevée à la place de l'absidiole Sud renferme l'escalier en hélice donnant accès au clocher doté d'une chambre forte. L'abside, remarquable, montre à l'extérieur des modillons sculptés et des arcatures. À l'intérieur, remarquez les chapiteaux sculptés de félins ou d'oiseaux, naïvement historiés : 4e chapiteau à gauche, Tobie portant le poisson dont le fiel guérira la cécité de son père. Fresques des 12e-15e s. et sarcophages mérovingiens.
Les vignobles de Grand-Poujeaux font la renommée des vins de Moulis.

Castelnau-de-Médoc

À voir dans l'**église** : un vitrail Renaissance représentant la Crucifixion, une sculpture sur bois (1736), la Pentecôte, et le bas-relief d'albâtre des fonts baptismaux (14e s.), la Trinité. Le bénitier extérieur, intégré à la façade, était, si l'on en croit la tradition, réservé aux lépreux.

La D 1 ramène à Bordeaux.

Vignoble de Bordeaux pratique

Adresses utiles

Maison du vin de Bordeaux – *1 cours du 30-Juillet - 33075 Bordeaux Cedex -* ℘ *05 56 00 22 88 - tlj sf w.-end 9h-17h30.* Diverses documentations y sont disponibles : un dépliant « Découverte du vignoble » regroupant carte et adresses ; une brochure « Les Routes du vin » proposant des itinéraires ; un livret « Initiations » permettant de mieux connaître et apprécier les différents vins de la région. Elle dispose également du programme des manifestations du vignoble bordelais (journées portes ouvertes, fêtes, animations).

♿ *Pour connaître les coordonnées des Maisons du vin des différentes appellations, reportez-vous à la rubrique « Vignoble » dans le chapitre « À faire et à voir » dans la partie « Organiser son voyage ».*

Office du tourisme de Créon – *62 bd Victor-Hugo - La Gare - 33670 Créon -* ℘ *05 56 23 23 00.*

Office du tourisme de Sauveterre-de-Guyenne – *2 r. St-Romain - 33540 -* ℘ *05 56 71 53 45.* Vous trouverez à l'office de tourisme un plan de la bastide et du canton.

Office du tourisme de l'Entre-Deux-Mers – *4 r. Issartier -* ℘ *05 56 61 82 73 - www.entredeuxmers.com - tlj sf w.-end et j. fériés 9h-12h, 14h-18h.*

Office du tourisme du Sauternais-Graves-Pays-de-Langon – *11 r. Principale -* ℘ *05 56 76 69 13 - www. tourisme-sauternes.com - juil.-août : 10h-13h, 14h-18h, dim. et j. fériés 10h-13h ; reste de l'année : tlj sf dim. et lun. 11h-17h.*

Maison du tourisme et du vin à Pauillac – *La Verrerie - 33250 Pauillac -* ℘ *05 56 59 03 08 - www.pauillac-medoc. com.*

Visites

Sentier viticole de la Butte de Cazevert – *Cazevert - D 670 Libourne Langon - 33540 Blasimon -* ℘ *05 57 84 57 03 ou 06 81 79 12 99 - buttedecazevert. com - ouvert du 1er w.-end de mai au 1er w.-end d'oct. sur RV - 3 €.* Balade pédestre accompagnée au cœur des cépages bordelais et dégustation gratuite de jus de raisin et de vins régionaux. Vous découvrirez les beaux paysages de l'Entre-Deux-Mers et de la vallée de la Dordogne.

Tonnellerie Nadalie – *99 r. Lafont - 33290 Ludon-Médoc -* ℘ *05 57 10 02 02 - 9h-12h,* *mar. sur RV - fermé août - dégustation : 5 €/ pers.* Visite des ateliers de fabrication de tonneaux destinés aux vins bordelais.

Se loger

☞ **Chambre d'hôte Chassagnol** – *Lieu-dit Peyrat - 33410 Ste-Croix-du-Mont - 12 km au S de Cadillac par D 10 -* ✆ *05 56 62 00 58 -* 🍽 *- 4 ch. 35/41 €* 🛏. Étape bienvenue pour les amateurs de vins que cette grande maison du 19ᵉ s. bâtie au cœur du vignoble de Ste-Croix-du-Mont. Les spacieuses chambres se garnissent de quelques meubles anciens. Le jardin et la terrasse équipée d'un barbecue sont unanimement appréciés.

☞ **Gîtes Bacchus** – *21 cours de l'Intendance - 33000 Bordeaux -* ✆ *05 56 81 54 23 - gites-de-france-gironde@wanadoo. fr -* 🍽 *35 €* 🛏. Le label Gîte Bacchus, créé en 1996 à l'initiative des Gîtes de France de Gironde, est attribué à des hébergements situés chez des viticulteurs, au cœur de domaines viticoles. L'hôte y est accompagné et conseillé dans sa découverte du vignoble : présentation des cépages, accès aux chais, dégustations…

☞ **Chambre d'hôte Château Grand Branet** – *859 Branet Sud - 33550 Capian - 9 km au S de Créon dir. Cadillac -* ✆ *05 56 72 17 30 - www.entredeuxmers.com/ chateaugrandbranet - fermé janv. -* 🍽 *- 5 ch. 37/60 €* 🛏 *- repas 17 €.* Joli château du 17ᵉ s., rénové au 19ᵉ s., entouré d'un parc ombragé planté d'arbres centenaires. Les cinq chambres (murs de pierres apparentes, meubles anciens) peuvent accueillir 3 ou 4 personnes. Le propriétaire vous proposera certainement une visite de son exploitation et des chais… avec dégustation à la clé !

☞ **Chambre d'hôte Château Cap Léon Veyrin** – *33480 Listrac-Médoc - 4 km de Listrac par D 5ᴱ² -* ✆ *05 56 58 07 28 - capleonveyrin@aol.com - fermé 25 déc.-1ᵉʳ janv. -* 🍽 *- 5 ch. 39/44 €* 🛏. Depuis 1810, c'est la même famille qui gouverne cette longue demeure plantée au cœur d'un domaine viticole de 20 ha. Les chambres, de style Louis XV, sont équipées de belles salles de bains. La salle des petits-déjeuners grande ouverte sur le chai est superbe.

☞ **Chambre d'hôte Château du Broustaret** – *33410 Rions - 4 km au NO de Cadillac par D 10 -* ✆ *05 56 62 96 97 - www. broustaret.net -* 🍽 *- 5 ch. 45/50 €.* La tradition d'hospitalité a plus de 25 ans dans cette propriété viticole édifiée au cœur des Premières Côtes de Bordeaux. Bois et prairies entourent la noble maison où sont aménagées des chambres simples et néanmoins confortables. Une halte au grand calme, parfaite pour découvrir le vignoble bordelais.

☞☞ **Les Bruyères** – *85 bis av. Blaise-Pascal - lieu-dit Issac - 33160 St-Médard-en-Jalles - 5 km à l'O de St-Médard-en-Jalles par D 107 rte du Porge -* ✆ *05 56 05 32 24 - les.bruyeres@libertysurf.fr - fermé 22 déc.-4 janv. -* 🅿 *- 26 ch. 46/50 € -* 🛏 *5,50 € - restaurant 14,80/32 €.* L'accès direct sur l'extérieur de chacune des chambres confère à ce double bâtiment moderne un petit côté motel. La proximité de Bordeaux, la climatisation, la piscine, le tennis et les prix raisonnables compensent des équipements standards.

☞☞ **Domaine les Sapins** – *641 Bouqueyran Ouest - 33480 Moulis-en-Médoc -* ✆ *05 56 58 18 26 - www.domaine-les-sapins.com -* 🍽 *- 6 ch. 45/75 €* 🛏. Cette demeure du 19ᵉ s. blottie dans un parc aux arbres séculaires est entourée de vignes. Dans les chambres : jolie décoration, linge de lit raffiné et beaux meubles anciens. Le propriétaire, fort sympathique, est intarissable quand il fait visiter ses caves !

☞☞ **Les Batarelles** – *103 Deyma - 33550 Villenave-de-Rions - 1,5 km à l'O de Villenave-de-Rions par D 237 -* ✆ *05 56 72 16 08 - http://lesbatarelles.free.fr -* 🍽 *- 3 ch. 45/55 €* 🛏 *- repas 20 €.* Voici une adresse idéale pour qui souhaite faire une pause douillette au cœur du vignoble bordelais. Les chambres, coquettes et confortables, ont été aménagées avec goût. Au petit-déjeuner, la propriétaire propose miels et confitures maison, au coin du feu en hiver et sur la terrasse bordée de vignes en été.

☞☞ **Chambre d'hôte La Lézardière** – *Boimier-Gabouriaud - 33540 St-Martin-de-Lerm - 8 km au SE de Sauveterre-de-Guyenne par D 670, D 230 puis D 129 -* ✆ *05 56 71 30 12 - lalezardiere@free. fr - fermé janv.-fév. -* 🍽 *- 4 ch. et 1 gîte 45/60 €* 🛏 *- repas 20 €.* Des chambres colorées ont été joliment aménagées à l'étage de cette métairie du 17ᵉ s. dominant la vallée du Dropt. Table d'hôte dans la haute grange. Salon de documentation sur le vin et la région. Piscine et un grand gîte.

☞☞ **Chambre d'hôte Domaine de Carrat** – *Rte de Ste-Hélène - 33480 Castelnau-du-Médoc - 5 km au S de Listrac-Médoc par N 215 -* ✆ *05 56 58 24 80 - fermé 25 déc. -* 🍽 *- 4 ch. 47/60 €* 🛏. Cette maison aux volets rouges entourée d'une forêt de pins et de feuillus abritait jadis les écuries du château voisin. Accueil attentionné et chambres très confortables. En arrivant, vous passerez sous le splendide porche pavé autrefois emprunté par les voitures attelées.

☞☞ **Grand Boucaud** – *4 l'Aubrade - 33580 Rimons - 4 km à l'E de Rimons par D 230 et rte de Monségur et chemin à gauche -* ✆ *05 56 71 88 57 - http:// grandboucaud.free.fr - fermé fin sept.-janv. - 3 ch. 50/65 €* 🛏 *- repas 23/33 €.* Piscine, jardin ombragé, chambres douillettes… Cette demeure du 18ᵉ s. invite à la détente dans un joli paysage de collines et de vignes. Monsieur propose d'intéressants mariages produits locaux-vins du terroir et accompagne volontiers ses hôtes chez les viticulteurs ; Madame dispense des cours de cuisine bordelaise.

Chambre d'hôte Château le Foulon.

⊖⊖🛏 **Chambre d'hôte Château le Foulon** – Rte de St-Raphael - 33480 Castelnau-de-Médoc - 5 km au S de Listrac-Médoc par N 215 - ℘ 05 56 58 20 18 - www.au-chateau.com - fermé 15 déc.-2 janv. - 🖫 - 4 ch. 70/95 € 🖙. Ce château de 1840 est un port d'attache idéal pour partir à la découverte des grands crus du Médoc. Les chambres, garnies de meubles anciens, ont conservé leurs beaux volumes. Toutes donnent sur le parc et son cours d'eau où évoluent des cygnes. Également, un appartement avec cuisine équipée.

⊖⊖🛏 **Les Logis de Lestiac** – 71 rte de Bordeaux - 33550 Lestiac-sur-Garonne - 10 km au NO de Cadillac par D 10 - ℘ 05 56 72 17 90 - www.logisdelestiac.com - 🖫 - 5 ch. 80/95 € 🖙 - repas 25 €. Cette maison de maître du 18e s. rénovée par Philippe Dejean, son jeune propriétaire, est une réussite. À l'étage, les quatre chambres spacieuses et élégantes sont décorées sur le thème des saisons. À l'extérieur, invitation à la détente avec le jardin (arbres fruitiers) et la piscine d'eau salée.

Se restaurer

⊖ **Le Lion d'Or** – Pl. de la République - 33460 Arcins - 6 km au NO de Margaux par D 2 - ℘ 05 56 58 96 79 - fermé juil., 24 déc.-1er janv., dim., lun. et j. fériés - réserv. obligatoire - 11,70 €. Cet ancien relais de poste compose une halte gourmande bien sympathique. Le cadre de style bistrot est à l'image du patron-chef, sans chichi et plein de caractère. L'ardoise sur le bas-côté de la route annonce le menu du jour aux fidèles qui fréquentent l'adresse pour sa cuisine du terroir soignée et généreuse.

⊖⊖ **Le Flore** – 1 Petit-Champ-du-Bourg - 33540 Coirac - 7,5 km à l'O de Sauveterre-de-Guyenne par D 671 puis D 228 après St-Brice - ℘ 05 56 71 57 47 - fermé 15 j. en fév., 15 j. à la Toussaint, mer. soir, dim. soir et lun. - 16,50/34 €. Sur la terrasse ombragée ou dans la grande salle à manger fleurie de cette maisonnette, préparez-vous à un repas de choix, œuvre d'un jeune chef très créatif. Aimable et professionnelle, son épouse saura mieux que personne vous guider parmi les saveurs subtiles que recèle la carte.

⊖⊖ **Ferme-auberge Château Guittot-Fellonneau** – 33460 Macau - 6 km au SE de Margaux par D 2 puis D 209 - ℘ 05 57 88 47 81 - fermé vac. de fév. et 16 août-5 sept. - 18/37 €. Dans cette propriété viticole du Médoc, alchimie du vin rime avec science de la bonne chère. Sur la terrasse ombragée dominant les vignes, laissez-vous aller au plaisir d'un vrai repas du Sud-Ouest composé de rillettes, confits, foie gras, etc. préparés par la patronne.

⊖⊖ **L'Entrée Jardin** – 27 av. du Pont - 33410 Cadillac - ℘ 05 56 76 96 96 - fermé 1 sem. en fév., 15-31 août, jeu. soir, dim. soir et lun. hors sais. - 11 € déj. - 19/33 €. Toutes les chambres d'hôte de la région recommandent cette adresse qui marie avec brio accueil souriant, service efficace et cadre agréable. La cuisine régionale (tout est pratiquement fait maison) a de quoi combler les appétits les plus féroces.

⊖⊖ **Le Saprien** – R. Principale - 33210 Sauterne - ℘ 05 56 76 60 87 - fermé 2-26 déc., vac. de fév., dim. soir et lun. - 23/35 €. À l'élégante salle à manger, vous préférerez peut-être la véranda ou la terrasse qui offrent une jolie vue sur les vignes. Terrine à la gelée de sauternes, parfait glacé au sauternes, belle sélection de sauternes au verre : le grand vin blanc liquoreux est mis « à toutes les sauces »… pour le grand plaisir des gourmets !

⊖⊖ **Auberge de Savoie** – 1 pl. Trémoille - 33460 Margaux - ℘ 05 57 88 31 76 - fermé vac. de fév., de Noël et dim. soir - 25/85 €. L'accueil est très sympathique dans cette belle maison en pierre du 19e s. voisine de l'office de tourisme. Les repas sont servis dans deux agréables salles à manger colorées et, par beau temps, sur la plaisante terrasse. Goûteuse cuisine préparée sur un fourneau à charbon et belle carte de bordeaux.

⊖⊖🛏 **Le Pauillac** – 2 quai Albert-de-Pichon - 33250 Pauillac - ℘ 05 56 59 19 20 - lepauillac@aol.com - 17 € déj. - 26/35 €. La salle de ce restaurant situé sur les quais, face à l'estuaire, est décorée de gravures évoquant le monde de la mer. En cuisine, le chef mitonne des plats traditionnels de façon simple mais bien maîtrisée. Le service reste toujours souriant, même s'il semble parfois débordé.

Que rapporter

Marché au gras de Langoiran – 1er dim. de déc.

Vignoble de Pomerol – Le Grand Moulinet - 33500 Pomerol - ℘ 05 57 74 15 26. Pour découvrir cette appellation jouxtant celle de St-Émilion, adressez-vous au Château La Fleur de Plince. Pas de bâtisse majestueuse ni de chai immense pour cette exploitation de 28 ares (la plus petite de Pomerol qui compte 150 propriétés), mais une visite en compagnie du propriétaire qui vous fera partager son travail de passionné. En outre, M. Choukroun vous conseillera les bonnes adresses du coin.

La Rose Pauillac – *44 av. du Mar.-Joffre - 33250 Pauillac - ℘ 05 56 59 26 00 - larosepauillac@wanadoo.fr - 8h-12h, 14h-18h, lun. et sam. 9h-12h, 14h-18h (juil.-août 19h).* Plus de 75 ans après sa création, cette cave continue de produire, selon des méthodes naturelles, des vins remarqués et appréciés par les amateurs : la Rose Pauillac, commercialisée après 3 années de garde, fait l'unanimité et la Fleur Pauillac, qui peut être bue plus jeune, ne manque pas non plus d'attrait.

Château Tour du Haut-Moulin – *22 av. du Fort-Médoc - 33460 Cussac-Fort-Médoc - ℘ 05 56 58 91 10 - contact@tour-du-haut-moulin.com - fermé sam. hors sais. et dim.* La famille Poitou dirige avec compétence ce domaine viticole depuis 1947. Les 32 ha de vignes recouvrent plusieurs cépages (cabernet sauvignon, merlot et petit verdot) qui permettent l'élaboration d'un haut-médoc cru bourgeois. Boutique, visite et dégustation.

Viticulteur surveillant l'élevage de son vin.

Maison des vins Premières Côtes de Bordeaux et Cadillac – *La Closière - 33410 Cadillac - ℘ 05 57 98 19 20 - www.premierescotesdebordeaux.com - lun.-ven. sf juil.-août : 10h-18h.* Ce beau domaine viticole installé dans une authentique chartreuse du 18e s. vous invite à découvrir ses premières-côtes-de-bordeaux blancs, ses blancs liquoreux AOC cadillac ou ses premières-côtes-de-bordeaux rouges ainsi que les crus en appellation d'origine de 126 viticulteurs aux prix de la propriété.

Maison du sauternes – *14 pl. de la Mairie - 33210 Sauternes - ℘ 05 56 76 69 83 - www.maisondusauternes.com - lun.-ven. 9h-19h, sam.-dim. 10h-19h - fermé 25 déc. et 1er janv.* Pour les amateurs du plus prestigieux des vins liquoreux, cette maison est une aubaine : les bouteilles de certains grands châteaux qui ne pratiquent pas la vente aux particuliers sur leur propriété, comme le Château d'Yquem et 11 crus classés.

Maison du vin de Barsac – *Pl. de l'Église - 33720 Barsac - ℘ 05 56 27 15 44 - www.maisondebarsac.fr - janv.-avr. : mar.-dim. 10h-12h30, 14h-18h ; mai-déc. 10h-13h, 14h-19h.* Ce bâtiment appartient au syndicat des viticulteurs de Barsac qui élisent périodiquement un gérant chargé de sélectionner les meilleurs vins du vignoble.

Sports & Loisirs

Balades – Pour les marcheurs, possibilité de randonnées pédestres dans le Pays de Créon. Pour les cyclistes, 5 boucles dans l'Entre-Deux-Mers au départ de Créon. *Dépliants disponibles à l'office de tourisme : voir « Adresses utiles ».*

Pauillac est le point de départ de 6 circuits (5 à 21 km) à parcourir à pied ou à vélo. *Renseignements à la maison du tourisme : voir « Adresses utiles ».*

Bateau-promenade L'Escapade – *Canal en Gironde - 6 allée des Ormeaux (secrétariat, 43 bis r. des Sablières) - 33210 Langon - ℘ 05 56 63 06 45 ou 06 85 20 98 48 - croisière sur le canal des Deux-Mers.*

Cyclotourisme – Une piste cyclable relie Sauveterre-de-Guyenne à Bordeaux, elle traverse l'Entre-Deux-Mers et passe par **Créon**, première Station Vélo de Gironde.

Sport Nature – *6 r. du Mal-Joffre - 33250 Pauillac - ℘ 05 57 75 22 60 - fermé sam. apr.-midi hors sais., dim. et lun.* Ce magasin qui semble dater d'une autre époque avec ses articles de chasse, de pêche et ses boules de pétanque en vitrine a le mérite d'être le seul à Pauillac à assurer la location de vélos.

Base de loisirs – 🏕🎣 - *33540 Blasimon - ℘ 05 56 71 89 86 - fermé 15 sept.-15 juin.* Petite base de loisirs bien aménagée située à 500 m de l'abbaye : jeux pour enfants, plage de sable, baignade surveillée, randonnées pédestres organisées. Également sur place, un camping tout simple, sans locatif.

Tépacap – 🏕🎣 - *30 rte de Cénac - 33880 St-Caprais-de-Bordeaux - ℘ 05 56 21 32 13 - www.tepacap.fr - mars-juin, oct.-nov. : vac. scol., w.-end et j. fériés 9h30-18h ; juil.-août : 9h30-19h.* Ce parc de loisirs situé à 20mn de Bordeaux propose 8 parcours aventure destinés à toute la famille (taille minimum requise pour les enfants : 1,30 m). Niveaux de difficultés progressifs, équipements complets fournis. Sur place : restauration rapide et tables de pique-nique.

Golf du Médoc – *Chemin de Courmateau - Louens - 33290 Le Pian-Médoc - ℘ 05 56 70 11 90 - golf.du.medoc@wanadoo.fr.* Double parcours, double plaisir ! Ce golf propose en effet deux 18 trous au cœur des terres du Médoc : 6 316 m et par 71 pour celui du Château, 6 220 m et par 71 pour celui des Vignes. Le club-house abrite un bar et un restaurant accessible à tous ; la terrasse de ce dernier ouvre sur les greens.

Événement

La Bataille de Castillon – *℘ 05 57 40 14 53 - de mi-juil. à mi-août : spectacle son et lumière : séance 22h30 ; permanence téléphonique : tlj 9h-12h, 14h30-18h.* Un spectacle de plein air reconstitue la bataille de Castillon, mettant fin à la guerre de Cent Ans.

Bourg

2 115 BOURQUAIS
CARTE GÉNÉRALE B1 – CARTE MICHELIN LOCAL 335 H4 – GIRONDE (33)

Haut perchée, les pieds dans l'eau, une jolie petite ville, blonde et paisible, où il fait bon flâner dans les ruelles pentues, salué par les chats qui prennent le frais devant les portes. Ajoutez l'animation du marché sous la halle le dimanche matin, la foire moyenâgeuse le 1er dimanche de septembre, un verre d'excellent côtes-de-bourg… Vous verrez, les réjouissances ne manquent pas !

▶ **Se repérer** – À 15 km au Sud-Est de Blaye par la D 669, et à 28 km au Nord-Ouest de Libourne par la D 670 puis la D 669.

👁 **À ne pas manquer** – Le château de la Citadelle ; le château du Bouilh.

🕐 **Organiser son temps** – Comptez 3h pour la visite de la ville et des musées. Si vous êtes de passage l'été, l'office de tourisme propose une visite guidée. Sachez que la ville dévoile encore plus ses charmes au soleil couchant.

👪 **Avec les enfants** – « Au temps des calèches » ; les grottes de Pair-non-Pair.

🎎 **Pour poursuivre la visite** – Voir aussi Blaye, Libourne, Bordeaux, Vignoble de Bordeaux.

Le saviez-vous ?

👁 L'ancienne *Burgo* (*borc*, ville fortifiée en occitan), longtemps appelée Bourg-sur-Gironde, n'est plus en réalité sur la Gironde mais sur la Dordogne… Voilà un beau pied de nez du **bec d'Ambès** qui, grassement nourri par les alluvions de la Dordogne et de la Garonne, s'est tout simplement allongé.

👁 Le plus célèbre des Bourquais est l'homme politique **Léo Lagrange** qui vit le jour à Bourg aux début du 20e s.

Se promener

Terrasse du District

Ombragée de vieux ormeaux et de tilleuls, cette terrasse au nom révolutionnaire dispense l'été une douce fraîcheur. Le regard se repose d'abord sur les toits de tuiles de la ville basse, couleur terre de Sienne brûlée, puis sur la Dordogne et la Garonne qui se rejoignent au bec d'Ambès pour former la Gironde *(table d'orientation)*.

Ville basse

De l'office de tourisme, prenez la rampe Cahoreau qui passe sous la **porte de la Mer**, creusée dans le rocher. Des escaliers mènent à un **lavoir** (1828), abreuvé par une fontaine sise au pied de la falaise calcaire. Au **port**, les yoles des pêcheurs attendent tranquillement le passage des aloses, lamproies, anguilles… ou vont traquer la chevrette (crevette grise de l'estuaire).

L'escalier du Roy monte jusqu'à la place du District. Prendre la rue à gauche de la place.

Vue sur la ville haute depuis le lavoir.

Château de la Citadelle

Cette résidence du 18e s., édifiée à l'emplacement de la citadelle démantelée en 1664, fut incendiée par les Allemands en 1944. Rachetée par la municipalité qui a veillé à sa restauration, elle est réservée aux réceptions ; cependant elle ouvre aux passants son jardin à la française planté de magnolias et de pistachiers. De la terrasse, vues étendues sur la Dordogne, la Garonne et, en aval, sur la Gironde.

Dans son enceinte se trouve le **musée hippomobile** « **Au temps des calèches** » qui compte quarante véhicules du 19e s. ainsi que de nombreux objets et accessoires. Il donne accès à un souterrain cavalier du 16e s., qui conduit aux cuves à pétrole datant de la Seconde Guerre mondiale. Enfin, vous verrez les salles souterraines de la Citadelle qui surplombent l'estuaire de la Gironde. *05 57 68 23 57 - juin-août : 10h-13h, 14h-19h ; mars-mai et sept.-oct. : w.-end et j. fériés 10h-13h, 14h-19h, en sem. sur demande - fermé 1er mai - 4,50 €.*

Écomusée du Bourgeais – musée Maurice-Poignant

De mi-juin à mi-sept. : mar. de 14h30-18h30, mer.-sam. 10h-12h, 14h30-18h30, dim. 10h-13h ; reste de l'année : se renseigner à l'office de tourisme.

Dans une ancienne dépendance du couvent des Ursulines, sont réunies les collections de Maurice Poignant (ancien conseiller municipal) : archéologie, arts et traditions populaires de la région.

Aux alentours

La Libarde

1 km au Nord ; accès signalé au départ de Bourg.

Un groupe de cyprès marque l'emplacement d'un ancien prieuré de l'abbaye St-Vincent de Bourg. Outre les ruines de la nef (11e-12e s.) et le cimetière, il subsiste une **crypte** romane : remarquez les trois nefs et les chapiteaux (11e s.). *05 57 68 31 76 - visite sur demande préalable à l'office de tourisme.*

Circuit de découverte

35 km au départ de Bourg – environ 2h. Quitter Bourg par la D 23, au Nord. Tourner à droite dans la D 133.

Église de Tauriac

Cette église romane possède un portail de style saintongeais.

Poursuivre jusqu'à la N 137, prendre à droite en direction de St-André-de-Cubzac.

Église de Magrigne

La nef unique et le chevet plat caractérise cette église romane construite par les templiers, qui renferme des peintures médiévales.

Château du Bouilh

Visite guidée (1h) de mi-juin à fin sept. : jeu., w.-end et j. fériés 14h30-18h30 (dernière visite 17h30) ; de mi-avr. à mi-juin et de déb. oct. à mi-oct. : sur demande préalable (1 sem. av.) - 5 €- 05 57 43 01 45 ou 05 57 43 06 59.

Ceint par son vignoble, ce château fut construit selon les plans de Victor Louis, (architecte du Grand Théâtre de Bordeaux), à la demande du marquis de la Tour du Pin, qui souhaitait recevoir Louis XVI. Resté inachevé, il surprend par ses communs en forme d'hémicycle. À l'intérieur du corps de logis, bel escalier monumental et pièces d'apparat meublées.

St-André-de-Cubzac

Un dauphin, dansant au centre d'un rond-point, porte dans sa gueule un petit bonnet rouge qui rappelle le **commandant Cousteau**, né ici. Mais l'intérêt de ce village va au-delà : une église romane, un ancien cloître des cordeliers (devenu bibliothèque municipale), un petit castel du 15e s. au milieu d'un parc agrémentent la visite.

Au Nord, sur le **coteau de Montalon**, point culminant de la région et lieu de passage du 45e parallèle (stèle), le panorama s'étend du tertre de Fronsac aux côtes de Blaye *(table d'orientation)*. S'y trouvent également d'anciens moulins à vent du 18e s.

Cubzac-les-Ponts

Trois ouvrages d'art jouent à qui lancera le plus loin son tablier par-dessus la Dordogne. Le **pont routier**, formant viaduc, a été construit de 1874 à 1883 (par Eiffel), le pont autoroutier en 1974 et le pont de chemin de fer, en aval, en 1889. Vue d'ensemble des trois depuis le port de Cubzac en parcourant la D 10, route d'Ambès.

Revenir à St-André-de-Cubzac et prendre à gauche la D 669, en direction de Bourg.

Jacques-Yves Cousteau

Le célèbre commandant au bonnet rouge est né en 1910 à Saint-André-de-Cubzac. Entré à l'école navale à 20 ans, il devient officier canonnier puis, suit une formation de pilote. Mais il doit renoncer à sa carrière d'aviateur suite à un grave accident de voiture en 1935. Pendant sa rééducation, il découvre l'extraordinaire richesse des fonds sous-marins. Aidé par des amis et des ingénieurs, il invente un scaphandre autonome permettant de fournir de l'oxygène « sur demande », ainsi que la première caméra de télévision sous-marine. En 1950, il transforme la **Calypso** en navire de recherches océanographiques ; en 1959, il construit avec un ingénieur la première soucoupe plongeante. Mais c'est surtout par ses films que le commandant Cousteau devint célèbre. Il remporta la Palme d'or à Cannes en 1956 pour *Le Monde du silence*, qui fit découvrir au monde entier des espèces jamais vues. Sa grande œuvre restera sans doute sa contribution à l'éveil d'une conscience environnementale planétaire. Décédé en 1997, il est enterré au cimetière de Saint-André-de-Cubzac.

Les amateurs d'église romane pourront faire un crochet par **St-Gervais**.

Grottes de Pair-non-Pair

🕿 05 57 68 33 40 - *visite guidée (45mn) sur demande 1 sem. à l'avance tlj sf lun. 10h-11h30, 14h30-16h30 (de mi-juin à mi-sept. 17h30) - fermé 1er janv., 1er mai, 25 déc. - 2,50 € (-18 ans gratuit) gratuit 1er dim. du mois d'oct. à mai.*

👥 Le nom de Pair-non-Pair viendrait de celui d'un ancien village, perdu au jeu par un noble. Ces cavernes préhistoriques, creusées dans les pentes calcaires d'un vallon du Moron, ne prétendent certes pas rivaliser avec Lascaux (sur laquelle elles ont cependant le privilège de l'âge), mais elles se défendent bien. Gravures aurignaciennes (âge de la pierre taillée) représentent chevaux, mammouths, bouquetins, bison et un fin cheval à tête retournée.

La D 669 ramène à Bourg.

Bourg pratique

Adresses utiles

Office du tourisme de Bourg – *Hôtel de la Jurade -* 🕿 *05 57 68 31 76 - juil.-août : 10h-12h30, 15h-19h ; de Pâques à fin juin et sept. : tlj sf lun. 10h-12h30, 15h-19h ; reste de l'année : tlj sf lun. 15h-18h, w.-end et j. fériés : 10h-12h30, 15h-18h. Plan de découverte de la ville. Pour les randonnées demandez le dépliant « Le pays de Bourg ».*

Office du tourisme du Cubzaguais – *9 allée du Champ-de-Foire -* 🕿 *05 57 43 64 80 - 9h-12h, 14h-17h - fermé sam. apr.-midi, dim., lun. matin et j. fériés.*

Se loger

🛏 **Chambre d'hôte Le Petit Brésil** – *26 le Pain-de-Sucre - 2 km au NO de Bourg par rte de la Corniche sur CD 669 -* 🕿 *05 57 68 23 42 - guerin.gite@free.fr -* 🍴 *- 5 ch. 35/50 € 🍽. Une adresse bien agréable située face à l'estuaire de la Gironde. Préférez les chambres côté Ouest pour la vue dégagée et le soleil. Visite possible des caves de la région.*

🛏 **Chambre d'hôte Annick et Jean Poissonneau** – *5 allée François-Dalveau - au bourg, face au Crédit Agricole -* 🕿 *05 57 68 39 73 -* 🍴 *- 4 ch. 43/46 € 🍽. La décoration intérieure un brin désuète ne retire rien au charme de ce joli castel du 19e s. blotti dans un jardin arboré et situé au centre du village. Au 5e étage, une miniterrasse offre une vue imprenable. Accueil des plus sympathiques.*

Se restaurer

🍴 **Le Troque-Sel** – *1 pl. Jeantet -* 🕿 *05 57 68 30 67 - letroquesel.com - fermé dim. soir, mar. soir et lun. - 11/25,80 €. Les plats servis dans ce restaurant se laissent déguster avec le plaisir que procurent les bonnes choses toutes simples. Pour accompagner la lamproie à la bordelaise ou le magret de canard gras aux cèpes, la carte des vins affiche un choix de côtes-de-bourg et de crus du Bordelais.*

🍴🍷 **Au Sarment** – *50 r. de la Lande - 33240 St-Gervais - 8 km au SE de Bourg par D 669, rte de St-André-de-Cubzac -* 🕿 *05 57 43 44 73 - 24,50/48 €. Sommes-nous dans le Sud-Ouest de la France ou au cœur des Antilles ? La question pourrait se poser tant le chef marie avec brio les produits locaux et exotiques… !*

Que rapporter

Maison des vins – *Voir p. 45.* Sur la terrasse de l'ancienne maison de maître, un jardin des senteurs aide à déterminer les arômes du vin. Dans la belle salle voûtée sont stockées plus de 150 références.

Loisirs

Gabare « Deux Frères » – 🕿 *06 12 94 39 86 ou 06 62 77 67 43. Croisières sur l'estuaire de la Gironde, entre Bourg et Blaye, au départ d'Ambès et Vayres.*

Château de **La Brède**★

CARTE GÉNÉRALE B2 – CARTE MICHELIN LOCAL 335 H6 – SCHÉMA P. 170 – GIRONDE (33)

Aux portes des Landes girondines, au pays des Graves, les lignes sévères du château de La Brède se reflètent dans des douves très larges. Il semble un îlot fortifié au milieu d'un lac. Le domaine n'a pas changé depuis le temps où l'auguste Montesquieu y promenait son profil aigu et bienveillant.

- ▶ **Se repérer** – À 22 km de Bordeaux. Prenez, au Sud de Bordeaux, la N 113 jusqu'à La Prade, tournez ensuite à droite dans la D 108.
- 🕐 **Organiser son temps** – Pour la visite du château, comptez une 1h ; une 1h30 en tout avec un petit tour dans le parc.
- 👫 **Avec les enfants** – La Ferme Exotique *(voir l'encadré pratique)*.
- ☝ **Pour poursuivre la visite** – Voir aussi le circuit des Côtes-de-Bordeaux *(voir Vignoble de Bordeaux)*, Verdelais, Saint-Macaire, Château de Roquetaillade.

Comprendre

L'« honnête homme » – En l'an de grâce 1689 naît au château Charles de Segondat, futur baron de Labrède et de **Montesquieu** ; en signe d'humilité, c'est un mendiant qui le tient sur les fonts baptismaux. Devenu président au parlement de Bordeaux, Montesquieu aime à se retirer fréquemment sur sa terre de La Brède : « C'est le plus beau lieu champêtre que je connaisse. » Là, il expédie sa correspondance commerciale (il vend beaucoup de vin aux Anglais), parcourt ses vignes, interpellant chacun en patois, visite ses chais… D'humeur égale et d'abord facile, Montesquieu trouve, comme Montaigne, le délassement dans son activité intellectuelle : « L'étude a été pour moi le souverain remède contre les dégoûts de la vie, n'ayant jamais eu de chagrin qu'une heure de lecture n'ait dissipé. » Pendant dix-sept ans, il travaillera ici à la rédaction de *L'Esprit des lois*.

Visiter

Visite guidée (45mn) juil.-sept. : tlj sf mar. 14h-18h ; du 1er oct. au 11 nov. : w.-end et j. fériés 14h-17h30 ; du 1er avr. au 25 juin : w.-end et j. fériés 14h-18h - 7 €.

Le château

Une large avenue conduit à l'austère château gothique (12e-15e s.), protégé par son plan d'eau. Commencez le tour du propriétaire par les douves. Par de petits ponts jetés entre deux anciens ouvrages fortifiés, gravés d'inscriptions latines, on rejoint le vestibule soutenu par six colonnes torses ; le long des murs sont disposées les malles de voyage de Montesquieu. De ce vestibule, on passe dans le salon orné d'un beau cabinet du 16e s. et de portraits de famille. Très simple, la **chambre** de Montesquieu est restée meublée telle qu'elle l'était de son vivant ; un montant de la cheminée

Un château dans un écrin de verdure : lieu d'inspiration pour Montesquieu.

Alain Cassaigne / MICHELIN

La Brède pratique

Adresse utile

Syndicat d'initiative des Graves de Montesquieu – 3, avenue du Gén.-de-Gaulle - BP 12 - 33650 La Brède - ☎ 05 56 78 47 72 - s.i.graves.montesquieu@wanadoo.fr - www.cc-montesquieu.fr - www.graves-montesquieu.com

Se loger

⊖⊖ **Le Moulin de Pommarède** – 35 rte de Pommarède - 33640 Castres-Gironde - 5 km au NE du château de La Brède par N 113, puis à Castres prendre la D 219 - ☎ 05 56 67 31 28 - www.pommarede.com - ⊅ - 3 ch. 60/65 € ⊡. Le domaine viticole de la famille de Boussiers comprend un ancien moulin transformé en maison d'hôte. Le sol partiellement vitré permet de voir le passage de l'eau sous l'édifice. Les chambres (non-fumeurs) sont coquettes, confortables et calmes. Parc et pergola. Accueil charmant.

Se restaurer

⊖ **Cercle de l'Avenir Brédois** – 11 pl. Montesquieu - 33650 La Brède - ☎ 05 56 20 27 30 - fermé dim. et lun. - 14/22 €. La table du Cercle, créée en 1904, est une véritable institution dans la région, et mieux vaut

réserver si l'on veut avoir la chance de déguster l'un des plats de l'ardoise qui change tous les jours. La cuisine traditionnelle est à l'honneur, soignée et fraîche, et la cuisson des viandes toujours parfaite.

⊖⊖ **Auberge André** – 1 pl. du Grand-Port - 33880 Cambes - 12 km au SE du château de La Brède par N 113 - ☎ 05 56 21 34 69 - 11 € déj. - 20/35 €. Il règne une atmosphère un brin romantique en ce restaurant posté sur une rive de la Garonne. La salle à manger de l'étage jouit de la vue sur le fleuve ; celle du rez-de-chaussée vous accueille dans un cadre feutré. Petits salons privés. Terrasse couverte au bord de l'eau. Carte traditionnelle.

Sports & Loisirs

La Ferme Exotique – ♠♣ - Domaine de la Roussie - 33140 Cadaujac - ☎ 05 56 30 94 80 - www.ferme-exotique.com - tlj 10h-20h. Animaux en tous genres (zèbre, kangourou, porc-épic, etc.), mais aussi cirque, balades en calèche ou en charrette à âne, baptêmes à poneys et à dromadaires : ce parc de loisirs familial fera le bonheur des petits et des grands. Possibilité de pique-nique.

porte la marque de frottement de son soulier, car il avait coutume d'écrire là sur son genou. À l'étage se trouve la bibliothèque qui renfermait 5 000 ouvrages.

Le parc

« La nature s'y trouve dans sa robe de chambre et au lever de son lit », *dixit* le maître des lieux, à propos du **parc à l'anglaise** dont il prit l'idée lors d'un séjour outre-Manche.

Aux alentours

Château de Mongenan

11 km par la D 108 puis à droite par la N 113 jusqu'à Portets. ☎ 05 56 67 18 11 - visite guidée (1h) juil.-août : 10h-12h, 14h-19h ; juin et sept. : 14h-19h ; mars-mai et oct.-déc. : w.-end et j. fériés 14h-18h - 6 € (enf. gratuit).

Toute parée de vignes et de fleurs, la jolie chartreuse de Mongenan (1736) est précédée d'une terrasse qui se prolonge vers un **jardin botanique** inspiré par J.-J. Rousseau. Là poussent pêle-mêle plantes aromatiques, fleurs, légumes anciens et arbres fruitiers. À côté, le **musée** est consacré au 18e s. (collection d'herbiers, documents historiques, costumes, etc.) et reconstitution d'un temple maçonnique (objets de collection).

Château Lagueloup

À Portets. ☎ 05 56 67 13 90 - visite guidée 10h-18h - 6 € dégustation accompagnée 5 € - petit-déjeuner gourmand le sam., se renseigner au préalable.

Le village de Portets est situé au cœur du vignoble des Graves, ceux qui apprécient les vins de Bordeaux seront servis !

La propriétaire du château de Mongenan a acquis, en 2000, le château Lagueloup dans lequel elle a aménagé un **musée de la Vigne et du Vin** présentant le patrimoine technique exceptionnel trouvé sur les lieux. En effet, les immenses chais ont été conçus à la fin du 19e s. par l'ingénieur **Samuel Wolff** comme une usine. Différents documents illustrent l'histoire de cette réalisation révolutionnaire. Vous verrez ces installations « modernes » (transport des vendanges par wagonnets, pressoir à vapeur, foulopompe…), ainsi que le matériel de tonnellerie (car le château avait son propre atelier), et une collection d'outils de la vigne depuis le 18e s.

Capbreton ★

6 659 CAPBRETONNAIS
CARTE GÉNÉRALE A3 – CARTE MICHELIN LOCAL 335 C13 – LANDES (40)

Un nom qui sent le gros pull marin et l'air salin, la chasse à la baleine et les expéditions lointaines. Pourtant l'Armorique est loin et le climat serein. Quant aux baleines, nulle crainte, il y a belle lurette qu'elles ne viennent plus frayer (ou alors par inadvertance) dans les eaux landaises. Vous ferez escale à Capbreton, pour les bienfaits de la mer, le grand port de plaisance et l'ambiance familiale.

- **Se repérer** – À 35 km au Sud-Ouest de Dax, Capbreton est limitrophe d'**Hossegor** dont elle n'est séparée que par le canal du Boudigau.

- **À ne pas manquer** – La vue sur la côte et sur les Pyrénées, depuis l'estacade ; la réserve naturelle du marais d'Orx.

- **Organiser son temps** – Avant la baignade, si vous êtes assez matinal, ne manquez pas la vente des poissons à l'étal, sur le port. Sinon, des marchés nocturnes ont lieu dans le centre-ville les lundis, mercredis et vendredis. Comptez une bonne heure pour la visite de l'écomusée de la Mer (attention, en dehors de juillet-août, il n'est ouvert que l'après-midi) ; quant à la balade dans les marais d'Orx, elle dure environ 2h.

- **Avec les enfants** – L'écomusée de la Pêche-Aquarium, L'Île aux Pirates à Capbreton *(voir la rubrique « Sports & Loisirs » dans l'encadré pratique)* ; à Labenne : la pinède des Singes, le Reptilarium, le Parc animalier et l'Aquatic Landes *(voir la rubrique « Sports & Loisirs » dans l'encadré pratique)*.

- **Pour poursuivre la visite** – Voir aussi Hossegor, Courant d'Huchet, Dax.

Toujours des pêcheurs sur la jetée.

Comprendre

Que vient faire la Bretagne ici ? Plusieurs hypothèses. Prenons la plus séduisante : Bretons et Capbretonnais razziaient de concert les eaux du Grand Nord… En effet, jusqu'au 12e s., les **baleines** ont coutume de passer au large de Capbreton. Lorsqu'elles disparaissent, les marins (vignerons de vin de sable à leurs heures perdues) vont les traquer jusqu'à Terre-Neuve. Ils sont accompagnés dans ces expéditions par ceux de St-Jean-de-Luz, de Guéthary, de Vieux-Boucau.

Séjourner

Les plages

Se baigner sur les plages surveillées. En effet, à la fin de la marée descendante et au début de la marée montante, il se forme dans les « baïnes », sortes de dépressions de forme allongée, de dangereux courants. Principale attraction de la station. Sable fin, idéal pour les pâtés en famille. On pourra également essayer le *surf casting*, pêche au lancer dans les vagues, qui se pratique toute l'année.

De sa **jetée** de bois (l'estacade, due à Napoléon III), belle vue sur la côte, les Pyrénées basques et l'embouchure du Boudigau. Au large s'ouvre le Gouf.

Le port

Capbreton, autrefois embouchure de l'Adour, fut longtemps un port important. Mais on détourna le fleuve sur Bayonne et Capbreton en fut pour ses frais. Le port actuel, où se côtoient bateaux de plaisance et de pêche, n'est pas sur l'Océan mais à la confluence des rivières Bourret et Boucarot.

Le Gouf

Un canyon sous la mer ! Les pêcheurs avaient déjà pressenti son existence, voilà plusieurs siècles. La fosse s'amorce dès la sortie du port et atteint 3 711 m de profondeur, de 3 à 10 km de largeur et plus de 60 km de longueur. Mais elle est indiscernable à la surface.

Visiter

Écomusée de la Pêche-Aquarium

Au casino municipal jusqu'à l'ouverture du nouveau musée sur le port de plaisance. 🕿 *05 58 72 40 50 - 🕭 - juil.-août : 10h-12h, 14h-18h30 ; avr.-juin et sept. : 14h-18h ; fév.-mars, oct.-nov. : dim., j. fériés et vac. scol. 14h-18h - fermé déc.-janv. - 4,50 € (enf. 3 €).*

👥 Profitez d'une ondée et courez à l'écomusée. Il vaut la peine que l'on quitte la plage un moment. Tout de bleu et de blanc, agrémenté de filets de pêcheurs et ouvert sur l'Océan par de larges baies vitrées, il présente la géologie marine et l'histoire de la pêche à Capbreton et sur la côte landaise : aquariums, maquettes, photos, films. À remarquer : le squelette d'une baleine de l'Arctique venue échouer sur la plage de Seignosse en 1988.

Aux alentours

Labenne

À 6 km au Sud de Capbreton, par la D 652, vous y trouverez nombre d'activités *(voir l'encadré pratique)*, outre la baignade à Labenne-Océan, et de sites adaptés aux familles.

Parc animalier – *Av. de l'Océan -* 🕿 *05 59 45 43 93 - www.perso.wanadoo.fr/parc-animalier.labenne - avr.-août : 10h-19h ; sept.-oct. : 14h-18h ; reste de l'année : mer., w.-end et vac. scol. apr.-midi (dernière entrée 30mn av. fermeture) - fermé de mi-nov. à fin janv. - 7 € (3-12 ans) 5 €.* 👥 Avant ou après la plage, vous ferez bien une halte dans ce parc arboré à la demande de vos enfants ! Vous verrez lémuriens, kangourous, émeus, dromadaires, lamas, cervidés, perroquets, oiseaux aquatiques… Les plus petits aimeront la miniferme.

La pinède des Singes – *À Labenne prendre au Sud la N 10, puis à gauche la D 126, signalée « route du lac d'Irieu ».* 🕿 *05 59 45 43 66 - de mi-avr. à fin oct. : 10h-12h, 14h-18h - 6,50 € (enf. 3 €).* 👥 Dans une pinède parsemée d'arbousiers et de chênes-lièges, des macaques de Java font les singes en toute liberté, pour le plus grand plaisir des petits… et des grands.

Reptilarium – *À Labenne, prendre au Sud la RN 10. 16 av. du Gén.-de-Gaulle -* 🕿 *05 59 45 67 09 - www.reptilarium.fr - 10h-12h, 14h-18h - 7 € (–12 ans : 6 €).* 👥 Couleuvres, crocodiles, pythons, boas, caïmans, lézards, iguanes et anacondas figurent parmi les vedettes de cet espace divertissant et éducatif. Au total, plus de 150 reptiles vivants vous attendent sur 1 000 m².

Marais d'Orx★

À Labenne prendre à gauche la D 71. Le marais est signalé. Laisser la voiture à la maison du Marais. Éviter les heures chaudes. 🕿 *05 59 45 42 46 - possibilité de visite guidée du marais sur demande juil.-sept. : 10h-13h, 14h-18h, w.-end 14h-18h ; reste de l'année : 10h-12h, 14h-17h, w.-end 14h-17h.*

🚶 *9 km.* Cette réserve naturelle à la beauté farouche est aménagée sur un ancien marécage : étape pour l'**avifaune migratrice** (n'oubliez pas vos jumelles), elle est bordée d'un sentier qui offre au regard un miroitement de bleu bordé de pinède. Informations sur la faune et la flore à découvrir sur le parcours et à la **Maison du marais**.

Capbreton pratique

⚒ *Voir l'encadré pratique d'Hossegor.*

Adresses utiles

Office du tourisme de Capbreton – *5 av. du Pdt-Pompidou - ℘ 05 58 72 12 11 - www. capbreton-tourisme.com - juil.-août : 9h-19h, dim. et j. fériés 10h-12h30, 16h-19h ; reste de l'année : 9h-12h, 14h-18h.*

Office du tourisme de Labenne – *Pl. de la République - ℘ 05 59 45 40 99.*

Se loger

⬙ **Hôtel Aquitaine** – *66 av. de Lattre-de-Tassigny - ℘ 05 58 72 38 11 - www. hotelaquitaine-capbreton.com - fermé vac. de Noël -* 🅿 *- 24 ch. 32/70 € - ⬓ 7,50 €.* Cet hôtel situé à deux pas de la plage abrite des chambres simples et fraîches, toutes pourvues de balcons. Pour les petits-déjeuners, vous aurez le choix entre la salle à l'ambiance marine, la véranda et la terrasse dressée au bord de la piscine. Bon rapport qualité-prix.

⬙ **Chambre d'hôte L'Océanide** – *22 av. Jean-Lartigau - ℘ 05 58 72 41 40 - http:// oceanide.monsite.wanadoo.fr - fermé de nov. à Pâques -* 🍴 *- 2 ch. + 1 appart. 40/50 € - ⬓.* Mme Mallet vous ouvre avec chaleur les portes de sa maison et vous invite à profiter de son salon avec cheminée ou de son jardin qui descend jusqu'à la rivière… Deux chambres possèdent une terrasse privative et la troisième, spacieuse, s'avère idéale pour les familles. Pas de luxe mais un confort simple et plaisant.

⬙ **Camping Sylvamar** – *Av. de l'Océan - 40530 Labenne - par D 126, rte de la Plage, près du Boudigau - ℘ 05 59 45 75 16 - camping@sylvamar.fr - réserv. conseillée - 510 empl. 35 €.* Ce camping propose d'agréables emplacements sous les pins ou des mobile homes bien équipés et spacieux. Parmi les activités à pratiquer sur place : tennis, hockey, aérobic, etc., sans oublier le superbe parc aquatique (bassins, torrent, toboggan). L'ensemble, y compris les sanitaires, affiche un bon niveau.

⬙⬙ **Le Motel de Seignosse** – *Av. Charles-de-Gaulle - 40510 Seignosse - 2 km à l'E de Seignosse par rte de Tyrosse - ℘ 05 58 72 87 81 - motelseignosse@wanadoo.fr - réserv. conseillée - 484 empl. 42 €.* Ce motel niché en pleine forêt landaise propose des bungalows, des studios et des appartements, tous équipés d'une kitchenette, d'une salle de bains avec douche-WC et d'une terrasse avec salon de jardin. Ensemble simple et bien tenu, ambiance familiale et excellent accueil… Le tout pour un bon rapport qualité-prix.

⬙⬙ **Chambre d'hôte L'Orée de la Forêt** – *Av. Charles-de-Gaulle - 40510 Seignosse - ℘ 05 58 49 81 31 -*

info@loreedelaforet.com - fermé 16 nov.-14 mars - 🍴 *- réserv. hors sais. - 5 ch. 66/82 € - ⬓.* Cette vénérable ferme, parfaitement restaurée, se niche au cœur d'une belle propriété de 5 ha plantée de pins. Ses chambres, neuves, sont claires et décorées avec raffinement. Le parc verdoyant, la piscine et l'étang de pêche invitent à la détente.

Se restaurer

⬱ **Le Voilier** – *29 av. Georges-Pompidou - ℘ 05 58 72 13 47 - 10/35 € - 26 ch. 60 € - 7,50 ⬓.* Coquillages, crustacés et poissons au menu de ce restaurant installé au bord du port de plaisance. La cuisine est goûteuse et vous l'apprécierez en admirant la vue de la terrasse. Les chambres (certaines avec balcon) ont toutes été rénovées.

⬱ **Bleu Marine** – *26 r. du Gén.-de-Gaulle - ℘ 05 58 72 12 02 - fermé oct., dim. sf midi de sept. à juin, lun. sf juil.-août et mar. de sept. à avr. - 12 €.* Vu de l'extérieur, ce petit restaurant ne paie pas de mine mais sitôt franchi le seuil, vous serez séduit par le joli décor d'inspiration marine (tons bleus et blancs, ancre, bouée…) et l'excellente cuisine « maison ». Les gourmands craqueront pour le carpaccio d'ananas.

⬱⬱ **Marinero** – *15 Grande-Rue - 40480 Vieux-Boucau-les-Bains - ℘ 05 58 48 14 15 - marinero.vb@free.fr - fermé oct. à fin mars - 15/28 € - 19 ch. 38/51 € - ⬓ 5 €.* Avec ses tons bleus et blancs, son mobilier acajou, ses transats et ses bibelots marins, ce restaurant ressemble à une salle à manger de paquebot. Vaste terrasse couverte très prisée aux beaux jours. Outre les fruits de mer et les produits de l'Océan, la carte propose des plats landais et d'influence basque ou espagnole.

En soirée

Bowling du Port – *Av. Maurice-Martin - ℘ 05 58 72 33 72 - avr.-sept. : 17h-3h ; oct.-mars : mer., sam.-dim. 15h-3h, mar., jeu.-ven. 17h-3h.* Cette petite structure située près du port de plaisance compte huit pistes de bowling et un bar à bières et à cocktails. L'ambiance est conviviale. Terrasse sur rue passante. Salades et pizzas à consommer sur place ou à emporter.

Le Casino – *Pl. de la Liberté, front de mer - ℘ 05 58 72 13 75.* Même avec 30 centimes d'euro en poche, vous pourrez tenter votre chance dans l'une des 50 machines à sous de ce casino situé sur le front de mer. Les plus fortunés se tourneront vers les roulettes anglaises et les tables de black-jack.

Que rapporter

Marché au poisson – *Av. Georges-Pompidou - sur le port de Capbreton - été : 9h-12h30, 15h-18h ; reste de l'année : 15h-*

18h. Une quinzaine de pêcheurs vendent le produit de leur pêche en direct sur le port, au pied de la capitainerie. Ils organisent aussi des fêtes comme la Thonade ou les Sardinades qui ont lieu en été.

Sports & Loisirs

Sentiers pédestres et pistes cyclables – Plan couvrant la côte de Seignosse à Labenne en vente dans les offices de tourisme.

VTT Loisirs – *50 allées Marines -* 📞 *05 58 72 19 99 - vtt-loisirs.fr - 9h-19h - fermé oct.-mai.* L'enseigne est explicite : on loue ici des VTT. Ce qu'elle ne dit pas en revanche, c'est que le choix de véhicules à deux roues est étoffé et comprend également vélos classiques, VTC, tandems, scooters et motos (125 à 1 100 cm^3). Les titulaires du permis B, A ou AL pourront même essayer le quad (quatre-roues).

L'Île aux Pirates – 👥👤 - *Pont Notre-Dame - www.ileauxpirates.com - avr.-juin : 15h-18h30 ; juil.-août : 15h-23h.* Ce parc de loisirs installé sur le port, face à la capitainerie, propose de nombreuses activités dédiées aux enfants : Tranpolino, Aquanimal, Piste des As, Parcours Aventure, Accrobungy, etc. Sur place, crêpes, boissons, confiseries…

Parc Robinson - Aquatic Landes – 👥👤 - *Rte de la Plage - 10 km au S de Capbreton par D 652 et D 126 - 40530 Labenne -* 📞 *06 30 36 43 25 - www.parc-robinson.fr - mars-14 juin et 16 sept.-oct. : w.-end ; 15 juin-15 sept. : 9h30-20h.* Piscine à vagues, rivière rapide à bouées, toboggans aquatiques. Restauration rapide sur place.

Capbreton Surf Club – *Bd François-Mitterrand -* 📞 *05 58 72 33 80 - www.*capbretonsurfclub.com *- mars-nov. : lun.-sam. 10h-12h, 14h-17h - fermé déc.-janv., dim. et lun. sf vac. scol.* Ce club organise des stages de surf et de *bodyboard.*

Lesquiro – *3 allées Marines -* 📞 *05 58 72 19 26 - fermé dim. sf juil.-août.* Voici une adresse où vous trouverez tout le matériel nécessaire pour pratiquer le surf : combinaisons, palmes, bodyboard, surf, etc. Location à la demi-journée, la journée ou plus.

Voile Évasion – *Port de Capbreton -* 📞 *06 88 11 71 48 - www.voile-evasion.com - fermé nov.-mars.* Cette maison propose plusieurs formules pour pratiquer la voile : découverte, initiation, perfectionnement, cours collectif ou particulier, stage, croisière (Pays basque, Espagne).

Centre équestre L'Appaloosa, parc de loisirs du Gaillou – *Bd des Cigales -* 📞 *05 58 41 80 30 - www.equitation-hossegor.com - 9h-12h, 14h-0h - manège couvert : tte l'année.* Fort d'une trentaine de chevaux, ce petit centre équestre organise toute l'année des balades en forêt ou sur la plage. Possibilité également de suivre des cours d'équitation, avec moniteur diplômé d'État, en manège couvert.

Le Jean B – *10 av. Croix-du-Sud -* 📞 *06 09 73 83 27 - de fin juin à fin août : 10h30-12h, 14h-18h - 40 €/demi-journée pêche ; 8 €/h la promenade.* Ce pêcheur organise des promenades et des parties de pêche en mer.

Parc des sports – *R. du Stade -* 📞 *05 58 72 49 93 - horaires diurnes.* Le parc des sports compte des terrains de football et de rugby, un fronton, un gymnase, des courts de tennis et une piste d'athlétisme particulièrement originale, en gazon.

Château de **Cazeneuve**★★

CARTE GÉNÉRALE C2 – CARTE MICHELIN LOCAL 335 J8 – GIRONDE (33)

Les cours d'eau Ciron et Homburens se retrouvent discrètement sous les arbres, à quelques pas du château, comme autrefois la belle Margot et ses galants. Noyée dans la campagne bazadaise, l'ancienne demeure de famille, où son Henri IV de mari avait assigné Marguerite de Valois, n'a rien perdu de ses charmes.

▶ **Se repérer** – À 10 km de Bazas par la D 9.

👁 **Organiser son temps** – Attention, le château est fermé de novembre à avril et il n'est jamais ouvert le matin (sauf le parc accessible à partir de 11h). La visite guidée du château dure 1h15.

Le saviez-vous ?

Cazeneuve signifie « nouveau domaine », celui où les Albret s'installèrent au 13ᵉ s. après avoir résidé longtemps à Labrit, près de Mont-de-Marsan.

👥 **Avec les enfants** – Une balade en canoë ou en barque pour découvrir les gorges du Ciron (voir l'encadré pratique).

🖐 **Pour poursuivre la visite** – Voir aussi Château de Roquetaillade, Saint-Macaire, Verdelais, le circuit Sauternes et Barsac (voir Vignoble de Bordeaux), Parc naturel régional des Landes de Gascogne.

Visiter

Château

🔗 05 56 25 48 16 - www.chateaudecazeneuve.com - visite guidée du château (1h15) juin-sept. : 14h-18h ; de Pâques à fin mai et de déb. oct. à Toussaint : w.-end et j. fériés 14h-18h (dernière entrée 17h30), visite libre du parc de Pâques à Toussaint : à partir de 11h - 7,50 € (enf. 5 €).

Demeure privilégiée des **seigneurs d'Albret**, le château devient, en 1572, le fief du roi Henri III de Navarre, futur roi de France Henri IV. En octobre 1620, le roi Louis XIII y fait étape avant d'aller signer à Pau l'édit d'annexion réunissant le Béarn à la Couronne. Aujourd'hui le château, toujours habité, est propriété de la famille de Sabran-Pontevès, descendante des Albret.

Extérieur – À la motte castrale d'origine (11ᵉ s.) fut accolée au 14ᵉ s. une importante enceinte enserrant une bâtisse qui fut transformée au 17ᵉ s. en château de plaisance. De l'ancienne « ville de Cazeneuve », qui s'étendait devant le château, ne subsiste plus que la porte d'entrée, en arc de triomphe.

L'imposante façade Sud du château, cantonnée de deux tours carrées et soulignée par une balustrade en pierre, surplombe les douves sèches. Le portail au fronton brisé, percé dans l'enceinte médiévale, donne accès à la cour d'honneur.

Chambre du roi Henri IV avec l'authentique lit à baldaquin du roi de Navarre.

Intérieur – La visite débute par la grande salle consistoriale puis par la galerie du rez-de-chaussée. Remarquez-y les chaises dites « de fumeur », en cuir de Cordoue : le fumeur s'asseyait à califourchon et puisait son tabac dans un compartiment aménagé dans le haut du dossier de la chaise. Au 1er étage, le salon de la Reine Margot, entièrement décoré en style Louis XV, est contigu à la chambre Louis XVI où sont rassemblés des souvenirs de Delphine de Sabran, qui fut aimée de Chateaubriand. Au bout de la galerie se trouve la **chapelle** du 17e s. au mur chaulé comme à l'origine. Elle donne sur un chemin de ronde récemment remonté, par lequel les gens du village accédaient à la chapelle. Au même étage, chambre de la reine Margot et **chambre du roi Henri IV★**, cabinet de travail du roi. La visite se termine par la salle à manger comprenant des vitrines d'argenterie et de porcelaines, puis la cuisine, dans laquelle on peut voir une panetière et un pétrin provençaux.

Avant d'aller rejoindre la fraîcheur du parc, faites un détour par la basse-cour pour voir les grottes troglodytiques (sous la cour d'honneur) et les **caves médiévales** où l'actuel propriétaire garde précieusement de grands crus.

Parc

En longeant le Ciron, faites une halte à la **grotte de la Reine**, puis flânez du côté de l'étang, caché par de gigantesques sapins de Douglas. En contrebas, à côté du lavoir et du petit moulin s'étend la bambouseraie, arrosée par une cascade.

Aux alentours

Gorges du Ciron

Le Ciron, affluent de la Garonne, trace un sillon fortement marqué dont les versants, couverts de végétation, se resserrent, en amont du pont de Cazeneuve jusqu'au pont de la Trave.

Aucune voie carrossable n'empruntant le fond de la vallée, les principaux sites ne sont accessibles que par des routes transversales ou en cul-de-sac.

Du pont de **la Trave**, jolie perspective sur la rivière, un barrage et une centrale électrique. En amont, ruines du château (14e s.) qui commandait le passage.

Info pratique

Sports & Loisirs

Centre d'activités et de découvertes de la Trave – *A 62, sortie Langon - 33730 Préchac - ℘ 05 56 65 27 16/06 87 06 33 38 - www.latrave-prechac.com - avr.-sept. 9h-19h ; oct.-mars : 9h30-12h30, 13h30-17h ; w.-end d'oct. à mars sur RV - fermé vac. de Noël - de 13 à 16 €.* Location de canoës-kayaks pour découvrir les gorges du Ciron ; descente individuelle ou avec un guide diplômé (sur réservation). On vous proposera également des promenades en barque, en VTT et des randonnées thématiques accompagnées dans la vallée du Ciron.

Phare de **Cordouan** ★★

CARTE GÉNÉRALE B1 – CARTE MICHELIN LOCAL 335 D1 – GIRONDE (33)

Sur un îlot rocheux aux portes de la Garonne, il fallait bien une tête tranquille pour des pieds plantés dans un fleuve dont les courants sont parfois très dangereux. Riche d'une histoire séculaire, ce géant Renaissance de sept étages est le plus ancien phare d'Europe.

▶ **Se repérer** – Situé à l'embouchure de l'estuaire de la Gironde, au large de la pointe de Grave, le phare de Cordouan est le point le plus septentrional d'Aquitaine. Il se trouve à égale distance (7 km) des côtes girondines et charentaises.

🕯 **Pour poursuivre la visite** – Voir aussi Soulac-sur-Mer, le château Loudenne *(voir Vignoble de Bordeaux)*.

Comprendre

Petite histoire – Au 14ᵉ s., le **Prince Noir** fit élever une tour octogonale au sommet de laquelle un ermite allumait de grands feux. À la fin du 16ᵉ s., cette tour menaçant ruine, **Louis de Foix**, ingénieur et architecte qui venait de déplacer l'embouchure de l'Adour, se mit en devoir de bâtir, avec plus de 200 ouvriers, une sorte de belvédère surmonté de dômes et de lanternons. En 1789, l'ingénieur **Teulère** reconstruisit la partie supérieure de l'édifice, dans le style Louis XVI.

De l'Océan au fleuve – Le lent défilé des cargos constitue un des spectacles de l'estuaire de la Gironde. Le franchissement des passes de Cordouan est difficile par gros temps mais le creusement de la « passe de l'Ouest », entretenue par des dragages réguliers, a amélioré les accès.

Visiter

🕾 05 56 09 62 93 - www.vedettelabo-heme.com - liaisons (3h30) d'avr.-oct. tlj sf ven. en fonction des marées et des conditions climatiques - sur réservation - dép. de la pointe de Grave au Verdon-sur-Mer, vedette La Bohême II - 27 € (enf. 17 €) traversée en bateau et entrée du phare.

👥 Avec ses étages Renaissance, qu'une balustrade sépare du couronnement classique, le phare (67,5 m) donne une impression de hardiesse. Une poterne conduit au bastion circulaire qui protège l'édifice des fureurs de l'Océan ; c'est là qu'habitent les gardiens du phare.

Au rez-de-chaussée, un portail monumental donne sur l'escalier de 311 marches qui grimpe à la lanterne. Au premier étage se trouvent l'appartement du Roi ; le deuxième étage abrite la chapelle (au-dessus de la porte remarquez le buste de Louis de Foix) coiffée d'une belle coupole.

À la pointe de Grave, il faut aller voir le **musée du Phare de Cordouan** *(voir Soulac-sur-Mer)* pour compléter la visite du monument.

Phare de Cordouan.

Rodolphe Corbel / MICHELIN

Dax

19 515 DACQUOIS
CARTE GÉNÉRALE B3 – CARTE MICHELIN LOCAL 335 E12 – LANDES (40)

Protégée des vents maritimes par la forêt landaise, riche de ses eaux, cette ville d'eau est bien évidemment un bain de jouvence pour les curistes. Les thermes ne désemplissent pas. La ville a même, aujourd'hui, la palme française de la cure thermale. Mais rassurez-vous, à Dax, pas besoin d'avoir des douleurs. Les espaces verts, les bords de l'Adour et les spectacles taurins justifient que vous vous y arrêtiez en touriste.

- **Se repérer** – Entre Mont-de-Marsan et Bayonne (le Pays basque n'est pas loin !), Dax est à 35 km au Nord-Est de Capbreton et à 21 km au Nord de Peyrehorade.

- **Se garer** – Parkings près de la cathédrale et au bord de l'Adour. Attention certaines rues du centre-ville sont piétonnes. Bus réguliers pour St-Paul-lès-Dax et St-Vincent-de-Paul.

Le saviez-vous ?

D'abord appelée *Aquae Tarbellicae* (« les eaux des Tarbelles », du nom de la première tribu résidant dans la région) puis *Civitas Aquensium* (5e s.), la ville devint la prévôté d'Ax au 13e s.

- **À ne pas manquer** – La fontaine chaude, les parcs et jardins de la ville ; le marché au gras, tous les samedis matin sous les halles.

- **Organiser son temps** – Attention, le musée de Borda est fermé les dimanches et lundis. En août ont lieu pendant une semaine les ferias de Dax : en dehors des spectacles de corrida, la ville est très animée. Enfin, si vous êtes dans la région un jeudi en fin d'après-midi, vous pourrez entendre le carillon de 60 cloches de l'église Notre-Dame-de-Buglose.

- **Avec les enfants** – Musée de l'Hélicoptère ; le conservatoire avicole du Puyobrau à Magescq ; la base de loisirs du lac de Christus (*voir la rubrique « Sports & Loisirs » dans l'encadré pratique*).

- **Pour poursuivre la visite** – Voir aussi Capbreton, Hossegor, Courant d'Huchet, Peyrehorade, Montfort-en-Chalosse (*voir Saint-Sever*).

Comprendre

Histoire d'eaux – À l'emplacement où s'élève aujourd'hui Dax s'étend d'abord une cité lacustre. Peu à peu, les apports de l'Adour comblent le lac, et la cité, bâtie sur pilotis, peut s'étendre sur la terre ferme. Ensuite arrivent les Romains. Les sources deviennent célèbres. On dit même que Julie, la fille de l'empereur Auguste, y fit soigner ses rhumatismes. Toujours est-il que la ville reçoit les faveurs de Rome. Sa richesse grandit…

À Dax, l'eau de la fontaine chaude jaillit des gueules de lion qui servent de robinets.

Stéphane Sauvignier / MICHELIN

Passage royal – Beaucoup plus tard, ce sont Louis XIV et Marie-Thérèse, tout juste mariés, qui, de retour de St-Jean-de-Luz, s'arrêtent à Dax. Les Dacquois ont dressé un arc de triomphe pour les accueillir. Y est peint un dauphin jaillissant des eaux, surmonté d'une inscription latine ainsi traduite : « Puisse-t-il, ce petit dauphin, naître du passage royal aux eaux de Dax. »

Les boues thermales de Dax – D'un côté, de l'eau de pluie qui s'enrichit en sels minéraux et chauffe jusqu'à 62 °C ; de l'autre, les limons de l'Adour.

Pour tout savoir sur les vertus de ces boues voir p. 44.

Se promener

Le centre-ville

Un cheminement est marqué au sol par des clous et ponctué de totems explicatifs. Demander le livret « Dax pas à pas » à l'office de tourisme.

Même si la très classique **cathédrale Notre-Dame** vous paraît un peu sévère, prenez le temps de jeter un coup d'œil à l'intérieur. Flânez ensuite dans les rues piétonnes (rues Neuve, des Carmes, St-Vincent…), bordées de commerces, de salons de thé, de magasins de douceurs.

Un repère pour le passant : la célèbre **fontaine chaude** (dite aussi « de Nèhe », du nom d'une naïade), dont les eaux, captées depuis les Romains, jaillissent à 62 °C, dans un vaste bassin entouré d'arcades. Tout à côté, **statue de Borda**, célèbre ingénieur maritime dacquois du 18e s.

En direction du musée de Borda *(voir Visiter)*, arrêtez-vous **rue du Palais** sur une petite place tranquille où les Amours joufflus d'une fontaine du 18e s. soufflent à pleins poumons leur eau dans le bassin.

Les parcs et jardins

Pour des promenades nature, vous avez le choix entre les **bords de l'Adour** et les parcs et jardins. En amont du pont, le **parc Théodore-Denis** est délimité au Sud par les remparts gallo-romains. En aval, le **jardin de la Potinière** descend au cœur du quartier thermal avec, en contrebas, le « trou des pauvres », ancien bain public. À l'Ouest, le **bois de Boulogne**, grand parc de détente, est aussi un havre de verdure pour le promeneur (6 km de sous-bois).

Visiter

Musée de Borda

27 r. Cazade - tlj sf dim. et lun. 14h-18h - fermé j. fériés - 2,50 €, 3 € billet combiné avec la chapelle des Carmes, gratuit 1er sam. du mois.

Dax est un haut lieu de l'archéologie landaise. Le musée, qui occupe l'hôtel St-Martin d'Agès (17e s.), retrace plusieurs siècles d'histoire dacquoise au travers de vestiges gallo-romains et médiévaux (bronzes, céramiques, monnaies…). Le **trésor★** constitue l'attraction : très belles statuettes gallo-romaines de bronze représentant un Esculape (dieu de la Médecine) au visage un peu empâté et aux grands yeux d'argent, et un Mercure (dieu de la Richesse, des Voyageurs, des Voleurs…) suivi d'un coq et d'un bouquetin. Une salle rassemble des souvenirs historiques du savant **Jean-Charles de Borda**. Une autre est consacrée à la course landaise (historique et peintures tauromachiques).

En face du musée, les fouilles de la **crypte archéologique** ont dégagé le podium d'un temple gallo-romain du 2e s. *Visite guidée tlj sf dim., lun. et j. fériés 16h - 2,50 €, 3 € billet combiné avec le musée de Borda.*

À quelques pas, l'un des plus anciens édifices de la cité, la **chapelle des Carmes**, accueille des expositions temporaires d'art moderne. *11 bis r. des Carmes - &- du 1er avr. au 20 nov. : tlj sf dim., lun. et j. fériés 14h-18h - 2,50 € 3 € billet combiné avec le musée de Borda.*

Musée Georgette Dupouy.

25 r. Cazade - www.gdupouy.fr - 14h-18h - 2,50 €.

Cette artiste peintre (1901-1992) autodidacte s'installa à Dax en 1935 après son mariage et fut contrainte d'abandonner les pinceaux alors qu'une première exposition à Paris en 1930 avait atesté de son talent. Malgré l'hostilité familiale, elle se remet à peindre en 1942, rencontre Utrillo en 1943 et dès lors se consacrera à sa passion. Méconnues du grand public (l'artiste refusa de travailler avec les galeristes), les œuvres de Georgette Dupouy n'en ont pas moins parcouru le monde. Ce musée, qui rassemble nombre de ses portraits, natures mortes et paysages, est à découvrir.

Parc du Sarrat.

R. du Sel-Gemme - ℘ 05 58 56 86 86 - &- visite guidée (1h30) mars-nov. : mar., jeu., sam. 15h30 - fermé déc.-fév., j. fériés - 3,50 € (enf. gratuit).

Parcouru de canaux, vous déambulerez d'un style à l'autre : le jardin à la française débouche sur un bassin bordé de magnolias, un petit jardin japonais, une cressonnière, un potager biologique, etc. Vous vous arrêterez devant la maison inspirée par l'architecte américain **Frank Lloyd Wright**. Ses baies vitrées qui courent sur toute la façade font véritablement entrer la nature à l'intérieur.

Musée de l'Aviation légère de l'Armée de terre et de l'Hélicoptère (ALAT)

Au Sud de la ville. Prendre la D 6, direction Peyrehorade, puis la D 106 et tourner à droite dans l'avenue de l'Aérodrome. 58 av. de l'Aérodrome - ℘ 05 58 35 95 20 - mars-nov. : tlj sf dim. et j. fériés 14h-18h - fermé reste de l'année et certains lun. hors sais. - 5 € (enf. 1,80 €) gratuit Printemps des musées (ou Nuit).

Documents, souvenirs, uniformes… ainsi qu'une trentaine d'hélicoptères et d'avions, dont le Hiller UH 12 A que pilotait en Indochine Valérie André, première femme général de l'armée française.

Aux alentours

St-Paul-lès-Dax

Prendre la route de Bayonne, puis suivre la signalisation.

L'**église** présente de beaux bas-reliefs du 11e s. au chevet : animaux fantastiques, Trinité, saintes, Cène, Baiser de Judas, Crucifixion, Samson chevauchant un lion, sainte Véronique, dragon, allégorie du ciel.

Berceau de saint Vincent de Paul

4 km au Nord-Est. Quitter Dax par la N 124 et prendre à gauche la D 27.

Un précurseur des œuvres sociales

Vincent de Paul est né en 1581, d'une pauvre famille de paysans. D'une vive intelligence, il commence ses études à Dax en 1595, puis est ordonné prêtre en 1600. Tout au long de son ministère apostolique, « Monsieur Vincent » s'efforce de lutter contre la misère et d'en combattre les causes. Nommé par Louis XIII aumônier général des galères, il prodigue aux forçats aide spirituelle et secours. C'est lui qui assiste Louis XIII sur son lit de mort. À la demande de la régente Anne d'Autriche, il siège au Conseil de conscience et participe à la réforme de l'Église catholique. Pendant la Fronde, il s'efforce de ramener la concorde, organise le ravitaillement de villes sinistrées, menacées de famine, crée des soupes populaires et l'assistance par le travail.

Autour de l'**église** de style néobyzantin, édifices appartenant aux œuvres de bienfaisance et d'éducation fondées par « Monsieur Vincent ». Vous pouvez visiter, à gauche sur la place, la « Ranquines », construite approximativement sur l'emplacement de la maison natale et assemblée à partir de quelques vestiges originaux. À l'intérieur, souvenirs du saint, dont la vie est présentée à proximité dans une **salle d'exposition**. Entre la maison et la salle d'exposition se dresse un respectable vieux **chêne**, témoin de l'enfance de Vincent.

Notre-Dame-de-Buglose

9 km au Nord-Est. Quitter Dax par la N 124 et prendre à gauche la D 27.

C'est un important lieu de pèlerinage landais voué à la Vierge. Basilique néoromane renfermant, au-dessus de l'autel, une Vierge à l'Enfant en pierre polychrome découverte en 1620. La tour de la basilique N.-D.-de-Buglose abrite un **carillon** de soixante cloches. Une allée conduit à une source et à la petite chapelle (enchâssée dans une chapelle moderne) édifiée là où fut trouvée la statue vénérée de Notre-Dame.

Conservatoire avicole du Puyobrau à Magescq

11 km au Nord-Ouest par la D 16. 2695 rte de Dax - ℰ 05 58 47 71 83 - 10h-12h30, 14h-19h - possibilité de visite guidée sur demande - fermé mar. nov.-mars - 5 € (enf. 3 €), vente de sujets vivants.

Voilà un site incontournable pour les petits citadins qui penseraient que les poulets ont les ailes panées ! Là, ils découvriront, dans un cadre champêtre, 120 espèces de gallinacés (coqs, poules, dindons, paons, etc.).

Dax pratique

Adresse utile

Office du tourisme de Dax – *11 cours Foch - ℰ 05 58 56 86 86 - www.dax.fr - juil.-août : tlj sf dim. et j. fériés 9h30-19h, dim. et j. fériés 10h-13h ; avr.-juin et sept.-oct. : tlj sf dim. et j. fériés 9h30-12h30, 14h-18h30, dim. et j. fériés 10h-13h ; nov.-mars : tlj sf w.-end et j. fériés 9h30-12h30, 14h-18h, sam. 9h30-12h30.*

Visites

L'office de tourisme édite un petit guide « Dax pas à pas » avec le plan de l'itinéraire balisé en centre-ville.

Visites guidées de la ville – *Inscriptions et dép. 14h30 à l'office de tourisme - 5 €.* L'office de tourisme vous invite, lors d'un circuit pédestre, à découvrir le patrimoine dacquois : arène, remparts gallo-romains, fontaine chaude et détour Art déco avec la salle de spectacle L'Atrium et l'hôtel Splendid.

Visite audioguidée sur la tauromachie – *5 €.* L'office de tourisme propose une découverte de la tradition taurine à Dax au long d'un parcours commenté de 45mn.

Nouvelle chaîne de préparation du péloïde de Dax (culture de boue) – *Inscriptions et renseignements à l'office de tourisme - ℰ 05 58 56 86 86 - www.dax.fr.* Possibilité de visites du site et de conférences sur les produits thermaux organisées à la Maison du thermalisme (allée du Bois-de-Boulogne).

Se loger

Bon à savoir – Soyez prévoyant si vous souhaitez loger à Dax durant la feria (mi-août) : la ville est en effet prise d'assaut durant six jours… et six nuits. Il s'avère alors très difficile, voire impossible, d'y trouver une chambre.

Hôtel Calypso – *27 bd St-Pierre - ℰ 05 58 74 05 55 - fermé janv. - 24 ch. 30/39 € - ⌑ 6 € - restaurant 10 €.* Cet hôtel sans prétention vient de rénover toutes ses chambres. Ne vous attendez toutefois pas au grand luxe, mais les prix plutôt sages et les aménagements fonctionnels permettent de recommander l'adresse. L'accueil est assuré au bar.

Étap'Hôtel – *Av. de la Résistance - 40990 St-Paul-lès-Dax - 4 km au N de Dax rte de Bayonne - ℰ 0 892 68 07 26 - www.etaphotel.com - ▯ - réserv. obligatoire - 74 ch. 34/45 € - ⌑ 4 € - restaurant.* Cet hôtel de chaîne proche du casino César Palace et du lac de Christus abrite des chambres fonctionnelles et climatisées. La gérante vous réserve un accueil enthousiaste et propose des tarifs intéressants surtout pour les familles (prix identique pour 2 ou 3 personnes), même en pleine saison.

Chambre d'hôte Capcazal de Pachiou – *606 rte de Pachiou - 40350 Mimbaste - 12 km au SE de Dax par D 947 puis C 16 - ℰ 05 58 55 30 54 - www.capcazaldepachiou.com - ⌇ - réserv. obligatoire - 4 ch. 50/65 € - ⌑ - repas 20 €.* Tout est splendide dans cette maison du 17e s. qui a traversé les siècles sans perdre son authenticité : cheminées ouvragées, boiseries et meubles anciens remarquablement mis en valeur par une décoration très réussie. Ajoutez à cela un accueil généreux et une table d'hôte familiale et vous aurez une adresse incontournable.

Chambre d'hôte L'Aiguade – *1301 rte de la Bretonnière - 40990 St-Paul-lès-Dax - 4 km au N de Dax rte de Bordeaux et à* *droite - ℘ 05 58 91 37 10 - www.laiguade. com - fermé nov.-mars - ⌐⌐ - réserv. obligatoire hors sais. - 3 ch. 55/60 € - ⊡.* Les chambres de cette maison d'architecte possèdent de très larges ouvertures donnant toutes sur le magnifique parc classé (plus de 60 essences différentes). Selon la saison, vous prendrez votre petit-déjeuner dans la belle salle à manger rustique ou sur la terrasse au bord de la piscine.

⊖⊖⊟ **Hôtel Calicéo** - *R. du Centre-Aéré, au lac de Christus - 40990 St-Paul-lès-Dax - ℘ 05 58 90 66 00 - caliceo@thermesadour. com - ℗ - 47 ch. 82/92 € - ⊡ 12 € - restaurant 18/27 €.* Refaites-vous une santé dans cet hôtel moderne face au lac de Christus avec son espace de remise en forme aquatique, ouvert au public, doté de superbes piscines rondes avec remous et jets d'eau, d'une salle de cardio-training, de hammams et de saunas. Les chambres sont meublées dans le style des années 1940, à l'instar de la salle à manger.

⊖⊖⊖⊟ **Grand Hôtel Mercure Splendid** - *Cours de Verdun - ℘ 05 58 56 70 70 - h2148@accor-hotels.com - fermé janv. et fév. - ℗ - 155 ch. 110/135 € - ⊡ 10 € - restaurant 26/32 €.* Ambiance Belle Époque dans cet hôtel thermal tout proche de l'Adour, construit en 1930. Les chambres très spacieuses ont le confort d'aujourd'hui et leur caractère d'origine. Vaste salle à manger entièrement restaurée dans le style Art déco. Jardin avec piscine sous les arbres.

Se restaurer

⊖ **Les Champs de l'Adour** - *5 r. Morancy - ℘ 05 58 56 92 81 - leschampsdeladour@club-internet.fr - fermé 24 déc.-6 janv., les soirs du lun. au jeu. et dim. - 8,50/28 € - 7 ch. 33/50 € - ⊡ 5,50 €.* Près de la cathédrale, petite adresse que l'on aimerait garder confidentielle. Le décor de la salle à manger marie avec succès l'ancien (les murs en pierre datent du 19e s.) au moderne (beau mobilier aux formes arrondies). Cuisine du marché d'une grande fraîcheur. Quelques chambres.

⊖ **Lou Balubé** - *63 av. St-Vincent-de-Paul - ℘ 05 58 56 97 92 - fermé dim. soir, jeu. soir et mer. - 11/23 €.* Voici un petit restaurant qui mérite le détour. Avec les produits qu'il sélectionne sur le marché, le chef confectionne une savoureuse cuisine mi-terroir, mi-traditionnelle que vous pourrez apprécier dans une salle à manger simple et rustique (pierres et poutres apparentes).

⊖ **Ferme-auberge de Thoumiou** - *380 chemin de Thoumiou - 40180 St-Pandelon - 4 km au S de Dax par D 29 - ℘ 05 58 98 73 41 - fermé janv.-fév., ouv. ven. soir au dim. midi du 13 sept. au 13 juin, tlj sf dim. soir et mer. du 20 juin au 12 sept. - réserv. conseillée - 12/26 €.* Riche en saveurs, simple et authentique, la cuisine mijotée

dans cette ferme rappelle les recettes de nos grand-mères et ravira vos papilles gourmandes. Salle à manger dans l'ancienne étable spacieuse sous la haute charpente (accès aux personnes handicapées).

⊖⊟ **L'Amphitryon** - *38 r. Gallieni - ℘ 05 58 74 58 05 - fermé 23 août-6 sept., 2-24 janv., dim. soir, sam. midi et lun. - 21/38 €.* Dans ce restaurant au cadre discrètement nautique, la carte et les menus, au goût du jour, accordent une place importante au terroir et aux produits de la mer. Les Dacquois apprécient rapidement l'adresse, la maison affiche rapidement complet : il est plus prudent de réserver.

⊖⊟ **Le Moulin de Poustagnacq** - *40990 St-Paul-lès-Dax - 6 km à l'E de Dax par D 459 - ℘ 05 58 91 31 03 - berthelier. thierry@wanadoo.fr - fermé vac. de la Toussaint, mar. midi, dim. soir et lun. - 25/65 €.* Vous serez charmé par cet ancien moulin au bord d'un étang, tranquille avec ses bois autour. Une partie de la bâtisse a été aménagée en restaurant et le décor de la salle à manger est un peu surprenant avec ses voûtes de crépi blanc. Cuisine bien tournée, parfois originale.

Faire une pause

La Tourtière - *12 r. St-Vincent - ℘ 05 58 74 00 75 - lun.-ven. 8h-19h30, sam. 8h-20h, dim. 8h-12h - fermé de déb. fév. à déb. mars ; j. fériés apr.-midi ; dim. apr.-midi.* Cette pâtisserie fabrique toutes ses spécialités sous vos yeux ; parmi elles, citons la Tourtière (légère pâte feuilletée garnie de pommes ou de pruneaux et parfumée à l'armagnac), le Nid d'Abeille (gâteau à la crème pâtissière), le Pastis pyrénéen (brioche parfumée au pastis) ou le Soufflé aux pêches.

Le Salon Valmont - *43 r. des Carmes - ℘ 05 58 90 85 92 - 9h-19h - fermé 3 sem. en mars et dim.* Cette bâtisse des 16e et 17e s. abrite aujourd'hui un plaisant salon de thé. Salades composées, tartes salées et sucrées ainsi que pâtisseries se dégustent avec un bon thé ou un délicieux chocolat chaud. Colonnes à l'antique, pierres apparentes et poutres massives égayent la jolie salle à manger ; charmant patio.

En soirée

Arènes de Dax - *Parc Théodore-Denis - ouvert j. de spectacles.* Les arènes furent édifiées en 1913 et agrandies en 1932 pour atteindre leur capacité actuelle de 8 000 places. Leur visite permet de découvrir le patio de *caballos*, la chapelle des matadors (réservée au recueillement avant l'épreuve) et l'infirmerie. Des **corridas** sont organisées à Dax chaque été vers le 15 août et lors de la deuxième quinzaine de septembre.

Parc municipal des sports - *Bd des Sports - ℘ 05 58 74 12 29 - tlj 8h-21h.* Ce gros complexe sportif regroupe le terrain de rugby de l'US Dax, un Jaï Alaï, un

Thermes de Broda.

fronton, des terrains de football, une piste d'athlétisme et une salle de sport. Des parties de **pelote basque** ont lieu chaque mercredi de juin à septembre (17h30 au fronton, 20h au Jaï Alaï).

L'Atrium – *Cours du Mar.-Foch - $\mathscr{C}$ 05 58 90 99 09 - selon spectacles : billetterie gérée par la régie municipale des fêtes et des spectacles.* Installée dans l'ancien casino (1928) dont la ville vient d'achever la rénovation complète, la salle de spectacle de l'Atrium offre un somptueux décor stuqué (plafond, murs intérieurs et cadre de scène ornés de personnages, d'animaux et de fleurs). De nombreux concerts, pièces de théâtre et ballets y sont présentés.

Régie municipale des fêtes – *Pl. de la Fontaine-Chaude - $\mathscr{C}$ 05 58 90 99 09 - www.dax.fr - de mi-juil. à fin août : lun.-sam. 10h-18h30 ; de sept. à mi-juil. : lun.-ven. 9h30-12h, 13h30-17h30.* La régie tient lieu de billetterie pour la plupart des spectacles et des animations organisés par la ville : corridas, courses landaises, concerts de variétés, spectacles à l'Atrium.

Casino de Dax – *8 r. Eugène-Milliès-Lacroix - sur les bords de l'Adour au cœur de la ville - $\mathscr{C}$ 05 58 58 77 77 - 11h-3h, w.-end et veilles de fêtes 11h-4h.* Doté d'une salle de jeux traditionnels et de machines à sous, d'un bar et d'un restaurant, ce casino vous propose aussi des spectacles, des thés dansants, des soirées à thème…

Casino César Palace – *R. du Centre-Aéré-Lac de Christus - 40990 St-Paul-lès-Dax - $\mathscr{C}$ 05 58 91 52 72 - casino stpaullesdax@mo liflor.com - casino : 11h-3h, ven.-sam. 11h-4h ; bowling : 17h-2h, mer. et dim. 15h-2h, sam. 15h-3h.* Ce complexe comprend un casino (machines à sous, jeux de boule, roulette anglaise, black-jack), un bowling, deux restaurants, deux bars. Grandes terrasses donnant sur le lac de Christus.

Que rapporter

Marchés – Sam. matin, sous le marché couvert (produits fermiers, légumes…), aux halles (gras et volailles) et pl. Roger-Ducos (primeurs, fleurs, charcuterie…). Dim. mat., marché traditionnel aux halles et sous le marché couvert.

Roger Junca – *22 bis pl. de la Fontaine-Chaude - $\mathscr{C}$ 05 58 90 01 43 - www. rogerjunca.com - tlj sf dim. 8h-12h30, 15h-19h ; dim. mat. en été - fermé 2 sem. en fév. et j. fériés.* Depuis 1949, Roger Junca incarne le savoir-faire traditionnel de la gastronomie du Sud-Ouest. Foie gras de canard entier mi-cuit sous vide (plusieurs fois récompensé au concours général agricole de Paris dont une médaille d'or en 2002), confits, canards aux cèpes, pâtés et terrines vous attendent dans sa boutique, mais peuvent aussi être livrés dans la France entière.

Sports & Loisirs

Promenades – L'office du tourisme met à votre disposition un petit guide « les Chemins verts » regroupant 9 balades (1h à 3h) entre Dax et St-Paul-lès-Dax.

Cycles Castets Arnaud – *13 cours Gallieni - $\mathscr{C}$ 05 58 90 80 75.* Location de vélos et VTT.

Base de loisirs du lac de Christus – 🚹🚹 - *40990 St-Paul-lès-Dax - $\mathscr{C}$ 05 58 91 88 60.* La base de loisirs borde le lac de Christus (11 ha) doté d'une plage aménagée. Au programme : canoë, kayak, planche à voile, tir à l'arc, tennis, badminton, ping-pong, etc. Jeux pour les enfants et aires de pique-nique.

Club hippique – **Poney club Bois de Boulogne** – *$\mathscr{C}$ 05 58 74 09 14.* Promenades accompagnées.

École française d'équitation de Dax – *Bois de Boulogne - $\mathscr{C}$ 05 58 74 09 14 - dax-equitation@wanadoo.fr - tlj sf lun. 8h-12h, 14h-19h - ouv. j. fériés ; fermé 2-20 sept.* Cours et stages d'équitation (chevaux et poneys) pour tout public. Centre de vacances pour séjours mer et forêt.

Calicéo – *355 r. du Centre-Aéré - Lac de Christus - 40990 St-Paul-lès-Dax - $\mathscr{C}$ 05 58 90 66 66 - www.caliceo.com - 10h-20h30 - 11,50 € les 2h.* Ce centre de remise en forme est équipé de trois piscines d'eau minérale, de Jacuzzis, de bains bouillonnants, d'hydrojets, de geysers, d'une rivière rapide… Mais aussi d'une salle de cardio-training, de hammams et de saunas. Un hôtel, un bar et un restaurant complètent cet établissement.

Séjour de remise en forme – *avr.-oct. : lun.-sam. 9h30-12h30, 14h-18h30 ; juil.-août : lun.-sam. 9h30-19h00, dim. et j. fériés 10h-12h, 15h-17h.* Les cures daxoises durent, comme dans la plupart des stations thermales, 21 jours. Pour un séjour « bien-être » plus court (3 à 7 jours), l'office de tourisme met à votre disposition une plaquette recensant différents forfaits « soins et hébergement ».

Événements

Feria – En août *(voir p. 54)*.

Festival Paso Passion – Fin juil., festival de musiques taurines.

Toros y Salsa – Déb. sept., tauromachie et concerts au rythme de la musique latino-américaine.

Duras

1 214 DURAQUOIS
CARTE GÉNÉRALE C2 – CARTE MICHELIN LOCAL 336 D1 – LOT-ET-GARONNE (47)

Un peu médiéval, un peu classique, il reste en tout cas le plus bel ornement de l'ancienne bastide qui veillait sur les terres des ducs de Duras et la vallée du Dropt. La vigne, quant à elle, a su trouver ici un terroir d'élection : la région, au sol siliceux peu calcaire, produit les côtes-de-duras, des vins rouges ancestraux, corsés et robustes.

▶ **Se repérer** – À la limite du département de la Gironde, à 24 km au Nord-Est de La Réole par la D 668 et à 22 km au Nord de Marmande par la D 708.

👁 **À ne pas manquer** – Le musée-conservatoire du Parchemin ; les fresques de l'église d'Allemans-du-Dropt.

🕐 **Organiser son temps** – La visite du château dure environ 1h30. En saison, de nombreuses manifestations y sont organisées. Pour sillonner la région de Duras, prévoyez une demi-journée.

> ### Le saviez-vous ?
>
> Ce sont les ducs de Duras qui ont soufflé son nom de plume à **Marguerite** (son père avait une exploitation aux environs). Pour tout savoir sur sa vie, lire *Les Impudents* : la ville y apparaît sous le nom d'Ubzac.

👪 **Avec les enfants** – Pour vous rafraîchir, vous pouvez aller vous baigner dans le lac de Castelgaillard (6 km au Nord-Ouest de Duras, par la D 708).

🕯 **Pour poursuivre la visite** – Voir aussi Monségur *(voir La Réole)*, Sauveterre-de-Guyenne *(voir Vignoble de Bordeaux)*, Marmande.

Visiter

Château

𝒫 05 53 83 77 32 - www.chateau-de-duras.com - juil.-août : 10h-19h ; juin et sept. : 10h-12h30, 14h-19h ; mars-mai et oct. : 10h-12h, 14h-18h ; nov.-fév. : w.-end et vac. scol. 10h-12h, 14h-18h (dernière entrée 1h av. fermeture) - fermé 1er janv., 1er nov., 25 déc. - 5 €.

En 1308, la mode est à la forteresse : le château d'origine possède alors huit tours reliées par des courtines. 1680 : un peu plus de confort ne nuisant pas, le château est réaménagé en demeure de plaisance. La Révolution, évidemment, y mettra aussi du sien, décuronnant une tour par-ci, endommageant une salle par-là.

À voir, la salle des gardes, les chambrées d'hommes d'armes, la cuisine et la boulangerie, le puits, les cachots et bien entendu la salle aux Secrets. Dans cette salle, on peut tout se dire sans que personne n'entende rien. Aussi, n'ayez crainte, vos conversations avec les fantômes que les Duraquois soupçonnent de hanter le château ne laisseront aucun écho…

Du sommet de la tour principale du château, panorama étendu sur tout le pays de Duras.

Duras pratique

Adresses utiles

Office du tourisme de Duras –14 bd Jean-Brisseau - ☎ 05 53 83 63 06 ou 05 53 94 77 63 - www.paysdeduras.com - 10h-12h, 14h-17h.

Office de tourisme du Pays Foyen – 102 r. de la République - ☎ 05 57 46 03 00 - www.paysfoyen.com - juil.-août : 9h30-12h30, 14h30-18h30, dim. 10h-13h (sf du 1er au 13 juil.) ; juin et sept. : tlj sf dim. 9h30-12h30, 14h30-18h ; oct.-mai : tlj sf dim. 9h30-12h30, 14h30-17h30 - fermé j. fériés.

Office du tourisme de Lauzun – 1 r. Taillefer - ☎ 05 53 20 10 07 - www.ville-lauzun.fr - du 15 juin au 15 sept. : tlj sf dim. et j. fériés 9h30-12h, 15h-18h30.

Se loger

Le Cabri – 0,8 km au N de Duras par D 203, rte de Savignac - ☎ 05 53 83 81 03 - www.lecabri.eu.com - ouv. Pâques-fin oct. - 12 chalets + 2 mobile homes 40/55 € - restauration. Un couple d'Anglais fort sympathique gère ce parc où vous trouverez des emplacements pour caravanes et campeurs ainsi que des mobile homes et des chalets bien équipés et propres. Également sur place, un restaurant doté d'une agréable terrasse, une piscine et un minigolf.

Chambre d'hôte Mounica – Domaine du Pech - 47120 Baleyssagues - 4 km à l'O de Duras par D 134 et chemin secondaire après le bourg - ☎ 05 53 83 33 52 - 🖃 - 3 ch. 46/51 € 🖙 - repas 19 €. Un joli parc bien entretenu avec piscine entoure cette maison de maître située aux portes de la Dordogne. Les chambres, sobrement élégantes et garnies de meubles chinés, et le salon (cheminée et tomettes anciennes) invitent au calme et à la détente. Accueil discret et attentionné.

Se restaurer

Le Don Camillo – Pl. Marguerite-Duras - ☎ 05 53 83 76 00 - 11 € déj. - 12/20 €. Cette adresse toute simple du centre-ville est réputée dans le pays pour ses services de semaine imbattables : on y propose une cuisine familiale, délicieuse et plus que copieuse, à des prix particulièrement sages à midi… Le sourire et l'efficacité du personnel sont compris dans l'addition !

Hostellerie des Ducs – Bd Jean-Brisseau - ☎ 05 53 83 74 58 - hostellerie.des.ducs@wanadoo.fr - fermé dim. soir et lun. d'oct. à juin, lun. midi de juil. à sept. et sam. midi - 28/60 € - 16 ch. 56/88 € - 🖙 8,50 €. Proche du château, cette demeure du 19e s. est un ancien presbytère. Aujourd'hui, c'est pour le plaisir d'une table traditionnelle au doux accent régional qu'habitués et touristes la fréquentent. Les chambres, de style fonctionnel, portent le nom de différents domaines viticoles. Jardin et piscine.

La Vieille Auberge – 10 r. Louis-Pasteur - 33220 Ste-Foy-la-Grande - ☎ 05 57 41 95 96 - fermé vac. scol. de fév., de la Toussaint, dim. soir et lun. du 15 sept. au 15 mai - 22,50/35 € - 4 ch. 25/45 € - 🖙 6,80 €. La façade de cet ancien relais de poste a conservé ses vénérables colombages, comme bon nombre de maisons de la petite cité vigneronne. Sous les poutres de ses salles à manger, toutes sortes de spécialités régionales sont proposées. Les gourmands se régalent particulièrement avec l'omelette aux cèpes et l'excellent confit.

Que rapporter

Domaine de Baignac – Lieu-dit Baignac - 4 km à l'O de Duras par D 134 - 47120 Baleyssagues - ☎ 05 53 83 77 59 - lun.-sam. 9h-12h, 14h-19h - fermé j. fériés. Les propriétaires de cette ferme traditionnelle vous feront découvrir comment la prune d'ente devient pruneau : visite des installations, dégustation gratuite puis passage par la boutique qui regorge de spécialités (pruneaux fourrés, enrobés de chocolat, à l'armagnac, etc.).

Loisirs

Bateau-promenade – Office de tourisme - 102 r. de la République - 33220 Ste-Foy-la-Grande - ☎ 05 57 46 03 00 - www.paysfoyen.com Promenades commentées sur la Dordogne, avec arrêt possible au musée de la Batellerie.

Et pour que vous ne repartiez pas ignorant, **quatre musées** vous donneront maintes informations sur la paléontologie, la vigne et le vin, le grain et, enfin, les arts et traditions populaires.

Musée-conservatoire du Parchemin

Pl. des Parcheminiers - ☎ 05 53 20 75 55 - www.museeduparchemin.com - juil.-août : 11h-13h, 15h-18h ; avr.-juin et sept. : 15h-18h - 6 € (enf. 3 €).
Dans cet atelier, vous découvrirez la fabrication d'un livre selon les méthodes du Moyen Âge : le traitement de la peau pour en faire un parchemin, la constitution des encres, la calligraphie, le travail de l'enluminure, la pose de feuilles d'or *(projection de deux films)*. Tout le matériel est exposé et des créations sont présentées. Dans le *scriptorium*, vous pourrez prendre la plume !

Aux alentours

Allemans-du-Dropt
10 km au Sud-Est par la D 708 et la D 668.

Ce village (sont-ce les Alamans venus au début du 6ᵉ s. qui lui donnèrent son nom ?) est surtout connu pour les **fresques** de l'église (15ᵉ s.). Sur le mur Nord de la nef, la Cène et, quelque peu mutilées par l'ouverture de larges arcades, l'Arrestation de Jésus et la Flagellation ; dans le chœur, la Crucifixion et la Descente de Croix ; derrière l'autel, saint Martin et le blason des seigneurs d'Allemans ; sur le mur Sud de la nef, la Résurrection, le Jugement, saint Michel et l'Enfer.

À la sortie Ouest du village, beau **pigeonnier** sur piliers de pierre (17ᵉ s.).

Château de Lauzun
26 km au Sud-Est. Prendre la même direction que ci-dessus. À Miramont-de-Guyenne, prendre au Nord-Est la D 1. Visite guidée (45mn) juil.-août : 10h-12h, 14h-18h - fermé reste de l'année - 3 €.

Le **maréchal de Lauzun** (1633-1723), cadet de Gascogne, homme plein d'esprit et adoré du beau sexe, bien que fort laid, était un des plus brillants courtisans à la cour de Louis XIV dont il devint très vite le favori. Il défraya par ses frasques la chronique mondaine de l'époque.

Le château offre une belle façade sur cour, visible en pénétrant dans le parc. Le logis du 15ᵉ s., à tourelle octogonale, est relié à une partie Renaissance par un pavillon coiffé d'un dôme entrepris au 17ᵉ s. par Lauzun, mais achevé au 19ᵉ s.

Ste-Foy-la-Grande
22 km au Nord, par D 708.

Cette ancienne bastide (fondée par Alphonse de Poitiers en 1255) est un centre vinicole où règne l'animation des villes commerçantes. Plan en damier, place à couverts et nombreuses maisons médiévales, Renaissance et 17ᵉ s. aux alentours. Les quais de la Dordogne, au pied des vestiges de remparts, sont parfaits pour flâner à deux.

Élisée Reclus

Né à Sainte-Foy-la-Grande (1830-1905), ce scientifique et géographe visionnaire milita pour l'établissement de conditions de vie plus justes, respectueuses des ressources et des milieux naturels. Rédacteur d'une monumentale *Géographie universelle* (19 volumes), il est encore de nos jours unanimement reconnu pour ses travaux scientifiques.

Fumel

5 423 FUMÉLOIS
CARTE GÉNÉRALE D2 – CARTE MICHELIN LOCAL 336 H3 – LOT-ET-GARONNE (47)

Une petite ville entre histoire et industrie… Vous risquez d'être surpris en arrivant à Fumel, mais ne vous arrêtez pas au premier voile de fumée grisâtre. Il se dissipera dès que vous découvrirez le château planté au-dessus du Lot ou les alentours de la ville.

▶ **Se repérer** – À 25 km au Nord-Est de Villeneuve-sur-Lot par la D 911.

🅿 **Se garer** – Parking gratuit près de la mairie (château).

👁 **À ne pas manquer** – Le château de Bonaguil ; l'église romane de Monsempron ; la forteresse de Gavaudun, sur son éperon rocheux.

🕐 **Organiser son temps** – On passe facilement une journée à découvrir toutes les richesses des environs de Fumel. En saison, de nombreuses animations sont organisées sur les sites et chaque village y va de son marché nocturne.

👪 **Avec les enfants** – Le musée des Bastides de Monflanquin et ses visites ludiques, une promenade en gabare au départ de Fumel *(voir l'encadré pratique)*.

♿ **Pour poursuivre la visite** – Voir aussi Penne-d'Agenais.

Antonin Thuillier / MICHELIN

Le saviez-vous ?

Au fond d'une niche de pierre, dans le jardin du château de Fumel, un renard dresse l'oreille, aux aguets. La statue marquait, à l'origine, le point de départ d'une chasse à courre qu'appréciait tout particulièrement l'ancien propriétaire : celle au renard !

Se promener

Château

Visite des terrasses et des jardins 8h-20h.
Au 11e s., les barons de Fumel y firent bâtir un château et l'habitèrent jusqu'au début du 19e s. Il abrite aujourd'hui la mairie, mais les jardins et les terrasses sont ouverts au public. Le **baron de Langsdorff** (l'amateur de renards, propriétaire du château par mariage depuis le 19e s.) ayant rapporté de ses chasses à l'étranger diverses essences d'arbres et d'arbustes, vous pourrez découvrir, en contrebas du château, une végétation très variée.

Promenades le long du Lot

En descendant du château vers le Lot, vous verrez de vieilles maisons. Des promenades sont aménagées le long de la rivière. 👪 En saison, vous pouvez également découvrir la vallée du Lot sur l'eau, grâce à un parcours commenté *(1h30)* d'une quinzaine de kilomètres à bord d'une gabare *(voir la rubrique « Visite » dans l'encadré pratique).*

Aux alentours

Bastides, églises médiévales et châteaux perchés, le tout sur fond de paysages minéraux et boisés : voilà l'agréable menu qui vous attend aux alentours de Fumel.

Sauveterre-la-Lémance

14 km au Nord par la D 710.
Édouard Ier, roi d'Angleterre et duc d'Aquitaine, y fit bâtir une **forteresse** *(ne se visite pas)* à la fin du 13e s. pour protéger ses domaines face au royaume de Philippe le Hardi.

Musée de Préhistoire mésolithique L.-Coulonges – ✆ 05 53 40 73 03 – *juin-sept. : tlj sf lun. 10h-12h30, 14h30-18h30, w.-end 14h30-18h30 ; avr.-mai et oct. : tlj sf lun. et sam. 14h30-18h ; nov.-mars sur demande : pdt vac. scol. zone C (sf Noël) tlj sf lun. et w.-end 14h30-18h - fermé nov.-mars, 2e et 3e sem. de juin, 1er janv., lun. Pâques, 1er mai, 1er et 11 nov., 25 déc. - 2,30 € (–14 ans gratuit).*

Il retrace les découvertes archéologiques faites de 1920 à nos jours dans la vallée de la Lémance, riche en vestiges de l'époque des derniers chasseurs-cueilleurs. Présentation des techniques préhistoriques de fabrication des outils *(vidéo 16mn)*.

Château de Bonaguil★★

8,5 km de Fumel. Direction Condat où l'on prend la D 673 à gauche. Puis à nouveau à gauche dans la D 158. Voir ce nom.

Circuit de découverte

70 km – compter 4h. Quitter Fumel par l'Ouest.

Monsempron-Libos

Ce village fortifié du 12e s. perché sur une butte, possède une **église**★ romane, vaste mais très sobre. Elle serait construite à l'emplacement (ou à côté) d'un temple de Cybèle, déesse de la Fécondité. Si déesse il y eut, elle lui a copié son caractère réconfortant, la douceur des formes (gros piliers cylindriques, absidioles couvertes de coupoles rondes…).

Au pied de Monsempron la Médiévale, la ville industrielle de Libos dresse ses hautes cheminées d'usine.

Rejoindre la D 124 à Codezaygues, prendre à droite.

Monflanquin★

Toute l'année, visite guidée originale avec le guide troubadour Janouille la Fripouille (1h). S'adresser à l'office de tourisme.

Cette ancienne bastide, fondée au 13e s. par Alphonse de Poitiers, frère de Saint Louis, groupe ses maisons aux toits de tuiles rondes sur une colline *(table d'orientation à côté de l'église)*. Il fait bon flâner dans ses *carrétots*, ruelles parfois enjambées par des *pontets* formant des passages couverts.

Musée des Bastides – *Au-dessus de l'office de tourisme.* ℰ *05 53 36 40 19 - juil.-août : 10h-19h ; reste de l'année : 10h-12h, 14h-17h - fermé 1er janv., 1er mai, 25 déc. - 4 € (enf. 1,50 €) gratuit 1er w.-end de déc.* 👥 Une muséographie moderne (attractive et interactive) pour expliquer l'apparition des villes nouvelles aux 13e-14e s. dans le Sud-Ouest de la France, leur urbanisme, leur organisation sociale, leur rôle dans la société médiévale. Vous en ressortirez avec l'envie de (re)découvrir Monflanquin et d'aller voir d'autres bastides…

Villeréal

L'office de tourisme édite une brochure (gratuite) complète sur la ville, comprenant notamment un plan commenté avec les principales curiosités.

Bastide fondée en 1269, elle aussi par Alphonse de Poitiers. Elle a conservé son plan initial, avec des rues en angle droit, des maisons à encorbellement et à toit débordant. Sur la place centrale, **halles à étage** (14e s.) supportées par des piliers de chêne. Édifiée au 13e s., l'**église fortifiée** possède une haute façade encadrée de deux tours couronnées de clochetons pointus et reliées par un chemin de ronde crénelé ; la tour de gauche est percée de meurtrières.

Au pied du village de Villeréal, équipements de loisirs au bord d'un **lac**.

La D 255 mène à Lacapelle-Biron. De là, prendre la D 150 jusqu'à St-Avit.

St-Avit

Dans ce hameau de pierre couleur terre de Sienne, à l'église couverte de lauzes et aux maisons anciennes aux toits patinés, **Bernard Palissy** *(voir musée des Beaux-Arts à Agen)* est à l'honneur. Le **musée** qui porte son nom présente un diaporama sur sa vie ainsi que des collections de céramiques anciennes et contemporaines. Chaque année *(de mai à octobre)* est montée une grande exposition. ℰ *05 53 40 98 22 - mai-sept. : tlj sf mar. 14h-18h ; oct.-avr. : dim. et vac. scol. zone C 14h-18h - fermé 1er janv., 25 déc. - 3,20 € (+12 ans 1,60 €).*

Le faïencier animalier

Bernard Palissy (1510-1590), né à Saint-Avit près d'Agen, est certes l'auteur d'ouvrages techniques et philosophiques, mais il est surtout connu comme verrier et potier. Au prix d'un labeur acharné et de sacrifices très lourds – on raconte qu'il brûla même ses meubles pour alimenter ses fours –, il s'acharna à retrouver la composition de l'émail. Eurêka ! il réussit à mettre au point une poterie intermédiaire entre la faïence italienne et la terre vernissée. Ses bassins décorés en « rustique » (moulages colorés de serpents, lézards, poissons, écrevisses…) lui valurent un vif succès.

L'église de St-Avit, dans un cadre champêtre, donne sur la vallée.

La D 150 court entre Lède et bois escarpés où affleure la roche claire. Demeures rares qui se cachent derrière de sages haies.

Gavaudun

Très beau **site**★ dans l'étroite et sinueuse vallée de la Lède, entre plaine du Lot et vallée de la Dordogne. L'impressionnant **donjon** crénelé (11e et 13e s.) du château fort semble véritablement né de la roche, sur laquelle il dresse ses six étages. *Juil.-août : visite guidée (1h) 10h-18h ; juin et sept. : w.-end 10h-18h. 4 €. ℘ 05 53 95 62 04.*

Église de St-Sardos-de-Laurenque

Église du 12e s. avec un intéressant portail sculpté, aux chapiteaux ornés d'animaux et de personnages et à la frise décorée de poissons. Remarquables chapiteaux également dans la nef romane. *℘ 05 53 40 04 16 - visite guidée sur demande préalable à la mairie.*

Retour à Fumel par la D 162.

Fumel pratique

Adresses utiles

Office du tourisme de Fumel – *Pl. Georges-Escande - ℘ 05 53 71 13 70 - juil.-août : 10h-12h, 14h-17h ; reste de l'année : tlj sf w.-end 10h-12h, 14h-17h.*

Office du tourisme de Monflanquin – *Pl. des Arcades - ℘ 05 53 36 40 19 - www.monflanquin.fr - juil.-août : 10h-19h, dim. 10h-18h ; juin et sept. : 10h-12h, 14h-18h, dim. 14h-18h ; avr.-mai : 10h-12h, 14h-18h, dim. 14h-18h ; oct.-mars : 10h-12h, 14h-17h, dim.14h-17h.*

Office du tourisme de Villeréal – *21 pl. de la Halle - ℘ 05 53 36 09 65 - se renseigner sur les périodes d'ouverture et horaires.*

Visite

Promenade commentée en gabare – *Juil.-août : 11h, 15h, 16h30, 18h - réserv. à l'office de tourisme ou au ponton : ℘ 05 53 40 88 06. 5,50 € (5-13 ans 3 €) ; forfait château de Bonaguil et gabare : 8,50 € (5-13 ans 5 €).*

Se loger

⊖ **Chambre d'hôte Domaine de Majoulassie** – *Lieu-dit Majoulassie - 47150 Gavaudun - 11 km au NO de Fumel par D 710 rte de Périgueux et D 162 rte de Salles - ℘ 05 53 40 34 64 - www.aaire.com/majoulassie - 🚫 - 5 ch. 40/58 € - 🍽 - repas 22 €.* Un ruisseau, des bois, un vieux moulin et un étang de pêche composent l'environnement bucolique à souhait de cette longue bâtisse qui jadis tenait lieu de papeterie. Les chambres, d'un confort simple, possèdent un petit balcon et de grandes salles de bains neuves.

⊖🛏 **Domaine de Guillalmes** – 👥 - *47500 Condat - 5 km à l'E de Fumel dir. Cahors - ℘ 05 53 71 01 99 - www.guillalmes.com - 🅿 - 18 chalets 45/50 € - 🍽 6 € - restaurant 15/26 €.* Ce domaine riverain des eaux du Lot est l'adresse idéale pour se mettre au vert. Les chambres, aménagées dans des chalets individuels, sont toutes équipées d'un salon, d'une cuisinette et d'une terrasse. Côté détente : tennis, base nautique, jolie piscine avec Jacuzzi et pataugeoire, etc.

Place des Arcades à Monflanquin.

Alain Cassaigne / MICHELIN

⊖🛏 **Chambre d'hôte Le Mas de Laure** – *46700 Mauroux - 10 km au SE de Fumel - ℘ 05 65 30 67 39 - www.masdelaure.com - 🚫 - 5 ch. 70 € - 🍽 - repas 25 €.* Un endroit séduisant que cette ferme en pierre de pays restaurée avec goût. Les chambres, aménagées dans l'ancienne étable, ont parfois gardé les mangeoires ; leur décor (pierre et poutres apparentes, meubles patinés et tissus choisis) est réussi. Agréable jardin avec piscine et salon d'été.

⊖🛏 **Moulin de Labique** – *47210 St-Eutrope-de-Born - 9 km au NE de Monflanquin par D 124 et D 153 - ℘ 05 53 01 63 90 - www.moulin-de-labique.fr - 7 ch. 70/90 € - 🍽 8 € - repas 30 €.* La délicieuse cour ombragée par d'immenses platanes constitue le centre de vie de ce domaine. Les chambres, réparties entre les ex-granges ou écuries et la maison d'habitation, sont personnalisées et raffinées. Pour la détente, pêche, piscine et salon-bibliothèque.

Se restaurer

⊖ **Monform** – *Rte de Cancon - 47150 Monflanquin - ℘ 05 53 49 85 85 - fermé 7 fév.-6 mars, dim. soir et sam. d'oct. à avr. - 13/26 €.* Hôtel-restaurant aménagé sur une aire de loisirs comprenant un lac, un parcours santé et un minigolf. La salle à manger, sobrement aménagée, s'ouvre sur une terrasse tournée vers le plan d'eau. Chambres fonctionnelles rénovées et bel espace de remise en forme.

⊖ **Auberge Le St-Hubert** – *Rte de Périgueux - 47500 Cuzorn - 5 km au NE de Fumel par D 710 rte de Périgueux - ℘ 05 53 40 91 85 - periedaniel@wanadoo.fr - fermé dim. soir et lun. - 11 € déj. - 19/32 €.* Le grand parking situé devant cet établissement des années 1970 est très pratique. Selon la saison, vous vous attablerez dans la salle à manger réchauffée par de belles flambées, ou sur la terrasse tournée vers la campagne. Cuisine traditionnelle.

⊖🛏 **La Tonnelle** – *Pl. du 8-Mai - 47150 Monflanquin - à l'O de Fumel par D 124 - ℘ 05 53 71 63 54 - http://tonnelle.free.fr - fermé janv.-14 fév., dim. soir, lun. et mar. sf juil.-août - 15,50 € déj. - 20/30 €.* Le chef de ce restaurant concocte une cuisine traditionnelle parfaitement maîtrisée à partir de produits frais. Vous pourrez la découvrir dans la salle à manger ornée d'une exposition de tableaux ou sur la délicieuse terrasse agrémentée d'une petite fontaine et de rosiers grimpants.

Loisirs

Gavaudun – Multiples activités à Gavaudun : spéléologie, kayak, canoë.

Événements

Foire à la poterie à St-Avit – Chaque année le 2e dim. d'août.

Hossegor ★

3 292 HOSSEGORIENS
CARTE GÉNÉRALE A3 – CARTE MICHELIN LOCAL 335 C13 – LANDES (40)

Un brin boisée, un brin marine, vous prendrez goût à cette petite station balnéaire. Il y a la mer, le soleil… et le vent. Ajoutez une bonne houle venue du Gouf de Capbreton et les surfeurs qui viennent du monde entier lors de championnats, saupoudrez d'une pincée d'élégantes villas, de boutiques et de bars branchés. C'est un régal !

▶ **Se repérer** – Hossegor n'est séparé de la localité voisine de **Capbreton** que par le canal du Boudigau.

👁 **À ne pas manquer** – Les villas des années 1920 entre la mer et le lac ; la réserve naturelle de l'étang Noir.

🕐 **Organiser son temps** – Comptez une demi-journée pour le circuit de découverte en comptant les arrêts. Pour la détente, pensez aux possibilités qu'offre le lac d'Hossegor. Le soir, rien de plus agréable qu'une promenade sur la plage ou sur le front de mer au coucher du soleil, avant de rejoindre un bar ou un spectacle de votre choix.

👫 **Avec les enfants** – L'Atlantic Park (parc aquatique) ; le Hall 04 Skatepark pour s'initier au skateboard ; le Port miniature à Soustons *(voir la rubrique « Sports & Loisirs » dans l'encadré pratique)*.

👣 **Pour poursuivre la visite** – Voir aussi Capbreton, Courant d'Huchet, Dax.

Le Sporting-Casino, blanc et rouge, de style basque, date des années 1930.

Séjourner

La station

Agréable station balnéaire et climatique qui, au fil du 20ᵉ s., a su intégrer dans un environnement naturel généreux (pins, chênes-lièges, arbousiers) parcs, jardins, hôtels, terrain de golf, casino et un complexe sportif.

Sur la longue bande de sable fin, vous aurez la place de planter votre parasol et d'étendre votre serviette ! Pour la baignade : plages du Sud et Centrale, pour le surf : plage de la Gravière, pour le naturisme : plage de la Côte Sauvage (vers Seignosse). Attention, la dune de la Côte Sauvage est un « Espace naturel protégé », respectez la réglementation de la circulation piétonnière aux abords du site.

🚶 *Départ de la Maison Hargous, au Nord d'Hossegor en direction de Seignosse, sur la D 152. Brochures descriptives à l'office de tourisme.* Cinq **sentiers de découvertes** *(2 à 5 km)* sont aménagés dans la forêt.

⊙⊙ Nombreuses pistes cyclables dans Hossegor, reliées au réseau côtier (*plan à l'office de tourisme*). Abandonnez donc votre voiture !

Les villas★

Brochure à l'office de tourisme. Propriétés privées : soyez discrets ; ne pénétrez pas dans les jardins. Elles sont groupées entre la mer et le lac, sous les pins. Le style basco-landais qui les caractérise était très à la mode dans les années 1920-1930 : il s'inspire de l'habitat rural basque (façades de crépi blanc, toits en débord) et landais (colombages, remplissage en briques apparentes disposées en épi).

> ### Le saviez-vous ?
>
> Des intellectuels, séduits par le site au début du 20e s., y formèrent un cercle culturel, la « Société des amis du Lac ». Ainsi fut lancé Hossegor, dont le nom signifierait « la grande fosse » de *hoos*, « grand » et *gor*, « gouf, fosse ».

Le lac★

Ce lac salé cerné par la forêt de pins occupe l'ancien bras de l'Adour. Il subit l'influence des marées grâce au **canal du Boudigau** qui le relie à l'Océan. Quatre plages parfaitement adaptées à la baignade des petits car l'eau y est calme. La plage du Rey, sur la rive Est, est plus sportive.

🚶 *7 km. Brochure à l'office de tourisme.* La **Promenade du tour du lac** est ponctuée de 9 panneaux thématiques.

Circuit de découverte

55 km – compter 2h. Quitter Hossegor au Nord, D 79.

Vieux-Boucau-les-Bains

Endormi en 1578 par le détournement de l'Adour et devenu Vieux-Boucau (« vieille embouchure »), le village renaît aujourd'hui grâce à **Port-d'Albret** (*qui dépend de la commune de Soustons*), important ensemble touristique aménagé autour d'un **lac salé** de 60 ha. Ses eaux sont renouvelées quotidiennement par un barrage dont les portes suivent le rythme des marées. Du centre-ville, on accède à Port-d'Albret par le **mail**, promenade piétonnière invitant à la flânerie, notamment le soir où les illuminations lui donnent un éclat particulier.

Côté mer : baignade et surf, côté terre : sentiers pédestres autour du lac et dans la forêt, pistes cyclables vers Soustons, Seignosse, Léon (*plan en vente à l'office de tourisme*).

Suivre la D 652 vers Soustons.

Étang de Soustons★

Vous ne pouvez malheureusement pas voir ses 730 ha d'eau d'un seul regard, contours obligent. Mais ses bords perdus dans les roseaux et les pins sont facilement accessibles depuis l'office du tourisme de Soustons, installé dans une ancienne bergerie et devant lequel se tient la statue de François Mitterrand.

🚶 Le GR 8 longe les rives du lac. En prenant à droite vous arriverez à la pointe des Vergnes agréablement arborée : belle vue d'ensemble du plan d'eau.

Reprendre la D 652 vers Tosse. À 4 km, suivre à droite le chemin de Gaillou-de-Pountaout (panneau « étang Blanc »), qui passe entre l'étang Hardy et l'étang Blanc.

Étang Blanc

Ce petit plan d'eau protégé est peuplé de gabions et de cabanons aménagés par les chasseurs pour guetter les canards. Un chemin le contourne, offrant de jolies vues sur la flore du site et ses environs. Le canal reliant l'étang Noir à l'étang Blanc fait lui le bonheur des pêcheurs.

La route surplombe ensuite l'étang Noir dans le dernier virage.

Réserve naturelle de l'étang Noir

Attention : absence de barrière de sécurité sur le caillebotis, surveiller les enfants.

🚶 *30mn.* Ce marais est enjambé par une passerelle discrète qui permet une plus grande intimité avec la faune qui y loge. Passez préalablement à la Maison de la Réserve pour glâner des informations sur le site ou mieux, suivez une visite guidée proposée en saison. 📞 *05 58 72 85 76 - juil.-août : lun.-ven. 10h30, 15h, 17h - 2,50 €.*

Prendre à droite la D 89.

Vous traversez **Le Penon**, station balnéaire, qui allie immeubles en bordure de mer et pavillons dans la forêt de pins.

La D 152 ramène à Hossegor.

Hossegor pratique

  Voir Capbreton pratique.

Adresses utiles

Office du tourisme d'Hossegor – *Pl. des Halles* - ℘ 05 58 41 79 00 - www.hossegor. fr - juil.-août : tlj sf dim. et j. fériés 9h-19h30, dim. et j. fériés 10h-13h, 15h-19h ; hors saison : tlj sf. dim. et j. fériés 9h-12h, 14h-18h, dim. et j. fériés : se renseigner.

Office du tourisme de Soustons – *Grange de Labouyrie* - ℘ 05 58 41 52 62 - www. soustons.fr - juil.-août : 9h30-13h, 14h30-19h, dim. 9h30-13h ; reste de l'année : tlj sf dim. 9h30-12h30, 14h-18h, sam. 9h30-12h30 (juin : sam. 14h-18h).

Office du tourisme de Vieux-Boucau – ℘ 05 58 48 13 47 - www.ot-viaux-boucau.fr - juil.-août : 9h-12h, 14h30-19h, dim. et j. fériés 10h-12h30, 15h-19h ; avr.-juin et sept. : tlj sf dim. 9h-12h, 14h-18h, sam. 9h-12h, 14h-18h, j. fériés 10h-12h, 15h-18h ; reste de l'année : tlj sf dim. et j. fériés 9h-12h, 14h-18h, sam. 9h-12h.

Se loger

Barbary Lane – *156 av. de la Côte-d'Argent* - ℘ 05 58 43 46 00 - www. barbary-lane.com - fermé janv. et fév. - 16 ch. + 2 suites 38/109 € - ⊆ 6,80 € - restaurant 12,50 €. Cette maison landaise inscrite dans un quartier résidentiel calme et ombragé abrite un hôtel entièrement rénové. Les chambres sont très joliment décorées : tissus aux couleurs variées, meubles chinés, anciens lits clos fixés au mur et faïences peintes. En été, brunch jusqu'à midi et formule demi-pension.

Chambre d'hôte Le Bosquet – *4 r. du Hazan, rte de St-Vincent-de-Tyrosse - 40230 Tosse - 10 km à l'E d'Hossegor par D 33 puis D 652* - ℘ 05 58 43 03 40 - www.lebosquet-landes.com - � - 3 ch. 36/48 € ⊆. Cette villa moderne située à proximité d'Hossegor est tranquille et conviviale, à l'instar de ses propriétaires. Les chambres à la fois simples et coquettes disposent toutes d'une terrasse privative ouverte sur le parc arboré. Jolie salle de style basque ou terrasse pour les petits-déjeuners.

Domaine de Bellegarde – *23 av. Charles-de-Gaulle - 40140 Soustons* - ℘ 05 58 41 24 06 - www. domainebellegarde.com - ⚐ - 4 ch. 60/175 € - ⊆ 10 €. Cette belle demeure landaise a été bien restaurée : salon d'accueil aux couleurs chaudes, salle des petits-déjeuners spacieuse… Les chambres, avec sol en coco et lit en fer forgé noir, marient style moderne et décoration raffinée. Une adresse pétrie de charme, confortable et soignée.

Chambre d'hôte Ty-Boni – *1831 rte de Capbreton - 40150 Angresse - 3 km à l'E d'Hossegor par D 133* - ℘ 05 58 43 98 75 - www.ty-boni.com - ⚐ - 3 ch. 75 € ⊆. Seuls le chant des oiseaux et le vent dans les pins troublent le calme du parc. La maison de style régional est récente, les chambres sont sobres et agréables. Cuisine avec lave-linge à disposition en été ; piscine et étang. Accueil très chaleureux.

Les Hortensias du Lac – *Av. du Tour-du-Lac* - ℘ 05 58 43 99 00 - reception@hortensias-du-lac.com - fermé 15 nov.-1er avr. - 🅿 - 11 ch. 150/175 € - ⊆ 18 €. Un repos bien mérité vous attend dans cette maison au bord du lac et à 500 m de la mer. Les chambres aux murs crépis blancs sont élégantes, meublées de bois clair. Quelques duplex pour les séjours en famille.

Se restaurer

La Ferme de Bathurt – 👥 - *Rte de l'Étang-Blanc - 40140 Soustons* - ℘ 05 58 41 53 28 - fermé mar. soir et mer. - 15/29 €. Cette ferme transformée en restaurant constitue une adresse idéale pour les familles avec son grand parc et ses jeux pour les enfants. Installés en terrasse ou auprès de la cheminée, vous partagerez une cuisine traditionnelle assortie de plats régionaux. Bon rapport qualité-prix.

Hôtel du Lac – *63 av. Gelleben - 40140 Soustons* - ℘ 05 58 41 18 80 - www. hoteldulac-batby.com - fermé 1re sem. d'oct. et 22 déc.-25 janv. - 11/25 € - 9 ch. 40,50/63,50 € - ⊆ 6 €. Emplacement de choix, face à l'étang de Soustons, pour ce restaurant et sa terrasse ombragée de platanes. Le décor intérieur est sans recherche particulière mais la cuisine, cent pour cent « maison », s'avère très honorable. Belle carte des vins.

Bistrot de la Hulotte – *371 av. du Touring-Club-de-France* - ℘ 05 58 43 52 53 - www.hulotte.com - 16/30 €. Ambiance décontractée en ce bistrot du centre-ville, surtout fréquenté par une clientèle de surfeurs. Le décor est tout en bleu et blanc. La cuisine honore les produits du terroir. À tester, le délicieux *axoa* servi dans une terrine en terre.

Le Cottage – *1 av. Jean-Moulin - 40150 Seignosse* - ℘ 05 58 43 31 39 - fermé 15 nov.-15 déc., 3 janv.-11 fév., lun. et mar. hors sais. - 19 € déj. - 30/35 €. L'architecture à la landaise de ce « cottage » niché dans la pinède s'accorde à l'aménagement intérieur de sa salle à manger : décoration néorustique, linge basque, mise en place soignée. L'été, installez-vous sur la coquette terrasse et dégustez sans modération les recettes traditionnelles « terre et mer » du chef.

Faire une pause

Marcot' – *Av. du Touring-Club-de-France* - ℘ 05 58 43 52 15 - été : tlj 8h-1h ; reste de l'année : mar.-dim. 8h-20h. Fondée en 1927, cette pâtisserie-salon de thé est une référence de qualité. Gâteaux, glaces et chocolats : tout y est fait maison.

En soirée

👁 **Bon à savoir** – Située en bord de mer, la **place des Landais** vit au rythme de l'activité nocturne de la ville et l'on vient de toute la région pour s'y amuser. Certes, les surfeurs y forment une communauté nombreuse, car ils y sont à pied d'œuvre pour se lancer à l'assaut des vagues. Mais, entre les bars d'ambiance, les bodegas, les bars basques et les bars à vins (comme le *Lou Balou*), chacun y trouve son compte.

Parc municipal des sports Jaï Alaï – *Av. Maurice-Martin -* 🕿 *05 58 74 19 40 - compétitions : juil.-août, lun. et jeu. à 20h45.* Jouxtant le Sporting-Casino, ce fronton couvert accueille des parties de *pala corta* et de *cesta punta*. Au fronton extérieur du Casino se déroulent des parties de grosse *pala* et de grand chistera.

Hôtel-bar-restaurant du Rond-Point – *866 av. du Touring-Club-de-France -* 🕿 *05 58 43 53 11 - tlj 7h30-23h.* Les Vergez sont ostréiculteurs à Hossegor depuis les années 1920. Joël, l'arrière-petit-fils du fondateur de la maison, continue de vendre des huîtres qu'il fait déguster dans un bar presque inchangé au fil des années.

Casino Barrière d'Hossegor – *119 av. Maurice-Martin -* 🕿 *05 58 41 99 99 - www. casinos-barriere.com - juil.-août : tlj jusqu'à 5h ; reste de l'année : dim.-jeu. 10h-3h, ven.-sam. jusqu'à 4h.* Construit en 1923, cet édifice est un chef-d'œuvre de l'architecture basco-landaise. Depuis 1998, le groupe Barrière l'a transformé en un complexe multiloisirs : casino, tennis, minigolf, piscine, fronton, discothèque, bar et restaurant.

Que rapporter

Rip Curl – *407 av. de la Tuilerie -* 🕿 *05 58 49 99 71 - lun.-sam. 10h-13h, 15h-19h.* C'est le magasin d'usine de la société Rip Curl qui fabrique planches, combinaisons et accessoires de surf. Chaque année, cette société organise les championnats du monde de surf à Hossegor. Autre boutique située avenue du Touring-Club-de-France.

Atelier de poterie landaise – *Allée des Vergnes - 40140 Soustons -* 🕿 *05 58 41 14 81 - fermé 2 sem. en oct.* Dans cette petite boutique située au bord du lac, vous trouverez des objets utilitaires ou décoratifs entièrement tournés à la main selon une méthode artisanale vieille de plusieurs générations.

Sports & Loisirs

Sentiers pédestres et pistes cyclables – Plan couvrant la côte de Seignosse à Labenne en vente dans les offices de tourisme.

VTT Loisirs – *116 av. des Tisserands - ZA de Pédebert -* 🕿 *05 58 41 75 41 - vtt-loisirs.fr - tlj sf dim. 9h-12h, 15h-19h ; tlj en été - fermé janv. et j. fériés apr.-midi.* Location et vente de VTT, VTC, vélos pour les enfants, scooters et motos.

Atlantic Park – 👥 *- 2 av. de la Grande-Plage, Le Penon-Plage - 40150 Seignosse -* 🕿 *05 58 43 15 30 - mairie-seignosse@seignosse.com - juin et sept. : 11h-18h ; juil.-août : 10h30-19h30 - fermé fin sept. à fin mai - 7 € (enf. 5,50 €).* Ce parc aquatique propose des jeux d'eau (toboggans, lagon, spa et bassin de 25 m) et des jeux « terrestres » (ping-pong, pétanque, beach-volley, badminton et jardin d'enfants). Espace bar-restauration et aires de pique-nique ombragées.

Le Port miniature – 👥 *- Rte du Vieux-Boucau, port d'Albret - 40140 Soustons -* 🕿 *06 63 78 20 00 - www.babelweb.biz - avr.-juin et sept. : apr.-midi et w.-end ; juil.-août : 10h-20h - fermé oct.-mars et lun. sf j. fériés.* Venez naviguer sur le lac marin de Port-d'Albret à bord de la réplique électrique d'un chalutier, d'un remorqueur… en miniature ! Les enfants peuvent piloter seul leur bateau dès 9 ans.

Hall 04 Skatepark – 👥 *- 86 r. des Artisans, ZA Pédebert -* 🕿 *05 58 41 90 25 - www.hall04.net - été : 14h-20h - fermé mar. en hiver (hors vac. scol.).* Stage découverte de 2 jours ou un séjour d'une semaine dans cette école de skateboard. L'espace couvert de 600 m² permet de pratiquer ce sport toute l'année. Accès possible dès l'âge de 6 ans.

Centre de formation nautique soustonnais – *Centre nautique - 40140 Soustons -* 🕿 *05 58 41 32 23 - cnsoustons. fr.st - 9h-12h, 14h-17h.* Stages et séances découverte de voile, handivoile, surf, canoë, kayak sur les sites de Soustons et Port-d'Albret.

Hossegor Surf Club – *22 imp. de la Digue-Nord -* 🕿 *05 58 43 80 52 - www. hossegorsurfclub.com - permanence : lun.-ven. 9h-12h30 ou vac. scol. 9h-12h30, 14h-17h ; juil.-août : tlj - fermé mi-déc. à fin janv. et dim. basse sais.* Situé à côté de la Fédération française de surf, ce club dispense des cours de surf et de bodyboard. Stages à la semaine, cours collectifs et individuels et stages de formation à la compétition.

Yacht Club landais – *2987 av. du Touring-Club-de-France, BP 69 -* 🕿 *05 58 43 96 48 - yachtclublandaid@wanadoo.fr - juil.-août : 9h-19h ; de mi-mars à mi-nov. : lun.-sam. 10h-12h, 14h-17h30 - fermé janv.-fév.* Ce club nautique, qui organise des stages et cours particuliers, loue aussi des bateaux, des planches à voile et des canoës.

Golf de Pinsolle – *Port-d'Albret Sud - 40140 Soustons -* 🕿 *05 58 48 03 92.* Ce golf comprend un parcours de 9 trous et un practice posé sur l'eau, tous deux aménagés autour d'un étang naturel, entre mer et forêt. Également : minigolf, aires de pique-nique, club-house et tennis.

Golf-Hôtel – *Av. du Belvédère -* 🕿 *05 58 41 68 30 - golfseignosse@wanadoo.fr - 8h-19h30 ; hiver : 9h-17h - fermé 1er janv.-1er mars, jeu. à partir de 50 €.* Très beau parcours de 18 trous implanté dans un domaine vallonné planté de pins.

Courant d'**Huchet** ★

CARTE GÉNÉRALE A3 – CARTE MICHELIN LOCAL 335 C11 – LANDES (40)

L'eau fuit l'étang de Léon pour rejoindre l'Océan. Elle se fraye un chemin à travers des arceaux de vieux arbres, envahis par le lierre et la mousse. La barque qui suit son sillage vous fait glisser dans un univers à part, presque exotique. Un voyage au fil de l'eau, en famille ou en duo.

- ▶ **Se repérer** – L'étang de Léon est à 41 km au Sud de Mimizan et à 31 km au Nord d'Hossegor.

- ⏱ **Organiser son temps** – Vous avez le choix entre trois excursions en barque (2h à 4h) ; pensez à réserver trois jours à l'avance. Prévoyez une demi-journée voire une journée si vous voulez aussi profiter du lac. N'oubliez-pas le pique-nique !

- 👫 **Avec les enfants** – Outre les promenades en barque, le moulin de Galoppe où vivent daims, ânes… à St-Michel-d'Escalus et l'Adrénaline Parc à Moliets (*voir la rubrique « Sports & Losirs » dans l'encadré pratique*).

- 🐾 **Pour poursuivre la visite** – Voir aussi Mimizan, Hossegor, Capbreton, Dax.

Le saviez-vous ?

👁 Ils furent nombreux à s'émerveiller de ce voyage : Gabriele d'Annunzio au début du 20e s., François Mitterrand à la fin du même siècle, et beaucoup d'autres entre les deux !

👁 Les courants sont très poissonneux. Les pêcheurs, certaines nuits, prennent dans le courant d'Huchet jusqu'à 500 kg d'anguilles.

Se promener

La descente du courant

R. des Berges-du-Lac à Léon. 📞 *05 58 48 75 39 - pour réservation (3 j. av.) - 3 excursions en barque sont proposées - avr.-sept. : matin pour l'île aux Chênes (2h, 11,50 €) ; apr.-midi pour le pont de Pichelèbe (3h, 14,50 €) ; apr.-midi pour la plage d'Huchet (4h, 18,50 €).*

À la sortie de l'étang de Léon, le courant coule entre les joncs et les nénuphars. À gauche, un refuge de pêcheurs. La barque glisse sous une voûte de verdure. Le « Pont japonais » enjambe le courant qui se rétrécit au « Pas-du-Loup » et s'engage bientôt dans la « Forêt vierge ». Des cyprès chauves, et voilà Pichelèbe. La végétation redevient dense, difficilement pénétrable. Puis le paysage se transforme. Les hibiscus sauvages se font abondants : ce sont les bains d'Huchet. Au-delà de la dune côtière, le grondement de l'Océan… ça vous tente ?

Le sentier

🚶 À partir du pont de Pichelèbe, on peut marcher à pied le long du courant jusqu'à Huchet *(15mn)*. On peut prolonger cette balade à pied de Huchet à **Moliets-Plage**, en bordure de l'Océan, à travers les pins *(1h30)*.

Végétation luxuriante sur les rives du courant d'Huchet.

Antonin Thuillier / MICHELIN

Courant d'Huchet pratique

Adresse utile

Office du tourisme de Léon – *Voir Mimizan.*

Visite

Réserve naturelle du courant d'Huchet – ℘ 05 58 49 21 89 - *Chalet d'accueil au bord de l'étang de Léon en juil.-août ; tte l'année sur réserv.* Partez à la découverte de la réserve naturelle (faune, flore, histoire, activités traditionnelles, contes et légendes) en visites guidées pédestres le long du courant d'Huchet, depuis l'étang de Léon jusqu'à l'Océan.

Se loger

☺ **Camping Les Vignes** – *40170 Lit-et-Mixe - 2,7 km au SO de Lit-et-Mixe par D 652 et D 88 (rte du Cap-de-l'Homy) - ℘ 05 58 42 85 60 - contact@les-vignes.com - ouv. juin-15 sept. - réserv. conseillée - 450 empl. 35 € - restauration.* Calme et détente assurés dans ce camping dans les Landes où vous poserez vos valises en toute sérénité. Petit ou grand, vous serez ravi de vous adonner à votre sport favori au terrain omnisports. Piscines et cascades. Club enfants. Location de mobile homes et bungalows.

☺ **Camping La Paillotte** – *40140 Azur - 7 km au N de Soustons par D 50 - ℘ 05 58 48 12 12 - info@paillotte.com - ouv. 28 mai-24 sept. - réserv. conseillée - 310 empl. 35 € - restauration.* Aménagé comme une île tahitienne avec ses bungalows-paillotes perdus dans une jungle tropicale (on vous recommande le « Faré » pour le dépaysement), ce camping est vraiment étonnant. Complexe aquatique original bordé de végétation luxuriante. Mini-club et plage.

☺☺☺ **Chambre d'hôte La Bergerie St-Michel** – *40550 St-Michel-d'Escalus - ℘ 05 58 48 74 04 - bergerie-saintmichel@wanadoo.fr - fermé fin sept. à fin mai - ⊘ - 3 ch. 80/125 € ▭.* Un accueil tout sourire vous attend en cette véritable maison landaise, nichée au milieu des pins. Les chambres, aménagées dans les dépendances, possèdent toutes de beaux meubles anciens, une superbe salle d'eau au décor design et une terrasse privative.

Se restaurer

☺ **La Cave aux Moules** – *Av. de l'Océan, Échoppe St-Martin - 40660 Moliets-et-Maâ - ℘ 05 58 48 54 05 - martine. sansas@wanadoo.fr - fermé de fin sept. à mi-mai - 9/40 €.* À l'intérieur de cette grande bâtisse en bois peinte en bleu ou sur l'une des terrasses, vous savourerez un plat de moules, « la » spécialité maison, accommodé de multiples façons : marinières, à la crème, au roquefort, farcies, etc. Les propositions du jour sont suggérées sur des ardoises. À quoi bon risquer de se faire prendre son panier à la pêche aux moules ?

☺☺ **Auberge du Soleil** – *64 rte du Lac - 40140 Azur - N 10 sortie Magesq - ℘ 05 58 48 10 17 - www.auberge-du-soleil.fr - fermé 2 sem. en fév. et 3 sem. en oct. – 12 € déj. - 34/42 €.* L'atout incontestable de cette petite adresse est sa délicieuse terrasse ombragée par deux platanes. La carte offre un bon choix de plats régionaux ; le foie gras de canard et les pâtisseries sont faits « maison ».

Sports & Loisirs

Moulin de Galoppe – ♟ - *40550 St-Michel-d'Escalus - ℘ 05 58 48 71 16 - juil.-août : 14h-18h ; le reste de l'année 10h-20h - fermé nov.-8 mars.* Beau parc arboré et fleuri incluant des étangs et un authentique moulin (abritant un bar). Au cours d'une promenade, vous croiserez sûrement daims, cygnes, ânes, poneys, animaux de la ferme… Pêche à la truite (matériel fourni).

Adrénaline Parc – ♟ - *Rte de Vieux-Boucau, D 652 - 40480 Messanges - ℘ 05 58 48 56 62 - www.adrenalineparc. com - avr.-juin : 14h-19h ; juil.-15 sept. : 9h-20h.* Ce parc propose des parcours aventure dont un destiné aux enfants à partir 4 ans, des quads, du paint-ball, etc. Restauration possible sur place (snack) et boutique de produits régionaux.

Golf – *R. Mathieu-Desbieys - A 63 sortie 12, dir. Castets - 40660 Moliets-et-Maâ - ℘ 05 58 48 54 65 - www.golfmoliets.com - basse sais. 9h-17h, haute sais. 7h30-20h - fermé mer. de nov. à mars, 25 déc. et 1er janv. - 40/58 €.* Parcours de 27 trous près de la côte. Centre national d'entraînement Golf et Tennis.

Lacanau-Océan

3 142 CANAULAIS
CARTE GÉNÉRALE B1 – CARTE MICHELIN LOCAL 335 E5 – GIRONDE (33)

Des pins, des dunes, un long ruban de plages de sable fin, des lames géantes narguées par les surfeurs. Et que d'eau : lacs d'eau douce et océan vous cernent de tous côtés. Que choisir ? Se balader à pied, pédaler, nager ou ne rien faire… L'environnement se prête à des vacances-nature, à votre rythme.

▶ **Se repérer** – À 55 km au Nord-Ouest de Bordeaux par la D 6. Les routes entre Bordeaux et la côte atlantique sont étroites et très empruntées par les « habitués ». Prudence donc.

👁 **À ne pas manquer** – L'étang de Cousseau, le rivage du lac d'Hourtin et la lagune de Contaut, trois sites naturels protégés.

🕐 **Organiser son temps** – Lacanau est surtout un lieu de séjour mais si vous n'y passez qu'une journée, prenez le temps d'une promenade : de nombreux circuits sont possibles.

> ### Le saviez-vous ?
>
> 👁 Depuis des siècles, les Landes sont parcourues de canaux naturels et artificiels (entre les étangs, pour l'irrigation des terres). Lacanau, c'est « le canal ».
> 👁 Le 45e parallèle de latitude Nord (à égale distance entre Équateur et pôle Nord) coupe l'Aquitaine au niveau de Lacanau. Il passe aussi à St-André-de-Cubzac (voir Bourg).

👪 **Avec les enfants** – Hourtin et Carcans-Maubuisson, labellisés « Stations Kid » ; la Forêt des Accromaniaques ; le jardin des vagues au Lacanau Surf-Club ; le Vitalparc Centre équestre (voir la rubrique « Sports & Loisirs » dans l'encadré pratique).

🕐 **Pour poursuivre la visite** – Voir aussi Bassin d'Arcachon, le circuit du Haut-Médoc (voir Vignoble de Bordeaux), Soulac-sur-Mer.

Séjourner

Face à l'Océan, la station s'est développée au pied des dunes couvertes de pins maritimes. Aucune excuse donc pour ne pas se balader dans les « lèdes » (vallons sablonneux parcourus de futaies) et sur les 14 km de plages. Pour les dynamiques, 120 km de pistes cyclables longent la côte dans la pinède. Plusieurs *spots* de surf réputés aussi : plage Centrale, Nord, Sud et Super Sud (à choisir en fonction des déplacements de bancs de sable). Et encore, trois parcours de golf dont un de 18 trous.

Lac de Lacanau★

2 000 ha pour 8 km de long. Nombreux brochets, anguilles, perches à taquiner de l'hameçon. Deux plages surveillées (le Moutchic, au Nord, et la Grande Escoure, au Sud-Ouest) et toutes les possibilités de distractions nautiques : voile, planche à voile, ski nautique, canoë-kayak, location de bateaux, de dériveurs et de pédalos. Vous pouvez également faire le tour du lac à pied ou à vélo (entre Lacanau et Les Nerps).

Circuit de découverte

ENTRE LACS, ÉTANGS ET OCÉAN

51 km entre Lacanau-Océan et Hourtin-Plage – compter une demi-journée.

Les cours d'eau arrêtés par la barrière des dunes ont formé le long de la côte un chapelet de lacs et d'étangs reliés entre eux par des canaux. Amoureux de la nature ou sportif invétéré, vous trouverez forcément chaussure à votre pied. Alors, plutôt bottes de caoutchouc ou chaussons de véliplanchiste ?

En sortant de Lacanau-Océan, prendre à gauche la D 6 qui traverse la forêt.

Étang de Cousseau

Sepanso - 1 r. Tauzia - 33800 Bordeaux - ☎ 05 56 91 33 65 - visite guidée.
Vous accédez à cette réserve naturelle par un sentier traversant la forêt domaniale de Lacanau ou par des pistes cyclables bétonnées *(laissez votre vélo dans les parcs aménagés aux différentes entrées)*. Bordé à l'Ouest par une série de dunes paraboliques, l'étang se prolonge à l'Est par un marais *(non accessible)*.
Vous suivrez le **sentier d'interprétation** pour découvrir la faune (sangliers, vaches marines, oiseaux migrateurs, insectes, etc.) et la flore (pins, arbousiers, chênes verts, nénuphars…) de la réserve, ainsi que la technique du gemmage.

Au terme de la D 6, prendre à droite.

Carcans-Maubuisson

Pour profiter du bord de mer, rendez-vous à **Carcans-Océan**, qui compte deux plages surveillées et un spot pour les surfeurs.

À 4,5 km de la station balnéaire se trouve **Maubuisson**, d'où l'on accède au lac *(voir ci-dessous)*. Dans une maison en brique, à proximité de l'office de tourisme, est installé le **musée des Arts et Traditions populaires de la Lande médocaine**, consacré à la forêt landaise. 🕿 *05 56 03 41 96 - de mi-juin à mi-sept. : tlj sf w.-end 16h-19h - fermé 14 juil., 15 août - 4 € (enf. 2 €).*

Lac d'Hourtin-Carcans★

Ce lac sauvage et solitaire couvre une superficie de plus de 6 000 ha. Plus grand lac d'eau douce en France, il est bordé de marais au Nord et en quelques endroits de la rive Est, généralement sablonneuse ; des dunes, hautes de plus de 60 m par endroits, longent la rive Ouest.

De la **plage Sud** (Maubuisson), aménagée pour la baignade, vue agréable sur une partie étendue du lac. Là, vous pourrez pratiquer diverses activités nautiques, tout comme à Bombannes *(voir « Sports & loisirs » dans l'encadré pratique).*

À 7 km au Nord de Carcans par la D 3. Prendre à gauche, suivre la route puis, la piste forestière.

Le **rivage du lac d'Hourtin** est classé « espace naturel sensible » afin de protéger cette zone composée de pinède, landes, prairies et marais, qui renferme une flore et une faune variées. Pour en apprécier toute la richesse, suivez une visite guidée *(voir « Visites » dans l'encadré pratique).*

Tête de la « route » des lacs et canaux du Sud-Ouest, Hourtin accueille les bateaux de plaisance avec le développement de **Hourtin-Port** doté de 500 anneaux d'amarrage. Voile, planche à voile, canoë, pédalo…, tous les moyens sont bons pour profiter du lac ! Les prestataires se trouvent à Hourtin-Port et de l'autre côté (sur la rive Nord-Ouest), à **Piqueyrot**. Les plages aménagées près de ces deux bases nautiques sont surveillées en saison.

Hourtin

Le village d'Hourtin, où se tient un marché traditionnel le jeudi matin (ainsi que les mardi et samedi en saison), est distant de 11,5 km d'**Hourtin-Plage**. La station balnéaire, organisée autour de l'avenue principale qui débouche sur l'Océan, est surtout animée en saison, quand le temps se prête à la baignade. Une piste cyclable relie les deux sites.

Prendre la D 101[E7], en qui mène à Hourtin-Plage. À 4 km environ, parking.

2 km AR. Au lieu-dit du **Contaut**, une passerelle (surveillez les enfants) serpente au sein d'une végétation dense, dans le site lacustre protégé de la lagune. Vous pouvez suivre seul ce sentier ponctué de panneaux, ou vous inscrire à une visite naturaliste *(voir « Visites » dans l'encadré pratique).*

Stéphane Sauvignier / MICHELIN

Plage de sable fin de Maubuisson.

Lacanau pratique

Adresses utiles

Office du tourisme de Lacanau-Océan – *Pl. de l'Europe - ℘ 05 56 03 21 01 - www. lacanau.com - 9h-12h, 13h-17h - fermé dim. du 10 janv. au 15 fév.*

Office du tourisme de Carcans-Maubuisson – *127 av. Maubuisson - ℘ 05 56 03 34 94 - www.carcans-maubuisson.com - juil.-août : 9h-19h, dim. et j. fériés 10h-19h ; avr.-juin et sept. : 9h-12h30, 13h30-18h, dim. et j. fériés 10h-12h30, 14h30-18h ; oct.-mars : tlj sf dim. et j. fériés 9h-12h30, 13h30-17h30, sam. 9h-12h.*

Office du tourisme d'Hourtin – *Pl. du Port - ℘ 05 56 09 19 00 - juil.-août : 10h-19h ; reste de l'année : tlj sf dim. et j. fériés 9h30-12h30, 14h30-17h30.*

Visites

Circuit des villas anciennes – Lacanau-Océan compte de nombreuses villas construites au début du 20e s. Une brochure, comprenant 4 circuits de découverte (de 1,5 km à 2,2 km), est en vente à l'office de tourisme. 4 €.

Visites naturalistes – Du 15 juin au 15 sept., des visites guidées sont organisées sur les sites naturels protégés, en association avec le Conseil général de Gironde. Programme des sorties et réservation auprès des offices du tourisme de Lacanau et Carcans pour l'étang de Cousseau, et d'Hourtin, pour le rivage du lac d'Hourtin et la lagune de Contaut.

Découverte de la forêt – En saison, des sorties dans le massif forestier en compagnie d'un guide de l'ONF sont proposées. Renseignement dans les offices du tourisme de Lacanau et de Carcans.

Se loger

⊖ **Camping Talaris Vacances** – *33680 Moutchic - 3,5 km à l'E de Lacanau par D 6 - ℘ 05 56 03 04 15 - talarisvacances@free.fr - ouv. mai-17 sept. - réserv. conseillée - 336 empl. 29,50 € - restauration.* Un camping sympathique avec ses emplacements ombragés et sa piscine. Tennis et location de VTT. Aire de jeux pour les enfants. Si vous n'avez pas de tente, vous pourrez louer un mobile home.

⊖⊖ **Chambre d'hôte Villa Ashram** – *18 r. des Genêts d'Or - 33121 Maubuisson - ℘ 05 56 03 49 19 ou 06 77 58 55 24 - ⊭ - 3 ch. 50/70 € - ⊡ 6 €.* Quiétude et détente garanties dans cette agréable maison tenue par Mme François qui a décoré les chambres d'hôte et le gîte indépendant de ses peintures et créations personnelles. Le lac d'Hourtin-Carcans, situé à 500 m, et la nature environnante offrent un large choix d'activités.

⊖⊖ **Le Gîte Autrement** – *D 104, Narsot - 33680 Lacanau - 2 km au NE de Lacanau par D 104, rte de Brach - ℘ 05 56 03 57 48 - www.gite-autrement.com - 6 chalets 56 € - ⊡ - repas 22 €.* Six chalets en bois (simples, fonctionnels et dotés d'une terrasse) vous attendent dans un agréable petit parc arboré. Le propriétaire propose également une formule chambre d'hôte dans sa maison attenante : location à la nuitée, draps fournis et repas pour ceux qui le désirent.

⊖⊖⊖ **Hôtel Domaine Aplus** – *Rte du Baganais - ℘ 05 56 03 91 00 - info@vitalparc.com - fermé déc.-janv. - ⊕ - 57 ch. 96/112 € - ⊡ 9,50 € - restaurant 22/25 €.* Ce complexe hôtelier moderne dressé dans une pinède propose plusieurs formules d'hébergement : chambres, studios pour les familles ou petites villas mitoyennes à louer. Vous pouvez même venir avec votre cheval, puisque l'établissement dispose d'un centre équestre. Espace de remise en forme et de balnéothérapie.

Se restaurer

⊖⊖ **Le Squale** – *12 av. Mar.-Logis-Garnung - ℘ 05 56 26 33 70 - fermé sept. à fin mai - 17/30 €.* Telle une grande halle aux poissons, ce restaurant-self pittoresque fera le bonheur des amateurs de produits de la mer. Le matin, ses filets de pêche sont vidés devant vous pour votre menu. Ne craignez pas l'affluence et servez-vous directement à la cuisine panoramique.

⊖⊖ **Le Bistrot des Cochons** – *1 r. du Dr-Darrigan - ℘ 05 56 03 15 61 - fermé janv. - 22/40 €.* Située en léger retrait de l'animation de la station, cette petite adresse doit son succès à la qualité irréprochable de sa cuisine autant qu'à la réussite de son décor façon « brocante ». La paisible terrasse dressée à l'ombre d'un vieux chêne invite à s'attarder.

En soirée

Casino – *Baganais - ℘ 05 57 17 03 80 - casinolacanau@wanadoo.fr - 10h-4h.* Cette imposante architecture moderne aux formes arrondies abrite le casino de Lacanau. Outre les machines à sous, roulette et black-jack, vous y trouverez un restaurant.

Sports & Loisirs

👁 **Bon à savoir** – **Hourtin** et **Carcans-Maubuisson** possèdent le label « Stations Kid » *(voir p. 48).*

Randonnées – Un « Plan des pistes cyclables et du GR 8 » couvrant toute la zone entre Lacanau-Océan et Hourtin-Plage est disponible dans les offices de tourisme.

Garage Auberger – *Av. de l'Europe - ℘ 05 56 03 19 35 - ouv. tte l'année.* Une bonne adresse pour trouver, toute l'année, cycles et scooters à Lacanau-Océan.

Lacanau Surf-Club – 👤👤 - *17 bd de la Plage* - ℘ *05 56 26 38 84 - www.lacanausurfclub.com - 9h-19h - fermé 25 déc. et 1er janv.* Organisateur du Lacanau Pro. Cours et stages de surf de Pâques à la Toussaint. Location de planches et combinaisons. Un jardin des vagues a été aménagé pour les 5-10 ans.

Domaine de Bombannes – 👤👤 - *Maubuisson - 33121 Carcans - ℘ 05 57 70 12 13 - fermé oct.-avr.* Ce domaine niché dans la pinède, entre lac et océan, propose des activités pour tous les âges et pour tous les goûts : parcours aventure, escalade, poney, piscine, tennis, fitness, sports nautiques (catamaran, planche à voile, surf), etc. Différents types d'hébergement sur le site : camping, bungalows et résidences.

La Forêt des Accromaniaques – 👤👤 - *Vital Parc - rte du Baganais - ℘ 05 56 03 91 00 - fermé 1 sem. au printemps, 1 sem. en automne sf vac. scol. et 15 nov. au 1er avr.* Accrochez-vous ! Après avoir endossé le harnais, vérifié ses mousquetons et bien écouté les règles de sécurité, à vous l'ivresse des lianes de Tarzan, le frisson des franchissements de ponts suspendus et l'étourdissement de la tyrolienne géante !

Vitalparc Centre équestre et poney club – 👤👤 - *Vitalparc- rte du Baganais - ℘ 05 56 03 92 00 - www.vitalparc.com - vac. de printemps : 9h-13h, 15h-19h ; été : 9h-13h, 16h-30h ; le reste de l'année : 9h-13h, 14h-18h.* Ce centre équestre réputé a été créé par Pierre Durand, médaillé d'or aux Jeux olympiques de Séoul en 1988. Stages, balades en forêt ou au bord de l'Océan, baptêmes de poneys, concours hippiques : tous en selle !

Sail Wheeling Club – *68 rte de Bordeaux - 33121 Carcans - ℘ 05 57 70 14 60 ou 06 10 50 73 96 - www.s.w.c.carcans.free.fr - réserv. par téléphone.* Char à voile, *speedsail*, cerf-volant.

Base nautique du lac de Lacanau.

Stéphane Sauvignier / MICHELIN

Centre de balnéo – *Hôtel Aplus - rte du Baganais - ℘ 05 56 03 92 44 - www.aplus-lacanau.com - lun.-sam. 10h-13h, 15h-19h, dim. mat. 10h-13h - fermé 15 nov.-7 fév.* Cet espace de remise en forme situé au sein du complexe hôtelier Aplus propose de multiples formules pour votre bien-être : massages, bains hydromassants, cures, enveloppements d'algues, soins esthétiques, etc.

Centre de balnéothérapie et d'esthétique – *Rte de Baganais, Hôtel Vitanova - ℘ 05 56 03 80 00 - www.hotel-vitanova.com - fermé janv.* Ce centre de balnéo et d'esthétique propose des soins à la carte (visage, massage, bain bouillonnant, etc.), dans le cadre d'un programme complet ou d'une journée découverte. Espace forme avec accès à la piscine couverte chauffée à 32 °C, au sauna et à la salle de musculation. Cours d'aquagym et de natation.

Golf Hôtel de Lacanau – *Domaine de l'Ardilouse - ℘ 05 56 03 92 92 - www.golf-hotel-lacanau.fr.* 18 trous, par 72, slope 137, back tees : voici quelques-unes des caractéristiques de ce golf imaginé par John Harris dans une vaste pinède, entre terre et océan.

Parc naturel régional des

Landes de Gascogne ★

CARTE GÉNÉRALE BC2/3 – CARTE MICHELIN LOCAL 335 H/G 9/10 –
LANDES (40) ET GIRONDE (33)

Que ceux qui étouffent loin des gaz de pots d'échappement passent leur chemin !
Ici la nature est reine et la pinède, entrecoupée de vastes champs qui servent de
pare-feu, à première vue monotone, réserve bien des surprises : refuges pour la
faune et la flore, petits villages ou un airial, souvenirs d'un passé rural original…
Des richesses et des paysages à découvrir à pied, à cheval, sur l'eau ou à vélo.

▶ **Se repérer** – Le Parc naturel régional des Landes de Gascogne (créé en 1970)
groupe 41 communes des Landes et de Gironde et couvre 315 300 ha au cœur du
massif forestier gascon. Il s'étend à partir de l'extrémité Est du bassin d'Arcachon,
de part et d'autre du val de l'Eyre, englobant au Sud les vallées de la Grande et
de la Petite Leyre et les zones boisées de Grande Leyre.

👁 **À ne pas manquer** – L'un des nombreux circuits de randonnée au cœur du Parc ;
l'écomusée de la Grande Lande.

🕐 **Organiser son temps** – Vous pouvez parcourir le Parc naturel dans son ensemble en une journée. Mais si vous vous attardez à quelques balades, baignades,
observations ou loisirs, il y a facilement de quoi occuper deux ou trois jours.

👫 **Avec les enfants** – Le site de Marquèze ; nombre d'activités de plein air : baignade,
vélo, promenade en calèche… *(voir l'encadré pratique)*.

🖐 **Pour poursuivre la visite** – Voir aussi Bassin d'Arcachon, Arcachon, Bordeaux
Biscarosse, Mimizan, Mont-de-Marsan, Château de Cazeneuve, Château de Roquetaillade, Bazas, Saint-Macaire, Verdelais, Château de La Brède.

Comprendre

Des marécages aux pins – À l'origine était la Grande Lande, une zone marécageuse
que parcouraient les bergers, parsemée d'îlots d'habitations élevées sur les terrains
cultivables, qui assuraient la subsistance des villageois. Une vie rude donc, fondée
sur un **système agro-pastoral**.

Au 18e s., on commence à planter quelques résineux mais c'est de la loi de 1857 que
va naître une immense mer de pins et une vague de nouveaux métiers. En effet,
Napoléon III décrète alors l'assainissement et le boisement à grande échelle. La
forêt devient un bien précieux, même si les propriétaires doivent attendre quelques
années avant que leurs parcelles deviennent rentables. Le **gemmage** *(voir le chapitre
« Nature » dans la partie « Découvrir la région »)* s'intensifie et l'exploitation de la résine
s'industrialise au 19e s.

De nos jours, cette activité a disparu et les petits-fils des gemmeurs sont devenus
bûcherons. Mais là aussi, il y a du pain sur la planche ! Un pin de dix ans servira à faire
du papier ; à vingt ans, on en fera des poteaux ; à trente ans, il deviendra meuble,
palette, planche ou lambris. Bref, pas de retraite en perspective.

Avec l'évolution technique, la **sylviculture** est devenue intensive et les quelques
landes restantes menacées sont désormais préservées.

Parc naturel régional

Sur le logo, on voit
une poule et un re-
nard, deux habitants
de ces merveilleuses
forêts de pins, que
vous rencontrerez
peut-être en chemin,
qui sait ?..

Parc naturel régional des Landes de Gascogne

Éléments pour un paysage landais –
La **maison landaise typique**, crépie
de couleur claire et s'élevant le plus
souvent dans une clairière – survivance
de l'ancien *airial* – fait partie du paysage. Elle est dépourvue d'étage et ne
comporte qu'un grenier avec lucarne
sous le toit de tuiles. La façade est protégée par un large auvent soutenu par
des poutres de bois, l'*estandade*.

On peut encore voir, le long des routes
forestières, des petites **cabanes** où les
gemmeurs rangeaient leurs outils. Ces
cabanons rectangulaires, assez bas et
sommaires, sont fabriqués en pin des Landes (planches assemblées horizontalement)
et couverts d'un toit de tuiles peu pentu. Deux cabanes sont souvent accolées l'une
à l'autre.

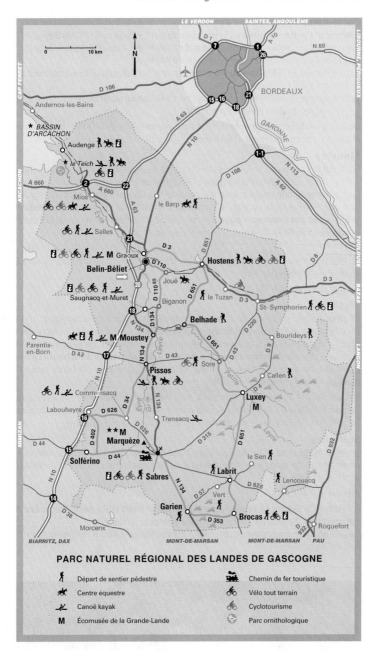

PARC NATUREL RÉGIONAL DES LANDES DE GASCOGNE

🚶	Départ de sentier pédestre	🚂	Chemin de fer touristique
🏇	Centre équestre	🚵	Vélo tout terrain
🚣	Canoë kayak	🚴	Cyclotourisme
M	Écomusée de la Grande-Lande	🦅	Parc ornithologique

Circuit de découverte

AU CŒUR DES LANDES DE GASCOGNE

169 km – compter une journée.

Vous partez à la découverte de la grande forêt landaise traversée par la Grande et la Petite Leyre, avec ses sites de régénération, ses clairières, ses réserves de chasse et ses maisons basses typiques. Pour allez à l'essentiel et mieux comprendre ce territoire il faudra vous arrêter au moins dans les trois sites complémentaires, situés dans les communes de Sabres (Marquèze), Luxey et Moustey, de l'**écomusée de la Grande Lande** qui évoque la vie quotidienne et les activités traditionnelles propres à la campagne landaise aux 18ᵉ et 19ᵉ s. Si toutefois le temps vous manque, visitez au moins Marquèze : un incontournable !

Belin-Béliet

Aliénor d'Aquitaine aurait vu le jour dans ce petit village en 1123. Un bas-relief a été érigé à sa mémoire à l'emplacement du château des ducs d'Aquitaine *(accès par la rue Ste-Quitterie : suivre le fléchage « Hôtel d'Aliénor »)*.

Au Sud du village, la **Maison du Parc** *(voir la rubrique « Adresses utiles » dans l'encadré pratique)* a pris ses quartiers.

Au Nord de la localité se trouve le **Centre d'animation du Graoux** *(voir la rubrique « Sports & Loisirs » dans l'encadré pratique)*.

Quitter Belin-Béliet à l'Est par la D 110. À Joué, prendre à droite la D 110^{E5} pour gagner Moustey en traversant Peyrin et Biganon.

Moustey

Situé sur le chemin de St-Jacques-de-Compostelle, la place centrale compte deux églises construites en garluche (pierre ferrugineuse locale). Le mur Sud de Notre-Dame possède une porte murée dite « porte des Cagots » (les cagots désignant une caste exclue de la société). À l'intérieur est installé le **musée du Patrimoine religieux et des Croyances populaires★**, qui fait partie de l'écomusée de la Grande Lande. ℰ *05 58 08 31 31 - www.parc-landes-de-gascogne.fr - juil.-août : 10h-12h, 14h-19h - 4 € (enf. 2,50 €).*

Voir également les « Attelages des Vallées de la Leyre » dans la rubrique « Sports & Loisirs » de l'encadré pratique.

Gagner Pissos par la N 134 au Sud.

Pissos

L'**église**, un peu en dehors du village, est coiffée par un clocher en bardeaux.

Dans le centre, arrêtez-vous à la **Maison des artisans** *(voir la rubrique « Que rapporter » dans l'encadré pratique)* si vous voulez faire quelques emplettes. Un peu plus loin, sur la route de Sore, vous pourrez faire un petit tour au **Relais nature de la haute Lande** (dans une bergerie traditionnelle) pour faire connaissance avec la faune sauvage landaise. *Fermé au public pour 2006.*

Prendre la D 34 au Sud. À Commensacq, qui s'enorgueillit d'une belle église romane, prendre à droite la D 626. À l'entrée de Labouheyre, prendre à gauche la D 402 en direction de Solférino. Elle traverse le parc de Peyre (gîtes forestiers, centre équestre).

Solférino

En 1857, **Napoléon III** achète quelque 7 000 ha de landes. Les terres assainies, il aménage un domaine expérimental où il installe des fermes modèles. Un village est créé en 1863.

Prendre la D 44 à l'Est.

À l'entrée de **Sabres** se trouve la gare d'où part le **petit train pour Marquèze**. Il parcourt près de 5 km en forêt, pour vous déposer dans l'airial.

En attendant le train, vous pourrez vous rendre à pied jusqu'au village qui abrite une église romane.

Maison landaise de maître (1824), écomusée de la Grande Lande à Marquèze.

La vie d'autrefois à Marquèze

L'**écomusée de la Grande Lande** organise plusieurs manifestations permettant de faire revivre les traditions landaises du 19e s.

La **maillade**, qui a lieu le 1er mai, est la fête du printemps : des arbres de mai, des mâts fleuris et décorés sont plantés afin d'honorer un voisin, un ami, un notable.

Le 15 mai a lieu la **tonte des moutons**. La laine sera ensuite cardée et filée.

Mi-juin, on sort les bassines pour la grande lessive, la « **bugade** ». La cendre remplace ici notre lessive en poudre. Le rinçage se fait en rivière.

Le 24 juin est le jour de la **Saint-Jean**, rite qui marque la venue de l'été. Pour espérer obtenir de bonnes récoltes, on accroche des croix fleuries aux portes des maisons.

Fin juillet, fin août et mi-septembre, vous saurez tout sur le **chanvre** et le lin, de la plantation au filage de ces plantes textiles.

De fin mars à fin octobre, on peut assister à divers travaux : gemmage des pins, pétrissage et cuisson du pain, meulage du seigle, labourage à l'aide des bœufs, etc.

Informations : ☏ 05 58 08 31 31.

Marquèze★★

Accès par chemin de fer au départ de Sabres. ☏ 05 58 08 31 31 - &- de déb. juin à mi-sept. : train historique 10h-12h, 14h-17h20 (dép. Sabres, ttes les 40mn) ; avr.-mai et de mi-sept. à fin oct. : 14h-16h40, dim. et j. fériés 10h-12h, 14h-16h40 - 9,50 €.

Un « Guide du visiteur » très complet est remis à l'achat du billet. À l'arrivée de certains trains (consulter l'affichage des horaires), une visite guidée (1h) de l'airial est proposée. Il est intéressant de la suivre avant de parcourir librement l'ensemble du site.

Cette partie de l'écomusée de la Grande Lande occupe près de 70 ha dans la zone protégée des vallées de l'Eyre. Le quartier de Marquèze a été reconstitué pour présenter la vie telle qu'elle s'organisait ici à la fin du 19e s.

Longtemps oasis dans la lande puis clairière dans la pignada (pinède), l'**airial** était une vaste esplanade principalement plantée de chênes où étaient répartis les habitations principales et les bâtiments d'exploitation : maison de maître reconnaissable à son *estandade* (large auvent) et, à proximité, maison du berger (ou « brassiers ») au poutrage plus grêle et aux dimensions plus modestes ; plus loin, maison des métayers et son cortège de granges, loges à porcs, ruches et poulaillers.

Une petite promenade dans la forêt où opérait le **résinier**… et vous voilà à la maison du meunier. Elle date de 1834 et se trouve (vous vous en doutez) à côté du **moulin de bas** aux deux meules broyant gros et petits grains. Peut-être verrez-vous aussi la fabrication du pain dans l'un des trois fours répartis sur le site.

La visite ne serait pas complète sans un détour par le **parc à moutons**, pour voir ces anciens défricheurs de la lande dont le fumier enrichissait les champs. De l'autre côté de la voie ferrée, vous découvrirez, entre une volière et un puits à balancier, une seconde maison de maître ainsi qu'une **grange-exposition** présentant l'ancien système agro-pastoral. Enfin, sachez que le **verger conservatoire** préserve plus de 1 600 espèces fruitières propres à la Grande Lande : pommiers, pruniers, cerisiers, néfliers, cognassiers, etc.

Quitter Sabres au Sud-Est par la N 134.

Graine de forêt à Garein

☏ 05 58 08 31 31 - juil.-août : 8h-12h, 14h-19h ; avr.-juin et sept.-oct. : sam. 14h-18h, dim. 10h-12h, 14h-18h - 4,50 € (enf. 3,50 €).

Ce nouvel espace muséographique interactif sur le thème de la filière bois a été aménagé dans une maison traditionnelle. Là, vous trouverez toutes les réponses à vos questions concernant la sylviculture, qui reste la première ressource de la région.

1,2 km. Vous compléterez vos connaissances sur le terrain en parcourant le sentier forestier.

Sortir de Garein à l'Est, par la D 353.

Forges de Brocas

☏ 05 58 51 40 68 ou 05 58 51 62 63 - de mi-juin à mi-sept. : 15h-19h - 3,10 €.

Dans un cadre verdoyant, vous verrez un haut-fourneau, des ateliers et des logements ouvriers en ruine. Pour découvrir l'histoire de cet important site métallurgique au 19e s. rendez-vous dans l'ancienne… minoterie. C'est là que le **musée des Forges** a pris place. Il rassemble divers objets en fonte et diffuse un film sur la technique de moulage.

Quitter Brocas par le Nord, D 651.

Le sous-bois de la forêt landaise : un régal de couleurs et d'odeurs.

Labrit

En saison, vous pourrez accéder au **site des Albrets**. Sur cette motte de terre entourée de douves se dressait un château de bois, au 11ᵉ s. Vous ferez appel à votre imagination pour vous représenter les lieux, mais pour vous aider, allez voir les restes dégagés lors de fouilles, présentés dans une maison au centre du village. ℘ 05 58 51 01 01 - *juil.-août : tlj - 3,05 €.*

Poursuivre sur la D 651.

Luxey

L'**atelier de produits résineux Jacques et Louis Vidal★** a fonctionné entre 1859 et 1954. Aujourd'hui partie intégrante de l'écomusée de la Grande Lande, il illustre le fonctionnement d'une structure économique au début de la révolution industrielle dans la Grande Lande. Depuis la réception des gemmes (sucs résineux) jusqu'au stockage de l'essence de térébenthine, toutes les étapes du traitement de la résine sont abordées. ℘ 05 58 08 31 31 - *www.parc-landes-de-gascogne.fr - de déb. juin à mi-sept. : 10h-12h, 14h-19h ; de fin mars à fin mai et de mi-sept. à déb. oct. : 14h-18h - 4 € (enf. 2,50 €).*

La **Maison de l'estupe-huc** (qui signifie « éteins le feu ») présente les risques et la réalité des feux de forêt dans les Landes *(projection de trois vidéos)*, et évoque l'évolution des techniques des sapeurs-pompiers à travers des documents, objets et matériels d'époque. ℘ 05 58 04 70 70/05 58 08 06 18 - *juil.-août : 14h00-18h30 ; reste de l'année : sur demande - 4,50 € (6-12 ans 2,50 €).*

La D 651 mène à Belhade par Sore et Argelouse.

Belhade

Savez-vous que Belhade signifierait « belle fée » en gascon ? Dans tous les cas, vous vous arrêterez devant son **église** à clocher-mur, pour admirer le portail aux beaux chapiteaux sculptés.

À l'Ouest de la localité, sur la gauche, vue sur le **château de Belhade** et ses tours rondes crénelées.

Poursuivre sur la D 651.

Hostens

On y exploita la lignite à ciel ouvert entre 1933 et 1963. Puis les excavations furent comblées par des remontées de la nappe phréatique formant les **lacs de Lamothe** et **du Bousquet**.

Le **domaine de loisirs d'Hostens**, créé sur l'ancien site d'exploitation, est un parc de détente de 500 ha *(voir la rubrique « Sports & Loisirs » dans l'encadré pratique).*

3 km. Un **sentier d'interprétation** (« sentier des Demoiselles »), vous permet de découvrir le milieu naturel.

Retour à Belin-Béliet par la D 3 et la N 10.

Parc naturel régional des Landes pratique

Adresse utile

Maison du Parc –*33 rte de Bayonne* - ✆ *05 57 71 99 99 - www.parc-landes-de-gascogne.fr - tlj sf w.-end et j. fériés 9h-12h, 14h-17h.* Le Parc naturel régional des Landes de Gascogne met à disposition une **Carte Guide** répertoriant l'ensemble des sites à visiter et des activités proposées.

Visites

Passeport écomusée de la Grande Lande – Si vous avez l'intention de vous rendre dans les 3 sites, prenez-le pour bénéficier de tarifs préférentiels.

Observer la grue cendrée – Sorties en compagnie d'un guide naturaliste sur le site de Captieux et d'Arjuzanx (au Sud du Parc). Renseignements à la Maison du bassin d'Arcachon (*voir Bassin d'Arcachon pratique*).

Les lagunes du Gat Mort – Possibilité de visite guidée, en saison, sur ce site naturel protégé (au Nord d'Hostens). Renseignements à la base de loisirs d'Hostens (*voir la rubrique « Sports & Loisirs »*).

Val de l'Eyre à vélo – Le centre du Graoux (*voir la rubrique « Sports & Loisirs »*) propose des promenades guidées à bicyclette.

Recommandations

RÉGLEMENTATION DU PARC

- Veuillez ne pas cueillir les plantes et ne pas couper de branches d'arbres.

- N'allumez jamais de feu et ne fumez pas en dehors des haltes prévues à cet effet. La forêt s'enflamme très vite (y compris au bord des plans d'eau) ; elle met nettement plus de temps à se reformer.

- Ne laissez pas des détritus après un pique-nique et ne jetez rien par terre ; des poubelles sont installées à certains endroits.

- Ne stationnez pas votre véhicule sur les chemins ; des parkings sont aménagés à cet effet.

- Respectez le silence et la tranquillité des promeneurs, des pêcheurs et des riverains.

AUTRES CONSEILS

En été, emportez de l'eau lors de vos escapades à pied ou à vélo, du produit contre les moustiques (surtout dans les zones humides et au bord des cours d'eau). Munissez-vous également d'un chapeau et de lunettes de soleil.

Le climat aquitain ne requiert pas de vêtements particuliers, si ce n'est des chaussures de marche pour les randonnées pédestres et des vêtements imperméables pour les sorties printanières, parfois arrosées.

Se loger

Chambre d'hôte Mme Boschetti – *46 rte de Badet - 33770 Salles - 8 km au NO de Belin-Béliet dir. Arcachon -* ✆ *05 56 88 47 24 -* 🍴 *- 4 ch. 35/40 € -* 🍽 *2 €.* L'environnement calme et les prix attractifs sont deux atouts principaux de cette maison de 1905 située aux portes de la forêt landaise. Les chambres, spacieuses et claires, sont meublées dans le style des années 1950. Salle des petits-déjeuners d'allure bourgeoise. Accueil sympathique.

Chambre d'hôte Les Arbousiers – *Le Gaille - 40630 Sabres - 7,5 km à l'O de Sabres par D 44 -* ✆ *05 58 07 52 52 - www.chambres-landes.com -* 🍴 *- réserv. obligatoire - 6 ch. 35/49 € -* 🍽 *- repas 19 €.* Calme garanti en cette charmante maison landaise à colombages bâtie au milieu d'une clairière entourée d'une forêt de pins. Chambres simples et chaleureuses et table d'hôte le soir. L'accueil est convivial et vous entendrez sûrement parler d'oiseaux par la propriétaire passionnée…

Chambre d'hôte Le Poutic – *Rte de Cazaubon - 40240 Créon-d'Armagnac - 12 km à l'E de St-Justin par D 933 et D 35 -* ✆ *05 58 44 66 97 - www.lepoutic.com -* 🍴 *- 3 ch. 40/55 € -* 🍽 *- repas 18 €.* La restauration de cette ferme landaise a joliment mis en valeur ses vieux murs en pierre, ses poutres et ses colombages. Les chambres ont bénéficié de la même attention pour leur décoration d'un goût sûr et soignée. Spa et salon d'été dans les dépendances. Séjours à thème : équitation, golf, chasse à la palombe…

Chambre d'hôte Chez M. et Mme Clément – *1 r. du Stade - 33830 Belin-Béliet -* ✆ *05 56 88 13 17 - maison. clem@wanadoo.fr -* 🍴 *- 5 ch. 60 € -* 🍽*.* Belle maison bourgeoise du 19ᵉ s. dans un parc ombragé d'arbres centenaires. Boiseries en chêne, parquets cirés et cheminées de marbre font le raffinement de la décoration. Toutes les chambres sont claires et la plupart ouvrent sur la nature. Un gîte.

Chambre d'hôte La Maranne – 👤👥 - *Le Muret - 40410 Saugnacq-et-Muret - 15 km au N de Pissos -* ✆ *05 58 09 61 71 - la-maranne@wanadoo.fr - fermé 15 nov.-15 avr. -* 🍴 *- 5 ch. 50/66 € -* 🍽 *- repas 20 €.* Cette demeure du 19ᵉ s., au milieu d'un parc aux arbres centenaires abrite des chambres sans luxe, mais agréables et nanties parfois de meubles d'époque. Côté détente, les activités ne manquent pas : piscine, sauna, Jacuzzi, vélos, ping-pong…

Se restaurer

👁 Dans le Parc, plusieurs établissements proposent « L'assiette de pays » (*voir p. 30*).

La Bonne Auberge – *1 r. Champs-de-Seuze - 33830 Lugos -* ✆ *05 57 71 95 28 -*

fermé nov., dim. soir et lun. hors sais. -
10/37 € - 12 ch. 38 € - ☑ 5 €. Cette
accueillante auberge située près de
l'étang de Cazaux et de Sanguinet s'ouvre
sur un jardin d'agrément et une vaste
terrasse ombragée de platanes. Cuivres et
assiettes anciennes ornent les murs de la
salle à manger rustique. Cuisine
traditionnelle. Chambres un brin désuètes,
mais de bon confort.

☜ **Le Haut-Landais** – *Pl. du Bourg - 40410
Moustey - ℘ 05 58 07 77 85 - www.
lehautlandais.com - fermé nov.-fév. et lun. -
11,50/32 €*. Sur la place du village, une
auberge vit depuis le 17ᵉ s. Landais de
cœur et hollandais d'origine, le patron
vous fera goûter les spécialités des deux
pays : aiguillettes de canard, palombes
rôties, assiette du « port d'Amsterdam »…
Agréable terrasse ombragée devant la
maison.

☜ **Ferme-auberge du Jardin de
Violette** – *Manoir des Jourets - 40120
Lencouacq - ℘ 05 58 93 03 90 - fermé dim.
soir, lun. et mar. - ✂ - réserv. obligatoire -
15/35 €*. Découvrez dans ces anciennes
écuries rénovées la saveur de légumes
oubliés du potager (crosnes, pourpier
doré ou panais…) et des fleurs (violette,
capucine, courgette, acacia, etc.) mitonnés
avec talent pour accompagner les volailles
de la ferme. Assiette de pays, armagnac et
apéritif maison.

☜ **Le Café de Pissos** – *Au bourg - 40410
Pissos - ℘ 05 58 08 90 16 - fermé 20 au
27 janv., 12 nov. au 6 déc., dim. soir, mar. soir
et mer. sf juil.-août - 12 € déj. - 17/39 € -
5 ch. 36/51 € - ☑ 5,50 €*. Au centre du
village, cette auberge familiale propose
une authentique cuisine régionale dans
un cadre campagnard ou sur la terrasse
ombragée de platanes centenaires. Le bar
est fréquenté par les villageois. Chambres
modestes.

☜☜ **Auberge des Pins** – *Rte de la Piscine -
40630 Sabres - ℘ 05 58 08 30 00 -
aubergedespins@wanadoo.fr - fermé
4-24 janv. - 18 € déj. - 22/62 €*. Ravissante
maison landaise nichée dans un parc
planté de pins. Attablez-vous dans la belle
salle à manger rustique ornée d'armoires
du pays et agrémentée de boiseries
anciennes, et régalez-vous avec la délicate
cuisine régionale du chef. Les chambres
du bâtiment principal sont personnalisées
avec goût.

Que rapporter

**Maison des artisans et l'atelier du
souffleur de verre** – *71 rte de Sore - 40410
Pissos - ℘ 05 58 08 97 42 - juil.-août : 10h-
12h, 15h-19h ; avr.-juin et sept. : tlj sf dim.
mat. et lun. 10h-12h, 15h-18h ; reste de
l'année : mer.-sam. 15h-18h*. Exposition-
vente d'artisanat d'art (vêtements, bijoux,
bougies, jouets, meubles peints, etc.) et
de produits régionaux. À voir également,
l'atelier du souffleur de verre.

Sports & Loisirs

Randonnées pédestres – Le comité
départemental du tourisme de Gironde
(voir p. 19) diffuse deux plans-guides
décrivant les sentiers du pays du val de
l'Eyre (nᵒ 7) et de la Haute Lande
girondine/vallée du Ciron (nᵒ 1). Le Parc
propose tout au long de l'année
différentes possibilités de découverte à
effectuer avec ou sans accompagnateur.

Balades à bicyclette – Les « carte-
guide », « livret de 6 circuits » et « carnet
de route » sont à votre disposition à la
Maison du Parc pour vous orienter et
constituer votre itinéraire d'un ou
plusieurs jours. Possibilité de combiner
vélo et canoë.

Baignade surveillée – ♣♟ - Domaine de
loisirs d'Hostens *(℘ 05 56 88 53 44)*.

Piscines de plein air – ♣♟ - **Sore** *(rte de
Luxey - ℘ 05 58 07 60 55)*, **Sabres** *(rte de
Luglon - ℘ 05 58 07 52 51)*, **Salles** *(rte
d'Argila - ℘ 05 56 88 40 89)* et **Pissos** *(rte
de Sore - ℘ 05 58 08 91 45)*.

Domaine de loisirs d'Hostens – ♣♟ -
*54 rte de Bazas, domaine départemental
d'Hostens - 33125 Hostens - ℘ 05 56 88
70 29 - dgaj-das-hostens@cg33.fr - 6h-23h -
gratuit*. Base VTT proposant 6 circuits de
10 à 30 km de sentiers balisés. Également
pêche, baignade, sentiers pédestres, tir à
l'arc, escalade, canoë-kayak, pédalos,
Grimp'arbres, course orientation,
animations nature, aviron, beach polo,
jardin aquatique, nage avec palmes…

Centre du Graoux – ♣♟♟ - *31 rte de Graoux -
33830 Belin-Béliet - ℘ 05 57 71 99 29 -
centre-graoux@parc-landes-de-gascogne.fr -
9h-12h, 14h-18h*. Centre permanent du Parc
offrant un large éventail d'activités
sportives - canoë-kayak (descente de la
Leyre), cyclotourisme, VTT, sentiers de
découverte, parcours d'orientation, tir à
l'arc, escalade d'arbres - ainsi que des
hébergements pour groupes et individuels.

Atelier-gîte de Saugnacq et Muret –
♣♟ - *Chemin vicinal 3 - 40410 Saugnacq-et-
Muret - ℘ 05 58 07 73 01 - www.ateliergîte.
fr - été : 9h-12h, 14h-18h ; hiver : lun.-ven. -
fermé 25 déc.-1ᵉʳ janv*. Deuxième centre
permanent du Parc proposant canoë-
kayak, cyclotourisme, VTT, circuits
pédestres thématiques, parcours
d'orientation et tir à l'arc.

**Maison de la nature du bassin
d'Arcachon** – *Voir Bassin d'Arcachon*.

Attelages des Vallées de la Leyre – ♣♟ -
*Lavigne - 40410 Moustey - ℘ 05 58 07
75 60 - tarisnaturloisir@aol.com - sur RV
pour les animations*. Promenades
commentées en calèche, randonnées
accompagnées avec ânes bâtés.
Hébergement possible (gîtes d'étape ou
de séjour) et base nautique.

Centre équestre du Volcelest – *Joué -
33830 Belin-Béliet - ℘ 05 56 88 02 68 -
www.volcelest*. Randonnées, balades en
forêt pour débutant.

Libourne

21 761 LIBOURNAIS
CARTE GÉNÉRALE C2 – CARTE MICHELIN LOCAL 335 J5 – SCHÉMA P. 171 – GIRONDE (33)

Ampleur du fleuve, maisons cossues à la bordelaise, marchés renommés et actifs, vins prestigieux exportés dans le monde entier. Pas de doute, Libourne est bien la petite sœur de Bordeaux. Son père ? Le prince Édouard, fils du roi d'Angleterre, qui donna jour à cette bastide portuaire en 1268 pour qu'elle vienne seconder la grande cité du vin.

▶ **Se repérer** – Dans une région fertile, étape sur la route de Paris à Bordeaux (23 km à l'Est par la N 89) avant que ne fussent construits les ponts de Cubzac *(voir Bourg)*, Libourne bénéficia de sa position au confluent de l'Isle et de la Dordogne (point de jonction entre la navigation fluviale et maritime) pour être le débouché

Le saviez-vous ?

C'est **Roger de Leyburn**, lieutenant du roi d'Angleterre, qui termina la bastide et lui donna son nom.

naturel du Périgord. Le cœur de la ville se trouve place Abel-Surchamp où se tient le marché les mardi, vendredi et dimanche matin (le plus animé).

👁 **À ne pas manquer** – La place Abel-Surchamp bordée d'arcades, de maisons anciennes et l'hôtel de ville (dans lequel se trouve le musée des Beaux-Arts) ; le château de Vayres.

🕐 **Organiser son temps** – Attention, le musée des Beaux-Arts et d'Archéologie est fermé le week-end. Après une matinée de visite de Libourne, comptez une demi-journée pour parcourir le circuit.

👪 **Avec les enfants** – Le château de Vayres ; le musée du Chemin de Fer à Guîtres ; le musée du Collectionneur sur le site de Laubardemont.

🎨 **Pour poursuivre la visite** – Voir aussi Bordeaux, Vignoble de Bordeaux, Bourg, Saint-Émilion, La Sauve.

Se promener

Place Abel-Surchamp
Spacieuse et aérée, elle est bordée de maisons bâties entre le 16e s. et le 19e s. L'**hôtel de ville** du 15e s. a été modifié au début du 20e s.

Quais de l'Isle et des Salinières
C'est là que se trouvait le port dont il reste… les platanes. La **tour du Grand-Port**, située quai des Salinières, est flanquée d'une ancienne porte de ville qui faisait partie des remparts élevés au 13e s. Derrière la tour, la rue des Chais rappelle qu'on stockait là le vin en partance.

Arcades bordant la place Abel-Surchamp.

Quai Souchet

Au confluent de la Dordogne et de l'Isle, ce quai vous permet de voir le **grand pont** (1824) avec ses neuf arches et le tertre de Fronsac.

Visiter

Musée des Beaux-Arts

42 pl. Abel-Surchamp - 📞 *05 57 55 33 44 - tlj sf w.-end et j. fériés 9h30-12h, 14h-17h, 1ᵉʳ sam. du mois 14h-17h, à 15h présentation de l'œuvre du mois - possibilité de visite guidée, sur demande - gratuit.*

Au cours de la montée par l'escalier, remarquez le beau groupe en marbre blanc de Falconet (18ᵉ s.).

Belles œuvres des écoles flamande, française et italienne (16ᵉ s.-20ᵉ s.). Vous y trouverez notamment *Trois Têtes de vieillards* par Jordaens, *Jésus chassant les vendeurs du Temple* par Bartolomeo, *La Pentecôte* par Charles Le Brun, *L'Amitié* par Foujita et des tableaux de Raoul Dufy. L'école libournaise est illustrée par des portraits de Lacaze et des natures mortes de Jeanne-Louise Brieux, mais surtout par un ensemble d'œuvres du peintre **René Princeteau** (1843-1914) : scènes de courses *(Le Saut dans la rivière)* et images de la vie rurale *(L'Arrivée au pressoir)* tiennent une place importante dans son œuvre. Natif de Libourne, **René Princeteau** fut le maître et l'ami de Toulouse-Lautrec. Il conquit le Tout-Paris malgré son infirmité (il était sourd et muet) grâce à ses scènes animalières et champêtres.

Des expositions temporaires sont organisées à la **chapelle du Carmel**, à côté de l'office de tourisme.

Aux alentours

Château de Vayres★

9,5 km au Sud-Ouest. Quitter Libourne par la N 89 vers Bordeaux. Après Arveyres, tourner à droite dans la D 242 et, près de l'église de Vayres, prendre le chemin qui conduit au château. 📞 *05 57 84 96 58 - visite guidée (45mn) de déb. juil. à mi-sept. : 14h-18h, animation de figurants costumés et nocturnes (juil.-août) ; de Pâques à fin juin et de mi-sept. à fin oct. : dim. et j. fériés 14h-18h (dernière entrée 1h av. fermeture) - fermé de Toussaint à Pâques - 6,50 € avec animation 8,50 € (enf. 4,50 €-7 €).*

👫 *Jeu d'énigmes. De juillet à septembre, les visites sont suivies d'un spectacle de fauconnerie.*

Cette ancienne demeure de la famille d'Albret fut réaménagée au 16ᵉ s. par **Louis de Foix**, l'architecte du phare de Cordouan *(voir ce nom)*. Dans la grande cour d'honneur, il ajouta une galerie d'apparat à la manière italienne. La façade sur la Dordogne fut remaniée en 1695 et embellie d'un pavillon placé en saillie et coiffé d'un dôme, ainsi que de terrasses et d'un escalier monumental à double révolution donnant accès aux jardins à la française qui s'étendent jusqu'à la rivière.

À l'intérieur, visite de pièces meublées Louis XIII et Louis XIV. À noter les belles cheminées dans le salon Henri IV et Grand Salon tendu d'une tapisserie d'Aubusson ; la salle à manger (14ᵉ s.) avec ses cuivres du 18ᵉ s. et son potager en faïence ; la chapelle construite comme une salle d'écho.

Avant… ou après la visite, vous pourrez faire le tour du monument en suivant la « promenade du Moulin » et flâner dans le **jardin médiéval**.

Montagne

8 km à l'Est de Libourne par la D 244. Voir Vignoble de Bordeaux, circuit **4**.

Circuit de découverte

À TRAVERS LE VIGNOBLE

60 km au départ de Libourne – compter une demi-journée. Quitter Libourne par l'Ouest, D 670.

Fronsac

Se garer sur le parking de la Maison des vins. Franchissez le portail d'entrée du château de Fronsac *(accès autorisé)* menant au sommet du **tertre** que couronne le château. De cette éminence, belle **vue**, très étendue, sur les vallées de la Dordogne et de l'Isle, sur Libourne et les vignobles de Fronsac.

Dans le village, l'**église** romane vaut également le coup d'œil.

Poursuivre sur la D 670.

Château de La Rivière

Il fut restauré par Viollet-le-Duc et doit son charme à son style hétéroclite (16e-19e s.). C'est le plus important domaine de l'appellation avec ses 3 ha de caves souterraines *(voir la rubrique « Que rapporter » dans l'encadré pratique).*

Poursuivre sur la D 670.

Château Branda

Le château se trouve à Cadillac-en-Fronsadais. ✆ 05 57 94 09 20 - www.chateau-branda. com - *de Pâques à Toussaint : 10h-18h ; de Toussaint à Pâques : dim. et j. fériés 14h-18h - 6 € (−16 ans gratuit).*

Branda propose de vous initier au mystère du vin en commençant par éveiller vos sens dans un jardin médiéval, en harmonie avec le cadre du château édifié durant la guerre de Cent Ans, réinterprété de façon contemporaine (installations et œuvres d'artistes ponctuent le parcours). Du haut des fortifications (14e s.) reconstituées, le panorama s'étend jusqu'en Dordogne. Ensuite, vous visiterez l'exposition-spectacle « L'Âme du vin » déclinée en trois thèmes : la biodiversité, la santé et le plaisir. Tous vos sens seront sollicités.

Poursuivre sur la D 670 et tourner à droite en direction de Guîtres.

La Lande-de-Fronsac

L'église romane (12e s.) fut fortifiée au 14e s. Elle vaut pour son superbe portail d'inspiration byzantine, dont le tympan représente l'Apocalypse selon saint Jean.

Mouillac

Restaurée au 19e s. après avoir été laissée à l'abandon suite à la Révolution, l'église romane (11e s.) se caractérise par son abside polygonale ornée d'arcatures.

Poursuivant sur la D 10 en direction de Guître.

En chemin, vous pourrez également vous arrêter à **St-Ciers-d'Abzac** et **St-Martin-de-Laye**, qui comptent tous deux une église romane (12e s.).

Guîtres

Seul vestige d'une abbaye bénédictine, l'**église** de style saintongeois fut fortifiée et maintes fois remaniée au cours des siècles avant d'être restaurée au 19e s. puis en 1964. Remarquez la façade avec portail du 13e s. et pignon du 14e s., le puissant chevet à cinq absidioles et la façade du 12e s. du croisillon Nord du transept, au portail demi-enterré. *14h30-18h30 -* ✆ 05 57 69 11 48 (saison) ou 05 57 69 10 34 (hors saison).

👥 Dans l'ancienne gare, des collectionneurs ont réuni de vieux wagons et locomotives en un **musée du Chemin de Fer**. La Mountain 241-P-9 (1947), une des plus puissantes machines à vapeur utilisées par la SNCF, est maintenue avec son fourgon en excellent état de conservation. ✆ 05 57 69 11 48 - http://cf-guitres.rail-france. org - *de mi-juil. à fin août : mer. dép. 15h30, retour 18h15, dim. et j. fériés dép. 11h, retour 12h30 ou 18h15, 15h30, retour 18h15 ; de déb. mai à mi-juil. et sept.-oct. : dim. et j. fériés, dép. 15h30, retour 18h15 - 10-12 € (enf. 6 €).*

Quitter Guîtres par le Sud en direction des Sablons. Après le pont, prendre à gauche la D 247 puis, à gauche la D 674.

Site de Laubardemont

👥 C'est dans le cadre insolite d'une friche industrielle que ce **musée du Collectionneur** a pris ses quartiers. En effet, l'ancien moulin situé au bord de l'Isle, transformé en huilerie au 19e s., fut fermé en 1980 et laissé à l'abandon. Dans un bâtiment restauré, le rez-de-chaussée met en scène une collection d'automobiles, tandis qu'à l'étage sont exposés les jouets anciens et un diorama présentant la vie d'une ville portuaire. ✆ 05 57 49 27 80 - *juil.-août : 10h30-19h ; reste de l'année : tlj sf lun. 14h-18h - 8 € (4-12 ans 5 €).*

Reprendre la D 674 en direction de Libourne.

St-Denis-de-Pile

L'église (du 12e s. remaniée au 19e s.), située au bord de l'Isle, renferme une *Visitation*, attribuée aux frères Le Nain, donnée par Louis XVIII, et Vierge à l'Enfant, en bois (17e s.).

Lalande-de-Pomerol

L'église (12e s.) fut construite par les Hospitaliers de St-Jean. Le clocher fut modifié au 17e s. et les chapelle latérales ajoutées à la fin du 18e s.

Libourne pratique

Adresses utiles

Office du tourisme de Libourne – *45 allée Robert-Boulin - Le Carmel -* ℘ *05 57 51 15 04 - www.libourne-tourisme.com - juin-sept. : 9h30-12h30, 14h-18h30, sam. 10h-12h30, 14h-19h (18h du 1ᵉʳ juin au 13 juil. et du 16 août au 30 sept.) ; oct.-mai : 9h30-12h30, 14h-18h, sam. 10h-12h30, 14h-17h30 - fermé dim. et j. fériés.*

Office du tourisme cantonal du Frondsais – *Barrail de Tourenne -* ℘ *05 57 84 86 86 - mai-sept. : 10h-18h ; reste de l'année : 10h-18h, sam. 10h-13h.*

Se loger

⊜⊜ **La Tour du Vieux Port** – *23 quai Souchet -* ℘ *05 57 25 75 56 - http:// latourduvieuxport.com - 14 ch. 45/65 € - ⊡ 6 € - restaurant 15/28,50 €.* Cet hôtel-restaurant voisin de la tour du Port et faisant face à la Dordogne propose des chambres spacieuses et personnalisées, rénovées avec goût par la propriétaire. Dans l'une des trois salles à manger, vous goûterez une cuisine traditionnelle préparée avec les produits du marché.

⊜⊜ **Hôtel des Vignobles** – *35 r. André-Nhévoit -* ℘ *05 57 51 23 29 - 8 ch. 50 € - ⊡ 6 €.* Ce tout petit hôtel situé entre le stade et la gare dissimule une ravissante cour pavée très verdoyante où l'on dresse des tables pour les petits-déjeuners aux beaux jours. Les chambres sont fonctionnelles, bien tenues et soignées. Une cuisinette équipée est à la disposition des clients.

⊜⊜ **Chambre d'hôte La Closerie Saint-Michel** – *Lariveau - 33126 St-Michel-de-Fronsac - 6 km à l'O de Libourne par D 670, rte de St-André-de-Cubzac et Fransac -* ℘ *05 57 24 95 81 - http://www. closeriesaintmichel.com - 4 ch. 65/85 € ⊡.* Cette jolie maison vigneronne en pierre blanche marque le point de départ d'un chemin de randonnée qui se perd dans les vignes. Les chambres, nanties de meubles anciens, dégagent un réel charme. Dégustation du vin de la propriété en guise de bienvenue.

Se restaurer

⊜ **Le Villagosia** – *12 r. de la République - 33141 Villegouge - 12 km au N de Libourne par D 128 -* ℘ *05 57 84 40 50 - fermé 25 déc.-2 janv. et dim. soir - réserv. conseillée - 11,50/27 €.* Ce restaurant ouvert il y a une poignée d'années sur les hauteurs de Libourne, dans un petit village au milieu des vignes, a déjà ses habitués. Dans son frais décor aux lumineuses tonalités, vous dégusterez des préparations « cent pour cent » maison.

⊜⊜ **Chez Servais** – *14 pl. Decazes -* ℘ *05 57 51 83 97 - fermé 12-25 août, dim. soir et lun. - 23 €.* L'engageante façade de cette petite maison en pierre abrite une coquette salle à manger : tables fleuries et joliment dressées, chaises cannées, mobilier du meilleur goût… Rejoignez les nombreux habitués du restaurant et régalez-vous comme eux de ses attrayants menus traditionnels.

⊜⊜ **Le Bord d'Eau** – *4 Poinsonnet - 33126 Fronsac - 2 km à l'O de Libourne par D 670 -* ℘ *05 57 51 99 91 - fermé vac. de fév., sept., nov., mer. soir, dim. soir et lun. - 19/46 €.* Les pieds dans la Dordogne, cette maison sur pilotis offre une vue panoramique sur Libourne et le clocher de l'église St-Jean-Baptiste. Profusion de plantes vertes, chatoyants coloris, reflets argentés de la rivière… Dans ce décor presque impressionniste vous sera servie une appétissante cuisine traditionnelle.

En soirée

⊛ **Bon à savoir** – De jour comme de nuit, **L'esplanade François-Mitterrand** est un lieu très animé grâce aux nombreux bars et brasseries qui mêlent leurs terrasses sur la place. Parmi les adresses préférées, citons le Bar du Lycée où le vin est servi au verre, et L'Orient, une brasserie du début du siècle.

La Guinguette – *13 bis quai du Gén.-d'Amade -* ℘ *05 57 51 87 87 - www. laguinguette.fr - juin-sept. : tlj 12h-0h.* Cette guinguette est pourvue d'une vaste terrasse offrant une superbe vue sur l'Isle et la Dordogne. Le meilleur moment pour en profiter est sans doute le soir, lorsque le soleil couchant irise le fleuve de toutes les couleurs. Jazz ou chansons françaises une fois par semaine le soir. Attention, tenue correcte exigée…

Café du Port – *Pl. du 8-Mai-1945 - lieu-dit St-Pardon - 33870 Vayres -* ℘ *05 57 74 85 98 - cafe-duport@wanadoo.fr - oct.-mai : 10h-21h ; juin-sept. : 10h-2h.* Vous serez ici aux premières loges pour assister au spectacle du mascaret : des vagues hautes et puissantes qui remontent la Dordogne. « On entend un grondement lointain qui ressemble au tonnerre », explique Annie, la patronne de l'établissement. L'été, une foule nombreuse vient assister à ce phénomène pendant que les surfeurs se précipitent par centaines vers les premières vagues.

Que rapporter

Éclancher – *16 r. Victor-Hugo -* ℘ *05 57 51 01 44 - mar.-ven. 8h30-12h, 14h-19h, sam. 8h30-12h, 14h-18h.* Ne manquez pas cette boutique installée dans une pittoresque maison du 18e s. : elle n'a presque rien changé à ses habitudes depuis 1830. Vous y trouverez les mêmes produits qu'on y vendait à cette époque : des articles de cave, de chais et de vendange, des échelles, de la vannerie, des sièges en rotin et en châtaignier…

M. Lopez – *18 r. Gambetta - au centre-ville -* 📞 *05 57 51 15 76 - lops@free.fr - mar.-sam. 8h-12h30, 14h30-19h, dim. 7h30-13h ; ouv. j. fériés jusq. 13h sf lun. Pentecôte - fermé 2 sem. en fév. et 3 sem. en été, dim. apr.-midi et lun.* Parmi les spécialités de cette pâtisserie, citons entre autres les macarons, les tartelettes aux noix, les cannelés, les bouchons (amandes grillées enrobées de praliné), le Princeteau, le Surchamp (mousse au chocolat et aux noisettes), la Galette de la Reine (brioche aux amandes), les glaces et confiseries maison, etc.

Le Château de la Rivière – *D 670 - 6 km au NO de Libourne par D 670 - 33126 La Rivière -* 📞 *05 57 55 56 51 - www.chateau-de-la-riviere.com - 9h-12h30, 14h-18h ; RV oct.-mai - fermé dim. sf juil.-août.* Un superbe château dont les origines remontent à 769 se dresse dans ce domaine de 59 ha produisant des vins AOC fronsac issus des cépages merlot, cabernet sauvignon, cabernet franc et pressac. La boutique vend les vins des Vignobles Grégoire, entité regroupant les crus des trois propriétés familiales. Visites guidées.

Maison des vins de Fronsac – *Le Bourg - 33126 Fronsac -* 📞 *05 57 51 80 51 - mdvfronsac@wanadoo.fr - 10h30-12h30, 14h-18h - fermé dim. et j. fériés.* 69 viticulteurs adhérents déposent régulièrement à la Maison des vins de Fronsac un petit stock de leur production offrant ainsi une vitrine des appellations fronsac et canon-fronsac. Des crus de 1993 à 2001, qui constituent un très large échantillon de ces vins racés de grande garde, sont mis en vente aux prix de la propriété.

Sports & Loisirs

Aquitaine Bikes Loisirs – *80 r. de la Marne -* 📞 *05 57 55 59 98 - aquitainebikes@wanadoo.fr - 8h-12h, 14h-19h - fermé dim.-lun.* Location de VTT et VTC. Tarifs à la journée, à la semaine, à la quinzaine ou au mois.

Aquitaine Scooty Tours – *19 Le Bourg - 33126 St-Michel-de-Fronsac -* 📞 *06 70 87 99 93.* Une façon originale de découvrir la région ! Stéphane Bellagamba met à votre disposition des scooters et vous accompagne sur différents parcours pouvant durer entre un et cinq jours. Visites, étapes gourmandes, hébergement, il vous glissera au passage les bonnes adresses du coin.

Lambert Voyages – *84 r. Montesquieu -* 📞 *05 57 25 98 10 - www.aquitaine-terroirs. com - lun., sam. 9h-12h, 14h-17h30, mar., ven. 9h-19h, mer., jeu. 9h-12h, 14h-19h, dim. sur demande préalable.* Admirateurs de *Cinq semaines en ballon* de Jules Verne ou simples amoureux du ciel, courez à cette agence de voyages qui propose des baptêmes de l'air en montgolfière.

ULM de Libourne – *Aérodrome de Libourne - 9 km au N de Libourne par N 89 - 33570 Les Artigues-de-Lussac -* 📞 *05 57 24 34 41 - mer.-dim. 9h-12h, 14h30-20h.* Que diriez-vous d'une balade en ULM au-dessus de St-Émilion, de Pomerol et de la vallée de la Dordogne ? À proximité, l'aéro-club de Libourne propose des baptêmes de l'air.

Événements

Château de Vayres – Spectacle pyrosymphonique dans les jardins du château le 15 août. 📞 *05 57 55 25 55.*

Vignoble de Fronsac – 3e w.-end d'oct. : portes ouvertes dans les châteaux.

Marmande

17 199 MARMANDAIS
CARTE GÉNÉRALE C2 – CARTE MICHELIN LOCAL 336 C2 – LOT-ET-GARONNE (47)

Prunes, pêches, melons, tabac, et surtout tomates, ces « pommes d'amour » qui font la renommée de Marmande. Voilà une ville qui a bien su profiter de la fertilité de la plaine garonnaise environnante. Une cité pas précisément belle, mais qui a la plénitude de l'opulence.

- ▶ **Se repérer** – À 70 km au Sud-Est de Bordeaux et à 65 km du Nord-Ouest d'Agen, dans les deux cas par l'A 62 puis la D 933. Marmande est le gros bourg du coin !

- 👁 **À ne pas manquer** – La *Crucifixion* de Rembrandt, dans l'église du Mas-d'Agenais ; le Musée archéologique de Ste-Bazeille.

- 🕐 **Organiser son temps** – Une journée vous permet de découvrir Marmande et sa région.

- 👶 **Pour poursuivre la visite** – Voir aussi La Réole, Sauveterre-de-Guyenne *(voir Vignoble de Bordeaux)*, Duras, Clairac *(voir Villeneuve-sur-Lot)*.

Se promener

Suivre le circuit de découverte du vieux Marmande.

Église Notre-Dame

Sa construction s'est étalée du 13e au 16e s. ; le chœur a été restauré au 17e s. Remarquez, à gauche en entrant, une Mise au tombeau du 17e s. Dans la première chapelle à droite du chœur, retable du 17e s. représentant saint Benoît en prière et persécuté par le diable. Du côté Sud de l'église s'ouvre un cloître Renaissance aux beaux jardins à la française.

> ### Le saviez-vous ?
>
> Marmande se fortifia au Moyen Âge. D'où son nom, qui signifierait tout simplement la « ville fortifiée ». Après avoir été nommée Marmande-la-Royale au 14e s., puis Marmande-la-Sainte au 17e s., la ville fut appelée Marmande-la-Jolie au 20e s.

Aux alentours

Sainte-Bazeille

6 km au Nord-Ouest par la N 113.

Dans ce bourg, les anciens bains-douches abritent… un **Musée archéologique** ! Le lieu est insolite et les collections surprenantes, issues du sous-sol de Ste-Bazeille et du Marmandais qui recèle des vestiges antiques et médiévaux. La présentation chronologique (2 000 ans d'histoire) et thématique de plus de 700 pièces illustrant la vie quotidienne intéressera les néophytes comme les passionnés, chacun pouvant s'attarder devant les riches vitrines selon son goût (objets de l'âge de fer, reconstitution d'un four de potier du 1er s. av. J.-C., monnaies antiques, céramiques sigillées, bijoux, habitat gallo-romain, mobilier mérovingien, etc.). ℘ 06 85 23 60 52 - sur demande préalable juil.-août : tlj sf mar. 14h30-18h30 ; reste de l'année : dim. et j. fériés 14h30-18h - fermé 1er janv., 1er mai, 25 déc. - 2 € (–14 ans gratuit).

Le Mas-d'Agenais

15 km au Sud par la N 113 et la D 6.

D'origine romaine, le site a été le lieu d'importantes fouilles qui ont notamment mis au jour la Vénus du Mas. L'**église** romane St-Vincent recèle une **Crucifixion★**, œuvre de Rembrandt (1631), qui met en scène un Christ à l'expression à la fois douloureuse et extatique. Dans le chœur, la stalle centrale, celle du prieur, montre le Christ tenant le globe surmonté d'une croix. Intéressants chapiteaux dans la nef et les bas-côtés (mythes païens, scènes de l'Ancien Testament et de l'Évangile). Le sarcophage en marbre blanc portant le monogramme du Christ, au centre, date du 5e s.

Casteljaloux

23 km au Sud par la D 933.

Le tracé de ce village, traversé par l'Avance, remonte au Moyen Âge. Devenu place forte protestante, démantelé en 1621, il conserve de son passé, dominé du 11e s. au 16e s. par la présence de la famille d'Albret, quelques belles demeures (dont la maison du Roy qui abrite l'office de tourisme).

Côté activités, le lac de Clarens offre d'agréables aménagements pour la baignade ou la promenade. Et pourquoi pas une petite remise en forme aux thermes ?

Marmande pratique

Adresses utiles

Office du tourisme de Marmande – *Bd Gambetta - ☎ 05 53 64 44 44 - juil.-août : 9h30-12h30, 15h-19h, dim. 10h-12h ; sept.-juin : tlj sf dim. 9h-12h, 14h-18h, sam. 9h-12h, 14h-17h.*

Office du tourisme de Casteljaloux – *Maison du Roy - 47700 Casteljaloux - ☎ 05 53 93 00 00.*

Se loger

☺ **Chambre d'hôte Valorme** – *Valorme - 47250 Bouglon - 15 km au S de Marmande par D 933 rte de Casteljaloux et à droite au bourg. Par A 62 sortie 5 - ☎ 05 53 93 51 81 - www.valorme.com - ✍ - 4 ch. 38/47 € - ☐. Cette maison en pierre du 18ᵉ s. jouit d'un agréable jardin avec piscine dominant la campagne. Ses chambres, d'une grande sobriété, offrent de belles surfaces et possèdent toutes une salle de bains récente. La terrasse à l'ombre d'un orme centenaire est délicieuse en été.*

☺☺ **Les Bains de Casteljaloux** – *La Bartère - 47700 Casteljaloux - ☎ 05 53 20 59 00 - bains.casteljaloux@eurothermes. com - fermé 2 sem. en nov. - ☐ - 30 studios + 10 appartements 44/70 € - ☐ 6 €. Cette résidence flambant neuve isolée en pleine nature abrite 30 studios et 10 appartements équipés et dotés de balcons. De votre logement, vous pourrez rejoindre directement les Thermes, les Bains et l'Institut. Choisissez votre formule : week-end, semaine, etc.*

☺☺ **Chambre d'hôte Château Cantet** – *47250 Samazan - 10 km au S de Marmande dir. Casteljaloux - ☎ 05 53 20 60 60/06 09 86 68 77 - fermé 15 déc.-13 janv. - ✍ - 3 ch. 56/72 € ☐ - repas 24 €. Une noble demeure du 18ᵉ s. entourée d'un grand parc, en pleine campagne. Les chambres sont garnies d'un plaisant mobilier. Belle salle à manger de style Louis XIII. L'été, le couvert est dressé sous la tonnelle, au bord de la piscine.*

Se restaurer

☺☺ **La Vieille Auberge** – *11 r. Posterne - 47700 Casteljaloux - ☎ 05 53 93 01 36 - caucut@wanadoo.fr - fermé 23 fév.- 3 mars, 28 juin-11 juil., 22 nov.-5 déc., mar. soir de nov. à mars, dim. soir et mer. - 18/32 €. En vous promenant dans les ruelles anciennes du centre-ville, vous remarquerez cette auberge avec son enseigne, ses volets bleus et sa façade de pierre blanche. Poutres peintes dans la salle à manger aux tons jaunes et bleus. On y sert une cuisine classique.*

☺☺ **L'Escale** – *Pont des Sables - 47200 Fourques-sur-Garonne - 5 km au S de Marmande dir. Casteljaloux - ☎ 05 53 93 60 11 - restaurant.escale@wanadoo.fr - fermé dim. soir, mer. soir et lun. - 21/59 €. Cette fermette de 1683 est une escale appréciée des gens du cru qui viennent y savourer de bons plats du Sud-Ouest, mais aussi y admirer les expositions de peinture. Pour l'été, deux terrasses : côté canal latéral à la Garonne ou côté jardin.*

☺☺ **Auberge du Moulin d'Ané** – *Rte de Gontaud - 47200 Virazeil - 7 km à l'E de Marmande par D 933 puis D 267 - ☎ 05 53 20 18 25 - fermé mer. sf juil.-août et mar. - réserv. conseillée - 23/40 €. C'est un vieux moulin en pierre du 17ᵉ s. perdu dans la campagne, qui accueille ses hôtes dans une véranda avec vue sur les eaux bondissantes d'une cascade ou dans sa salle à manger de style rustique, et les régale de spécialités régionales ou de plats traditionnels renouvelés au gré du marché et des saisons.*

Que rapporter

Palmagri – *9 rue Léopold-Faye - ☎ 05 53 64 40 65.* Cette boutique créée par une association d'agriculteurs locaux propose un grand nombre de produits dérivés du canard, ainsi que des plats cuisinés : pot-au-feu, canard aux petits légumes, foie gras au sauternes…

Sports & Loisirs

Gabare Val de Garonne – *Maison du tourisme du Val de Garonne - pont des Sables - 47200 Fourques-sur-Garonne - ☎ 05 53 89 25 59.* Croisières sur le canal de Garonne (mars-oct.).

Aquaval – 🏃 - *R. Portogruaro - ☎ 05 53 20 40 53 - période scol. : lun., jeu. : 12h-13h30, 17h-20h (mar., ven. 21h), mer., sam. 12h-19h, dim. 8h30-12h30 ; vac. scol. : lun., jeu. 10h-20h (mar., ven. 21h), mer., sam. 10h-19h, dim. 8h30-12h30.* Dans ce complexe aquatique, vous trouverez deux piscines, un bain bouillonnant géant, un toboggan, un sauna, un hammam et un espace bien-être doté de matériel de cardio-training. Animations pour tous les âges.

Golf – *Levant-de-Carpète - ☎ 05 53 20 87 60.* Ce golf, situé à moins de 2 km du centre-ville et aménagé autour d'un lac de 3 ha, est paraît-il l'un des meilleurs 9 trous de France. Sur place, tennis, piscine, restauration et garderie pour les enfants.

Golf – *Rte de Mont-de-Marsan - 47700 Casteljaloux - ☎ 05 53 93 51 60 - www.golf-casteljaloux.com - 8h-19h.* Parcours de 18 trous.

Bains de Casteljaloux – *La Bartère - 47700 Casteljaloux - ☎ 05 53 20 59 00 - bains. casteljaloux@eurothermes.com - tlj 10h-20h (ven., sam. 22h) - fermé 2 sem. en nov.* Grande souplesse dans le choix des activités : espace santé aux Thermes, formules détente, loisirs ou revitalisation aux Bains ou soins à l'Institut avec les forfaits ciblés. Nombreuses installations modernes sur place : bain japonais, Jacuzzi géants, hammam, bain turc, etc.

Mimizan

6 864 MIMIZANNAIS
CARTE GÉNÉRALE B2 – CARTE MICHELIN LOCAL 335 D9 – LANDES (40)

Perfide, la dune ! À pas de loup, elle s'est avancée, a englouti Segosa, la Mimizan gallo-romaine, puis la sauveté de Mimizan douze siècles plus tard. Nulle crainte à avoir aujourd'hui, la dune s'est fait prendre dans les filets des joncs et on peut profiter sans crainte des attraits balnéaires de la station ou découvrir la nature environnante en empruntant sentiers et pistes cyclables.

- ▶ **Se repérer** – À 33 km au Sud-Ouest de Biscarrosse. Deux têtes à cette station : Mimizan-Ville et Mimizan-Plage, distantes d'environ 6 km.

- 🕐 **Organiser son temps** – Les meilleurs moments pour marcher le long de la promenade fleurie sont le matin, juste après le lever du soleil, ou le soir au moment de son coucher. Si vous vous rendez aux étangs de Léon, passez-y l'après-midi pour vous balader dans les environs ou pour pouvoir faire la promenade en barque sur le courant d'Huchet.

- 👪 **Avec les enfants** – La plage ; La Maison du pin à Pontex et la Maison de l'airial à Bias ; Landes Aventure, la ferme du Born à St-Paul-en-Born (voir la rubrique « Sports & Loisirs » dans l'encadré pratique).

- 🚶 **Pour poursuivre la visite** – Voir aussi Courant d'Huchet, Biscarrosse, Parc naturel régional des Landes de Gascogne.

Séjourner

Mimizan-Plage

👪 Quatre **plages** surveillées au bord de l'Océan et une sur le courant de Mimizan près de son embouchure. D'autre part, Mimizan a obtenu le label « **Station Kid** » (voir p. 46).

🚴 **Pistes cyclables** entre l'Océan et le lac d'Aureilhan (4 km), entre l'Océan et Pontenx-les-Forges (18 km), entre Mimizan-Plage et Contis (13 km).

🚶 Pour les marcheurs, trois **sentiers de découverte** (dépliants explicatifs à l'office de tourisme) : « Les étangs de la Mailloueyere » à Mimizan-Plage, « Le courant des Forges » à Pontenx-les-Forges, « L'étang du Bourg-Vieux » à Bias, et des sentiers pédestres le long du courant de Mimizan, près du lac d'Aureilhan, ainsi qu'en forêt.

Lac d'Aureilhan-Mimizan

🚶 1 km. Départ au bout de l'av. du Lac à Mimizan. La **promenade fleurie**, le long du lac, est jalonnée de nombreuses variétés de plantes et de fleurs locales et exotiques. Jolies vues sur le lac. Vous pouvez poursuivre jusqu'au château de Woolsack (GR 8).

Au niveau de la passerelle, un sentier mène à la **plage surveillée** du lac, où se trouve également une base nautique.

> ### Le saviez-vous ?
>
> Avant-guerre, le **duc de Westminster** y possédait un manoir, le château de Woolsack, où il invita Winston Churchill et Coco Chanel : du beau monde, en somme ! C'était au temps des premiers « congés payés » et Coco Chanel fit venir ses cousettes prendre le bon air à Mimizan.

Visiter

Site de l'abbaye

Entre Mimizan-Ville et Mimizan-Plage, au bord de la route, vous verrez l'**église abbatiale** avec son portail roman, surmonté d'un Christ en gloire entouré de statues de saints (celle de saint Jacques est la plus ancienne que l'on connaisse en Aquitaine). Pour pénétrer dans le clocher-porche et voir les peintures murales du 15ᵉ s., il vous faudra vous inscrire à la visite guidée. ✆ 05 58 09 00 61 - www.musee.mimizan.com - visite guidée (30mn) sur demande de mi-juin à mi-sept. : tlj sf dim. et j. fériés 11h, 15h, 16h, 17h, 18h (du 13 juil. au 17 août : mer. 21h30) ; reste de l'année : possibilité de visite sur RV - 4 € (–14 ans gratuit).

Maison du Patrimoine

✆ 05 58 09 00 61 - de mi-juin à mi-sept. : 14h-17h ; reste de l'année : sur RV - fermé w.-end et j. fériés - 2 € (–14 ans gratuit) - forfait 3 sites (voir Maison du pin, Maison de l'airial). Vous vous laisserez conter l'histoire locale à travers une exposition d'objets et de maquettes représentant les activités d'autrefois, forestières principalement.

Aux alentours

La Maison du pin à Pontenx-les-Forges

10 km au Nord-Est de Mimizan par la D 626. Av. de Labouheyre, près de la piste cyclable. ☎ 05 58 07 49 23 6 - www.citedubois.com - juil.-août : tlj sf ven. apr.-midi, dim. et j. fériés 15h30-19h ; 2e quinz. de juin et 1re quinz. de sept. : jeu. et ven. 15h-18h - 2 € (–14 ans gratuit), forfait 3 sites (voir Maison l'airial et Maison du patrimoine).

Au programme : un panorama sur la fabrication des objets en pin, ainsi qu'une découverte ludique de la faune et de la flore de la forêt landaise.

L'étang de Léon paisible hors saison.

Circuit de découverte

ENTRE DEUX COURANTS

117 km – environ 3h. Quitter Mimizan au Sud par la D 652.

Maison de l'airial à Bias

Près de l'église. ☎ 05 58 09 37 73 - www.citedubois.com - juil.-août : mar.-sam. 10h30-13h, 15h-19h, dim. 10h30-13h ; 2e quinz. de juin et 1re quiz. de sept. : mar. et mer. 15h-18h - 2,80 € (–14 ans gratuit) ; forfait 3 sites (voir Maison du pin et Maison du patrimoine).

Outre un diaporama, tous vos sens seront ici sollicités pour reconnaître une centaine d'essences de bois.

Poursuivre sur la D 652, avant St-Julien-en-Born, tourner à droite dans la D 41. Le courant de Contis longe la route sur la gauche

Courant de Contis

☎ 05 58 42 84 51 ou 06 08 35 16 82 - sur réservation à Atlantis Loisirs - avr.-sept. : descente en canoë (2h30) - 12,50 €.

Le courant de Contis draine jusqu'à l'Océan les eaux de plusieurs ruisseaux landais. Par une série de méandres, il se fraye un passage à travers le marais puis, en fin de parcours, entre les dunes, tantôt sous un berceau de feuillage, tantôt entre deux haies naturelles de roseaux, fougères, vergnes (aulnes) ou vignes sauvages. Des plantations de pins, peupliers, chênes-lièges, cyprès chauves complètent le tableau. À l'approche de l'Océan prédominent les pins, en aval du Pont-Rose.

Continuer sur la D 403 qui relie Contis-Plage au Cap-de-l'Homy-Plage, à travers la forêt. Prendre à gauche pour rejoindre Lit-et-Mixe. Là, poursuivre au Nord-Est sur la D 66.

Lévignacq

Ce charmant village typiquement landais a gardé ses vieilles maisons basses à pans de bois et toits de tuiles. L'église, fortifiée au 14e s., est aussi représentative avec son clocher très aigu et sa façade classique. À l'intérieur *(pièce de 2 € pour l'éclairage)*, sa **voûte**★ de bois est décorée de peintures du 18e s. Le chœur présente un retable entouré de colonnes torses et un devant d'autel en bois doré.

Quitter Lévignacq au Sud-Ouest par la D 105 pour rejoindre la D 652 que l'on prend à gauche à Miquéou. À Vielle, une petite route mène à l'étang de Léon.

Étang de Léon

Distractions sportives, nautiques en particulier : location de pédalo, canoë, barque, base de voile, dans le cadre d'un paysage reposant. C'est aussi le point de départ pour les promenades sur le courant d'Huchet.

Courant d'Huchet★ *(voir ce nom)*

Revenir à Vielle et prendre à gauche la D 328 vers Moliets-et-Maâ.

Contournant l'étang de Léon, la route traverse un très joli paysage alternant forêts de pins et landes. À **Maâ**, allez voir la chapelle Saint-Laurent, en cours de route, remarquez les maisons landaises à appareil de brique en épi. À **Moliets**, arrêtez-vous devant le portail gothique de l'église.

Revenir à Mimizan par la D 652.

Mimizan pratique

♿ *Voir Courant d'Huchet pratique.*

Adresses utiles

Office du tourisme de Mimizan – *38 av. Maurice-Martin - ℘ 05 58 09 11 20 - www. mimizan-tourisme.com - juil.-août : 9h-19h, dim. et j. fériés 10h-12h30, 16h-19h ; avr.-juin et sept. : tlj sf dim. 9h-12h, 15h-18h, sam. 10h-12h, 15h-17h ; oct.-mars : tlj sf dim., 9h-12h, 15h-18h, sam. 9h-12h.*

Office du tourisme de Léon – *65 pl. Jean-Baptiste-Courtiau - ℘ 05 58 48 76 03 - juil.-août : 9h-13h, 15h-19h, dim. et j. fériés 10h-13h ; reste de l'année : tlj sf dim. et j. fériés 9h-12h, 13h30-18h.*

Visite

Forfait 3 sites – Il permet de visiter la Maison du patrimoine, la Maison du pin et la Maison de l'airial à tarif préférentiel.

Se loger

⊖ **Hôtel Atlantique** – *38 av. de la Côte-d'Argent, Mimizan-Plage - ℘ 05 58 09 09 42 - www.hotelatlantique-landes.com -* 🅿 *- 35 ch. 24/56 € - � 6,50 € - restaurant 9/25 €. Cette maison landaise du début du 20e s. vaut par sa situation près de la plage et loin de l'agitation touristique. Les chambres offrent deux niveaux de confort ; la plus agréable possède un balcon. Brique rose et poutres décorent les deux salles à manger.*

⊖ **Camping municipal du Lac** – *Av. de Woolsack - 2 km au N de Mimizan par D 87, rte de Gastes, bord de l'étang d'Aureilhan - ℘ 05 58 09 01 21 - ouv. avr.-11 sept. - réserv. conseillée - 466 empl. 14 €. Ce camping propose des emplacements pour tentes et caravanes et prévoit la création d'un espace locatif. En attendant, les sanitaires ont été rénovés et les pins sont peu à peu remplacés par des feuillus pour ombrager l'ensemble du site.*

⊖ **Camping municipal de la Plage** – *Bd de l'Atlantique - ℘ 05 58 09 00 32 - contact@mimizan-camping.com - ouv.*

17 avr.-2 oct. - réserv. conseillée - 680 empl. 18 €. Les pins disparus après la tempête de 1999 ont été remplacés par des feuillus qui redonnent progressivement de l'ombre à ce terrain de bonne qualité (emplacements, partie locative, aire de camping-cars), proche de la plage. Chalets et mobile homes peuvent se louer au week-end hors juillet-août.

⊖ **Camping Club Marina-Landes** – *Plage sud - ℘ 05 58 09 12 66 - contact@clubmarina.com - 14 mai-17 sept. - réserv. conseillée - 583 empl. 37 €. Ce camping propose des emplacements très agréables et une partie locative avec cottages, chalets et bungalows, bien équipés et situés dans un cadre verdoyant. Les sanitaires sont presque tous rénovés et les services, déjà nombreux et de qualité, devraient encore évoluer. Animations et loisirs sur place.*

⊖⊜ **Hôtel L'Airial** – *6 r. de la Papeterie - ℘ 05 58 09 46 54 - pascal. basset5@wanadoo.fr - fermé nov.- avr. -* 🅿 *- 16 ch. 48 € - ⊊ 5,50 €. Un petit hôtel familial construit dans les années 1970 dans un quartier résidentiel plutôt calme. L'accueil est sympathique, les chambres simples mais bien tenues et les prix raisonnables. Jardin agréable.*

Se restaurer

⊖ **Le Sunset** – *2 r. de la Marine - ℘ 05 58 09 43 04 - fermé lun.-jeu. d'oct. à mai - 14/24 €. Idéalement situé à l'embouchure du courant de Mimizan, ce restaurant possède une jolie terrasse face à l'Océan. La cuisine utilise un maximum de produits frais et régionaux. À la carte, omelette aux rillous de canard, piquillo farci au merlu et légumes confits, salades copieuses, assiettes de fruits de mer, etc.*

⊖ **L'Auberge de St-Paul** – *Quartier Villenave - 40200 St-Paul-en-Born - 7 km à l'E de Mimizan par D 626 - ℘ 05 58 07 48 02 - st ephanesarantellis@wanadoo.fr - fermé oct.-mars et lun. sf juil.-août - 10/38 €. Passez* une bonne journée en famille dans cette auberge au milieu des pins. Tout le monde sera ravi : bonne table aux spécialités du Sud-Ouest et promenades pour découvrir les animaux de la ferme et du parc alentour. Jeux pour les enfants.

Que rapporter

Papeterie de Gascogne – *Bel Air - ℰ 05 58 09 90 23 - info@papeteriesdegascogne.fr - juil.-août : jeu. 9h et 14h ; inscription à l'office de tourisme.* Visite technique guidée de la papeterie sur RV.

Sports & Loisirs

Balades à pied et en vélo – Cartes des pistes cyclables et des sentiers pédestres de la côte landaise en vente (1 €) dans les offices de tourisme.

Cycles Labat – *352 r. de la Poste - 40550 Léon - ℰ 05 58 48 71 98 - tlj sf dim. et lun.* Location de vélos, VTT, VTC, tandems et remorques pour enfants.

Cyclo'Land – 👪 - *8 r. du Casino - ℰ 05 58 09 16 65 - tlj sf dim. (sf juil.-août) - fermé oct.-mars.* Location de vélos, VTT ou VTC pour enfants et adultes. Vous trouverez également ici des voiturettes à pédales, des tandems, des rosalies et même des rollers.

Mimizan Éole Club – 👪 - *Centre nautique, lac d'Aureilhan - ℰ 05 58 09 17 74 - http://mimizaneoleclub.free.fr - tlj sf dim. (sf juil.-août).* Choisissez votre formule pour vous initier ou pratiquer les activités nautiques proposées ici : stage, séance à la carte ou location de catamarans, dériveurs et planches à voile. Pour enfants, adolescents et adultes.

Landes Aventure – 👪 - *Rte de Gaste - ℰ 06 03 53 74 75 - mai-15 juin : w.-end ; 15 juin-15 sept. : 10h-19h.* Parcours aventure installé en pleine forêt landaise, près du lac et du camping : tyrolienne, plus de 50 ateliers et parcours « p'tits loups » pour les enfants à partir de 8 ans.

Chez Gisou – 👪 - *Les Berges du Lac - 40550 Léon - ℰ 05 58 49 21 64 - ouv. apr.-midi sf juil.-août : 10h-20h - fermé d'oct. à Pâques.* Location de petits bateaux électriques à piloter et de pédalos.

La Ferme du Born – 👪 - *Lavignasse - 40200 St-Paul-en-Born - ℰ 05 58 04 80 14 - www.laferme duborn.fr - avr.-juin, sept., oct. : mer., dim. j. fériés, vac. scol. 14h30-18h30 ; juil.-août : tlj sf sam. 10h-19h - 5 € (–12 ans 3,50 €).* Dans ce parc animalier et de loisirs, les enfants peuvent approcher de près les animaux (canards, chèvres, moutons…) et même leur donner à manger. Animations pour découvrir la poussinière, assister au repas des daims ou au biberon des petits. Aire de jeux et de pique-nique, boutique de produits régionaux.

Centre équestre Le Marina – *Plage Sud - ℰ 05 58 09 34 25 - www.centre-equestre-marina.com - fermé du 20 déc. à déb. mars, mar. sf vac. scol.* Ce « ranch » situé dans une clairière au milieu des pins, à deux pas de l'Océan, vous propose un large choix de stages, balades ou séjours équestres. Compter 27 € pour une leçon ou une promenade de 1h30 et 80 € pour la randonnée d'une journée (déjeuner inclus). Accueil sympathique.

Château de **Montaner**

CARTE GÉNÉRALE C4 – CARTE MICHELIN LOCAL 342 L2 – PYRÉNÉES-ATLANTIQUES (64)

Une route sinueuse à travers la campagne. Un hameau perdu entre champs et bois, des vaches qui traversent paisiblement la route, rentrant à l'étable : c'est Montaner. Au loin un donjon isolé se dresse sur une butte, vigile, en son temps, du puissant Gaston Phébus. Un rien évocateur de la tranquillité du terroir…

- **Se repérer** – À 40 km à l'Est de Pau, par les D 943, D 7 et D 225. Au Nord du Béarn, le Vic-Bilh est à la limite du département des Landes.

- **Se garer** – Sur le terre-plein devant le château.

- **À ne pas manquer** – Le splendide panorama depuis le donjon du château ; les fresques du 15e s. de l'église romane St-Michel à Castéra-Loubix, que vous pourrez comparer à celles de l'église St-Michel de Montaner.

- **Organiser son temps** – En saison, prévoyez plutôt de vous rendre à Montaner l'après-midi, car l'église St-Michel ne se visite qu'entre 14h et 18h (attention elle est fermée le mardi). Le circuit de découverte vous prendra une demi-journée si vous visitez les deux châteaux.

- **Pour poursuivre la visite** – Voir aussi Pau, Aire-sur-l'Adour.

Visiter

Château

05 59 81 98 29 - juil.-août : 10h-19h ; avr.-juin et sept.-oct. : tlj sf mar. 14h-19h - 3 €.
Élevée entre 1375 et 1380 sur une éminence, la forteresse de brique rouge servait à surveiller les confins du Béarn, de la Bigorre et de l'Armagnac. Le **donjon carré** s'élève à 40 m. Phébus fit apposer une pierre sculptée avec l'écu symbole du Béarn et de Foix surmonté de cette phrase : « Febus me fe » (« Phébus m'a fait »), matérialisant ainsi son rêve de gloire. De la plate-forme, le **panorama★** vers le Sud s'ouvre sur la chaîne des Pyrénées.
Les fouilles effectuées à l'intérieur de l'enceinte permirent de retrouver le plan et l'affectation des constructions de la **basse cour** aujourd'hui disparues.

Église Saint-Michel

05 59 81 92 21 ou 05 59 81 93 55 - visite guidée juil.-août : tlj sf mar. 14h-18h ; sept.-juin : sur demande à la mairie - 1,50 €.
Elle a été élevée au 15e s. en contrebas de la butte castrale. **Peintures murales** du début du 16e s. relatant, dans le chœur, la Création et la Nativité. Dans la nef figurent les Apôtres et, sur le mur Ouest, le Jugement dernier.

Circuit de découverte

À TRAVERS LE VIC-BILH

37 km de Montaner à Mascaraàs-Haron - environ 2h (pas facile de se repérer sur ces petites routes !).

Quitter Montaner par le Nord-Ouest, après Pontiacq, poursuivre sur la D 202.

Église Saint-Michel de Castéra-Loubix

05 59 81 97 88 - visite sur demande préalable auprès de M. le maire.
Dans le chœur de l'église romane (11e s. mais remaniée aux 15e s. et 18e s.), bel ensemble de **peintures murales** représentant la Passion du Christ et le Jugement dernier.

Poursuivre sur la D 202. À Monségur, prendre à gauche la D 4. À Vidouze, prendre à gauche la D 943.

Lembeye

Cette ancienne **bastide**, dont il reste une porte fortifiée, est la capitale du Vic-Bilh qui signifie « le Vieux Pays ». C'est là que vous trouverez toutes les informations, à l'office de tourisme, sur ce petit territoire très disputé, aujourd'hui plus connu pour son vin blanc (sec ou moelleux).

Sortir au Nord en suivant la D 13. Après Bordes, prendre à gauche.

Fresque de l'église de Castéra-Loubix.

Château d'Arricau-Bordes

Il ne se visite pas mais l'extérieur vaut le coup d'œil. Bâti sur un tertre au 13ᵉ s. et remanié au 16ᵉ s., il en impose dans son écrin boisé. La lecture du panneau explicatif complètera votre contemplation.

Poursuivre sur la route, en bas, tourner à gauche, puis à l'intersection prendre à droite. Après Vialer, prendre à droite dans la D 104.

Château de Mascaraàs-Haron

☏ 05 59 04 92 60 - *visite guidée (1h) de mi-mai à mi-août : tlj sf mar. 10h-12h, 15h-18h ; de mi-janv. à mi-déc. : w.-end et j. fériés 10h-12h, 15h-18h - 6 € (enf. 3 €).*

Cette ancienne demeure seigneuriale couronne une butte autrefois fortifiée et surplombant le Vic-Bilh. Ancien relais de chasse construit au 16ᵉ s. pour Jeanne d'Albret, selon la tradition, le château fut largement transformé aux 17ᵉ et 18ᵉ s. Son intérieur est **meublé** en style flamand et brabançon de cette époque.

À visiter : le grand salon, orné d'une belle fontaine en marbre de la fin du 17ᵉ s. et le petit salon aux murs couverts de scènes mythologiques peintes en camaïeu de bleu. La bibliothèque possède de nombreuses éditions rares et la salle des parchemins expose une partie des archives au château (documents 17ᵉ-19ᵉ s.). Plus intime, une chambre de favorite, décorée de 65 oiseaux d'après Buffon. Pour les amateurs, spacieuse cuisine rustique… En somme, une petite demeure tout confort !

Enfin, un **belvédère** est aménagé dans la tour-pigeonnier du parc et le chai du château, qui a conservé tous ses outils du 19ᵉ s., instruit sur les vignobles de **Madiran** et du **Pacherenc du Vic-Bilh**.

Mont-de-Marsan

29 489 MONTOIS
CARTE GÉNÉRALE B3 – CARTE MICHELIN LOCAL 335 H11 – LANDES (40)

Que deviennent la Douze et le Midou lorsque leurs flots se rencontrent ? La Midouze, bien sûr ! Alentour, Mont-de-Marsan est une de ces villes un peu méconnues, qui vit discrètement dans sa quiétude administrative de capitale landaise. Mais son climat doux la pare l'été de palmiers, de magnolias, de lauriers-roses… et des senteurs balsamiques des forêts de pins.

- **Se repérer** – Mont-de-Marsan se trouve à 130 km au Sud de Bordeaux par l'A 63 puis, la N 134, et à 60 km à l'Est de Dax par la N 124.

- **Se garer** – Parking gratuit de la Préfecture, bd Lattre-de-Tassigny.

- **À ne pas manquer** – Le musée Despiau-Wlérick ; l'écomusée de l'Armagnac au château Garreau.

- **Organiser son temps** – Comptez une demi-journée pour flâner dans la ville et visiter le musée Despiau-Wlérick. Pour le circuit alentour, réservez une journée complète. Si vous êtes de passage à Mont-de-Marsan un mardi ou un samedi matin, ne manquez pas le marché St-Roch.

- **Avec les enfants** – Le Parc des Nahuques *(voir la rubrique « Sports & Loisirs » dans l'encadré pratique)*.

- **Pour poursuivre la visite** – Voir aussi Parc naturel régional des Landes de Gascogne, Saint-Sever, Aire-sur-l'Adour.

Se promener

Une bastide fut fondée en 1114 par le vicomte de Marsan au pied de la paroisse Saint-Pierre-du-Mont. Il ne reste qu'à assembler… pour obtenir Mont-de-Marsan.

Point de vue

De la passerelle piétonne qui mène de l'office de tourisme au musée, jolie vue sur les berges verdoyantes du Midou.

Parc Jean-Rameau

L'ancien jardin de la Préfecture se love le long de la Douze. Ponctué d'œuvres de Despiau, fleuri et planté de beaux arbres (platanes, magnolias), c'est un poumon vert dans la ville. Près de la passerelle vers la préfecture Empire *(accès interdit)*, un petit **jardin japonais** ajoute au parc montois une note venue d'ailleurs.

Visiter

Musée Despiau-Wlérick★

6 pl. Marguerite-de-Navarre - ☎ 05 58 75 00 45 - www.mont-de-marsan - tlj sf mar. et j. fériés 10h-12h, 14h-18h - 3,40 € gratuit lun.

Installé dans deux édifices massifs, maison et chapelle romane et « donjon » Lacataye (14ᵉ s.) en pierre coquillière ocre, il est consacré à la sculpture moderne figurative. Parmi les 700 œuvres rassemblées dans ce musée, figurent des pièces maîtresses d'une centaine d'artistes : Carpeaux, Bourdelle, Dalou, notamment.

Mais, comme son nom l'indique, le musée est en grande partie consacré aux sculptures de **Charles Despiau** (1874-1946) et de **Robert Wlérick** (1882-1944), tous deux originaires de Mont-de-Marsan, qui modelèrent une réputation artistique très honorable à la ville.

Dans le donjon, où les sculptures se détachent sur les murs de pierre brute, le premier niveau est consacré à **Charles Despiau** : à remarquer une *Liseuse* au naturel saisissant, et la série de bustes de femmes, dont *Paulette*, qui valut au sculpteur l'attention de Rodin. Au second niveau sont exposées les œuvres de **Robert Wlérick** (père de la statue

> ### Parcours des sculptures
>
> En 1988, certaines œuvres du musée sont descendues dans les rues… cela plut aux passants, alors elles y prirent leurs quartiers ! *Plan disponible à l'office de tourisme.*

équestre du maréchal Foch, place du Trocadéro à Paris) : notez une œuvre de jeunesse, *L'Enfant aux sabots* et encore *Le Jeune Faune*. Au troisième niveau sont présentées les œuvres monumentales de l'Exposition universelle de 1937. Dans les escaliers, se trouvent quelques belles faïences de Samadet *(voir le circuit à St-Sever)*.

Dans la région, ne manquez pas de visiter les chais d'armagnac.

De la terrasse du donjon, panorama sur la ville encadrée de forêts. Le jardin compte quelques sculptures monumentales de Despiau.

Circuit de découverte

Environ 80 km – compter une journée. Quitter Mont-de-Marsan au Sud-Est par la D 30, à 13 km, tourner à droite en direction d'Artassenx, suivre la D 406 (fléchage).

Chapelle Notre-Dame-de-la-Course-Landaise à Bascons

Chemin des Coursayres - ☎ 05 58 52 91 76 - &- mer., jeu. et ven. 14h-19h (mars-oct. : 1er w.-end du mois 14h-18h) - fermé de déb. nov. à mi-juin, j. fériés - 4 € (6-12 ans 2 €). Près de cette chapelle du 13e s., le **musée de la Course landaise** présente l'histoire et rappelle les règles du jeu de ce sport (diaporama, vidéo et documents).

Revenir sur la D 30, direction le Houga, après 6 km prendre à gauche la D 11.

Villeneuve-de-Marsan

Ancienne bastide du 13e s., Villeneuve-de-Marsan a gardé de cette époque son église de brique ainsi que sa vieille tour crénelée qui domine le vignoble d'appellation bas-armagnac.

Prendre, au Sud-Est, la D 1, direction Eauze. À 2 km, tourner à droite vers Perquie.

Château de Ravignan

☎ 05 58 45 28 39 - visite guidée (1h) - juil.-août : 16h et 17h30 ; juil.-sept. : w.-end et j. fériés 15h-18h - 5 €.

Ce château de style classique a connu des phases successives de construction. Une simple gentilhommière voit le jour en 1663 (beaux parquets d'origine), agrandie au 18e s. puis surélevée d'un deuxième étage et ardoisée au 19e s. Il est ceint d'un parc à la française comprenant des essences variées centenaires.

L'intérieur est meublé et décoré de portraits de famille. À remarquer : l'armoire aux épices provenant du comptoir des Indes, le retable flamand du 16e s. et une impressionnante collection de gravures évoquant Henri IV.

Enfin, lors de la visite des chais, vous dégusterez différents armagnacs.

Prendre la D 354 vers Labastide-d'Armagnac. À Arthez-d'Armagnac, prendre la direction de Mauléon-d'Armagnac (D 101 puis D 154). 1,5 km après Mauléon, au carrefour, prendre à gauche la D 209.

Écomusée de l'Armagnac – Château Garreau

☎ 05 58 44 88 38 - avr.-oct. : 9h-12h, 14h-18h, sam. 14h-18h, dim. et j. fériés 15h-18h ; nov.-mars : tlj sf w.-end 9h-12h, 14h-18h - 5 €.

L'eau-de-vie de Gascogne, autrement dit l'armagnac, séduit les papilles des gourmets depuis le 15e s. Son aire de production s'étend sur les Landes, le Lot-et-Garonne et le Gers et il comprend trois appellations dont le très apprécié bas-armagnac. L'écomusée rassemble un musée des Vignerons au 16e s., un musée des Alambics, une distillerie et un vignoble expérimental.

Vous pourrez également parcourir le bois de culture de cèpes et le parc ornithologique qui compte 6 étangs sauvages.

Continuer sur la D 209, puis tourner à droite dans la D 626 vers Barbotan-les-Thermes.

Chapelle Notre-Dame-des-Cyclistes

En Aquitaine, Notre-Dame est également la patronne de la « petite reine » ! Notre-Dame-des-Cyclistes abrite des accessoires, des maillots, des souvenirs des grands du cyclisme.

Faire demi-tour pour gagner Labastide-d'Armagnac par la D 626.

Labastide-d'Armagnac★

Très jolie bastide fondée en 1291. Autour de la place Royale, vieilles maisons de pierre à pans de bois sur arcades qui, à la belle saison, resplendissent sous le soleil et les fleurs. Imposante tour-clocher du 15e s.

La D 626 mène à St-Justin.

Saint-Justin

Un plan commenté est disponible à l'office de tourisme (situé sous les arcades de la place, bien sûr).

C'est la plus ancienne bastide landaise (1280). Jadis, elle connut son heure de gloire accueillant des personnalités (Gaston Phébus, Henri IV…) ; à présent, vous lui ferez honneur en venant apprécier son charme qui a traversé les âges.

Roquefort

Berceau des vicomtes de Marsan au 10e s., Roquefort fut une ville fortifiée (remparts et tours des 12e et 14e s.). Fondée par les bénédictins de St-Sever au 11e s., l'église, en majeure partie gothique, abrita ensuite une commanderie d'antonins, religieux hospitaliers qui soignaient le mal des ardents, fièvre violente appelée aussi « feu de saint Antoine ». À côté, ancien prieuré : portes et baies de style flamboyant.

Rejoindre Mont-de-Marsan par la D 932.

Mont-de-Marsan pratique

Adresses utiles

Office du tourisme de Mont-de-Marsan – 6 pl. du Gén.-Leclerc - ℘ 05 58 05 87 37 - www.mont-de-marsan.org - en été : 9h-18h ; reste de l'année : 9h-12h30, 13h30-18h, lun. et sam. 9h-17h - fermé dim.

Office du tourisme de Labastide-d'Armagnac – Pl. Royale - 40240 Labastide-d'Armagnac - ℘ 05 58 44 67 56.

Office du tourisme de Saint-Justin – Pl. des Tilleuls - 40240 St-Justin - ℘ 05 58 44 86 06.

Office du tourisme de Villeneuve-de-Marsan – 181 Grand'Rue, 40190 Villeneuve-de-Marsan, ℘ 05 58 45 80 90.

Visite

Visite guidée de la ville – Sur demande - tlj sf dim. - 5 €. L'office de tourisme propose une visite-découverte de la ville (1h30).

Documentation – Vous trouverez à l'office de tourisme un plan commenté du centre-ville et un autre consacré aux parcs et jardins, la ville étant honorée de 4 Fleurs. Ces dépliants vous permettront de parcourir seul la ville suivant vos centres d'intérêt.

Se loger

⊖ **Hôtel Siesta** – 8 pl. Jean-Jaurès - centre-ville, proche des Arènes - ℘ 05 58 06 44 44 - la.siesta@wanadoo.fr - restaurant fermé 1er mai et les ven., sam. et dim. soir de la Toussaint à Pâques - 17 ch. 29/78 € - ⬚ 6 € - restaurant 9/25 €. Cet établissement familial qui borde une place animée située entre la gare et le centre-ville conviendra pour une étape sans prétention. Chambres simples et fonctionnelles dotées de salle de bains privée.

⊖ **Chambre d'hôte Le Domaine de Paguy** – 40240 Betzhet-d'Armagnac - 5 km au NE de Labastide-d'Armagnac par D 11 puis D 35 - ℘ 05 58 44 81 57 - domaine-de-paguy@wanadoo.fr - repas : dim. midi de Pâques au 1er juil. et tlj sf mer. du 1er juil. au 15 sept. - ⌷ - réserv. obligatoire - 6 ch. 37/66 € ⬚ - repas 15,50/31 €. Cette noble maison de maître (16e s.) est entourée d'un vaste domaine viticole dominant la vallée de la Douze. Les chambres en partie rénovées, spacieuses et agréables, donnent sur le joli jardin (piscine) et sur les vignes où folâtrent poules et canards. Généreuse cuisine landaise.

⊖ **Camping Le Pin** – Rte de Roquefort, Labastide-d'Armagnac - 40240 St-Justin - 2,3 km au N sur D 626 rte de Roquefort - ℘ 05 58 44 88 91 - camping. lepin@wanadoo.fr - ouv. avr.-sept. - ⌷ - 70 empl. 21 €. Ce terrain s'organise autour d'une ancienne ferme abritant le bureau d'accueil, le bar et la salle à manger ouverte sur une terrasse dressée près de la piscine, bien agréable en été. Sur le site, très ombragé, vous trouverez des emplacements pour le camping et des chalets à louer.

Se restaurer

🍽 **Le Bistrot de Marcel** – *1 r. du Pont-de-Commerce -* ☎ *05 58 75 09 71 - laurence.depons@wanadoo.fr - fermé lun. midi et dim. - 8,50/28 €.* La façade de ce bistrot n'offre pas d'attrait particulier mais n'hésitez pas à pousser la porte car l'intérieur, moderne, où dominent la pierre et le bois, est très agréable, de même que les deux terrasses surplombant la rivière. Dans l'assiette, plats landais.

🍽 **Le Don Quijote** – *7 r. St-Vincent -* ☎ *05 58 06 22 04 - donquijote@club-internet.fr - fermé dim. midi et lun. - 8,50/24 €.* Tapas, charcuteries, parilladas, paellas, brochettes et viandes a la plancha régalent les clients de ce petit restaurant voué à la cuisine espagnole. Aux beaux jours, la salle à manger (climatisée) est délaissée pour le ravissant patio. Atmosphère simple et conviviale.

🍽🛏 **France** – *Pl. des Tilleuls - 40240 St-Justin -* ☎ *05 58 44 83 61 - fermé 12-19 avr., 18 oct.-16 nov., jeu. soir, dim. soir et lun. - 23/46 € - 8 ch. 39/48 € - 🍴 6 €.* La terrasse du restaurant est dressée sous les couverts de la place centrale du village : c'est là qu'il faut vous installer aux beaux jours pour savourer les goûteux petits plats régionaux mitonnés par le chef. L'intérieur, tout simple, comprend un café-bistrot et une salle à manger rustique.

Faire une pause

Brûlerie Montoise – *1 r. du 4-Septembre -* ☎ *05 58 75 02 63 - tlj sf lun. mat. et dim. 8h30-12h30, 13h15-19h.* Les effluves de café grillé qui flottent dans la rue et un ravissant décor « tout bois » incitent à pousser la porte de cette boutique. Trois tables de style bistrot vous permettront de faire une pause pour déguster un café maison ou l'un des 75 thés proposés sur la carte. Quelques savoureuses mignardises accompagneront votre choix.

Le Thé de Clarisse – *9 r. des Cordeliers, 1er étage - centre-ville -* ☎ *05 58 45 05 74 - 8h30-18h30, lun. 10h-18h - fermé 20 juil.-15 août et dim.* Ce salon de thé est aménagé dans un appartement situé au 1er étage d'un vieil immeuble. Une belle verrière coiffe l'agréable salle à manger principale. Beaux choix de thés Mariage Frères, assiettes composées, pâtisseries et un menu proposé à l'heure du déjeuner. Boutique de décoration au rez-de-chaussée.

La Tourtière – *7 allée Raymond-Farbos -* ☎ *05 58 75 77 00 - mar.-sam. 8h-19h, dim. 7h-12h30.* On prend une leçon de cuisine dans cette pâtisserie qui prépare sous vos yeux la tourtière (légère pâte feuilletée garnie de pommes ou de pruneaux et parfumée à l'armagnac) et le nid d'abeille (gâteau à la crème pâtissière).

En soirée

Arènes de Plumaçon – *Pl. des Arènes -* ☎ *05 58 75 39 08/05 58 75 06 09 - lun.-ven. 8h30-12h, 14h-18h.* Corridas, concours de vaches landaises, concerts, fêtes de la Madeleine (à la mi-juillet), ces arènes en voient de toutes les couleurs ! Chaque jour, une visite des arènes, de la chapelle et du bloc opératoire vous est proposée.

Comité des fêtes – *39 pl. Joseph-Pancaut -* ☎ *05 58 75 39 08 - juin-août : lun.-sam. 9h-12h, 14h30-19h ; août-mars : lun.-ven. 8h-12h ; avr.-mai : lun.-ven. 8h30-12h, 14h-17h30.* Cet organisme gère la billetterie des corridas et les fêtes de Mont-de-Marsan.

La Cidrerie – *7 r. du 4-Septembre -* ☎ *05 58 46 07 08 - lun.-sam. 18h-2h, mar. 10h-2h.* Installée dans une ancienne écurie, cette auberge perpétue la tradition basque du cidre. De grandes tables en bois invitent au dialogue et l'ambiance est bon enfant. Clientèle d'âge mur.

Que rapporter

Marché St-Roch – Le marché de la place St-Roch, les mar. et sam. mat., compte parmi l'un des cents plus beaux de France.

Bas Armagnac Francis Darroze – *Av. de l'Armagnac - 40120 Roquefort -* ☎ *05 58 45 51 22 - mdarroze@darroze-armagnacs.com - lun.-ven. 8h30-18h, w.-end sur RV.* La « collection » de la famille Darroze composée d'environ 200 bas-armagnac regroupe les récoltes d'une trentaine d'exploitations ; les assemblages sont proscrits, les alcools vieillissent en fûts et la mise en bouteille se fait sur commande. Les 45 millésimes vendus (les plus récents datent de 1990) portent le nom du domaine.

Earl Chai de Soube – *Soube - 40240 St-Justin -* ☎ *05 58 44 83 88.* Cette bergerie de 1860 est composée de trois bâtiments dont un abritant un petit musée du paysan. Actuellement, les millésimes compris entre 1975 et 1991 sont en vente, tandis que les plus récents vieillissent dans le chai pour atteindre une qualité optimum. Pruneaux à l'armagnac et miel de pays ont aussi beaucoup de succès.

Loisirs

Parc des Nahuques – 👫 *- Rte de Villeneuve -* ☎ *05 58 75 94 38 - été : tlj 9h-19h ; reste de l'année : lun.-ven. 9h-12h, 14h-18h, w.-end 15h-19h.* Ce parc animalier fait œuvre de pédagogie auprès des enfants qui voient évoluer en liberté chèvres, moutons, mouflons de Corse, lamas, daims, émeus, cygnes et flamants roses sur une superficie de 4 ha.

Événement

En juillet, c'est corridas et courses landaises pour les **Fêtes de la Madeleine**. Et naturellement, pendant ces jours de liesse, les bodegas ne désemplissent pas.

Nérac

6 787 NÉRACAIS
CARTE GÉNÉRALE C3 – CARTE MICHELIN LOCAL 336 D5 – LOT-ET-GARONNE (47)

Fine fleur du pays d'Albret, Nérac a le charme robuste que l'on connaît au maître des lieux, Noste Henric. Sans hésiter, suivez les traces de panaches blancs pour découvrir la ville où Clément Marot trouva « un asile plus doux que la liberté ».

▶ **Se repérer** – À 30 km à l'Ouest d'Agen par la D 656. La ville ancienne comprend le quartier du château et, sur la rive droite, le Petit Nérac. La ville moderne, bâtie au 19e s., s'est collée parallèlement aux allées d'Albret.

🅿 **Se garer** – Le long du fleuve près de la capitainerie (du côté opposé au château).

Le saviez-vous ?

Comme pour bien des sites de France et de Navarre, ce sont les eaux de la rivière (ici, la Baïse) qui ont valu son nom à la ville. Mais Nérac était-elle *Neronis Aquae* (« les eaux de Néron ») ou *ner aig* (le « partage des eaux » en celte) ?

👁 **À ne pas manquer** – Les élégantes arcades de la galerie Sud du château d'Henri IV ; les Croisières du Prince Henry sur la Baïse *(voir l'encadré pratique)* ; la cité médiévale et le musée du Liège et du Bouchon à Mézin ; les ateliers de verrerie et de gravure sur cristal de Vianne.

🕐 **Organiser son temps** – Prenez garde : le château de Nérac est fermé le lundi. En juillet et en août, de nombreuses animations et ateliers s'y déroulent, et les enfants ne sont pas oubliés. Tous les mardis soir d'été, un marché nocturne s'installe à la Garenne.

👫 **Avec les enfants** – Le Château Imaginaire à Barbaste ; le train touristique de Nérac à Mézin, la base de loisirs de Lislebonne *(voir l'encadré pratique)*.

👣 **Pour poursuivre la visite** – Voir aussi Casteljaloux *(voir Marmande)*, Clairac *(voir Villeneuve-sur-Lot)*.

Se promener

LA VIEILLE VILLE★

Petit Nérac

La **rue Séderie**, parallèle à la Baïse et bordée de maisons à colombages, mène au pont Vieux. Rue Sully, remarquez sur la gauche la **maison de Sully** (bien sûr), riche demeure datant de la Renaissance (seconde moitié du 16e s.).

Pont Vieux

De ce pont gothique en dos d'âne, vue sur les bâtisses du quartier des tanneries en amont, et sur le barrage et l'écluse en aval.

Passage sous le pont Vieux lors d'une croisière sur la Baïse.

Alain Cassaigne / MICHELIN

Traverser le pont. Place des Tanneries, tourner à gauche pour longer la Baïse.

Jolies vues sur les maisons à loggias du Petit Nérac. Sur votre droite, une rampe conduit à l'église Saint-Nicolas et au château.

Au moindre rayon de soleil, les joueurs de pétanque se retrouvent près de Saint-Nicolas pour taquiner le cochonnet.

Rejoindre le pont Neuf.

Pont Neuf

Là encore, de jolies vues : sur les quais du port (qui fut actif au 19ᵉ s. lorsque intervint la canalisation de la rivière), sur le pont Vieux et sur d'antiques demeures. En amont verdoient les frondaisons de la Garenne.

Tourner à droite après la traversée du pont, en face de la capitainerie.

Promenade de la Garenne

Antoine de Bourbon, père d'Henri IV, choisit l'emplacement d'une ancienne villa romaine *(vestiges de mosaïque romaine dans une niche, à gauche du chemin)* pour faire dessiner cette longue promenade *(2 km)* le long de la Baïse. Sous les chênes et les ormes centenaires, un collier de fontaines : celle de Fleurette, une pauvre jeune fille dont la légende dit que, le cœur brisé par le Vert Galant, elle se jeta dans la Baïse, celle des Marguerites et celle du Dauphin (1602). On y trouve aussi un théâtre de verdure. Sur l'autre rive, on aperçoit le pavillon des Bains du Roi.

Des têtes bien faites

Sous l'influence successive de trois femmes lettrées – Marguerite d'Angoulême, sœur de François Iᵉʳ et reine de Navarre ; Jeanne d'Albret, mère du futur Henri IV ; Marguerite de Valois (Margot), femme du même Henri IV – la cour de Nérac accueillit maints penseurs du temps de la Renaissance. S'y côtoyèrent et s'y succédèrent des poètes, humanistes, théologiens (Clément Marot, Lefèbvre d'Étaples, Jean Calvin, Théodore de Bèze, Agrippa d'Aubigné, Michel de Montaigne…). Le « Béarnais », quant à lui, fera de Nérac une citadelle huguenote et la principale base des expéditions guerrières dirigées contre les places catholiques.

Visiter

Château

☏ *05 53 65 21 11 - juin-sept. : 10h-12h, 14h-19h ; oct.-mai : 10h-12h, 14h-18h - fermé lun. - 4 €.*

De cet édifice Renaissance terminé sous Jeanne d'Albret, il ne reste qu'une aile sur les quatre qui délimitaient la cour, et une tourelle de l'escalier. L'aile rescapée présente au Sud une galerie aux arcades en anse de panier et aux graciles colonnes torsadées. Le **musée** présente des collections archéologiques, retraçant l'histoire du pays d'Albret de la préhistoire à la conquête romaine, dans les belles salles voûtées du rez-de-chaussée. À l'étage, souvenirs des Albret et de la cour de Navarre.

Circuit de découverte

LE PAYS D'ALBRET

77 km – compter 3h. Quitter Nérac au Sud par la route de Condom, D 930. À 6,5 km, sur la droite, dissimulé par les frondaisons, s'élève le château de Pomarède.

Entre forêt landaise et Gascogne s'ouvre le doux pays d'Albret. Un paysage légèrement vallonné qui a échappé à l'industrialisation rurale. Là, un pigeonnier, un manoir, plus loin, un château, et des champs à perte de vue. Dans ce pays, la table est pantagruélique : foies gras et confits, chasselas, prunes, tomates et melons, le tout arrosé d'un buzet AOC… Certains appelleront ça le bonheur.

Château de Pomarède

☏ *05 53 65 43 01 - visite guidée (30mn) de mi-juil. à mi-sept. : 9h-12h, 15h-18h ; reste de l'année : sur demande auprès du propriétaire, château de Pomarède - 47600 Moncrabeau - 4 € (enf. gratuit).*

Maison de maître de type gascon datant des 17ᵉ s. et 18ᵉ s., avec pigeonnier, chai, écuries et sellerie.

Revenir sur la route et à 1 km, tourner à droite dans la D 149.

À Barbaste, le moulin surveille les eaux de la Gélise.

Mézin

La localité, qui travaille la vigne et le liège, occupe un site de hauteur surplombant le confluent de la Gélise et de l'Auzoue. L'ancienne église du prieuré clunisien fondé au 11e s., l'**église St-Jean-Baptiste**, arbore un style composite.

Au **musée du Liège et du Bouchon**, souvenirs de l'époque où Mézin était une des capitales du bouchon en France. Quatre salles présentent successivement une forêt de la région, la fabrication manuelle, mécanique *(démonstrations)* et actuelle du bouchon *(projection)*. 𝒫 05 53 65 68 16 - ♿- *juil.-sept. : 10h-12h, 14h-19h ; avr.-juin et oct. : 14h-18h - fermé lun. et j. fériés (sf 14 juil. et 15 août) - 3,50 € (–14 ans gratuit).*

Sortir de Mézin à l'Ouest par la D 656. Sur la gauche, à la sortie de Mézin, pigeonnier gascon reposant sur des colonnes.

Poudenas

Le village, sillonné de rues pentues, est dominé par son **château**, bâti sur les bases d'une forteresse médiévale du 13e s. Il a subi d'importantes transformations à la fin du 16e s. et surtout au 17e s. : la façade italienne date de cette époque. 𝒫 05 53 65 70 53 - www.poudenas.com - ♿- *visite guidée (45mn par groupe de 10 pers.) 15h-18h - fermé 1er janv., 25 déc. - 5 € (–18 ans accompagnés gratuit).*

Du vieux pont qui enjambe la Gélise, jolie vue sur le château, le clocher de l'église et, au premier plan, sur l'Hôtellerie du Roy Henry ornée d'une galerie en bois.

Rejoindre Mézin où l'on prend la D 149 vers Réaup, puis la D 283 vers Durance.

Durance

Isolé dans la pinède, ce minuscule village est une ancienne bastide du 13e s. dont seule subsiste la porte Sud, à côté des vestiges des remparts et du château Henri IV, ruine qui fut un rendez-vous de chasse des souverains de Navarre. L'église gothique a été érigée en 1521.

Prendre la D 665 vers Barbaste.

Barbaste

Du centre du village suivez le balisage « moulin des Tours ». Sur la rive droite de la Gélise, le **moulin de Henri IV** dresse ses quatre tours carrées de hauteur inégale depuis la guerre de Cent Ans. On le nomma « moulin » car le Vert Galant, qui y entretenait une garnison, aimait à s'en intituler le « meunier ». Le vieux **pont roman** à dix arches que défendait l'ouvrage est toujours là.

Château Imaginaire – 𝒫 05 53 97 25 15 - www.chateau-imaginaire.com - ♿- *juil.-août : 10h-12h, 14h-19h (21h mar. et jeu.) ; avr.-juin, sept.-oct. et vac. scol. Noël et fév. : 14h-18h - 8 € (enf. 6 €).* 👥 Ici, vous pénétrez dans un autre monde, destiné à vous faire oublier le sens des réalités. On vous conte des histoires au fil d'un parcours mis en scène de façon originale (tableaux en relief, hologrammes, etc.) et interactive. Tous les moyens sont réunis pour que surgisse la magie et que le visiteur soit ravi quel que soit son âge.

Prendre la route de Casteljaloux, D 655. À Lausseignan, prendre à droite la route en montée vers Xaintrailles.

Xaintrailles

En grimpant en haut de ce village (il est situé sur une colline), vous aurez de très belles **vues** sur la vallée de la Garonne et Port-Ste-Marie, d'un côté, la forêt des Landes de l'autre. Le château du 12ᵉ s. a été reconstruit au 15ᵉ s. par Jean Poton de Xaintrailles, compagnon d'armes de Jeanne d'Arc.

Vianne

Cette ancienne bastide d'origine anglaise fondée en 1284 a conservé presque intacte son enceinte fortifiée rectangulaire et son plan en damier. Près de la porte Nord, l'église, défendue par un clocher avec chambre forte, et l'ancien cimetière. L'activité ancestrale (depuis le 19ᵉ s. tout au moins) de la petite cité est la verrerie : souffleur de verre, graveur sur cristal travaillent toujours.

Empruntant la D 642, traverser la Baïse et gagner Lavardac.

Lavardac

La petite ville, établie sur la terrasse dominant la Baïse (grossie de la Gélise quelques centaines de mètres en amont) fut, avant l'éphémère canalisation de la rivière, le port d'embarquement des barriques d'armagnac apportées par chars du Condomois.

La D 930 ramène à Nérac.

Nérac pratique

Adresse utile

Office du tourisme de Nérac – *7 av. Mondenard -* ☏ *05 53 65 27 75 - www. albret-tourisme.com - juil.-août : 9h-13h, 14h-19h, dim. et j. fériés 10h-12h30, 15h-17h30 ; mai-juin et sept. : tlj sf lun. 9h-12h, 14h-18h, sam. 10h-12h, 14h-17h, dim. et j. fériés 10h-12h, 15h-17h ; oct-avr. : tlj sf dim. et lun. 9h-12h, 14h-18h, sam. 10h-12h, 14h-17h.*

Visites

Les Croisières du Prince Henry – *Quai de la Baïse - capitainerie du port -* ☏ *05 53 65 66 66 - prince.henry@wanadoo.fr - bureau : avr. et oct. 9h-12h30, 13h30-18h ; mai-sept. : 9h-12h30, 13h30-19h ; croisière : 11h, 15h, 16h30, 17h30 - fermé nov.-mars - 7 € (enf. 4,50 €).* Trois types de croisières au fil de la Baïse vous sont proposées : croisières commentées, croisières musicales et croisières-dégustations. C'est l'une des plus belles croisières du Sud de la France : vous découvrirez la promenade de la Garenne, les tanneries, les Bains du Roi et le château des Templiers avec un passage d'écluse. Location de gabares à la journée et à l'heure.

Train touristique de l'Albret – *Sur réservation -* ☏ *06 85 62 77 47 - juin-août : tlj sf lun. ; mai et sept. : mer., w.-end et j. fériés dép. de Nérac 10h, 14h15, 16h45, de Mézin 11h15, 15h30, 18h ; avr. et oct. : mer., w.-end et j. fériés dép. de Nérac 14h45, de Mézin 15h30 - AR 8,50 € (enf. 5,50 €) ; Aller simple 6,50 € (enf. 4,50 €).* Il circule sur une voie ferrée de 1890 entre Nérac et Mézin (13 km) et permet de découvrir les paysages de Gascogne.

Se loger

☐ **Chambre d'hôte La Tour de Brazalem** – *3 r. de l'École -* ☏ *05 53 97 20 09 - gavaudm@wanadoo.fr - ⌷ - réserv. hors sais. - 5 ch. 40/50 € ⌷.* Ce castel, situé en plein cœur du vieux Nérac, est pétri de charme. Les chambres, un brin exiguës, possèdent parfois de beaux meubles des années 1930 ; toutes les salles de bains sont neuves. Bibliothèque dans le pigeonnier et petit déjeuner servi dans la cour en été.

☐ **Chambre d'hôte Le Domaine du Cauze** – *2,5 km à l'E de Nérac par D 656 dir. Agen -* ☏ *05 53 65 54 44 - www. domaineducauze.com - réserv. obligatoire - 4 ch. 46/53 € ⌷ - repas 24 €.* Accueillante ferme perchée sur une colline verdoyante d'où l'on aperçoit, par temps clair, la lisière de la forêt landaise. Les chambres sont diversement aménagées : pièces chinées chez les brocanteurs, meubles de famille ou éléments modernes et fonctionnels. Aux beaux jours, vous pourrez dîner sous la tonnelle.

Se restaurer

☐ **Les Terrasses du Petit Nérac** – *7 r. Sèderie -* ☏ *05 53 97 02 91 - terrasses.petit. nerac@wanadoo.fr - fermé fév. - 10,50 € déj. - 25/33 € - 4 ch. 53 €.* Charmante adresse installée au bord de la rivière et tournée vers la ville. Dans l'une des salles à manger (décor mi-ancien, mi-moderne) ou sur la délicieuse terrasse dressée au ras de l'eau, vous goûterez de bons petits plats traditionnels accompagnés d'une belle carte des vins locale. Chambres simples et coquettes.

Aux Délices du Roy – 7 r. du Château - ℘ 05 53 65 81 12 - fermé mer. - 23/65 €. Blotti au pied du château des Albret, sympathique restaurant familial dont la petite salle à manger rustique, fraîchement repeinte en bleu et jaune, bénéficie d'une mise en place colorée. En cuisine, le chef-patron Mr Sarthou panache astucieusement produits de la mer et recettes traditionnelles.

En soirée

L'Escadron Volant – 7 r. Henri-IV - face au château - ℘ 05 53 97 19 04 - juin-sept. : 9h-24h ; oct.-mai : 9h-1h, ven.-sam. jusqu'à 2h - fermé 1 sem. en avr., 2 sem. en nov., mar. soir et lun. d'oct. à mai. L'un des atouts de ce petit pub de standing est la superbe vue qu'offre sa terrasse sur le château de Nérac. Comptoir en ormeau et étagères en sapin contribuent à la chaleur du décor. Vous y dégusterez une cuisine plutôt traditionnelle.

Que rapporter

Chocolaterie artisanale La Cigale – 2 r. Calvin - ℘ 05 53 65 15 73 - chocolaterie. la.cigale@wanadoo.fr - mar.-sam. 9h-12h, 14h-18h30 - fermé j. fériés. C'est plutôt l'antre de la fourmi que celui de la cigale, car il y a bien de quoi tenir tout l'hiver dans cette chocolaterie artisanale : plusieurs dizaines de variétés de petits chocolats et de bouchées, et de nombreuses sortes de pruneaux enrobés de chocolat. Il est parfois possible d'assister, derrière les baies vitrées, au travail des chocolatiers.

Château du Frandat – Rte d'Agen, D 7 - 2 km à l'E de Nérac par D 7 - ℘ 05 53 65 23 83 - 9h-12h, 14h-18h - fermé déb. nov. à fin mars sf sur RV et dim. Le Château du Frandat s'enorgueillit d'élaborer trois produits différents bénéficiaires d'une appellation d'origine contrôlée : buzet (vins rouges et rosés), floc de Gascogne (rosé et blanc) et armagnac. Visite du chai et dégustations gratuites. Le domaine propose également des pruneaux d'Agen.

Sports & Loisirs

Sport Loisir Passion – 6 av. du 8-Mai-1945 - ℘ 05 53 65 32 98 - tlj sf dim. et lun. 10h-20h. Cette adresse du centre-ville ouverte toute l'année vend, répare ou loue (demi-journée, journée, semaine) des VTT, VTC et tandems.

Les Contes d'Albret – 6 km au SO de Nérac par D 656, rte de Mézin et chemin à gauche, bord de l'Osse - ℘ 05 53 65 18 73 - www.albret.com - avr.-déc. : w.-end ; juil.-août : tlj. Cette ferme propose un golf miniature paysager, un golf rustique et organise des promenades en canoë. Vous pourrez également profiter d'un repas à la ferme (agneau à la broche, magrets à la planche…) et repartir avec quelques conserves artisanales.

Base de loisirs de Lislebonne – Rte de Mézin - 3,2 km au SO de Nérac, rte de Mézin - 47170 Réaup - ℘ 05 53 65 65 28. Cette petite base de loisirs propose de nombreuses activités : baignade, pêche, kayak, balades et randonnées à pied ou à vélo dans la forêt landaise. Toute l'année, VTT et cyclotourisme avec circuits. Animations variées en juillet et en août : cinéma en plein air, théâtre, concerts, repas de fête, etc.

Tennis-club néracais – R. de Nazareth - Chalet La Garenne - ℘ 05 53 65 14 26 - decafamily@free.fr - terrain terre battue : mars-nov. : 8h-jusqu'à la nuit ; autres terrains : tte l'année - 10 €/h. Un superbe club de tennis au bord de la Baïse. Il compte cinq courts extérieurs (dont deux en terre battue) et un couvert. L'été, des concerts et des pièces de théâtre ont lieu dans le parc.

Golf d'Albret – Pusocq - 47230 Barbaste - ℘ 05 53 65 53 69 - golf.albret@wanadoo. fr - hiver 8h30-19h, été 8h-20h. Parcours de 18 trous. Également bar, restaurant et club-house.

Oloron-Sainte-Marie ★

10 992 OLORONAIS
CARTE GÉNÉRALE B4 – CARTE MICHELIN LOCAL 342 I3 – SCHÉMA P. 127
PYRÉNÉES-ATLANTIQUES (64)

Au centre, les gaves d'Aspe et d'Ossau se rejoignent, alentour la campagne et le vignoble du Jurançon s'étendent, à l'horizon la chaîne des Pyrénées se détache… Un cadre magnifique donc qui invite à faire étape ! La ville semble murmurer des secrets de famille en béarnais entre les murs de ses hautes maisons coiffées d'ardoises, mais elle sait aussi parler aux visiteurs, voire les surprendre. Elle mérite qu'on s'y attarde pour la richesse de son patrimoine, réparti sur trois quartiers, et son dynamisme, manifeste dans la diversité des activités proposées.

▶ **Se repérer** – À 32 km au Sud-Ouest de Pau par la N 134, Oloron est la porte d'entrée de la vallée d'Aspe. La ville comprend trois quartiers : Sainte-Croix au centre, Sainte-Marie au Sud et Notre-Dame au Nord. Un cheminement piétonnier les relie.

👁 **À ne pas manquer** – Le portail roman de l'église Ste-Marie ; la vue panoramique sur la ville depuis le haut de la tour de Grède ; le vieux wagon de la Compagnie du haut Béarn à l'office de tourisme.

Le saviez-vous ?

Avec Nay *(voir Pau)*, Oloron est la capitale du **béret**. Eh oui ! ce symbole de la France est originaire du Béarn (avant d'être basque). En effet, les bergers des montagnes le portaient pour se protéger du froid.
🖐 Visite de l'usine Béatex *(voir la rubrique « Visites » dans l'encadré pratique)*.

🕐 **Organiser son temps** – Prévoyez de passer une journée si vous voulez visiter les trois quartiers. Attention, l'office de tourisme est fermé le dimanche en hors saison. Ajouter une demi-journée pour l'incursion dans le Jurançon. Bref, l'idéal est de s'arrêter deux jours au moins, voire trois si vous souhaiter parcourir la vallée d'Aspe.

👪 **Avec les enfants** – Le « Circuit du patrimoine » dans la ville et le « voyage immobile » dans la villa Bourdeu ; l'arboretum à Lasseube ; Aqua Béarn : base de loisirs sur le lac du Faget *(voir la rubrique « Sports & Loisirs » dans l'encadré pratique)*.

🖐 **Pour poursuivre la visite** – Voir aussi Vallée d'Aspe, Vallée d'Ossau, Pau.

Comprendre

Oloron aurait été un poste défensif (la butte offre une vue imprenable) ibère et tire son nom d'*Iluro*, à la fois nom de lieu ibérique et nom de dieu pyrénéen. Au 11e s., une cité vicomtale voit le jour sur les ruines de ce site stratégique. Centule V le Jeune fait édifier l'église de Sainte-Croix et assure, par sa protection, l'activité commerciale. À ses pieds, sur la rive gauche du gave d'Aspe, le faubourg rural se développe autour

Beauté et fraîcheur du site pris entre deux gaves.

Stéphane Sauvignier / MICHELIN

de la cathédrale **Sainte-Marie**. Il devient propriété des évêques au 13e s. La rivalité s'installe entre les deux villes, qui constituent une étape importante avant le passage du Somport pour les pèlerins se rendant à St-Jacques-de-Compostelle. Oloron prospère sous l'œil jaloux de Sainte-Marie, et s'étend peu à peu dans la partie basse, sur la rive droite du gave d'Ossau. Oloron et Sainte-Marie seront finalement réunis en 1858, par décret impérial.

Se promener

À moins que vous ayez déjà en tête une idée précise de ce que vous voulez voir, rendez-vous en premier lieu à l'office de tourisme, installé dans la villa Bourdeu.

Villa Bourdeu

Allée du Comte-de-Tréville - ℘ *05 59 39 98 00 - juil.-août : 9h-19h, dim. et j. fériés 10h-13h ; reste de l'année : tlj sf dim. 9h-12h30, 14h-18h30 - gratuit.*

Cette demeure de la fin du 19e s. mérite un arrêt car son aménagement constitue un point de départ pour découvrir les environs. Sur le sol de la salle d'accueil, une **carte géante** délimite le territoire : Oloron, les gaves, les trois vallées et le Parc national des Pyrénées. Ensuite dans un large tunnel est présenté un kaléidoscope de photographies de la région (avec pour chaque site la mention du temps de parcours depuis Oloron).

▲▲ Enfin, un wagon de la Compagnie du haut Béarn stationné dans une gare 1900 vous attend. Prenez place dans l'un des trois compartiments pour effectuer un « **voyage immobile** », projection de films de courte durée mis en scène comme des paysages défilant sous les yeux (cinq thèmes au choix : Oloron-Sainte-Marie, pays d'Oloron et gaves, vallées d'Aspe, d'Ossau et du Barétous).

QUARTIER SAINTE-CROIX

L'ancien quartier du château vicomtal (détruit en 1644) occupe une situation avancée entre les deux gaves.

Partir de l'office de tourisme, longer l'esplanade, emprunter la passerelle puis monter les escaliers (à hauteur de la Caisse d'Épargne).

Promenade Bellevue

Tracée sur les remparts romains, comme en témoigne le remploi de briquettes, elle offre une vue en enfilade sur la cathédrale Sainte-Marie, la vallée d'Aspe et ses montagnes.

Église Sainte-Croix

L'originalité de cet édifice roman réside dans sa **coupole** d'influence mozarabe à la croisée du transept montée sur huit nervures. Les chapiteaux historiés aux couleurs vives retiennent l'attention (grande diversité de scènes).

Maisons anciennes

En face de l'église, deux **maisons Renaissance** sur « couverts ». C'est sur cette petite place que se tenait le marché à l'origine.

En contrebas, au n° 52 de la rue Dalmais, la **Maison du patrimoine**, installée dans une demeure du 17e s., rassemble sur deux étages des collections d'archéologie, d'ethnographie et de minéralogie relatives à la ville et au haut Béarn ainsi que des peintures et des souvenirs du camp d'internement de Gurs. Enfin, vous irez flâner dans le petit jardin médiéval. ℘ *05 59 39 98 00 - de mi-juin à mi-sept. : 10h-12h, 15h-18h - 3 €.*

À côté, s'élève la **tour de la Grède** avec ses baies géminées (14e s.). Restaurée, vous pouvez désormais y accéder et admirer la **vue★** panoramique depuis la terrasse. ℘ *05 59 39 98 00 - de mi-juin à mi-sept. : 10h-12h, 15h-18h - 3 €.*

Au bas de la rue Dalmais, la place Mendiondou précède la pointe *(en cours d'aménagement)* à la confluence des gaves. Si vous êtes pressé par le temps, prenez le pont à gauche, sans oublier de jeter un œil aux maisons aux flancs d'ardoises surplombant le gave d'Aspe, pour rejoindre le quartier Sainte-Marie (en repassant devant l'office de tourisme). Autrement…

QUARTIER NOTRE-DAME

… Prenez à droite la rue de la Justice : appréciez au passage la vue agréable sur le gave d'Ossau, pour arriver à la **place de la Résistance** encadrée de quelques belles maisons du 17e s. C'est ici qu'avaient élu domicile les riches marchands, le quartier de Sainte-Croix étant devenu trop petit pour accueillir un commerce croissant. D'ailleurs, le quartier porte aussi le nom de « Marcadet ». Le marché se tient toujours sur la place Clemenceau le vendredi matin.

Église Notre-Dame

De style romano-bysantin, elle fut édifiée au 19e s. À l'intérieur, les peintures murales de Paul Delance (élève de Gérôme) méritent qu'on s'y arrête.

La **crypte** renferme une exposition d'objets religieux des 19e-20e s. *🕿 05 59 39 98 00 - 8h-20h - visite guidée (30mn) de la crypte de mi-juin à mi sept. : 10h-12h, 15h-18h - 3 €.*

Envie de verdure ? Amateurs d'essences rares ? Poursuivez votre chemin sur les hauteurs, où le **parc Pommé** s'allonge sur 3 ha. Cette ancienne propriété privée aux arbres centenaires offre une belle perspective de promenade. Revenez ensuite vers l'office de tourisme.

QUARTIER SAINTE-MARIE

On savait ce quartier occupé du temps d'*Iluro*, mais des fouilles ont mis au jour des vestiges prouvant une présence humaine antérieure à la période gallo-romaine.

Cathédrale Sainte-Marie

Sa construction fut entreprise au 12e s. Le clocher-porche abrite un magnifique **portail★★** dû à deux sculpteurs (tympan et voussures sont traités différemment) qui, miraculeusement, est resté presque intact. Cela tient autant à la chance qu'à la dureté du marbre pyrénéen qui, avec les siècles, a pris le poli de l'ivoire. Arrêtez-vous un moment et prêtez attention aux différents « tableaux », c'est une vraie collection d'histoires : atlantes enchaînés à la base du trumeau ; sur le tympan : Descente de Croix aux motifs symétriques, Daniel dans la fosse aux lions et Ascension d'Alexandre. À la voussure consacrée au Ciel, les 24 vieillards de l'Apocalypse jouent de la viole et adorent l'Agneau divin portant la Croix. Le Mal est représenté par la tête d'un dragon. À la voussure consacrée à la Terre et à la vie paysanne : chasse au sanglier, pêche et découpage du

Détail du portail de l'église Sainte-Marie.

saumon, confection d'un tonneau, fabrication du fromage, préparation du jambon, plumage d'une oie, etc. À la retombée des voussures, statue équestre de Constantin piétinant le Paganisme *(à droite)* et monstre dévorant un homme *(à gauche)*.

Dans la première colonne, à gauche en entrant, est incrusté un curieux bénitier des lépreux (appelés « cagots »), du 12e s. Parmi le mobilier, la chaire du 16e s. et le buffet d'orgues de 1650 valent aussi le coup d'œil.

Le **trésor★** est rassemblé dans deux chapelles : orfèvrerie (16e-19e s.), lutrin en bois peint (17e s.), etc., dans l'une. Crèche à santons de bois du début 18e s. et vêtements sacerdotaux (16e-19e s.) dans l'autre. *🕿 05 59 39 98 00 - 8h-20h - visite guidée (30mn) du trésor : de mi-juin à mi-sept. : 10h-12h, 15h-18h - 3 €.*

Contournez la cathédrale, pour voir au chevet les vestiges de **thermes romains**. En revenant vers le parvis de la cathédrale, prenez à droite le **passage Monseigneur Taurine**, à l'intérieur duquel la cité d'*Iluro* est évoquée à travers des moulages et vestiges. Plus loin des photos présentent différentes vues d'Oloron-Sainte-Marie. Au bout du passage, un petit jardin mène au parking Daguzau. Au centre, le **tumulus de Soeix** a été reconstitué.

Aux alentours

Saint-Christau

À 10 km au Sud d'Oloron. Deux trajets possibles le long du gave d'Aspe : suivre la N 134 (route de la vallée d'Aspe) sur la rive droite ou la bucolique D 238 sur la rive gauche.
Cette petite station thermale est aménagée dans un parc de 60 ha. Les eaux de ses sources ferro-cuivreuses agissent sur les affections des muqueuses.

Circuits de découverte

INCURSION DANS LE JURANÇON

55 km - environ 2h. Sortir d'Oloron par la D 24, au Nord-Est.

Estialescq

2h. Départ sur la D 24, 1 km avant le bourg. Éviter par temps humide. Un sentier d'interprétation vous mènera à travers bois sur les traces de la fabrication de la chaux.

Poursuivre sur la D 24 et prendre à droite la D 516 (direction Escout).

Lasseube

L'**arboretum de Passas** est l'œuvre d'un passionné d'arbres exotiques qui, dans les années 1930, commença à planter des spécimens sur sa propriété agricole. Panneau explicatif pour chacune des 26 essences présentes.

Rejoignez Lasseube pour faire un tour dans le village, qui possède des maisons anciennes et une église de style gothique.

Quitter Lasseube par le Nord, D 34.

Lacommande

Halte sur le chemin de St-Jacques-de-Compostelle, arrêtez-vous pour visiter l'église romane de Saint-Blaise remaniée. La Route des vins du Jurançon *(voir p. 46)*, justifiera autrement votre venue !

Poursuivez sur la D 34 qui pénètre au cœur du vignoble.

Monein

Monein peut s'enorgueillir de compter parmi les meilleurs vignobles du Jurançon, vous pourrez en juger par vous-même à la **Confrérie du jurançon**. *05 59 21 34 58 - sur demande préalable auprès de M. Delage - visite guidée (40mn) 9h30-12h, 14h30-19h - fermé dim., lun. (sf juil.-août et déc.) et j. fériés - gratuit.*

À chaque bourg son église, mais l'**église St-Girons** est imposante, avec un décor gothique flamboyant et un clocher de 40 m ! L'immense charpente de chêne en forme de carène renversée, date du 15e s. *05 59 21 29 28 - juil.-août : spectacle son et lumière dans la charpente (45mn) 11h, 15h, 16h et 17h, dim. et j. fériés 16h et 17h ; sept.-juin : tlj sf sam. 16h et 17h - 5 €.*

Sortir de Monein à l'Ouest par la D 2. Après 9 km prendre à gauche la D 110.

Lucq-de-Béarn

Dans ce petit village paisible qui conserve de belles maisons (17e-18e s.), l'église surprend par son aspect composite alliant roman et gothique. À l'intérieur, remarquez l'imposant sarcophage paléochrétien finement sculpté.

Poursuivre sur la D 110 puis, la D 9 qui ramène à Oloron.

VALLÉE D'ASPE★ *(voir ce nom)*

VALLÉE DU BARÉTOUS *(voir Arette-la-Pierre-Saint-Martin)*

Oloron pratique

Adresse utile

Office du tourisme d'Oloron-Sainte-Marie – *Allée du Comte-de-Tréville - 05 59 39 98 00 - www.ot-oloron-ste-marie.fr - juil.-août : lun.-sam. 9h-19h, dim. 10h-13h ; sept.-juin : tlj sf dim. 9h-12h30, 14h-18h30.*

Visites

Visite guidées – *Renseignements à l'office de tourisme sur www.vpah.fr.* Oloron qui porte le label Ville d'art et d'histoire, propose des visites-découvertes (2h) animées par des guides-conférenciers agréés par le ministère de la Culture et de la Communication.

« Circuit patrimoine » – *En vente à l'office de tourisme : bracelet 2,50 € ; pass (4 sites + bracelet) 10 € (−13 ans 1 €).* Il permet de visiter la ville à votre rythme. Il vous suffit de présenter un bracelet-montre devant les bornes réparties dans Oloron pour activer un commentaire, diurne ou nocturne, pour adulte ou pour enfant.

Visite de l'usine Béatex (fabrication de béret) – *Le jeu. à 9h en juil. Inscription à l'office de tourisme.*

Se loger

Chambre d'hôte Marie Lavie – *Quartier Auronce - 64360 Lucq-de-Béarn - 10 km au N d'Oloron-Ste-Marie par D 9 puis D 110 - 05 59 39 18 39 - maison.*

lavie@wanadoo.fr - ⊞ - 3 ch. 32/43 € - ⊡ - repas 15 €. Cette ferme rénovée se trouve en pleine campagne, à proximité du gave d'Oloron. Chambres classiques et proprettes et deux gîtes. Convivialité assurée : si vous le souhaitez, vous cueillerez vous-mêmes les légumes du potager pour votre menu du soir !

⊜ **Camping Le Stade** – Chemin de Lagravette - 4,5 km au S direction Saragosse - ℘ 05 59 39 11 26 - camping-du-stade@wanadoo.fr - ouv. avr.-sept. - ⊞ - réserv. conseillée - 170 empl. 19,50 €. Comme son nom l'indique, ce terrain de camping jouxte le stade. L'ombrage y est un peu faible et le confort rudimentaire, mais le tout s'avère très bien entretenu. Également sur place, des chalets-gîtes en dur qui peuvent être loués au week-end, sauf en juillet et en août.

⊜⊜ **Chambre d'hôte La Ferme Dagué** – Chemin la Croix-de-Dagué - 64290 Lasseube - ℘ 05 59 04 27 11 - www.ferme-dague.com - fermé de mi-nov. à mi-mai - ⊞ - 5 ch. 42/60 € ⊡. Une belle adresse que cette ferme béarnaise du 18e s. située face à la chaîne des Pyrénées. Les chambres, aménagées dans l'ancienne grange, allient l'ancien et le moderne. La terrasse sous le tilleul et les fauteuils au coin du feu invitent à la détente.

⊜⊜ **Chambre d'hôte Maison Rancesamy** – 64290 Lasseube - 15 km à l'E d'Oloron-Ste-Marie par D 24 dir. Lasseube puis rte secondaire - ℘ 05 59 04 26 37 - www.missbrowne.com - ⊞ - 5 ch. 54/74 € ⊡ - repas 32 €. Si l'idée d'ouvrir vos fenêtres sur la campagne vallonnée vous séduit, cette paisible ferme béarnaise du 18e s. est pour vous. Chambres spacieuses, sobrement et joliment décorées. Salle des petits-déjeuners au cadre exotique, jardin fleuri et piscine avec vue sur la nature… Une adresse appréciée des artistes.

Se restaurer

⊜⊜ **Chez Château** – 64400 Esquiule - 10 km à l'O d'Oloron-Ste-Marie par D 24 - ℘ 05 59 39 23 03 - jb.hourcourigaray@wanadoo.fr - fermé mi-fév. à mi-mars, dim. soir et lun. - 16/48 €. Cette maison du 19e s. se dresse tout près du fronton de pelote. La première salle a conservé sa cheminée où jadis mijotait la garbure. Les deux autres sont décorées dans le style régional. Miniterrasse sous les canisses.

Faire une pause

Maison Artigarrède – 1 pl. de la Cathédrale - ℘ 05 59 39 01 38 - fermé de déb. juil. à fin juil. Le « Russe » est la spécialité maison depuis trois générations. Il s'agit d'un gâteau préparé à base d'amandes et de crème pralinée, recette qui reste tout de même un secret de famille. Un salon de thé à l'étage de la boutique permet de le déguster, tout en admirant la cathédrale en face.

Que rapporter

👁 **Bon à savoir** – Entre Oloron et Pau, au Sud du gave de Pau, s'étend le vignoble de **Jurançon**, vous pourrez suivre la Route des vins (voir p. 46).

Marché – Marché traditionnel ven. matin.

Artiga – 2 av. Georges-Messier - 4 km au S d'Oloron-Ste-Marie, rte de Sarragosse - 64400 Bidos - ℘ 05 59 39 50 11 - www.artiga.fr - tlj sf sam. et dim. 9h-12h, 14h-18h - fermé fév. De génération en génération, les Lartigue perpétuent le savoir-faire du tissage. À l'origine spécialisée dans la fabrication des fameux bérets et espadrilles, cette maison a développé son activité dans le domaine des arts de la table et de la décoration : nappes, torchons, sacs, etc. En été, visite possible de l'atelier.

Maison des Maîtres Chocolatiers – Av. de Lattre-de-Tassigny - ℘ 05 59 88 88 88 - Tlj sf dim. 9h30-17h30. Entre Oloron et le chocolat c'est une longue histoire… que vous apprendrez dans le petit espace scénographique, où est également évoqué le processus de fabrication du chocolat. Mais vous viendrez surtout dans ce magasin d'usine pour faire le plein de produits Lindt & Sprüngli (actuels propriétaires du site de fabrication).

Sports & Loisirs

Aqua-Béarn – 👥 - Lac du Faget, Estialesq - 7 km au NE d'Oloron-Ste-Marie par D 24, rte de Lasseube et D 103 à gauche - ℘ 05 59 39 20 75 - www.aqua-bearn.com - de mi-juin à mi-sept. 10h30-21h. Ce parc aquatique perdu en pleine nature séduira les petits et les grands : piscine à vagues, toboggans ou rivières à bouées et plage pour se prélasser. Restauration sur place et aire de pique-nique.

Centre nautique de Sœix – ℘ 05 59 39 61 00. Ce centre nautique propose des descentes de rivières en hydrospeed, hot-dog, rafting, kayak, ainsi que du canyoning (à la journée ou la demi-journée).

Planet'Air – Chemin du Branet, rte de Mourenx - 5 km à l'E d'Oloron-Ste-Marie par D 111, rte de Mourenx et chemin à gauche - 64190 Navarrenx - ℘ 05 59 66 23 37 - bernard.peller@tiscali.fr. Il faut chercher un peu pour dénicher ce petit aérodrome qui possède une école de pilotage et dont les activités se sont aujourd'hui élargies : les amateurs de quad et de randonnées peuvent désormais retenir l'adresse. Le site dispose également d'un terrain de paintball.

AUTRES ACTIVITÉS

Escalade – Un mur se trouve dans le marché couvert.

Pêche – Parcours de pêche no kill sur les berges du gave d'Aspe.

Ski – D'oloron, vous accéderez facilement à la station la Pierre-Saint-Martin (voir ce nom).

Orthez

10 121 ORTHÉZIENS
CARTE GÉNÉRALE B3 – CARTE MICHELIN LOCAL 342 H2 – PYRÉNÉES-ATLANTIQUES (64)

À quoi font penser les toits d'Orthez ? À des jupes empesées sous lesquelles dépassent des jupons de dentelle. Coquetterie que peut bien se permettre une ancienne capitale. Celle du Béarn, avant Pau. Elle eut ses galants en son temps : Gaston VII Moncade, vicomte de Béarn, qui la choisit au 13e s. puis Gaston Phébus, qui y tint une brillante cour, après l'union du comté de Foix et du Béarn.

- **Se repérer** – En venant de Pau (40 km) par la N 117 qui longe le gave de Pau, on rencontre plusieurs usines et complexes industriels liés au développement des gisements de gaz naturel regroupés autour de Lacq.

- **Se garer** – À Orthez, garez-vous devant l'hôtel de ville ou près de l'église (payant).

- **À ne pas manquer** – Le pont Vieux ; le superbe panorama du haut de la tour Moncade ; le musée de l'Histoire du protestantisme béarnais.

- **Organiser son temps** – Il faut compter environ 3h pour faire le tour de la ville en visitant ses plus beaux édifices. Si vous êtes de passage à la fin du mois de juillet, participez à la feria d'Orthez, grand moment de fête.

- **Avec les enfants** – La Salique aux oiseaux, marais où l'on peut observer toute sorte d'oiseaux en liberté ; pour la détente : la base de loisirs (voir la rubrique « Sports & Loisirs » dans l'encadré pratique).

- **Pour poursuivre la visite** – Voir aussi Salies-de-Béarn, Sauveterre-de-Béarn, Château de Morlanne (voir Pau).

Se promener

LA VILLE COMTALE

Au temps de Gaston VII et de Phébus, Orthez ne s'ordonnait pas parallèlement au gave, comme aujourd'hui, mais suivant la perpendiculaire pont Vieux-château de Moncade. Aussi l'empreinte du passé subsiste-t-elle dans les rues du Bourg-Vieux, de l'Horloge et Moncade, bordées de demeures à portail parfois sculpté.

Église Saint-Pierre

Jadis reliée aux remparts de la ville, cette église du 13e s. servit de poste de défense, comme le prouvent les fenêtres-meurtrières dans le mur Nord. Plusieurs fois restaurée à la suite des guerres de Religion, elle fut agrandie au 19e s. Quatre belles **clés de voûte** sculptées ornent la nef.

Pont Vieux★

Ce pont défendu autrefois par une tour percée d'une porte couvrait l'entrée de la ville. La tour remplit encore son office en 1814, lors de la lutte contre Wellington. Vous apprécierez la très jolie **vue** sur le gave. Une autre façon d'avoir un bel aperçu du pont : la **balade en canoë** (5 km) qui vous permet de passer dessous !

Visiter

Musée Jeanne-d'Albret

Angle rue Roarie et rue du Bourg-Vieux - ℘ 05 59 69 14 03 - 10h-12h, 14h-18h - fermé janv., dim., lun. (nov.-mars) - 4,50 € (enf. 2 €).
Quelle chance pour l'office de tourisme de loger dans cette demeure du 16e s. ! Une tourelle octogonale met en valeur l'entrée principale donnant sur une cour pavée. Observez la toiture dont la forte pente est typique de la région.
Au premier étage, un musée retrace l'**histoire du protestantisme béarnais** (il ne s'agit pas d'un musée religieux) de la Réforme au début du 20e s., à l'appui de documents manuscrits, objets, médailles et maquettes. Une exposition claire sur un sujet complexe qui mérite qu'on s'y arrête.

> ### Le saviez-vous ?
>
> Le nom d'Orthez vient du latin *hortensis* (« pourvu de jardins »). Aujourd'hui, on pourrait presque dire d'Orthez qu'il est « pourvu de vignes » : lors du 600e anniversaire de la mort de Phébus, en 1991, des ceps ont été plantés autour de la ville. Ils produisent désormais chaque année des **vins rouges** et **blancs** commercialisés sous le nom de « Château Fébus » (appellation béarn-bellocq contrôlée).

Le pont Vieux et les anciens remparts d'Orthez.

Château Moncade

☎ *05 59 69 37 50 - juin-août : 10h-12h30, 15h-19h ; mai : w.-end et j. fériés 10h-12h30, 14h30,18h30 ; sept. : 10h-12h30, 14h30, 18h30 - 2 €.*

De la grandiose forteresse des 13ᵉ et 14ᵉ s., construite par Gaston VII (panneaux explicatifs à l'extérieur), il ne subsiste que la **tour**, à l'intérieur, une maquette permet de visualiser le château tel qu'il se présentait autrefois et une animation son et lumière fait revivre son histoire. Exposition sur la vie de Gaston Phébus et sur son *Livre de chasse* (reproductions). De la terrasse (à 33 m de hauteur) **vue** sur les toits d'Orthez.

Maison Chrestia

☎ *05 59 69 11 24 - www.francis-jammes.com - juil.-août : 10h-12h, 15h-18h ; reste de l'année : 8h45-12h45 - fermé j. fériés.*

C'est dans cette maison typiquement béarnaise du 18ᵉ s. que résida, de 1897 à 1907, le poète **Francis Jammes** (dont Brassens a emprunté la *Prière* pour la mettre en musique), avant de s'installer dans une autre habitation (en face de l'école communale) après son mariage. Depuis 1982, y siège l'Association Francis Jammes, qui a rassemblé quelques documents, souvenirs et ouvrages.

Aux alentours

Monument du Général Foy

3,5 km au Nord par la D 947.

Souvenir de la bataille d'Orthez au cours de laquelle Wellington triompha de l'armée Soult. De plus, le site est joli : belles fermes béarnaises aux grands toits à plusieurs pentes, vues lointaines vers les Pyrénées.

Salique aux oiseaux

À Biron, à 4 km au Sud d'Orthez, fléché. ☎ *05 59 67 14 22 - www.lasaligueauxoiseaux. com - de déb. juin à mi-sept. : tlj sf sam. 10h-18h ; de mi-sept. à fin mai : mer.-dim. 14h-18h - fermé sam., 1ᵉʳ janv., 25 déc. - 5 € (–12 ans 3 €).*

Dans ce parc de 24 ha comprenant un marais, les oiseaux que vous pourrez observer en suivant un **sentier de découverte** évoluent en liberté. Un musée abrite des animaux naturalisés et présente des panneaux explicatifs.

Mourenx

20 km au Sud-Est d'Orthez par la D 9.

En décembre 1951, lors d'une campagne de forages menée par la Société nationale des pétroles d'Aquitaine, la sonde « Lacq 3 » atteignit, à 3 550 m de profondeur, l'un des plus importants **gisements de gaz naturel** connus alors dans le monde. La cité fut construite au début des années 1960 pour loger les salariés du complexe de Lacq. Quelque peu insolite ces immeubles-tours cotoyant les coteaux béarnais.

Au Sud de la ville sur la D 281 (direction Navarrenx). Un **belvédère** est aménagé sur la colline. Du parc de stationnement, côté plaine du Gave, vue sur la zone industrielle. Côté montagne, vous découvrez au premier plan les coteaux béarnais, puis les Pyrénées centrales, du pic d'Anie au pic du Midi de Bigorre, et, plein Sud, la vallée d'Aspe.

Orthez pratique

Adresse utile

Office du tourisme d'Orthez – *Maison Jeanne-d'Albret* - ✆ 05 59 69 37 50 - *juil.-août : 9h-12h30, 14h-19h, dim. et j. fériés 10h-12h30 ; reste de l'année : tlj sf dim. et j. fériés 9h-12h, 14h-18h.* Demandez le livret « Béarn des Gaves » qui comprend un plan et la description d'un itinéraire pour découvrir Orthez, mais aussi Salies-de-Béarn, Sauveterre-de-Béarn et Navarrenx.

Visite

Visite guidée de la ville – En juil.-août, une visite commentée (2h30) est organisée par l'office de tourisme tous les jeudis à 10h (4,50 €).

Se loger

☞ Chambre d'hôte Costedoat – *64370 Hagetaubin - 15 km au NE d'Orthez par D 933 rte d'Hagetmau et à droite D 945 -* ✆ *05 59 67 51 18 -* 🖳 *- 4 ch. 20/30 €* 🖳. La vie à la ferme vous tente ? Cette adresse est pour vous. Le propriétaire vous propose même de l'aider dans ses tâches quotidiennes, à moins que vous ne préfériez le billard, le tennis ou la piscine. Chambres vastes et petit-déjeuner garni de confitures « maison ».

☞ Camping La Source – *Bd Charles-de-Gaulle - 1,5 km à l'E d'Orthez par N 117 et D 933 -* ✆ *05 59 67 04 81 - jeanmarie@wanadoo.fr - ouv. avr.-oct. -* 🖳 *- réserv. conseillée - 31 empl. 11 €.* Ce camping installé sur un site ombragé de 2 ha s'offre une cure de jouvence : de jolies terrasses retenues par des murs en pierre remplacent les prairies inclinées, les sanitaires bénéficient d'une rénovation, etc. Également sur place, 5 agréables chalets avec terrasse couverte et salon de jardin.

Se restaurer

☞ Auberge de l'Y – *18 r. des Jardins -* ✆ *05 59 69 96 00 - fermé 1 sem. en fév., 1 sem. en sept., dim. soir et lun. hors sais. - 9,20/21 €.* Dans cet établissement situé à deux pas du centre-ville, les prix des menus défient toute concurrence ! Certes, la cuisine reste simple et présentée sans chichi (un peu comme à la maison), mais les assiettes sont copieuses et le service est efficace et très sympathique.

☞ Auberge Saint-Loup – *20 r. du Pont-Vieux -* ✆ *05 59 69 15 40 - contact@auberge-saint-loup.com - 15 € déj. - 21/33 €.* Si cet ancien relais du 15ᵉ s. séduit toujours les pèlerins en route pour Compostelle, il aiguise aussi l'appétit des gastronomes du pays tant les plats du terroir, arrosés de gouleyants vins locaux, garnissent généreusement ses assiettes. Bel assemblage de pierres apparentes, briques et bois dans la salle à manger.

☞ Ferme-auberge Baron-Maisonnave – *40700 Castaignos-Souslens - 10 km au S d'Hagetmau, sur D 933 rte d'Orthez -* ✆ *05 58 89 08 10 - claude. maisonnave@libertysurf.fr - fermé 1 sem. vac. scol. de fév., 20 déc.-5 janv. et mer. -* 🖳 *- 11 € déj. - 15/23 €.* Roulez lentement sur le chemin qui mène à cette ferme-auberge, sinon vous risqueriez de traumatiser les volailles qui se promènent en toute liberté sur l'exploitation agricole ! Les anciennes grange et étable abritent désormais une salle à manger rustique. Dans l'assiette, recettes à base de canard et de poulet, mais aussi du veau élevé sous la mère. Conserves à emporter.

Que rapporter

Marché au gras – Nov.- mars : mar. 7h30-10h. Le marché au gras (oie et canard gras, foie gras…) est saisonnier et très réglementé : vous n'y trouverez que des palmipèdes élevés traditionnellement et gavés au maïs. Petit conseil : munissez-vous d'un sac isotherme pour préserver la fraîcheur du foie gras le temps du transport.

Sports & Loisirs

Randonnées – Un topoguide « 16 promenades et randonnées au pays d'Orthez » est en vente à l'office de tourisme (5 €).

Pêche – Une « carte vacances » est en vente à l'office de tourisme.

Les Canoës du Pont Vieux – ✆ *05 59 69 02 75 - tourisme.orthez@wanadoo.fr - s'adresser à l'office de tourisme - de mi-juil. au 20 août : tlj sf lun.* Location de canoës pour une balade familiale sur le Gave de Pau, l'après-midi entre 15h et 19h. Les départs se font au pont Vieux.

Base de loisirs – 🏊 *Rte de Biron - 3 km au SE d'Orthez par D 9 -* ✆ *05 59 67 08 31 - www.loisirs-orthez.com - mai, juin et sept. : w.-end et j. fériés 14h-18h ; juil.-août : 11h-19h.* Cet espace de jeux et de détente situé au bord du lac (40 ha) propose une multitude de loisirs : baignade surveillée, pédalos, bateaux tamponneurs, ski nautique, pêche, tennis, etc. Restaurant avec terrasse face au plan d'eau. Accès libre au site toute l'année et périodes d'ouverture variables selon les activités.

Centre équestre – *Rte de Mont-de-Marsan - 3 km au NE d'Orthez par D 933 à côté du lycée agricole -* ✆ *05 59 69 34 79 - tlj sf lun.* Ce centre équestre qui existe depuis près de trente ans est bien connu à Orthez. Il propose des cours, des stages ou des promenades d'une demi-heure, une heure ou plus, à travers la région.

Vallée d'**Ossau** ★★

CARTE GÉNÉRALE C4 – CARTE MICHELIN LOCAL 342 J 3/6 – PYRÉNÉES-ATLANTIQUES (64)

Amoureux de nature, vous allez être servis. Paysages revigorants de fraîcheur et de pureté, pics se reflétant dans le miroir des lacs, cascades et torrents de montagne. Pour parfaire la chose, vous pouvez regarder tournoyer les grands rapaces dans le ciel, apercevoir une timide marmotte au seuil de son terrier, ou même un isard aux sabots légers sauter de rocher en rocher. Bref, ne vous en privez sous aucun prétexte et tous les moyens seront bons : en voiture en petit train ou à pied.

▶ **Se repérer** – Dans le Sud du Béarn, se distinguent deux sommets aux formes hardies : le pic du Midi d'Ossau (alt. 2 884 m) et le pic d'Anie (alt. 2 504 m). Le célèbre col d'Aubisque (alt. 1 709 m) fait passer du Béarn en Bigorre.

Vous pourrez rejoindre la vallée d'Aspe au départ de Louvie-Juzon : 22 km séparent la D 934 de la N 134, par la D 918, ou plus bas, à Bielle : 21 km jusqu'à Escot par la D 294. Après Laruns, vous entrerez dans le haut Ossau. Il vous restera 29 km à parcourir pour atteindre le col du Pourtalet au Sud ou 18 km pour arriver au col de l'Aubisque à l'Est.

> ### Le saviez-vous ?
>
> La vallée d'Ossau était autrefois l'*Ursialensis vallis*, la « vallée aux Ours ». Il y a en d'ailleurs toujours quelques-uns qui parcourent cette région des Pyrénées. Mais rassurez-vous, les hommes ne les intéressent pas du tout !
>
> 👣 Pour en savoir plus, reportez-vous au chapitre « Nature » dans la partie « Comprendre la région » et à la Vallée d'Aspe dans la partie « Découvrir les sites ».

🅿 **Se garer** – Dans les petits villages les rues sont étroites, évitez donc de les traverser en voiture, garez-vous à l'extérieur sur les aires de stationnement.

👁 **À ne pas manquer** – Bielle et Béost dans le bas Ossau, le lac d'Artouste et le col de l'Aubisque dans le haut Ossau.

🕐 **Organiser son temps** – Si vous n'avez qu'une journée à consacrer à la vallée d'Ossau, il faudra choisir l'un des deux cols ! Autrement prévoyez de prolonger votre escapade d'un ou deux jours pour profiter de cet écrin verdoyant et vous accorder le temps d'une randonnée.

👫 **Avec les enfants** – La falaise au Vautours à Aste-Béon ; le petit train d'Artouste ; le lac du Castet et la Forêt suspendue à Eaux-Bonnes *(voir la rubrique « Sports & Loisirs » dans l'encadré pratique)*.

👣 **Pour poursuivre la visite** – Voir aussi Pau, Vallée d'Aspe, Oloron-Sainte-Marie, Sites de Bétharram.

Comprendre

Le **haut Ossau** appartient en grande partie au **Parc national des Pyrénées**. Créé en 1967 pour la protection de la nature, celui-ci dessine le long de la chaîne frontière, sur plus de 100 km, entre la vallée d'Aspe à l'Ouest et la vallée d'Aure à l'Est, une bande large de 1 à 15 km, entre 1 000 m et 3 298 m d'altitude (sommet du Vignemale). Il compte 45 700 ha, réserve naturelle de Néouvielle comprise. Le parc proprement dit

> ### Observer la nature
>
> Dans les vallées d'Ossau et de Cauterets, où ils sont le plus facilement visibles, le Parc donne asile à 4 000 isards ainsi qu'à plus de 200 colonies de marmottes. Il n'est pas exceptionnel d'apercevoir en vol des vautours fauves, des aigles royaux ou des gypaètes barbus dans ces régions des Pyrénées fréquentées encore par le coq de bruyère, le lagopède (perdrix des neiges) ou le desman dit des Pyrénées (petit mammifère aquatique).
>
> 👁 La chasse, la cueillette des fleurs, les feux, l'introduction des chiens y sont interdits ; en revanche, la pêche dans les gaves et dans les quelque 230 lacs du Parc (salmonidés) relève de la réglementation générale.

Parc national des Pyrénées

est enveloppé par une zone périphérique de 206 000 ha partagée entre 86 communes des départements des Hautes-Pyrénées et des Pyrénées-Atlantiques.

Le Parc vise à ranimer l'économie pastorale et les anciens villages et à protéger la faune et la flore pyrénéennes, tout en prévoyant l'accueil de tous les publics (notamment les personnes handicapées). Parc national français le plus visité, sa mission de préservation et de sensibilisation à cet environnement exceptionnel est continuellement réaffirmée à travers de mise en place de programmes d'aménagements.

La **Maison du Parc à Laruns** *(voir l'encadré pratique)* est un lieu incontournable : d'une part pour connaître le « mode d'emploi » du site afin de respecter sa réglementation, d'autre part pour se documenter sur les richesses naturelles du Parc (des fiches pour découvrir les mammifères ou les oiseaux, entre autres sont proposées).

Circuits de découverte

LE BAS OSSAU

70 km. Laruns est situé à 39 km au Sud de Pau par la D 934, mais ce circuit fait quelques crochets.

Rébénacq

C'est la porte d'entrée de la vallée d'Ossau. Pour découvrir ce village, suivez les sentiers de découverte : l'un au cœur de la **bastide**, l'autre offrant une vue d'ensemble.

Quitter Rébénacq par l'Ouest, D 936. Après 5 km, prendre à gauche la D 34.

Buzy

Ce petit village agricole est le point de départ de randonnées dans la vallée de l'Escou. En sortant du village remarquez le **dolmen**, sur la gauche.

Poursuivre sur la D 920.

Arudy

Ce bourg, le plus développé du bas Ossau, grâce à l'activité de ses carrières de marbre et de ses usines métallurgiques, compte quelques maisons 16e-17e s. Il conserve également, le long du canal, ses lavoirs du 19e s.

Maison d'Ossau – 05 59 05 61 71 - juil.-août : 10h-12h, 15h-18h ; janv.-juin et sept. : 14h-17h, w.-end et j. fériés 15h-18h ; vac. scol. fév. et Pâques : 15h-18h - fermé lun. (sf juil.-août), 1er mai. 2,50 €. installée au chevet de l'église dans une demeure du 17e s., la visite de ce musée vous permettra de mieux découvrir la région. Au sous-sol, plongez dans la préhistoire des Pyrénées avec, en particulier, une exposition relatant l'évolution de l'outillage. Les anciennes pièces d'habitation du rez-de-chaussée sont réservées au Parc national : géologie, faune et flore de la vallée d'Ossau. Dans les combles, exposition sur le berger ossalois et l'histoire de la vallée.

Rejoindre la D 934 et prendre en face.

Sainte-Colome

Sur le chemin de Saint-Jacques-de-Compostelle, il faut s'y arrêter pour l'**église** du 16e s. et la **maison forte** qui serait la plus ancienne de la vallée. Derrière l'église un chemin donne accès à une butte surmontée de trois croix : de là jolie vue panoramique (on distingue les ruines du château du 12e s.).

Revenir à la D 934.

Louvie-Juzon,

L'**église** (16e s.) présente un clocher de pierre en forme de calice renversé. À l'intérieur, vous vous attarderez sur les chapiteaux et les clefs de voûte sculptées. Au-delà du pont apparaît le pic du Midi d'Ossau.

Poursuivre sur la D 240.

Castet

Depuis l'abreuvoir, montez à l'église romane remaniée pour le point de vue sur le **donjon** *(propriété privée)*, seul vestige du château du 13e s., sur le lac, et Bielle, sur le versant d'en face.

Revenir à la D 934 au rond-point de Bielle, suivre le fléchage.

En toute saison, vous apprécierez les sentiers de découverte de l'**Espace naturel du Castet**. De juin à septembre, diverses activités et animations sont proposées.

Bielle★

L'ancien chef-lieu de la vallée, partagé en deux quartiers par un torrent affluent du gave d'Ossau, a conservé une certaine dignité de petite capitale assoupie. De belles

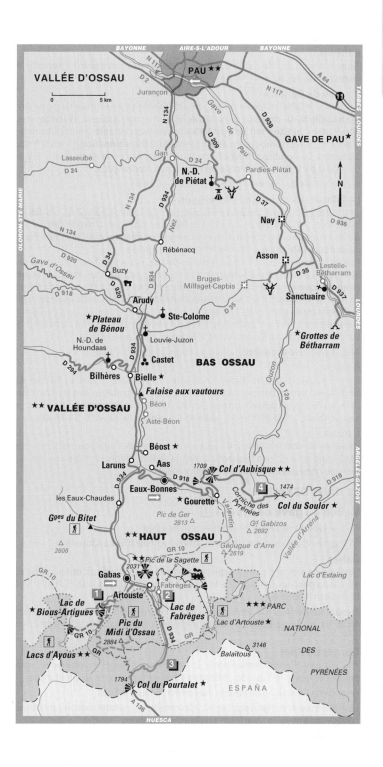

VALLÉE D'OSSAU

0   5 km

BAYONNE   AIRE-S-L'ADOUR   BAYONNE

PAU ★★

Jurançon

OLORON-STE-MARIE

TARBES

LOURDES

Gave de Pau

N 117

A 64

Gan

Lasseube

D 24

N 134

D 209

N 134

D 2

N 117

D 938

GAVE DE PAU ★

N

D 24

N.-D.
de Piétat

Pardies-Piétat

D 37

Nay

D 936

N 134

Rébénacq

Asson

Lestelle-
Bétharram

D 920

D 34

Buzy

D 920

Gave d'Ossau

D 918

D 934

Nez

Bruges-
Milfaget-Capbis

D 35

D 35

Sanctuaire

Arudy

D 937

LOURDES

★ Plateau
de Bénou

Ste-Colome

N.-D. de
Houndaas

Louvie-Juzon

★ Grottes de
Bétharram

D 294

D 934

Castet

BAS OSSAU

Bilhères ○ Bielle ★

Ouzon

D 126

★★ VALLÉE D'OSSAU

▲ Falaise aux vautours

Béon

Aste-Béon

Béost ★

Laruns ○ Aas

1709 ★ Col d'Aubisque ★★

D 934

D 918

Corniche des
Pyrénées

D 918

ARGELÈS-GAZOST

Eaux-Bonnes

1474

les Eaux-Chaudes

★ Gourette

Col du Soulor ★

Pic de Ger
2613 △

Valentin

Gd Gabizos
△ 2692

Vallée d'Arrens

Gges du Bitet

△
2608

★★ HAUT   OSSAU

Géougue d'Arre
△ 2619

Lac d'Estaing

GR 10

★★ Pic de la Sagette

GR 10

2031

Gabas

GR 10

Fabrèges

Artouste

1   Lac de
★ Bious-Artigues

2   Lac de
Fabrèges

★★★ PARC

Lac d'Artouste ★

NATIONAL

Pic du
Midi d'Ossau

GR 10

2884 △

D 934

GR

3146 △
Balaïtous

DES

Lacs d'Ayous ★★   GR

3

PYRÉNÉES

1794   ★ Col du Pourtalet ★

A 136

ESPAÑA

HUESCA

maisons des 15e-16e s. aux décors sculptés subsistent dans le quartier rive droite, entre la route nationale et **l'église**, dont vous admirerez les colonnes en marbre. Côté rive gauche, se trouve le château bâti par le marquis de Laborde (1724-1794), banquier attitré de Louis XV.

Prendre à l'Ouest la D 294 vers Bilhères.

Bilhères

Promenez-vous dans le centre du village : certaines maisons montrent des raffinements hérités des 16e et 17e s. (clés décoratives au cintre des portes).

Plateau de Bénou★

Au-dessus de Bilhères, la vue s'étend, au Sud, jusqu'aux roches grises du pic de Ger. La **chapelle N.-D.-de-Houndaas** *(lieu de halte aménagé)* apparaît, à l'abri de deux tilleuls, dans un **site★** rafraîchi par les eaux nées d'importantes sources. La route débouche dans la combe pastorale du Bénou où la **transhumance** a lieu à la fin du printemps. De nombreux troupeaux montent alors sur ces hauteurs pour y passer l'été. De là partent des randonnées et un parcours d'orientation.

Revenir à Bielle et remonter le gave en direction de Laruns.

La falaise aux Vautours à Aste-Béon

🕾 05 59 82 65 49 - www.falaise-aux-vautours.com - juin-août : 10h30-12h30, 14h-18h30 ; mai et sept. : 14h-18h ; avr. et vac. scol. fév., Toussaint, Noël : 14h-17h - 6 € (enf. 5 €).

👥 À l'entrée du village de Béon, un espace muséographique consacré à une colonie de vautours a été aménagé au pied d'une falaise calcaire.

Point d'aigle royal ici, c'est le petit cousin pauvre, le vautour fauve, qui est le roi de la fête. La falaise aux Vautours le met en scène dans tous ses états. Un **écran panoramique** retransmet en direct les évolutions des vautours fauves qui nichent en haut de la falaise : parade nuptiale, construction des nids, couvaison de l'œuf unique, becquée et envol des petits.

Vous pourrez également parfaire ici votre culture sur le pastoralisme, la faune et la flore locales ou découvrir des contes et légendes de la vallée d'Ossau.

Avant Laruns, prendre à droite.

Béost★

Rendez-vous ici pour une chasse aux trésors… Les trésors, ce sont les **linteaux de portes** que vous déchiffrerez au long du parcours d'interprétation. Rendez-vous également à l'église qui possède un beau portail. Attenant, le **château** est une ancienne abbaye laïque. *🕾 05 59 05 30 99 - visite uniquement sur RV 10h-12h, 15h-18 - gratuit.*

Laruns

Village de services (tous commerces), vous pourrez y faire étape pour vous informer à la Maison de la vallée d'Ossau et à la Maison du Parc national des Pyrénées *(voir la rubrique « Adresses utiles » dans l'encadré pratique).*

LE HAUT OSSAU★★

Vallée du gave de Bious★ 1️⃣

15 km en voiture au départ de Gabas, et marche à pied.

En chemin, vous traverserez la petite station thermale d'**Eaux-Chaudes**.

Gabas

Ce village de montagne, blotti au pied des torrents descendus du pic du Midi d'Ossau, est connu pour ses fromages de brebis. Sa **chapelle** du 12e s. a fait l'objet d'une décoration moderne.

Prendre au Nord la D 934. 2 km après Gabas, au « Chêne de l'Ours », vue sur le pic du Midi d'Ossau. 3 km plus loin, un large chemin forestier part sur la gauche, juste avant le pont sur le Bitet.

Gorges du Bitet

🚶 *1h à pied AR par le chemin forestier.* En remontant ces gorges très ombragées, vous profitez de très jolies cascades. Attention, conduite forcée en fin de promenade.

Revenir vers Gabas que l'on traverse, puis prendre à droite la D 231.

La route *(ouverte de mai à octobre selon les conditions)*, en forte montée, aboutit au barrage qui a noyé l'*artigue* (« terrain défriché ») de Bious.

Lac de Bious-Artigues★

À proximité du barrage *(rive gauche)*, les **vues★** se dégagent sur les pics d'Ayous et du Midi d'Ossau dont les parois passent au coucher du soleil par toutes les nuances des rouges et des violacés.

🚶 *1h.* Vous pourrez faire le tour du lac.

Pic du Midi d'Ossau

Alt. 2 884 m. Sa cime en forme de croc, identifiable dès l'arrivée à Pau, tranche avec le style des crêtes pyrénéennes généralement découpées avec plus de finesse que de vigueur. Les contreforts Est sont le domaine d'un millier d'isards.

🐾 Tour du pic au départ de Bious-Artigues *(voir la rubrique « Sports & Loisirs » dans l'encadré pratique).*

Lacs d'Ayous★★

🐾 *Montée 2h30, descente 1h30 (dénivellation : 560 m). Suivre les pancartes du Parc national et le balisage rouge-blanc du GR 10.* Du refuge d'Ayous, **vue★★★** grandiose sur le pic du Midi se reflétant dans le lac.

Le lac d'Ayous au printemps entouré de cimes encore enneigées.

Vallée du Soussouéou★ 2

Compter 4h. Cette excursion combine la télécabine de la Sagette, partant de la rive droite du lac de Fabrèges, et le chemin de fer du lac d'Artouste.

Montée en télécabine à la Sagette

📞 *05 59 05 36 99 - juil.-août : 8h30-20h (durée 15mn) ; juin et sept. : 9h30-18h - 6 € (enf. 4,20 €) - possibilité de billet combiné avec le petit train.*
De la station supérieure (alt. 1 950 m), la **vue★★**, plongeant sur l'ancienne vallée glaciaire du gave de Brousset (noyée en partie par la retenue de Fabrèges) ne se détache guère de la silhouette du pic du Midi d'Ossau.

🐾 *1h AR.* Montez jusqu'à la table d'orientation du **pic de la Sagette★★**.

De la Sagette au lac d'Artouste

📞 *05 59 05 36 99 - www.trainartouste.com - excursion (3h30) juil.-août 9h-17h (ttes les 30mn), juin et sept. 10h-15h (ttes les heures) - 17,30 € télécabine et train AR (4-12 ans 13 €).*
👥 Le **petit train** serpente à flanc de montagne, sur un parcours de 10 km, à 2 000 m d'altitude. Il offre des **vues★** plongeantes sur la vallée du Soussouéou, 500 m en contrebas.

🐾 *30mn AR. Du terminus (arrêt limité à 1h30),* un sentier mène au **lac d'Artouste★**. Un barrage a rehaussé le plan d'eau du lac qui baigne les pentes granitiques d'un cirque dont les sommets approchent les 3 000 m.

Vallée du gave de Brousset 3

15 km au départ de Gabas, par la D 431.

La route longe les centrales de Fabrèges et d'Artouste, puis s'élève pour arriver au niveau de la retenue de Fabrèges. En avant se dégagent les flancs du **pic de Soques**, très tourmentés. La route escalade un verrou et débouche dans le **cirque d'Anéou**.

Col du Pourtalet★

Le col du Pourtalet reste généralement obstrué par la neige de novembre à juin.
Alt. 1 794 m. **Vue★** sur l'immense cirque pastoral d'Anéou, tout pointillé de moutons en été, et sur le pic du Midi d'Ossau.

C'est dans le cadre grandiose du col d'Aubisque que de nombreux exploits se sont réalisés pendant la Grande Boucle du Tour de France.

La vallée du Valentin★ ④

Eaux-Bonnes

Cette station thermale, au fond de la vallée boisée du Valentin, procure les bienfaits de cures que le grand médecin béarnais **Théophile de Bordeu** orienta vers les affections des voies respiratoires *(voir p. 44)*. On peut de nos jours venir s'y détendre après une journée de ski *(voir la rubrique « Sports & Loisirs » dans l'encadré pratique)*.

Les « promenades », tracées au 19ᵉ s. sur les dernières pentes boisées, témoignent du sens raffiné de la nature et du confort régnant à l'époque. L'esplanade du **jardin Darralde**, autour duquel des hôtels affichent un décor caractéristique du Second Empire thermal, est un bon moyen de s'imprégner de l'ambiance locale.

Prendre à gauche vers Aas.

Aas

Village typiquement ossalois avec ses rues étroites en pente raide. Quelques-uns de ses habitants pratiquent encore le langage sifflé *(voir p. 84)*, qui permettait jadis aux bergers de communiquer entre eux dans la vallée jusqu'à une distance de 2,5 km. Ce type de langage est également utilisé dans l'île de la Gomera aux Canaries, dans les villages de la vallée de Göreme en Turquie et au Mexique chez les Indiens mazatèques et zapotèques. Mieux que le morse.

Au **pont d'Iscoo** (cascade), la route franchit le Valentin et attaque la montée à flanc de montagne. Si vous passez aux premières heures de la matinée ou en fin d'après-midi, vous assisterez à de superbes jeux de couleurs sur le massif du **pic de Ger**.

Gourette★

Important centre de sports d'hiver *(voir la rubrique « Sports & Loisirs » dans l'encadré pratique)*, Gourette doit son existence au Palois **Henri Sallenave** qui, dès 1903, y effectua les premières descentes à skis des Pyrénées. Bien que des championnats internationaux s'y déroulent chaque année depuis 1908, la station ne voit le jour qu'en 1930.

Le site lui-même vaut le détour : les immeubles se nichent en pleines Pyrénées calcaires, dans un **cirque** marqué par les strates du pic de Ger.

Col d'Aubisque★★

Généralement obstrué par la neige de novembre à juin. Croisements difficiles sur la partie de la route en corniche, après le

---

La petite reine dans le « cercle de la mort »

Le **col d'Aubisque**, peuplé d'ours, est au début du siècle sagement évité par les gens du cru. Le Tour de France n'en est alors qu'à ses balbutiements ; il se fait les dents hors des zones montagneuses, et les Pyrénées ne sont intégrées au Tour qu'en 1910. Depuis, beaucoup d'aventures ont eu lieu au col d'Aubisque. La route de la corniche est un beau morceau de bravoure : chaleur étouffante, à-pic vertigineux valent à chacun claquages musculaires mais également acclamations de la foule venue en masse de la France entière et d'Espagne encourager le Maillot jaune. En 1951 et 1952, deux coureurs passent par-dessus le parapet : 30 m de chute. Et rien. Quelques bleus, quelques bosses. Le « cercle de la mort » protégerait-il les amoureux de la petite reine ?

col d'Aubisque (route très étroite). Entre le col et le département des Hautes-Pyrénées, la circulation est alternée toutes les 2h.

🐾 *15mn jusqu'à l'émetteur, depuis le parking.* Alt. 1 709 m. Rendu illustre par le passage du Tour de France cycliste, il offre, du mamelon Sud, un **panorama**★★ saisissant sur le cirque de Gourette.

Après le col, la D 918, taillée en coniche, procure de belles vues sur la **vallée de Ferrières** et au-delà sur la plaine béarnaise. La route domine ensuite de plusieurs centaines de mètres le **cirque du Litor** : c'est la corniche des Pyrénées, un des passages les plus saisissants du parcours et l'une des réalisations routières les plus hardies du 19e s.

Col du Soulor★
Alt. 1 474 m. Au loin, au-delà de la vallée d'Azun, s'élèvent le **pic du Midi de Bigorre** et, plus à gauche, le **pic de Montaigu**. Des arêtes gazonnées hérissées de fines pointes composent les premiers plans d'un vaste paysage montagnard.

Vallée d'Ossau pratique

Adresses utiles

Parc national des Pyrénées – *59 rte de Pau - 65000 Tarbes -* 𝄞 *05 62 44 36 60 - www.parc-pyrénées.com*

Maison du Parc de la vallée d'Ossau – *64440 Laruns -* 𝄞 *05 59 05 41 59 - juil.-août : 9h-12h, 14h-18h ; reste de l'année : tlj sf dim. et lun. 9h-12h, 14h-18h.* Elle donne des informations sur la flore et la faune du parc, les randonnées en montagne et présente diverses expositions permanentes ou temporaires, ainsi que des films ou documents multimédias.

Office de tourisme de Laruns – *Maison de la vallée d'Ossau -* 𝄞 *05 59 05 34 41 - juil.-août : 9h-12h30, 14h-18h30, dim. 9h-12h, 14h-18h, j. fériés 9h-12h ; juin et sept. et vac. scol. Noël et hiver : tlj sf j. fériés 9h-12h, 14h-18h, dim. 9h-12h ; reste de l'année : lun., ven., sam. 9h-12h, 14h-18h, mar., mer., jeu. et dim. 9h-12h.*

En saison, le **Point Info Montagne** vous renseigne sur les activités et effectue les réservations auprès des professionnels de la vallée d'Ossau. 𝄞 *05 59 05 48 94.*

Office du tourisme d'Arudy – *Pl. de l'Hôtel-de-Ville -* 𝄞 *05 59 05 77 11 - www.ot-arudy.fr - juil.-août : 10h-12h, 14h-18h ; vac. scol. sf été : 10h-12h, 14h-16h ; reste de l'année : mar. 10h-12h, 14h-16h, sam. 10h-12h - fermé dim. et j. fériés.*

Office du tourisme d'Artouste-Fabrèges – *Maison de Fabrèges -* 𝄞 *05 59 05 34 00 - juil.-août : 9h-12h, 14h-18h ; juin et sept. : 10h-12h, 14h-17h ; reste de l'année : se renseigner.*

Office du touriqme de Gourette – *Pl. Sarrière -* 𝄞 *05 59 05 12 17 - www.gourette.com - juil.-août : 9h-12h30, 13h30-17h30 ; de mi-nov. à fin avr. : 9h-17h30.*

Se loger

REFUGES DU PARC

Parmi les refuges du Parc national, il faut distinguer les refuges gardés, qui ne sont ouverts que de mi-juin à mi-septembre, et les refuges non gardés (10 places en général). Tous sont destinés aux randonneurs de passage. Dans les refuges gardés, on mange ses propres provisions ou le repas préparé par le gardien. En été, les refuges gardés, dont la capacité d'accueil est limitée (30 à 40 places), sont pris d'assaut. Il est donc préférable de réserver à l'avance. Leur liste avec numéros de téléphone est disponible auprès du Parc national des Pyrénées.

Refuge d'Ayous (1 980 m) – 𝄞 *05 59 05 37 00.* 50 pl. Géré par le Parc national des Pyrénées.

Refuges gérés par le Club alpin – *Service du Patrimoine bâti - 23 r. Renan - 69007 Lyon -* 𝄞 *04 37 27 10 47.* Les refuges n'appartenant pas au Parc national des Pyrénées sont en général gérés par la Fédération des clubs alpins français.

CAMPING

Le camping est interdit dans le Parc national, mais le bivouac est toléré (uniquement pour la nuit ou en cas d'intempéries, on peut monter une petite tente, à condition d'être à plus d'une heure de marche de tout accès motorisé, tolérance 19h-9h). Les offices de tourisme et syndicats d'initiative mettent à la disposition des touristes la liste des campings à proximité du Parc national.

AUTRES HÉBERGEMENTS

🛏 **Chambre d'hôte La Casa Paulou** – *6 r. du Bourg-Neuf - 64440 Laruns -* 𝄞 *05 59 05 35 98 - casa.paulou@cegetel.net -* 🍴 *- 5 ch. 35/42 €* 🍽. Cette ferme du bourg abrite des chambres fonctionnelles toutes identiques ; celles avec mezzanine conviennent aux séjours familiaux. L'ex-bergerie convertie en salle des petits-déjeuners a conservé ses murs en pierres et mangeoires d'origine. L'accueil est à l'image de cette maison, simple et chaleureux.

🛶 **Camping Les Gaves** – *64440 Laruns - 1,5 km au SE par rte du col d'Aubisque et chemin à gauche - ☎ 05 59 05 32 37 - campingdesgaves@wanadoo.fr - 101 empl. 14 €.* Ce camping fort bien tenu bénéficie d'un bel emplacement entre des lacs et des cascades. Location de chalets en bois, très agréables, aménagés dans un espace ombragé et sans véhicules… Un véritable havre de paix !

🛶🛶 **Chambre d'hôte M. et Mme Asnar** – *4 av. Georges-Messier - 64260 Izeste - ☎ 05 59 05 71 51 - www.vallee-ossau.com/hebergement/asnar - fermé 2 sem. en oct. - 📵 - 3 ch. 43 € 🍽.* Un délicieux jardin fleuri et arboré entoure cette belle maison en pierre du pays. La propriétaire y a aménagé un gîte et trois chambres en rez-de-chaussée avec entrée indépendante. Elles sont toutes différentes, meublées simplement, et offrent un véritable confort.

Se restaurer

🛶 **France** – *1 pl. de l'Hôtel-de-Ville - 64260 Arudy - ☎ 05 59 05 60 16 - fermé mai et sam. sf sais. et vac. scol. - 12,30/22 €.* L'hôtel de France accueille d'une année sur l'autre sa fidèle clientèle de gourmands dans une belle salle à manger rustique agrémentée d'une imposante cheminée. En cuisine, le chef a remis cent fois l'ouvrage sur le métier pour mijoter ses petits plats traditionnels. Chambres simples mais bien tenues.

🛶 **L'Amoulat** – *64440 Gourette - ☎ 05 59 05 12 06 - chalet.hotel.amoulat@wanadoo. fr - fermé 16 sept.-14 juin et 1ᵉʳ avr.-19 déc. - 15/21 € - 12 ch. 48/58 € - 🍽 7 €.* Mobilier robuste et belle collection d'assiettes anciennes président au décor rustique de ce sympathique chalet idéalement situé sur la route du col de l'Aubisque. La cuisine du chef, qui panache saveurs régionales et touches actuelles, flatte joliment les papilles. Chambres d'esprit montagnard.

Que rapporter

Miellerie de la Montagne Verte – *À Aàs - 2 km au N sur D 918, rte du col d'Aubisque - 64440 Eaux-Bonnes - ☎ 05 59 05 34 94 - philippe.haist@wanadoo.fr - 10h-12h, 15h-18h30.* Cette miellerie est implantée dans un site panoramique exceptionnel. Les apiculteurs vous feront découvrir la vie des abeilles à travers la visite du petit musée, avant de vous emmener déguster les spécialités issues de la ruche (pains d'épice, miels, bonbons…) dans la boutique attenante.

Fromagerie Pardou – *Rte de Laruns - 64260 Gère-Bélesten - ☎ 05 59 82 60 77 - www.fromagerie-pardou.com - tlj sf mer. apr.-midi et dim. 9h-12h, 14h-19h - fermé 1 sem. en avr.* Cette fromagerie de la vallée d'Ossau est installée dans un site atypique : elle occupe en effet un ancien tunnel de la SNCF racheté par Christian Pardou en 1990. Il y affine les produits que lui confient de nombreux bergers de la région. Visites possibles des caves et dégustation des fromages à la boutique.

Sports & Loisirs

DANS LE PARC NATIONAL DES PYRÉNÉES

Activités dans le Parc national des Pyrénées – Plus de 350 km de sentiers tracés et balisés (topoguide en vente à la Maison du Parc).

Le sentier de grande randonnée (GR 10) traverse le Parc national par endroits.

Gardes-moniteurs du Parc national des Pyrénées – *Renseignements au siège du Parc national et dans les Maisons du Parc.* Sorties à thème à la journée ou demi-journée en juil.-août. « Points-rencontre » au long des sentiers.

DANS LA VALLÉE D'OSSAU

OÙ FAIRE DU SKI ?

Domaine skiable de Gourette – Alt. 1 400-2 450 m. 13 remontées mécaniques, 25 pistes. La glisse version Gourette, ce sont 30 km de pistes dont certaines prennent naissance à 2 400 m. Située au cœur d'un environnement privilégié, Gourette vous invite à quitter un temps les pistes damées pour vous rendre hors des sentiers battus, à pied ou en raquettes pour une randonnée sportive ou une balade en famille.

Station sportive, Gourette accueille régulièrement des compétitions internationales de ski comme de surf. En mars se déroule le « Pyrenea Triathlon » (course à pied, à vélo et à ski de randonnée entre Pau et Gourette).

Domaine skiable d'Artouste – Alt. 1 400-2 100 m. 9 remontées mécaniques. 15 pistes. Cette petite station familiale offre 25 km de pistes et est équipée pour les amateurs de nouvelles glisses.

ACTIVITÉS DE MONTAGNE

Randonnées – Le topoguide de la vallée d'Ossau, qui comprend 30 itinéraires, est en vente dans les offices de tourisme (7 €).

Bureau des guides et accompagnateurs de la vallée d'Ossau – *2 r. Barteque - 64440 Laruns - ☎ 05 59 05 33 04 - www. guides-montagne-pyrenees.com* Contactez-les pour toutes vos sorties en montagne, escalade, ascension de sommet, descente de canyon, randonnée, raid à ski, cascade de glace, etc. Leur connaissance de la montagne est précieuse.

CAF de Pombie – *65 Bious-Artigues - ☎ 05 59 27 71 81 - clubalpin-pau@wanadoo.fr - juin-sept. - 12,50 € la nuitée (enf. 3,12 €).* Pour randonneurs très entraînés, tour du pic au départ de Bious-Artigues (balisé comme variante du GR 10). Nous vous invitons à le couper par une nuit au refuge CAF de Pombie.

Via ferrata de Siala – *64440 Gourette - ☎ 05 59 05 33 04.* Chemin suspendu équipé d'échelles et protégé par des câbles, la via ferrata permet aux randonneurs sportifs de découvrir l'univers vertigineux de la paroi de montagne. Celle de Siala propose plusieurs itinéraires (facile à très difficile). Se renseigner à l'office de tourisme pour un guide.

AUTRES ACTIVITÉS

Lac de Castet – 👥👤 - *D 934 - 64260 Bielle - ☎ 05 59 82 64 54 - mai et oct. : w.-end ; juin et sept. : 9h-19h ; juil.-août : 9h-21h.* Nombreuses activités proposées, pour la plupart familiales : raft, canyoning, bouées, promenades en barques ou en canoës, etc. Espace muséographique à la Maison du lac, aire de jeux pour les enfants et tables de pique-nique.

La Forêt suspendue – 👥👤 - *64440 Eaux-Bonnes - ☎ 06 89 87 26 66 - www. foretsuspendue.com - juil.-août : 10h-18h ; fin mai et juin : w.-end 14h-18h.* L'aventure est garantie dans ce parc proposant 60 jeux aériens, 3 parcours sensations, un parcours vertige et un super vertige (17 m de haut), une grande tyrolienne de 200 m de haut et un parcours pour les enfants dès 3 ans. Pique-nique possible et buvette.

Traqueurs de vagues – *64260 Bilhères - ☎ 05 59 82 64 32 ou 06 17 55 19 32 - journée 40 €, 1/2 journée 25 €.* Pour pratiquer rafting, canoë et kayak dans la vallée d'Ossau. Fred Ballanger propose 2 parcours de 20 km : « initiation » pour découvrir la vallée en appréhendant les techniques de navigation en eaux vives, et « sportif » avec rapides et sauts de barrages... avis aux amateurs !

Thermes d'Eaux-Bonnes – *R. Dr-Greignou - 64440 Eaux-Bonnes - ☎ 05 59 05 34 02 - thermes.eaux.bonnes@wanadoo.fr - fermé de mi-oct. à mi-mai.* Après le ski, rien de mieux qu'une petite séance de remise en forme (douche au jet, sauna, bain) aux thermes d'Eaux-Bonnes. Rens. à l'office du tourisme de **Gourette**.

Événements

🎭 Deux manifestations à ne pas manquer pour apprécier la tradition pastorale : début juillet, la **Fête de la transhumance** et, en octobre, la **Foire au fromage** à Laruns (*voir p. 53-54*).

Pau★★

78 732 PALOIS
CARTE GÉNÉRALE - C4 CARTE MICHELIN LOCAL 342 J3 – SCHÉMA P. 259
PYRÉNÉES-ATLANTIQUES (64)

C'est la ville natale d'Henri IV et la plus élégante des cités de la bordure pyrénéenne. Même si elle n'a pas la grandiloquence d'un Versailles, elle porte son royal passé avec sobriété et raffinement, dont le château est la pierre angulaire. Pau n'en a pas pour autant le nez dans le passé et, héritage de sa colonie britannique, elle est sportive, intellectuelle et culturelle.

Henri IV vous accueille au château.

▶ **Se repérer** – Pau se trouve sur l'A 64, qui relie Biarritz à Toulouse, ainsi que sur la ligne de TGV Bordeaux-Tarbes. La ville est également desservie par un aéroport qui la relie à Paris et à Lyon par des vols réguliers.

🅿 **Se garer** – Parkings : place Clemenceau dans le centre-ville, place Recaborde dans le quartier du Hédas (près du château), cours Bosquet (près du musée des Beaux-Arts). Les places sont rares et très prisées dans le quartier ancien.

👁 **À ne pas manquer** – Le panorama depuis le boulevard des Pyrénées ; le château ; le portail de l'église romane de Sainte-Foy à Morlaàs ; les chapiteaux historiés de la cathédrale Notre-Dame à Lescar.

🕐 **Organiser son temps** – La visite de Pau et de ses environs mérite que l'on y consacre au moins deux jours. En été, diverses manifestations culturelles en plein air animent la ville.

👫 **Avec les enfants** – Le Haras national de Gélos ; la Cité des Abeilles à St-Faust ; le zoo d'Asson ; la confiserie de Francis Miot *(voir la rubrique « Que rapporter » dans l'encadré pratique)* ; pour la détente : la base de loisirs Les Ô Kiri et Cheval Détente sur les berges du Gave *(voir la rubrique « Sports & Loisirs »)*.

👣 **Pour poursuivre la visite** – Voir aussi Oloron-Sainte-Marie, Vallée d'Ossau, Sites de Bétharram, Château de Montaner.

Comprendre

C'est une modeste palissade (*pau* en langue d'oc) défendant le poste fortifié, premier état de la ville, qui lui a donné son nom.

Gaston Phébus – Il dote Pau d'une enceinte et jette les bases du château actuel. Il y séjourne souvent. En 1450, Pau devient capitale du Béarn, après Lescar, Morlaàs et Orthez. Modeste capitale à vrai dire : les jours où se tiennent les États, une partie des députés ne peuvent trouver de logis et doit coucher à la belle étoile !

La « Marguerite des Marguerites » – En 1527, Henri II d'Albret, roi de Navarre, seigneur souverain du Béarn, comte de Foix et de Bigorre, prend pour épouse la savante Marguerite d'Angoulême, sœur du roi François Ier. Elle transforme le château dans le goût de la Renaissance et crée de somptueux jardins où sont jouées des pastorales de sa composition.

Une « dame de fer » – Jeanne d'Albret (fille de Marguerite) mariée à Antoine de Bourbon, bien que portant le futur Henri IV, accompagne son mari qui se bat en Picardie contre Charles Quint. Quand le terme approche, elle revient à Pau pour que l'enfant y naisse. Dix-neuf jours de carrosse, et sur quels chemins ! Comme le lui a recommandé son père Henri, Jeanne d'Albret chante en béarnais pendant les douleurs d'enfantement afin que l'enfant ne soit « ni pleureux ni rechigné »…

L'enfance de Henri de Navarre – Il passe sa « jeunesse paysanne » au château de Coarraze, près de Pau, puis est envoyé étudier à Paris. C'est sa mère, convertie au protestantisme, qui, pendant ce temps, maintient les Palois sous une férule austère. Fini l'aimable fantaisie du règne précédent. Plus de fêtes brillantes, plus d'arbres de mai, plus de danses ni de jeux. Les églises sont transformées en temples, les sculptures brisées, les prêtres emprisonnés ou pendus, les catholiques traqués. Après la mort de Jeanne d'Albret, c'est la sœur d'Henri, Catherine, qui devient régente du Béarn, pendant que son frère fait campagne. Elle poursuit l'aménagement du château et en embellit les jardins.

Pau mania – À partir de la monarchie de Juillet, Pau compte des résidents anglais, dont certains anciens officiers attachés au pays pour y avoir combattu en 1814. Ce n'est toutefois qu'en 1842 qu'un médecin écossais, le docteur **Alexander Taylor** (1802-1879), préconise la cure hivernale à Pau, par un ouvrage rapidement traduit dans la plupart des langues européennes. Le succès en est éclatant auprès des malades. La colonie donne une impulsion décisive au sport : *steeple-chase* (1841) – le parcours de Pont-Long est l'un des plus redoutables d'Europe avec Liverpool –, golf (1856, premier terrain du continent), chasse au renard (1842), encore pratiquée aujourd'hui. La ville climatique devient ainsi la première station touristique.

La ville anglaise – Les Anglais se font construire à Pau de somptueuses villas sur le pourtour du centre-ville. Chacune, de style plutôt éclectique, possède parc et dépendances : serres et écuries sont deux éléments essentiels à la vie britannique. Aujourd'hui, on peut apercevoir ces villas, pour la plupart privées, en parcourant le quartier Trespoey, à l'Est.

Une ville verte – La moitié de la ville est recouverte d'espaces verts (750 ha) ! Du parc du château qui rejoint le golf de Billère *(à l'Ouest)* au parc de Beaumont *(à l'Est)*, en passant par les jardins Renaissance du château, les jardins contemporains au pied de l'hôtel du département, les jardins Johanto sur les contreforts du boulevard des Pyrénées, (pour ne citer que les plus importants), vous verrez des essences rares et exotiques qui ajoutent au charme de Pau.

Consultez le guide « Parcs et jardins », voir l'encadré pratique.

Se promener

Un funiculaire relie la haute ville à la ville basse (voir la rubrique « Transport » dans l'encadré pratique). Autrement possibilité de prendre l'ascenseur de la Tour de la Monnaie (pour rejoindre le château) et celui de l'Hôtel du Département (pour rejoindre le boulevard des Pyrénées).

Boulevard des Pyrénées★★ (E2)

C'est Napoléon Ier qui fit ouvrir la **place Royale**. Ensuite, sous l'impulsion des Anglais en villégiature, elle fut prolongée en véritable terrasse au-dessus de la vallée. Le boulevard des Pyrénées (long de 1 800 m) fut construit à la fin du 19e s. Il offre une magnifique vue sur la chaîne des Pyrénées. Au-delà des coteaux de Gelos et de Jurançon, le **panorama★★★** s'étend du pic du Midi de Bigorre au pic d'Anie *(les*

En arrivant à Pau, rendez-vous sur le boulevard des Pyrénées.

Stéphane Sauvignier / MICHELIN

plaques apposées sur la balustrade désignent les sommets en vis-à-vis avec leurs altitudes respectives). Le pic du Midi d'Ossau se détache parfaitement. Par temps clair, surtout le matin et le soir et en période hivernale, le spectacle est d'une grande beauté.

Le boulevard domine des jardins en terrasses qui relient haute et basse villes par les sentiers du Roy. À son extrémité se trouve le **parc Beaumont** (F2), avec de nombreuses essences d'arbres, une belle roseraie, un lac et le casino municipal (dans l'ancien palais d'Hiver 1900).

Quartiers anciens (D2)

Une campagne de valorisation des façades, qui furent jadis recouvertes par du mortier de ciment, redonne à Pau toutes ses couleurs.

Partir de l'office de tourisme.

À l'Est du château s'étend un lacis de rues pittoresques, bordées de magasins d'antiquités et de restaurants, où il fait bon flâner. Au bout de la rue Henri-IV se trouve le bâtiment de l'**ancien parlement de Navarre** rénové au 18e s. La tour accolée est une reconstruction de l'ancien clocher de l'église St-Martin, érigée au 15e s. ; d'ailleurs, au sol on peut voir la trace de ses fondations. Face au château, la **maison dite de Sully** du 17e s. **(N)**, avec sa cour intérieure en galets roulés du gave et son escalier droit. La rue du Château mène à la **place des États**, carrefour des transhumances

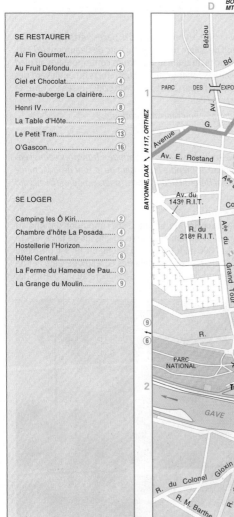
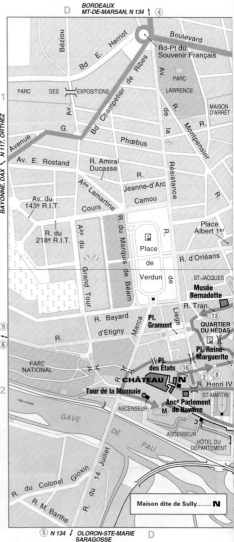

SE RESTAURER

Au Fin Gourmet................ (1)
Au Fruit Défondu................ (2)
Ciel et Chocolat................ (4)
Ferme-auberge La clairière...... (6)
Henri IV................ (8)
La Table d'Hôte................ (12)
Le Petit Tran................ (13)
O'Gascon................ (16)

SE LOGER

Camping les Ô Kiri................ (2)
Chambre d'hôte La Posada...... (4)
Hostellerie l'Horizon................ (5)
Hôtel Central................ (6)
La Ferme du Hameau de Pau... (8)
La Grange du Moulin................ (9)

Maison dite de Sully........ **N**

jusqu'à la Renaissance, où débouche la rue du Moulin : jetez-y un œil, c'est l'une des plus anciennes de la ville. Dans le prolongement de la rue du Château, la rue du Maréchal-Joffre conduit à la **place Reine-Marguerite (D2)**, bordée d'arcades. Autrefois place du Marché, on y dressait aussi le gibet et la roue pour les exécutions capitales. La rue René-Fournets, sur la gauche, traverse le **quartier du Hédas**, jadis celui des artisans. Le passage Parentoy *(à la fontaine, prendre à droite puis à gauche)* rejoint la rue commerçante des Cordeliers. Prenez à gauche pour rejoindre la rue Tran *(où se trouve le musée Bernadotte, voir « Visiter »)* conduisant à la **place Gramont** qui présente un ensemble architectural, rénové, du 18e s. Derrière la fontaine, le passage sous le porche suivi d'escaliers mène aux remparts pour arriver ensuite à la **tour de la Monnaie** bordée d'un canal (15e s.) qui alimentait la minoterie du château. Passé la porte de Corisande, c'est la remontée vers le château

Visiter

Château★★ (D2)

℘ 05 59 82 38 07 - www.musee-chateau-pau.fr - visite guidée (1h15) de mi-juin à mi-sept. : 9h30-12h15, 13h30-17h15 ; reste de l'année : 9h30-11h45, 14h-17h ; - fermé 1er janv., 1er mai, 25 déc. - 4,50 € (–18 ans gratuit, 1er dim. du mois).

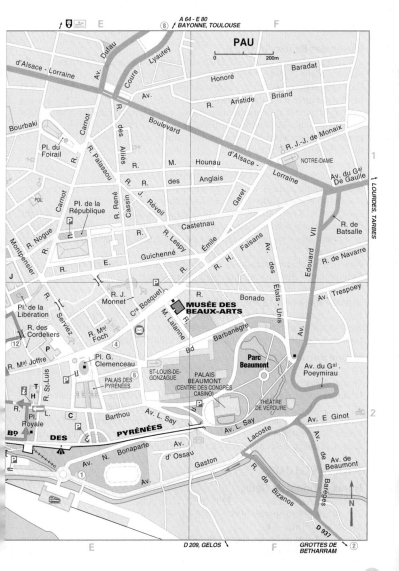

Dominant le gave, le château, élevé par Gaston Phébus au 14e s., a perdu tout caractère militaire, malgré son donjon de brique, typique des constructions de Sicard de Lordat. Au cours des siècles, chacun y va de son aménagement, ce qui donne au château une silhouette éclectique. Transformé en palais Renaissance par Marguerite d'Angoulême, il est entièrement restauré au 19e s. sous Louis-Philippe et Napoléon III.

Pour vous repérer, penchez-vous sur la maquette du château, datant du 19e s., exposée dans la cuisine du 16e s., qui ouvre la visite. Les **appartements** forment une suite de salles richement décorées au 19e s. qui abritent, en particulier, une admirable collection de **tapisseries★★★** constituée sous Louis-Philippe (nombreuses tapisseries des Gobelins). L'imposante **salle aux Cent Couverts** révèle un plafond à solives apparentes. Les murs sont tendus de somptueuses tapisseries représentant *Les Chasses de Maximilien* (Gobelins du début du 18e s.) et une partie des Mois Lucas, du nom de leur créateur (17e s.). Au premier étage, le fastueux **grand salon** de réception renferme la suite des Mois Lucas, des chaises recouvertes de cuir gaufré, deux vases de Sèvres, lustres néogothiques et vases de style extrême-oriental (18e s.). Le **cabinet de l'Empereur** conserve son curieux lit monumental de style Louis XIII. L'**appartement de l'impératrice Eugénie** a été restitué dans son état du Second Empire : la toilette garnie se trouve dans le boudoir.

Un escalier à vis mène à la **salle des atours** où sont exposés des portraits de Henri IV (16e-17e s.) sous toutes les coutures (peintures et statues). Enfin, dans la **chambre du roi** se trouve l'étonnant berceau de Henri IV : une écaille de tortue des Galapagos, présentée sous un panache blanc et entouré d'un faisceau de lances porte-drapeaux. Grandiose !

Musée des Beaux-Arts★ (E2)

R. Mathieu-Lalanne - ℘ 05 59 27 33 02 - www.musee.ville-pau.fr - tlj sf mar. 10h-12h, 14h-18h - fermé 1er janv., 1er mai, 14 juil., 1er nov., 25 déc. - 3 €.

Un musée conçu avec esprit, au cœur du quartier étudiant, où grands noms de la peinture et de la sculpture côtoient artistes locaux, plus méconnus. Ce savoureux mélange d'œuvres anciennes et contemporaines est rehaussé de clins d'œil esthétiques et thématiques. Ainsi dans la première salle à gauche de l'entrée, le *St-François en extase* du Greco (1590) voisine avec une œuvre abstraite de 1993 *(Considération sur la métaphysique)*. Entre *St-François* et les *Pénitents* de Roda repose une sculpture de jeune fille nue alanguie sur son lit de repos (A. Boucher, 1892).

Dans les salles consacrées à la peinture italienne, flamande, hollandaise, espagnole, française, anglaise, du 15e au 20e s., admirez particulièrement les œuvres de Jordaens, Bruegel de Velours, Rubens, José de Ribera, Zurbarán, Nattier, Van Loo…

L'achat par les Beaux-Arts de Pau, en 1878, du *Bureau du coton à La Nouvelle-Orléans*, de Degas, marque l'entrée des **impressionnistes** au musée. La période moderne est également servie par des tableaux de Berthe Morisot, Armand Guillaumin ou André Lhote.

Présentation conséquente, aussi, des diverses tendances de l'**art contemporain**. La sculpture mérite une mention particulière, avec des créations de J. Arp, Gilioli, J. et B. Lasserre, etc.

La **note régionale** est donnée par l'œuvre romantique d'Eugène Devéria (1805-Pau 1865) – scènes et paysages pyrénéens, *Naissance d'Henri IV* – et des toiles de son élève Victor Galos (Pau, 1828-1879), peintre par excellence du Béarn, de ses gaves tumultueux et de ses horizons barrés par la « sublime enceinte ».

Musée Bernadotte (D2)

6 r. tran - ℘ 05 59 27 48 42 - tlj sf lun. 10h-12h, 14h-18h - fermé 1er janv., 1er mai, 14 juil., 1er nov., 25 déc. - 3 €.

La famille de Bernadotte était locataire au 2e étage de cette bâtisse traditionnelle, en pisé de galets. C'est ici donc que naquit Jean-Baptiste, à la destinée extraordinaire. À force de batailles, le simple soldat devint maréchal de France puis, en 1818, roi de Suède. Vous verrez la vieille cuisine béarnaise et les salons du 1er étage consacrés à la carrière militaire de ce grand homme et aux fastes dynastiques.

Aux alentours

Haras national de Gelos

1 r. Mar.-Leclerc à Gelos - ℘ 05 59 35 06 52 - visite guidée (1h30) du 9 janv. au 23 déc. 10h, 14h30, 16h30, w.-end 14h30, 16h30, j. fériés sur demande - fermé du 24 déc. au 8 janv., lun., 1er mai - 5 €.

Installé dans un ancien château du 18e s., le haras de Gelos fut créé par Napoléon en 1807. Vous verrez dans ce centre de reproduction et d'élevage hippiques des pur-sang arabes et anglo-arabes, des pottoks, des poneys landais et des chevaux de trait. Dans les écuries est présentée une collection de voitures hippomobiles du 19ᵉ s. Vous visiterez également la forge et la sellerie d'honneur.

La Cité des Abeilles

À St-Faust. 11 km. Quitter Pau à l'Ouest par la route de Mourenx. À Laroin, prendre la D 502, en lacet, vers St-Faust-de-Bas et poursuivre sur 2 km. ℰ *05 59 83 10 31 - www. citedesabeilles.com - juil.-août : 14h-19h ; avr.-juin, de déb. sept. à mi-oct. : tlj sf lun. 14h-19h ; de mi-oct. à fin mars : tlj sf lun. 14h-18h ; vac. Toussaint et fév. : w.-end et j. fériés 14h-18h - fermé du 24 déc. au 31 janv. - 5,50 € (enf. 3,75 €).*

👥 Pour découvrir l'abeille et son environnement, cet écomusée didactique propose un parcours pédestre tracé à flanc de pente, au milieu de plantes mellifères. Au programme, monde apicole d'hier et d'aujourd'hui : ruches anciennes typiques de certaines régions de France, rucher couvert provenant d'un monastère de Corrèze, ruche vivante. À travers des parois vitrées de la ruche d'observation, vous assistez au travail des ouvrières sur leurs rayons.

Château de Montaner *(voir ce nom)*

Circuits de découverte

DE CAPITALE EN CAPITALE

65 km – compter 4h. Quitter Pau au Nord-Est par la D 943. Dépasser le panneau Morlaàs-Berlanne, traverser une zone boisée. Morlaàs est indiqué sur la gauche.

Morlaàs

Capitale du Béarn après la destruction de Lescar, au 9ᵉ s., et ce jusqu'à ce qu'Orthez prenne le relais, au 12ᵉ s. Aujourd'hui, seule son **église romane** témoigne de son importance passée. Le **portail★** est la partie la plus intéressante de l'église Sainte-Foy (11ᵉ s.). Les portes sont séparées par un trumeau dont la base repose sur deux hommes enchaînés. Les tympans représentent, à gauche, le Massacre des Innocents, à droite, la Fuite en Égypte ; au-dessus, le Christ en majesté, entre un homme ailé et un aigle, attributs des évangélistes saint Matthieu et saint Jean. Les voussures sont ornées de damiers, de losanges, de rosaces et autres motifs décoratifs dans l'intervalle desquels est représentée une théorie de canards montant vers le ciel (qui peut symboliser la marche des pèlerins vers Compostelle), les 24 vieillards de la Vision de l'Apocalypse tenant dans leurs mains des harpes ou des vases de parfums et les juges de l'Ancien Testament. Les voussures retombent sur des colonnettes aux chapiteaux sculptés de figurines, de monstres, d'entrelacs : entre les colonnettes, à gauche et à droite du portail, se dressent les statues nimbées des douze apôtres.

Prendre la jolie D 206 et rejoindre après Garos la D 946 que l'on prend sur la gauche.

Château de Morlanne

ℰ *05 59 81 60 27 - juil.-août : 10h-19h ; avr.-juin et sept.-nov. : tlj sf mar. 14h-19h.*

Portail de l'église romane Ste-Foy à Morlaàs.

Le petit **château** de brique faisait partie du groupe de forteresses élevées à la fin du 14e s. par Gaston Phébus. Ensembles mobiliers au 1er étage : chambre Consulat et Empire avec ses deux lits d'acajou ; chambre Louis XVI, tendue d'une soierie bouton-d'or à bouquets ; bureau-bibliothèque. Au 2e étage, chambre Louis XVI et galerie de tableaux, parmi lesquels on admire une *Vue de Venise* de Canaletto et une *Tête de vieillard* de Fragonard.

Par la D 269, rejoindre la D 945 vers Lescar.

Lescar

Après la destruction par les Normands (vers 850) de *Beneharnum*, ville romaine importante qui avait donné son nom au Béarn et en était devenue la capitale, une nouvelle ville est élevée sur la colline. Les rois de Navarre de la lignée d'Albret choisissent la cathédrale pour abriter leur sépulture.

Prendre au fond de la vallée une rampe en forte montée pénétrant dans la vieille ville par une porte fortifiée.

La **cathédrale Notre-Dame★**, commencée par le chœur en 1120, fut saccagée par les protestants sous le règne de Jeanne d'Albret. D'importantes restaurations aux 17e s. et 19e s. la sauvèrent de la ruine. Le chevet a conservé la pureté de son architecture romane. Placez-vous dans le cimetière pour admirer les absides (fleurons à marguerites de la corniche, modillons décorés).

Entrez dans l'église par le portail Sud, à droite duquel deux inscriptions ont été dégagées. Le vaisseau donne une impression d'ampleur. La décoration romane du chœur et du transept est remarquable : admirez les **chapiteaux★** historiés des piliers Est de la croisée et ceux des retombées des arcades ouvrant sur les absidioles (scènes du cycle de Daniel, de la naissance du Christ, sacrifice d'Abraham). Le chœur est pavé d'une mosaïque du 12e s. représentant des scènes de chasse, avec un pittoresque personnage de petit archer estropié, à jambe de bois. *Avr.-oct. : tlj sf dim. 9h-12h, 14h-18h, dim. 15h-19h ; nov.-mars : 9h-12h, 14h-17h.*

LE GAVE DE PAU★

79 km au départ de Pau (voir schéma p. 259) – compter une demi-journée. Sortir de Pau au Sud par la route d'Oloron puis prendre celle de Nay.

Notre-Dame-de-Piétat

Chapelle de pèlerinage du 17e s. De l'autre côté de l'esplanade, derrière le calvaire, la table d'orientation vous aide à profiter du **panorama★** sur la vallée du Gave, le pic du Midi de Bigorre, le Vignemale, le Gabizos, le Capéran de Sesques : essayez de vous y retrouver.

La route regagne la vallée du Gave.

Nay

Plan de découverte comprenant 2 circuits (1 et 3 km) disponible à la maison Carrée.

Avant toute chose… prononcez Naï. Cette bastide fondée en 1302, sur la rive gauche du gave, connut bien des vicissitudes (voir la frise chronologique sous les arcades de la maison Carrée). Elle conserve cependant son plan d'origine avec sa place à couverts, qui a certes perdu l'un de ses côtés, très animée les mardis et samedis, jours de marché.

Maison Carrée – ℘ 05 59 61 34 61 - visite guidée (1h) juil.-août : tlj sf lun. 10h-12h, 14h-19h ; reste de l'année : sam. 10h-12h, 14h-18h - 3,50 €. C'est un riche drapier qui fit construire cet hôtel particulier au 16e s. Sa cour intérieure, florentine, affiche les trois ordres d'architecture (dorique, ionique et corinthien), exemple unique de ce style en Aquitaine. Elle abrite des collections du Musée béarnais : mobilier 17e-19e s. et objets de la vie quotidienne dans la cuisine. Elle accueille également des expositions temporaires.

Musée du Béret – ℘ 05 59 61 91 70 - www.museeduberet.com - juil.-août : 10h-12h, 14h-19h, dim. 14h-19h ; avr.-juin et sept.-oct. : tlj sf dim. et lun. 10h-12h, 14h-18h ; nov.-mars : mar. 10h-12h, 14h-18h, mer.-sam. 14h-18h - fermé j. fériés (sf juil.-août) - 4 €. Pour rendre à César ce qui est à César, sachez que le béret n'a de basque que le nom, sa véritable origine étant béarnaise. Un film de témoignages *(15mn)* d'habitants du Béarn, mais aussi du Pays basque et des Landes, sur le port et la place de cet objet sacré vous mettra dans l'ambiance ! Ensuite, à travers l'exposition de métiers animés et de machines anciennes, vous comprendrez les diverses étapes de fabrication industrielle du célèbre couvre-chef.

Quitter Nay par la D 36, au Sud. À 3 km au-delà d'Asson (suivre la direction Bruges) se détache le chemin d'accès.

Zoo d'Asson★

📞 05 59 71 03 34 - ♿ - avr.-sept. : 9h-19h ; oct.-mars : 9h-18h - 8,50 €   (enf. 6 €).

👥 Sur un site de 4 ha, planté d'une centaine de palmiers et comptant une belle serre de style Napoléon III, évoluent plus de 500 mammifères (dont vingt-deux espèces de primates) et oiseaux (perroquets, perruches, loris, flamants roses de Cuba…) des cinq continents. Le **parc aux kangourous**, rassemblant cinq espèces qui bondissent en toute liberté, se classe parmi les plus importants d'Europe. L'arrivée en 2002 de **panthères des neiges** participe d'une volonté de contribuer à la préservation des espèces menacées (le parc assure la reproduction d'espèces rares).

Revenir à Asson et prendre à droite la D 35 puis, encore à droite, la D 937.

Sites de Bétharram *(voir ce nom)*

En revenant vers Pau, les amateurs de linge basque s'arrêteront à **Coarraze** *(voir la rubrique « Que rapporter » dans l'encadré pratique).*

LA VALLÉE D'OSSAU★★ *(voir ce nom)*

Pau pratique

Adresses utiles

Office du tourisme de Pau – *Pl. Royale -* 📞 *05 59 27 27 08 - www.pau.fr - juil.-août : lun.-sam. 9h-18h, dim. 9h30-13h, 14h-18h, j. fériés 10h-12h30, 15h-18h ; sept.-juin : tlj sf dim. et j. fériés 9h-18h, dim. 9h30-13h.* L'office de tourisme propose deux guides (gratuits) : « Histoire et patrimoine » et « Parcs et jardins » pour découvrir la ville, et une brochure « Loisirs actifs » pour profiter des activités

Office de tourisme de Lescar – *Pl. Royale -* 📞 *05 59 81 15 98 - juin-sept. : 10h-12h, 14h-18h ; reste de l'année : 10h-12h, 14h-18h, sam. 10h-12h, 14h-17h - fermé dim. et j. fériés.*

Office de tourisme du pays de Morlaàs – *Pl. Ste-Foy -* 📞 *05 59 33 62 25 - juil.-août : tlj sf dim. et lun. 9h-12h30, 13h30-17h30, sam. 9h-14h ; reste de l'année : tlj sf mer. et sam. 9h-12h30, 13h30-17h30, ven. 9h-12h30, 13h30-16h - fermé dim. et j. fériés.*

Office de tourisme du canton de Nay – *À Bénéjacq (au Nord-Est de Nay) -* 📞 *05 59 61 11 82 - 8h30-12h, 13h-17h - fermé w.-end.*

Visites

Visites guidées – 📞 *05 59 27 27 08 - www. pau.fr - visites de 2h de mi-juil. à fin août - 5,50 € (12-18 ans 2,50 €).* « Pau côté cour » dans le quartier ancien et du musée Bernadotte *(mar. et sam. 11h)* ou « Pau côté jardin » au milieu des parcs et des jardins et du musée des Beaux-Arts *(lun. et jeu. 15h).*

« Pau au rythme des calèches » – *De mi-juil. à fin août : ven. 16h et 18h - 8 € (12-18 ans 4 €).* Promenade de 2h dans la ville.

« Cité-pack » – *Baladeur et plan à l'office de tourisme - tte l'année - 5,50 €.* Visite audioguidée dans le centre historique (1h30).

Transport

Funiculaire – *6h45-12h10, 12h35-19h50, 20h15-21h40, dim. et j. fériés 13h30-19h50, 20h15-21h - fermé 1ᵉʳ janv., 1ᵉʳ mai, 25 déc. et lors du Grand Prix automobile de Pau -* gratuit. Mis en service en 1908 et rénové en 1978, il emmène les voyageurs de la place Royale au pied de la gare.

Se loger

👁 **Bon à savoir** – Attention, la ville étant une grande organisatrice de congrès et autres manifestations, se loger à Pau peut parfois présenter des difficultés. C'est pourquoi il est recommandé de réserver à l'avance. Ceci est particulièrement valable au printemps, lors du Grand Prix automobile et, à l'automne, pendant le Concours international d'équitation.

🛏 **Hôtel Central** – *15 r. L.-Daran -* 📞 *05 59 27 72 75 - contact@hotelcentralpau.com - fermé 20-26 déc. - 28 ch. 35/55 € -* 🍴 *6 €.* Vous serez bien accueilli dans ce petit hôtel situé en plein centre-ville. Les chambres, d'ampleur et de confort variés, sont progressivement rénovées et personnalisées ; certaines bénéficient d'une connexion Internet sans fil. Bonne insonorisation et tenue sans reproche.

🛏 **Chambre d'hôte La Ferme du Hameau de Pau** – *73 av. Copernic - au N de Pau, près de la sortie A 64 -* 📞 *05 59 84 36 85 -* 📠 *- réserv. conseillée - 3 ch. 40/47 € -* 🍴 *repas 14 €.* Voici une adresse idéale pour un séjour entre ville et campagne. Cette charmante fermette abrite des chambres simples et coquettes. Les repas, élaborés avec les produits maison, peuvent être pris en terrasse, face aux Pyrénées.

🛏 **Camping Les Ô Kiri** – *Voir « Sports & Loisirs ».*

🛏 **Chambre d'hôte La Posada** – *Chemin Dou Pébé - 64370 Pomps - de Morlanne : 5 km au S de Pau par D 269 et GR 65 -* 📞 *05 59 81 47 30 - http://www.ifrance.com/ laposada64/- fermé du 1ᵉʳ nov. à Pâques -* 📠 *- 3 ch. 35/40 € -* 🍴. Une situation de choix, entre mer et montagne, pour cette ancienne grange béarnaise convertie en chambres d'hôte indépendants. La simplicité et la fonctionnalité des lieux en font une étape idéale pour pèlerins et randonneurs, puisqu'elle croise la route du fameux chemin de Saint-Jacques.

🍴🛏 **La Grange du Moulin** – *Moulin du Batan - 64230 Lescar - 8 km de Pau par N 117 rte de Bayonne et rte secondaire -* 📞 *06 88 25 39 20 - www.lagrandedumoulin.com -* 🚭 *- 4 ch. 68/90 € ⊑.* Les propriétaires vous reçoivent dans la grange, très soigneusement restaurée, de cet ancien moulin. Les chambres personnalisées et décorées avec goût sont coquettes, et la salle des petits-déjeuners a du charme avec ses pierres apparentes, sa cheminée et sa jolie table… Accueil chaleureux.

🍴🛏 **Hostellerie L'Horizon** – *64290 Gan - 9 km au S de Pau par N 134 -* 📞 *05 59 21 58 93 - pierreeyt@free.fr - fermé 23 déc.-2 fév., dim. soir, mar. midi et lun. - 15 € déj. - 25/45 € - 7 ch. 60 € - ⊑ 6 €.* Ce plaisant pavillon à la façade ocre et bleu domine un joli parc arboré. Il abrite des chambres nettes meublées dans le style des années 1930-1940 et une salle à manger en véranda. La terrasse offre une jolie vue sur les collines.

Se restaurer

🍴 **Ciel et Chocolat** – *11 av. du Mar.-Foch -* 📞 *05 59 27 44 15 - fermé le soir, sam. et dim. - 7/15 €.* Pour un déjeuner ou une pause gourmande, optez pour ce salon de thé niché dans une impasse du centre-ville. Il vous propose un bon choix de tartes salées, salades et plats du jour, à déguster en toute tranquillité dans la salle moderne ou en terrasse.

🍴 **Le Petit Tran** – *21 r. Tran -* 📞 *05 59 98 44 95 - fermé sam. midi - 9,50 € déj. - 7/22 €.* Ce petit restaurant proche du musée Bernadotte dispose d'une salle à manger immaculée garnie de meubles rustiques. Outre les recettes concoctées en fonction des arrivages du marché, le patron mitonne une spécialité très originale : le cassoulet de morue.

🍴 **Au Fruit Défondu** – *3 r. Sully -* 📞 *05 59 27 26 05 - fermé mer. - 15/25 €.* Si vous êtes fondu de fondues, fendez-vous donc de ce Fruit Défondu et fondez de plaisir en savourant les fameuses raclettes, fondues savoyardes ou, la favorite des fidèles, la fondue au magret de canard. Décor sans fard et atmosphère favorable à la fête.

🍴🛏 **Henri IV** – *18 r. Henri-IV -* 📞 *05 59 27 54 43 - fermé 12 -19 sept., 20 déc.-14 janv., mer. midi, sam. midi et dim. soir - 19/50 €.* Le chef de ce restaurant mitonne une appétissante cuisine régionale que vous dégusterez, selon la saison, auprès de la belle cheminée ou sur l'agréable terrasse dressée côté rue piétonne.

🍴🛏 **O'Gascon** – *13 r. du Château -* 📞 *05 59 27 64 74 - fermé mer. midi et mar. - 19/35 €.* Murs en pierre et brique, vieux meubles en bois et poutres au plafond : il règne une chaleureuse ambiance dans ce restaurant très orienté cuisine du terroir. On peut y déguster la vraie garbure, servie dans une soupière en terre cuite. Accueil très agréable et sans chichi.

🍴🛏 **La Table d'Hôte** – *1 r. du Hédas -* 📞 *05 59 27 56 06 - la-table-dhote@wanadoo.fr - fermé vac. de Noël, lun. sf le soir en juil.-août et dim. - 20/26 €.* La cuisine du chef, servie dans une belle salle à manger rustique, privilégie recettes et produits du terroir, donnant aux assiettes l'accent chantant du Béarn. Sur la carte des vins, jurançons et madirans figurent en bonne place, assurant de jolis accords avec les mets régionaux.

🍴🛏 **Au Fin Gourmet** – *24 av. Gaston-Lacoste -* 📞 *05 59 27 47 71 - au.fin. gourmet@wanadoo.fr - fermé vac. de fév., 26 juil. au 9 août, dim. soir, mer. midi et lun. - 18 € déj. - 26/48 €.* On se croirait revenu à la Belle Époque dans cet élégant restaurant niché au pied du funiculaire, au milieu d'un luxuriant jardin de bambou. Mobilier en fer forgé, plantes vertes, tables rondes… Le Fin Gourmet sait recevoir son petit monde et flatter le palais des gourmands avec ses délicieuses recettes au goût du jour.

🍴🛏 **Ferme-auberge La Clairière** – *Chemin la Juscle - 64110 St-Faust - 12 km au SO de Pau par D 2 et D 230 -* 📞 *05 59 83 06 59 - fermé dim. soir - 🚭 - réserv. obligatoire - 16/26 €.* Vous aurez bien du mal à choisir entre le civet de canard, la poule au pot ou la pintade royale. Ces spécialités « maison » sont préparées avec les produits de la ferme et accompagnées de légumes du jardin. La salle à manger, aménagée dans un chai de 1725, vaut le détour.

En soirée

👁 **Bon à savoir** – L'office de tourisme propose un petit guide intitulé *La Culture à Pau*. Il vous sera extrêmement utile pour connaître le programme des manifestations de la saison.

Casino municipal de Pau – *Allée Alfred-de-Musset - parc Beaumont -* 📞 *05 59 27 06 92 - www.groupetranchant.com - dim.-jeu. 10h-3h, ven., sam. et veilles de fête jusqu'à 4h.* Ce casino est équipé d'une centaine de machines à sous en plus d'une salle de jeu traditionnelle, d'un restaurant et d'un bar. Vendredi : animation musicale.

Que rapporter

Fromagerie Bachelet – *3 av. M.-Dassault, quartier Gourmand - 64140 Lons -* 📞 *05 59 32 49 07 - gabriel.bachelet@wanadoo.fr - tlj sf dim. et lun. 9h-19h - fermé j. fériés.* Ce fromager connu et reconnu choisit avec grand soin ses fournisseurs et affine lui-même ses fromages. Dans sa nouvelle et grande boutique de la périphérie paloise, figurent en bonne place les vache, brebis, chèvre et autres « mixtes » du terroir, complétés de fromages des autres régions de France et de pays voisins.

Cave des Producteurs de jurançon – *53 av. Henri-IV - 64290 Gan -* 📞 *05 59 21 57 03 - www.cavedejurancon.com - 8h-12h, 13h30-19h - fermé dim. sf juin-août.* Grain Sauvage au goût intense de raisin,

Château de Navailles obtenu par vendanges manuelles et tris successifs, Peyre d'Or, superbe jurançon sec, Château Les Astous ou Croix du Prince, parfait pour l'apéritif… Toutes ces merveilles sont à découvrir à un très bon rapport qualité-prix dans cette vitrine du jurançon.

Henri-Burgué – *Chemin des Bois, Bas de Saint-Faust - 11 km au SO de Pau par D 2 et D 502 - 64110 St-Faust - ℘ 05 59 83 05 91 ou 06 85 20 53 23 - 9h-20h.* Ce petit producteur réalise des jurançons moelleux et secs vieillis en fût de chêne, fruits de trois années d'attention et de patience. Petit détail amusant : les barriques sont fermées à l'aide de galets. Dégustation effectuée directement au tonneau avec une pipette en verre.

Francis Miot – ♣♣ - *Rond-point d'Uzos - D 37 - ℘ 05 59 35 05 56 - www.feerie-gourmande.com - lun.-sam. 10h-12h, 14h-18h - fermé j. fériés.* Francis Miot collectionne les titres prestigieux : champion du monde des maîtres confituriers en 1988, 1990 et 1991, il est aussi le créateur des Coucougnettes du Vert Galant, élu meilleur bonbon de France en 2000. Il vous ouvre les portes de ses ateliers de fabrication et de son musée des arts sucrés. Démonstrations, dégustations et, pour les enfants, une « école du goût ».

Librairie des Pyrénées et de Gascogne – *14 r. St-Louis - ℘ 05 59 27 78 75 - www.princi-negue.oxatis.com - tlj sauf dim. et lun. mat. : juil.-août 10h-13h, 14h-19h ; sept.-juin 10h-12h30, 14h30-19h.* On y trouvera tous les ouvrages consacrés aux montagnes franco-espagnoles et à la région : guides de tourisme et de randonnée, littérature régionale, de voyage, histoire, cuisine, langues (gascon, basque, occitan), etc.

Au Parapluie des Pyrénées – *12 r. Montpensier - ℘ 05 59 27 53 66 - tlj sf dim. 8h-12h, 14h-19h, sam. 9h-12h, 14h-18h.* Depuis 1890, on fabrique ici les immenses parapluies des Pyrénées qui sont les seuls capables de résister aux pires averses du Sud-Ouest. C'est aujourd'hui une des dernières entreprises du genre en France.

Fabrique de Sonnailles (Établissements Jean Daban) – *24 r. des Pyrénées - 64800 Nay - ℘ 05 59 61 00 41 - www.daban.fr - sam. apr.-midi et lun. apr.-midi sur RV.* L'un des derniers ateliers de sonnailles en activité en France. La visite de la minuscule boutique vous fera découvrir les secrets de fabrication des traditionnelles clochettes de troupeaux. Vidéo et démonstration.

Tissage de Coarraze – *R. Louis-Barthou - 64800 Coarraze - ℘ 05 59 61 19 98 - mar.-sam. 9h-12h30, 14h-18h30 ; lun. 9h-12h30. Fermé j. fériés.* Le tissu basque est bien connu des maîtresses de maison qui apprécient sa qualité et sa résistance pour leur linge de maison. Tissé en coton et en lin, il est le plus souvent décoré de bandes de couleur, parfois constituées de motifs floraux stylisés.

Sports & Loisirs

Romano Sport – *6 r. Jean-Réveil - ℘ 05 59 98 48 56 - été : tlj sf lun. 9h-12h, 15h-19h ; hiver : tlj sf dim. 9h-12h, 15h-19h - fermé j. fériés.* Magasin spécialisé dans les articles de sports. Le touriste de passage appréciera l'espace location : cycles, VTT, rollers, combinaisons de canyoning, tentes, chaussures de randonnée, skis et autres équipements de montagne.

Association des amis du Parc national des Pyrénées – *32 r. Samonzet - 64000 Pau - ℘ 05 59 27 15 30.* Sorties gratuites toute l'année (tlj sf mar. et ven.), moyennant une cotisation annuelle (34 € + assurance), dans les Pyrénées. Elle propose également d'autres activités sportives (randonnées à thème, ski de fond, ski de piste, raquettes…).

CUP-Pyrénées Eaux Vives – *2 av. du Corps-Franc-Pommiès - 64110 Jurançon - ℘ 05 59 06 52 49 ou 05 59 71 90 82 - canœkayak.CUPPEV@wanadoo.fr - fermé fêtes de fin d'année.* Pour pratiquer tous les sports d'eaux vives à travers cours particuliers, stages ou séjours découverte.

Stade nautique – *Av. Nitot - ℘ 05 59 11 20 10 - horaires variables selon calendrier scol. ; juin-août : lun.-dim. et j. fériés 10h-19h - fermé de mi-sept. à mi-juin.* Cette piscine extérieure est dotée de deux bassins et d'une fosse à plongeons.

Base de loisirs Les Ô Kiri – ♣♣ - *Av. du Lac - 15 km au SE de Pau, rte de Nay - 64800 Baudreix - ℘ 05 59 92 97 73 - les-okiri@wanadoo.fr.* Les activités de cette base de loisirs, comprenant un camping située au bord d'un lac vont de la baignade (surveillée) au rafting, en passant par le tennis et la pêche. Tout le monde y trouvera son compte, d'autant plus que le site va se doter d'un espace forme.

Cheval Détente des Berges du Gave – ♣♣ - *Rte de Jurançon - 64110 Larroin - ℘ 05 59 83 09 84.* Centre équestre situé sur les berges du gave de Pau. Initiation, stages, balades à cheval et poney-club pour les enfants.

Le Plantier de Pau – *5 allée du Grand-Tour - ℘ 05 59 62 37 96 - lun.-ven. 14h-19h.* Pratiqué dans les Landes, les Pyrénées-Atlantiques et les Hautes-Pyrénées où l'on dénombre 650 licenciés, le jeu de quilles de neuf est l'ancêtre du bowling. Il se pratique avec une boule de 6,2 kg et neuf quilles de 96 cm. Les joueurs se réunissent ici chaque après-midi.

Pau Golf Club 1856 – *1 r. du Golf - 64140 Billère - ℘ 05 59 13 18 56 - www.paugolfclub.com - 8h30-18h30.* Créé en 1856 par des Écossais, ce beau parcours (18 trous) est l'un des plus anciens golfs du monde. Club-house de style victorien abritant un restaurant et un bar.

Penne-d'Agenais★

2 330 PENNOIS
CARTE GÉNÉRALE D2 – CARTE MICHELIN LOCAL 336 G3 – LOT-ET-GARONNE (47)

Des petites rues qui montent, qui montent, qui montent jusqu'à cette drôle d'église à coupole argentée. Difficile ne pas se laisser séduire par la rose Penne, jolie vigile au-dessus des coteaux fertiles de l'Agenais. Une bien bonne balade en perspective !

▶ **Se repérer** – À 9 km à l'Est de Villeneuve-sur-Lot par la D 911. Garez-vous à l'entrée du vieux centre (ville haute), place Gambetta. La balade se fait à pied, d'ailleurs mieux vaut éviter les chaussures à talons hauts, elles supporteraient mal la montée.

◉ **À ne pas manquer** – La vue sur la vallée du Lot, derrière l'église Notre-Dame-de-Peyragude ; Tournon-d'Agenais : bastide située sur les hauteurs.

🕐 **Organiser son temps** – Si vous aimez la tranquillité, mieux vaut visiter Penne hors saison, avant qu'elle ne soit envahie par les nombreux artisans et visiteurs.

👥 **Avec les enfants** – La base de loisirs du Camp Beau *(voir l'encadré pratique)*.

⏱ **Pour poursuivre la visite** – Voir aussi Fumel, Château de Bonaguil, Agen.

> ## Le saviez-vous ?
> ◉ « Penne » signifie la colline, le rocher escarpé. On se rend vite compte que son nom lui va comme un gant !
> ◉ De nombreux pèlerins de St-Jacques viennent saluer la Vierge à Notre-Dame-de-Peyragude, entre mai et juin.

Se promener

Place Gambetta
Avec sa terrasse ombragée, c'est un bon point de départ pour faire le tour de Penne. La porte de la ville s'ouvre sous deux belles maisons du 16e s., dont l'une a longtemps servi de prison consulaire.

Franchir la porte (tout de suite à droite, le passage couvert devant l'office de tourisme mène à la place Aliénor-d'Aquitaine) et suivre la rue du 14-Juillet, puis, à gauche, la rue Notre-Dame.

Notre-Dame-de-Peyragude
Ce sanctuaire moderne, plutôt anachronique (il est de style néoroman-byzantin), se dresse au sommet de la colline. De là, vue étendue sur la vallée du Lot.

Contourner l'église et longer les quelques pans de mur qui constituent les vestiges du château fort.

Point de vue★
De la table d'orientation, on domine la vallée du Lot, de Villeneuve à Fumel ; la vue porte au loin sur le haut Quercy.

S'engager dans la rue de Peyragude.

Cette rue, livrant de belles échappées à droite, mène à la porte de Ferracap.

Rue de Ferracap
Cette rue ainsi que les ruelles adjacentes sont bordées de belles maisons rénovées, certaines à colombages et à encorbellement. Le voisinage du gibet a valu son nom à la porte de Ferracap (cap… c'est la tête. Fer au cap : faites la traduction).

Place Paul-Froment
Pour prendre le temps d'un verre et d'une expo, vous trouverez ici un café et des salles d'exposition.

Emprunter la rue entre l'église et la mairie.

Antonin Thuillier / MICHELIN

Paisible ruelle… hors saison !

Porte de Ricard

L'ancienne porte fortifiée tire son nom de Richard Cœur de Lion (« Ricard » en langue d'oc) qui apporta à la cité ses premières fortifications.

Revenir place Gambetta, à droite.

Aux alentours

Tournon-d'Agenais

16 km à l'Est par la D 661.

Sur la crête d'une colline proche de la vallée du Lot, c'est ce qu'on appelle un **site★**. Au fur et à mesure que vous pénétrez dans le bourg, vous découvrez l'ancienne ligne des remparts (aménagée en promenade) sur lesquels se sont établies des maisons. La localité a gardé son plan de bastide avec ses rues étroites se coupant à angle droit. Du petit jardin public, jolie **vue** sur la vallée du Boudouyssou cultivée de vigne et de maïs *(table d'orientation)*. Remarquez, sur le beffroi, l'horloge lunaire.

Moulin de Lustrac

10 km au Nord-Ouest par la D 159 puis la D 243. Tourner à gauche à Clauzade.

Dépendance du château du même nom, ce moulin fortifié du 13ᵉ s. a conservé ses meules et vannes. Des abords, agréable point de vue sur les méandres du Lot.

Les serres du bas Quercy

Se reporter au circuit proposé à Villeneuve-sur-Lot (voir ce nom).

Penne-d'Agenais pratique

Adresse utile

Office du tourisme de Penne d'Agenais – *R. du 14-Juillet -* ℘ *05 53 44 37 80 - www.penne-tourisme.com - juil.- août : 9h-13h, 14h-19h ; sept.-déc. et mai- juin : 9h-13h, 14h-18h ; janv.-avr. : 9h-12h30, 14h-18h - fermé dim. matin.*

Se loger

⌂ **Camping municipal du Lac de Ferrié** – *1,4 km au SO de Penne-d'Agenais par D 159, direction Hautefage par D 103 -* ℘ *05 53 41 30 97 - tourisme@ville- pennedagenais.fr - ouv. 18 juin-17 sept. -* ⛺ *- 11,50 €.* Dix gîtes et cinq chalets viennent s'ajouter aux emplacements de ce terrain de camping bien ombragé. Même si certains équipements méritent un léger rafraîchissement, le site reste agréable et idéal pour les jeunes avec son bassin pour la baignade et les jeux qui l'entourent.

Se restaurer

⌂⊜ **L'Air du Temps** – *Mounet -* ℘ *05 53 41 41 34 - airdutemps.47@wanadoo.fr - fermé 2 sem. en fév. et 1 sem. en oct. - 22/34 € - 4 ch. 42/52 €.* Cette ferme en brique et pierre du Lot est exquise : le restaurant est très « cosy » avec ses multiples recoins, son décor mi-rustique, mi-moderne, et ses deux délicieuses terrasses où l'on s'attarde volontiers pour déguster les bons petits plats maison. Accueil charmant et chambres coquettes… Que demander de plus ?

Sports & Loisirs

Base de loisirs du Camp Beau – ♣♦ - *Rte de Fumel - 47370 Tournon-d'Agenais -* ℘ *05 53 40 70 19.* Cette base de loisirs aménagée autour d'un plan d'eau occupe un agréable site verdoyant, vallonné et ombragé. Jeux pour les enfants, aire de pique-nique, petit bassin réservé à la baignade surveillée, pédalos, pêche, tennis. Bar et espace restauration.

Peyrehorade

3 017 PEYREHORADAIS
CARTE GÉNÉRALE B3 – CARTE MICHELIN LOCAL 335 E13 – LANDES (40)

Autrefois, son marché du mercredi faisait accourir les foules. Aujourd'hui, il a perdu un peu de son panache, mais on peut faire halte à Peyrehorade avant d'aller explorer les environs. Ne serait-ce que pour le plaisir d'entendre, au café du coin, un pêcheur de pibales raconter sa pêche miraculeuse de la nuit.

▶ **Se repérer** – À 30 km à l'Ouest d'Orthez par la N 117. Le pays d'Orthe, dont Peyrehorade est le chef-lieu, est pris entre la Chalosse, le Béarn et le Pays basque.

🅿 **Se garer** – Quai du Sablot (le long des Gaves Réunis). Mercredi (jour de marché), le centre est fermé à la circulation.

👁 **À ne pas manquer** – Le monastère bénédictin de Sorde-l'Abbaye ; l'abbaye d'Arthous.

🕐 **Organiser son temps** – Comptez une demi-journée pour le circuit de découverte autour de Peyrehorade avec les visites. Attention, le monastère bénédictin de Sorde-l'Abbaye et l'abbaye d'Arthous sont fermés le lundi et, hors saison, ils n'ouvrent que l'après-midi. Un pittoresque marché médiéval se tient à Peyrehorade le dernier mercredi de juillet.

👫 **Avec les enfants** – Le musée de l'abbaye d'Arthous ; l'aire d'Hastingues.

👟 **Pour poursuivre la visite** – Voir aussi Salies-de-Béarn, Sauveterre-de-Béarn, Dax, Capbreton, Hossegor.

L'or blanc des estuaires

Les **pibales**, dont raffolent les Espagnols, sont des alevins nés des œufs d'anguilles dans la mer des Sargasses. En hiver, elles remontent bravement la Gironde et l'Adour ; les pêcheurs bordelais et basques s'adonnent alors à une curieuse pêche qui vaut de l'or (environ 122 € le kilo). La pibale se pêche la nuit à l'aide d'un tamis qui permet, à chaque sortie, d'en prendre quelques grammes. La concurrence est rude et le braconnage très fréquent. Il existe **quatre criées** à la pibale : à Peyrehorade, Saubusse, Ste-Marie-de-Gosse et Capbreton. Les pibales se mangent frites dans l'huile d'olive parfumée à l'ail et au piment d'Espelette, tradition basque oblige !

Se promener

Peyre hourade, c'est la « pierre trouée » en gascon. Quant à savoir laquelle, il faudrait le demander au gave qui roule ses flots à travers les lieux. Les Gaves Réunis (celui de Pau et celui d'Oloron) traversent en effet la ville avant d'aller se jeter dans l'Adour. Le long des quais, les yachts tendent à remplacer les gabares de jadis

Sur la grande place centrale, près de l'office de tourisme, se dresse un fronton on ne peut plus basque. Bayonne n'est pas bien loin ! Près de là, au bord du gave, voyez le **château d'Orthe** (16e-18e s.) à quatre tourelles d'angle, qui abrite la mairie.

🚶 *1h15*. Vous pouvez ensuite monter jusqu'aux ruines du **château d'Aspremont** (11e s.), dont il subsiste l'ancien donjon.

Circuit de découverte

LE PAYS D'ORTHE

25 km – compter 1h30. Quitter Peyrehorade au Sud. Après le pont, prendre à droite la D 23 qui longe les Gaves Réunis. À Hastingues, en haut de la montée, prendre en face pour arriver au parking près de l'aire d'Hastingues (sur l'autoroute A 64 dans le sens Pau-Bayonne).

Aire d'Hastingues

👫 Sa configuration géométrique symbolise le tout proche point de jonction des itinéraires français au départ de Paris, Vézelay et Le Puy et menant au sanctuaire de **St-Jacques-de-Compostelle**. Jalonnés par des pictogrammes évoquant des sites connus, des chemins bordés de buis convergent vers un bâtiment circulaire consacré à l'histoire du célèbre pèlerinage. Sitôt entré, vous êtes plongé dans un calme nuancé de documents sonores et d'une musique sacrée. Bien agréable si on vient de l'autoroute ! L'intéressante exposition s'articule comme un cheminement de pèlerin ; première salle : qui était saint Jacques ? Quelles étaient les routes de pèlerinage, etc. Vous assistez ensuite à la vie quotidienne des pèlerins confrontés à toutes sortes d'épreuves au cours de leur périple. Enfin, au bout d'un couloir, c'est « La Fin des terres », où l'arbre de Jessé décorant le trumeau du portique de la Gloire à St-Jacques-de-Compostelle évoque le terme du pèlerinage.

10mn. Rejoindre le village à pied.

Hastingues

La minuscule **bastide** tire son nom du sénéchal du roi d'Angleterre, John Hastings, qui la fonda en 1289 sur ordre d'Édouard Ier Plantagenêt, duc d'Aquitaine. La ville haute, installée sur un promontoire dominant les *barthes* (prairies basses) d'Arthous, n'a gardé qu'une porte fortifiée, ainsi que plusieurs maisons des 15e et 16e s.

Remonter vers Hastingues et prendre à droite.

Diversité des modillons de l'abbaye d'Arthous.

Stéphane Sauvignier / MICHELIN

Abbaye d'Arthous

📞 05 58 73 03 89 - ⚒ avr.-oct. : 10h30-13h, 14h-18h30 ; nov.-mars : 14h-17h - fermé lun., 20 déc.-1er fév., 1er mai, 1er et 11 nov. - 3 €, gratuit 1er dim. du mois.
En pleine campagne, une jolie abbaye 12e s., convertie en bâtiments d'exploitation agricole au 19e s. Elle servit de halte, en des temps plus anciens, aux pèlerins de Compostelle. Les bâtiments conventuels ont été reconstruits, non sans charme, aux 16e et 17e s. dans le style traditionnel des maisons landaises à colombages. À l'abri de la galerie couverte sont exposées deux belles mosaïques du 4e s. provenant d'une villa gallo-romaine située à Sarbazan.
L'église est surtout remarquable pour son **chevet**, entièrement restauré, dont il faut détailler les modillons : loup tenant dans sa gueule un mouton, personnages simiesques jumelés, corps de femme. Elle sert de cadre à des expositions temporaires (voir « *Événement* » dans l'encadré pratique).
👥 Le Centre départemental du patrimoine des Landes est installé dans l'un des bâtiments depuis 2002. Un espace muséographique ludique (maquettes, objets et bornes informatiques) présente le **pays d'Orthe** de la préhistoire à nos jours. Un film (20mn), alliant images de synthèse et vues aériennes, offre un bel aperçu de la région.

Poursuivre jusqu'à la D 19 et suivre, sur la gauche, la direction de Peyrehorade. Avant le pont, prendre à droite la D 33. À 3 km, prendre à gauche en direction de Sorde.

Sorde-l'Abbaye

Cette ancienne bastide doit son développement aux moines bénédictins qui, au Moyen Âge, possédaient un vaste domaine agricole en plus du revenu des saumons et de l'activité du moulin. L'intérêt du village réside dans les vestiges de son abbaye, classée au Patrimoine mondial de l'Unesco en 1998, bordant l'un des plus jolis plans d'eau du gave d'Oloron. Pour avoir une belle vue d'ensemble du site, contournez les bâtiments de l'abbaye et placez-vous aux abords de la petite centrale électrique (à l'emplacement du moulin de l'abbaye).

Le **logis des Abbés** *(ne se visite pas)*, bâtiment, flanqué d'une tour polygonale, fut construit sur les ruines de thermes romains des 3e et 4e s. qui témoignent de l'antériorité de l'occupation du site. Détruite pendant les guerres de Religion, la congrégation de St-Maur reconstruisit les bâtiments à la fin du 17e s.-début du 18e s. L'abbaye fut de nouveau dévastée durant la Révolution et tomba en ruine.

Fortement restaurée, de l'**église romane** ne subsistent que le portail, les chapiteaux historiés des absidioles et les mosaïques derrière le maître-autel. Une maquette de l'abbaye permet de se représenter les lieux.

Monastère bénédictin – *Visite guidée (30mn) avr.-oct. : tlj sf lun. 10h30-12h, 14h30-19h ; nov.-mars : tlj sf w.-end 9h-12h, 13h30-17h30 (dernière entrée 30mn av. fermeture) - fermé du 15 déc. au 4 janv., 1er mai - 2 €.*

Dans la salle capitulaire sont rassemblées des stèles discoïdales celtes provenant du cimetière de Peyrehorade. Du cloître ne reste qu'un pilier et du bâtiment principal que les façades en pierre de Bidache (les encadrements en marbre du parloir ont été pillés). De la terrasse, belle vue sur le gave d'Oloron. Au sous-sol demeurent l'embarcadère et le **cryptoportique** comptant quatorze caves (granges batelières). Avant de partir, jetez un œil au clocher du monastère qui a été restauré en briquettes.

Revenir à Peyrehorade par la D 29.

Peyrehorade pratique

Adresse utile

Office du tourisme de Peyrehorade – *147 av. des Évadés - ℘ 05 58 73 00 52 - juil.-août : 9h30-12h30, 14h-17h30 ; sept.-juin : 9h30-12h30, 14h30-18h - fermé dim., j. fériés en juil.-août.* Vous trouverez ici le document sur la boucle pédestre qui monte aux ruines d'Aspremont et des informations sur les circuits de randonnées pédestres en pays d'Orthe.

Se loger

Chambre d'hôte Maison Bel Air – *Rte de Cagnotte - 40300 Bélus - ℘ 05 58 73 24 17 - www.maison-belair.com - ✍ - 4 ch. 44/47 € - ☕ - repas 16 €.* Dans un jardin, jolie maison landaise du 18e s. restaurée avec goût. Pierre apparente, poutres anciennes et vieux meubles chinés agrémentent la salle commune et les chambres (non-fumeurs). Celles-ci sont amples, confortables et dotées de parquet flottant. Un gîte est également disponible.

Chambre d'hôte Maison Basta – *335 chemin de Basta, quartier Nord - 40300 Orthevielle - 8 km au N de Peyrehorade par D 33 rte de St-Vincent-de-Tyrosse - ℘ 05 58 73 15 01 - www.gite-basta.com - fermé 15 j. à Noël - ✍ - 4 ch. 45/49 € - ☕ - repas 18 €.* De leurs nombreux voyages, les accueillants propriétaires de la Maison Basta ont conservé l'amour des atmosphères uniques et exotiques. Meubles choisis, bibelots chinés et agréables couleurs décorent à merveille l'intérieur de cette séduisante demeure du 18e s. Une adresse (avec piscine) à savourer sans modération !

Se restaurer

Ferme-auberge « Cout de Ninon » – *- 40300 Sorde-l'Abbaye - sortie A 64 dir. Peyrehorade et à droite D 33 rte d'Oloron-Ste-marie - ℘ 05 58 73 06 66 - fermé mar. midi en juil.-août, lun., ven. et dim. soir ; ouv. dim. midi de Pâques à sept. - ✍ - réserv. obligatoire - 11/26 €.* Poules, canards, ânes, veaux, vaches et autres animaux : cette ferme en activité, véritable arche de Noé, séduira les enfants. Le sobre décor de la salle à manger permet de mieux se concentrer sur une cuisine qui utilise en majorité des produits issus de l'exploitation agricole.

Sports & Loisirs

Randonnée – Une boucle de 9 km relie Hastingues à l'abbaye d'Arthous.

Événement

Festival international de la céramique – à l'abbaye d'Arthous en mai. ℘ 05 58 05 40 92.

La Réole

4 187 RÉOLAIS
CARTE GÉNÉRALE C2 – CARTE MICHELIN LOCAL 335 K7 – SCHÉMA P. 171 – GIRONDE (33)

Si La Réole veut dire la « Règle », elle n'a rien d'une cité tracée au cordeau. Ses rues étroites et sinueuses grimpent au-dessus de la Garonne. Jadis fermée, apte à rester vaillante siège après siège, elle ne demande pas mieux qu'à ouvrir ses portes. Faites-y une halte sans hésiter.

▶ **Se repérer** – À 19 km au Nord-Ouest de Marmande par la N 113. La D 9^{E1} qui longe la Garonne offre une jolie vue sur le château, l'église et les bâtiments conventuels.

👁 **À ne pas manquer** – Les chapiteaux historiés de l'abbaye de St-Ferme ; Castelmoron-d'Albret, le plus petit village de France.

🕐 **Organiser son temps** – La ville de La Réole mérite que l'on s'y attarde au moins une demi-journée : après une balade dans la vieille ville, une visite de l'abbaye et de son musée, découvrez les quatre musées de La Réole, dans lesquels on passe facilement 1h30 à 2h (attention, en dehors de juillet-août, ils n'ouvrent que 3 ou 4 après-midi par semaine). Pour le circuit de découverte, comptez 3h.

👪 **Avec les enfants** – Les musées de La Réole.

🕯 **Pour poursuivre la visite** – Voir aussi Sauveterre-de-Guyenne *(voir Vignoble de Bordeaux)*, Verdelais, Saint-Macaire, Bazas, Duras.

Le saviez-vous ?

La Réole est la patrie de deux jumeaux aux noms d'empereurs romains, **César et Constantin de Faucher** (1760-1815) qui, tous deux généraux, se rallièrent de concert à la Révolution. Nés en même temps, ils moururent de même, condamnés à mort et exécutés tous deux pour la même faute.

Se promener

Un circuit pédestre (1h30) fléché permet de découvrir la cité médiévale - plan du circuit et livret d'explications disponibles à l'office de tourisme.

Ancienne abbaye

☎ 05 56 61 13 55 - juin-sept. : 8h30-18h, sam. 8h-18h, dim. et j. fériés 9h-18h ; oct.-mai : 8h30-17h30 - fermé j. fériés quand j. de sem. - tarif non communiqué.

C'est l'établissement bénédictin fondé sous Charlemagne qui donna son nom à La Réole (du latin *regula* : « règle »).

L'**église St-Pierre** possède une nef gothique de type méridional dont les voûtes datent du 17ᵉ s. L'église se termine par un chevet à pans qu'il faut contourner pour aller visiter les bâtiments conventuels aujourd'hui occupés par des services administratifs et la mairie.

La longue façade à contreforts du **logis des moines** (18ᵉ s.) donne sur une terrasse d'où se découvre une **vue** étendue vers la vallée de la Garonne. Vous y pénétrez par un escalier à double révolution ; à l'intérieur, il faut voir les deux escaliers monumentaux. L'un est coiffé d'une coupole, l'autre d'une peinture représentant saint Benoît en extase.

De la terrasse, retournez-vous pour admirer à contre-jour la belle grille d'entrée.

Le **cloître**, du 18ᵉ s., s'ouvre place Albert-Rigoulet par une charmante porte Louis XV.

Ancien hôtel de ville

Rare édifice civil roman encore intact, l'ancien hôtel de ville fut offert par **Richard Cœur de Lion** aux bourgeois réolais. En bas se trouvait la halle aux grains et, à l'étage, la salle de réunion des jurats, suivant une disposition qu'on retrouve à l'époque gothique dans les halles flamandes.

À l'angle de la **rue Peysseguin**, boutique du 16ᵉ s. avec baie en anse de panier *(elle abrite l'office de tourisme).*

Visiter

Musées de La Réole

Ancienne manufacture des tabacs. Accès par la rue des Moulins, à gauche de la N 113, route de Marmande. 19 av. Gabriel-Chaigne - ☎ 05 56 61 29 25 - www.les-musees.com - juil.-

août : 10h-18h ; mai-juin et sept. : mer., jeu. et w.-end 14h-18h ; fév.-avr. et oct.-nov. : mer., dim. et vac. scol. zone C 14h-18h ; déc. : tlj sf ven., w.-end et j. fériés 14h-18h - 9,50 €.

👥 Quatre musées consacrés aux véhicules automobiles, militaires, agricoles et ferroviaires : de quoi régaler les amateurs de vieilles roues !

Parmi la centaine de véhicules de la **section automobile** exposés dans les trois halls : une berline Ford T (1928) utilisée par Laurel et Hardy sur leurs tournages, la Citroën P17B à chenilles de la Croisière Jaune Paris-Pékin (1931-1932), une Buick Roadmaster berline (1948), « belle américaine » particulièrement longue.

À l'étage inférieur, la **section militaire** évoque la Seconde Guerre mondiale à travers armes, affiches de propagande et véhicules lourds.

La **section agricole** rassemble tracteurs à roues pleines des années 1920 et à chenilles, énormes locomotives à vapeur et moissonneuse de 1925.

Enfin, la **section ferroviaire**, de loin la plus intéressante, s'ouvre sur une gare miniature des années 1930 où deux wagons-lits et Pullmann ont été reconstitués grandeur nature (exposition de maquettes et de trains jouets à l'intérieur). Il faut prendre le train pour se rendre dans les salles suivantes.

Section automobile des musées de La Réole.

Circuit de découverte

LE HAUT ENTRE-DEUX-MERS
45 km – environ 3h. Prendre la D 668 au Nord-Est de La Réole.

Monségur
Dépliant avec plan et principales curiosités disponible à l'antenne tourisme. Le circuit est fléché et ponctué de panneaux explicatifs.

Cette bastide anglaise, rivale de Ste-Foy-la-Grande française *(voir les alentours de Duras)*, fut fondée en 1265. Comme son nom l'indique *(Mons Securus* signifie « mont sûr »), elle occupe une situation stratégique sur un promontoire dominant la vallée du Dropt. Agréable chemin de ronde.

Le quadrillage de rues typique compte encore quelques maisons à pans de bois, et une place centrale encadrée de couverts où s'élève une surprenante **halle métallique** (19ᵉ s.). Elle abrite le marché du vendredi et des **foires au gras** *(2ᵉ dim. de déc. et de fév.)*.

Quitter Monségur par le Nord (D 16).

Abbaye de St-Ferme
☎ *05 56 61 69 92 - sur demande auprès de Céline Brun, visite guidée (1h) ; se renseigner pour périodes et horaires - 3,05 €.*

Cette abbaye bénédictine fondée au 11ᵉ s., sur la voie de Vézelay (chemin de St-Jacques-de-Compostelle), connut son apogée entre les 12ᵉ et 14ᵉ s. avant de subir les guerres de Religion et d'être supprimée en 1770. Certaines des parties du bâtiment sont propriété privée. La visite comprend la salle de justice *(qui accueille des réceptions)*, le scriptorium *(au 1er étage, qui abrite les bureaux de la mairie)* et un **musée des Vieux Outils** *(aménagé au 2e étage)* où sont présentées aussi plus d'un millier de pièces romaines (3e s.) découvertes en 1986 dans les environs.

Dans l'église, romane et gothique, le chevet conserve en parfait état des **chapiteaux★** historiés remarquables. Scènes bibliques ou fantastiques sont réalisées avec minutie et force détails.

Prendre à l'Est la D 139, puis tourner à droite dans la D 230.

Castelmoron-d'Albret

Un rocher surmonté d'une enceinte sertie de vieilles maisons… Un « petit bijou » direz-vous ! En effet, la plus petite commune de France (4 ha) est ravissante.

Poursuivre sur la D 230.

Sauveterre-de-Guyenne *(voir circuit « Entre-Deux-Mers » dans le vignoble de Bordeaux)*

Revenir à La Réole par la D 670.

La Réole pratique

Adresses utiles

Office du tourisme de La Réole – *Pl. Richard-Cœur-de-Lion - ℘ 05 56 61 13 55 - juin-sept. : mar.-sam. 9h30-12h30, 14h30-18h30, dim. 9h30-12h30, lun. 14h30-18h30 ; oct.-mai : tlj sf dim. 9h30-12h30, 15h-18h, lun. 15h-18h ; j. fériés : se renseigner - fermé du 25 déc. au 1er janv.*

Office du tourisme de Monségur – *4 r. Issartier - ℘ 05 56 61 82 73 - www.entredeuxmers.com - tlj sf w.-end et j. fériés 9h-12h, 14h-18h.*

Visite

En bateau – Découverte de l'histoire de la Garonne à Bord du *Régula*, en juil.-août. Renseignements à l'office de tourisme.

Se loger

⊜⊜ **Chambre d'hôte Domaine de la Charmaie** – *33190 St-Sève - 12 km au S de Sauveterre-de-Guyenne par D 670 puis D 129 - ℘ 05 56 61 10 72 - http://monsite.wanadoo.fr/domainedelacharnaie - 📷 - 4 ch. 60/92 € ⊡ - repas 23 €.* Cette maison de maître du 17e s. entourée d'un écrin de verdure a tout pour séduire. La décoration réalisée par la propriétaire est particulièrement soignée : harmonie de tons pastel, tissus choisis et meubles patinés. Les chambres et la suite, sise dans un bâtiment indépendant, possèdent de belles salles de bains.

Se restaurer

⊜ **Le Régula** – *31 r. André-Benac - ℘ 05 56 61 13 52 - fermé vac. scol. de fév., 2-12 nov., mer. soir, ven. soir hors sais., mer. juil.-août - 12 € déj. - 21/38 €.* Ne vous y trompez pas, cette vitrine aux allures de boutique abrite bien un restaurant. À l'intérieur, le patron limite le nombre de tables pour assurer une cuisine et un service de qualité… Pari réussi : vous dégusterez ici de bons plats traditionnels utilisant les produits du marché, dans une ambiance chaleureuse.

⊜⊜ **Les Fontaines** – *8 r. Verdun - 14 km au S de Sauveterre-de-Guyenne par D 670 - ℘ 05 56 61 15 25 - fermé 23 fév.-1er mars, 17 nov.-1er déc., mer. soir hors sais., dim. soir et lun. - 16/46 €.* Cette grande demeure bourgeoise se niche dans un ravissant jardin arboré où l'on dresse les tables de la terrasse en été. Ses deux salles à manger ont quant à elles conservé leur élégant cadre d'origine. Les savoureuses recettes traditionnelles du chef y sont proposées à des prix qui savent rester digestes.

Château de **Roquetaillade**★★

CARTE GÉNÉRALE C2 – CARTE MICHELIN LOCAL 335 J8 – SCHÉMA P. 171 – GIRONDE (33)

Étonnant château que Roquetaillade situé sur un piton rocheux troglodytique, dont les cavités furent habitées dès la préhistoire. On s'attend à trouver, derrière les murs épais couronnés de créneaux, une austérité toute médiévale. Que nenni, Viollet-le-Duc est passé par là et s'en est donné à cœur joie, matérialisant avec une délectation évidente ses fantasmes néogothiques. Un régal pour les yeux !

- ▶ **Se repérer** – À 7 km au Sud de Langon et 11 km au Nord de Bazas.

- 🅿 **Se garer** – Parking à l'entrée. Il est interdit d'entrer en voiture dans le parc du château.

- 🕐 **Organiser son temps** – Hors saison, le château n'est ouvert que le week-end. D'avril à novembre, il ouvre tous les après-midi (et toute la journée en juillet et en août). Quoi qu'il en soit, commencez par la visite du château (1h) car la métairie n'ouvre pas avant 15h.

- 👫 **Avec les enfants** – La métairie, face à l'entrée du château.

- ♿ **Pour poursuivre la visite** – Voir aussi Château de Cazeneuve, le château de Villandraut *(voir Bazas)*, le circuit Sauternes et Barsac *(voir Vignoble de Bordeaux)*, Saint-Macaire, Verdelais, Parc naturel régional des Landes de Gascogne.

Une chambre rose au décor néogothique ? Viollet-le-Duc et Edmond Duthoit sont passés par là !

Visiter

🕿 *05 56 76 14 16 - www.chateauderoquetaillade.com -* ♿ *- visite guidée (1h) juil.-août : 10h30-18h ; de Pâques à Toussaint : 14h30-18h ; reste de l'année : dim., j. fériés et vac. scol. zone C 14h30-18h - 7 € (enf. 4,80 €).*

Le château

Cet imposant château féodal a été construit en 1306 par le cardinal Gaillard de la Mothe, neveu du pape Clément V. Il fait partie d'un ensemble composé de deux forteresses des 12e et 14e s. situées à l'intérieur d'une même enceinte. À droite du château Neuf, restes du **château Vieux** (donjon de la fin du 11e s.).

Les six énormes tours rondes du **château Neuf**, percées d'archères et crénelées, encadrent un corps rectangulaire ; deux d'entre elles flanquent l'entrée. Dans la cour se dressent le puissant donjon carré et sa tourelle. Les baies géminées et tréflées rappellent les dispositions des châteaux clémentins de la région.

À partir de 1866, Viollet-le-Duc commença à restaurer et à réaménager le château. C'est à cet architecte (qui vous accueille en personne, dans la cour d'entrée, à gauche de la porte !), qu'on doit l'escalier monumental du hall d'entrée, le mobilier et les étonnantes décorations de la **salle à manger**★ dont les motifs stylisés annoncent déjà les arts décoratifs anglais de la fin du 19e s. (William Morris en particulier) et l'Art nouveau. La **chambre rose★** et la chambre verte, attribuées à Edmond Duthoit, collaborateur de Viollet-le-Duc sur ce chantier, suivent la même tendance. Cependant des difficultés financières mirent fin à l'ambitieux projet et la décoration de la salle synodale resta inachevée.

Vous visiterez également la chambre du Cardinal et le Grand Salon tendu de tapisseries flamandes. Chacune de ces pièces meublées d'époque classique renferme une belle cheminée Renaissance. Quant à la grande cuisine, elle possède un impressionnant fourneau central.

Le parc

Le parc, planté d'arbres centenaires, abrite une **chapelle** dont l'intérieur, décoré par Duthoit, est de style oriental.

👥 Face à l'entrée du château, se trouve la **métairie** qui abrite un pigeonnier du 12e s., un four à pain, un chai et compte quelques animaux de ferme. Vous y découvrirez le monde rural du milieu du 19e s. dans le Bazadais. *Juil.-août 15h-19h ; reste de l'année sur RV.*

Saint-Émilion★★

2 345 ST-ÉMILIONNAIS
CARTE GÉNÉRALE C2 – CARTE MICHELIN LOCAL 335 K5 – SCHÉMA P. 171 – GIRONDE (33)

Si vous allez à Saint-Émilion pour le plaisir des papilles (c'est une valeur sûre), attendez-vous à en avoir aussi pour le plaisir des yeux. C'est vraiment l'une des plus jolies cités d'Aquitaine. Une ville médiévale de pierre dorée, de placettes et de venelles. Que ceux qui pensent avoir tout vu mettent de l'eau dans leur vin (au sens figuré, évidemment !).

▶ **Se repérer** – À 10 Km à l'Est de Libourne par la D 243. St-Émilion se parcourt à pied… avec des chaussures confortables, car les ruelles sont pavées et pentues.

Le saviez-vous ?

Le sous-sol de Saint-Émilion et de ses environs est un véritable gruyère. On y compte environ 200 km de carrières.

▣ **Se garer** – Stationnez à l'extérieur du centre-ville sur les parkings (*payants*) situés en haut et en bas de la ville.

👁 **À ne pas manquer** – La vue sur la ville depuis la tour du Roi ou le clocher de l'église monolithe ; la place du Marché et les monuments qui la bordent ; le Train des Grands Vignobles (*voir la rubrique « Visites » dans l'encadré pratique*).

🕐 **Organiser son temps** – C'est le soir, peu avant le coucher du soleil, que la ville est la plus belle. En revanche, si vous souhaitez éviter la foule, commencez les visites de bon matin. Une journée ne sera pas de trop pour faire le tour de toutes les richesses de la ville. En été, des visites nocturnes sont proposées. Vous l'aurez compris : pour profiter au mieux de Saint-Émilion, l'idéal est de pouvoir dormir sur place.

👣 **Pour poursuivre la visite** – Voir aussi le circuit du Saint-Émilion (*voir Vignoble de Bordeaux*), Bordeaux, La Sauve, Libourne, Bourg, Blaye.

Comprendre

Le sobre ermite – Au 8e s., **Émilion** abandonna sa Bretagne natale pour embrasser la vie monastique près de Royan. Il était, au monastère, chargé de la boulange. Mais sa vie était ailleurs, et il se mit en quête du havre de tranquillité nécessaire à sa méditation. Il trouva le lieu rêvé sur les pentes calcaires de la vallée de la Dordogne, et s'y aménagea une grotte alimentée en eau par une source. L'ermite Émilion allait faire des émules qui bâtirent là un monastère ; le village élevé alentour prit tout simplement son nom.

Le « tapissier » girondin – Dix siècles après Émilion, ce fut un proscrit qui vint chercher refuge à St-Émilion. **Élie Guadet** était devenu un des chefs du parti girondin à la Convention et fut victime de la haine que Robespierre portait à la Gironde. Déguisé en tapissier, il s'évada alors de Paris pour gagner la Normandie puis St-Émilion, sa ville natale, où il se terra en compagnie de Pétion et Buzot, ses collègues à l'Assemblée. C'est là qu'un jour de 1794, il fut arrêté et emmené à Bordeaux où il mourut sur l'échafaud.

Jurade et jurats – Les célèbres vins rouges de St-Émilion étaient qualifiés au Moyen Âge de vins « honorifiques » parce qu'on les offrait en hommage aux souverains et aux personnalités de marque. Dès l'époque médiévale, le conseil municipal d'alors avait la charge de contrôler leur qualité : c'était la jurade qui, reconstituée en 1948, assume encore aujourd'hui cette fonction.

Tous les ans, au **printemps** (*3e dim. de juin*), les jurats vêtus de leurs robes écarlates bordées d'hermine, et coiffés de leurs chaperons de soie, entendent la messe puis se dirigent, en procession, vers le cloître de l'église collégiale, où ils procèdent à de nombreuses intronisations. En fin d'après-midi, du haut de la tour du Roi, la jurade proclame le jugement du vin nouveau.

À l'**automne** (*3e dim. de sept.*), les mêmes jurats, du haut de la même tour du Roi, ouvrent le ban des vendanges. Ces diverses solennités s'accompagnent de banquets dignement arrosés, qui se déroulent dans la salle des Dominicains du syndicat vinicole.

Se promener

Le site★★

Face au Midi, St-Émilion essaime, sur deux collines calcaires, des petites maisons blondes aux toits de tuiles vieux rose. À la jonction des deux collines, le haut clocher de l'église monolithe surmonte un promontoire creusé de cavités : l'église monolithe, l'ermitage d'Émilion, les catacombes, la chapelle de la Trinité et de nombreuses caves. Au pied du promontoire et de l'église, la place du Marché est le cœur de la ville. Elle fait la liaison entre les quartiers couvrant les deux collines, dont l'une arbore le château du Roi, jadis siège du pouvoir civil, et l'autre la collégiale, symbole de la puissance religieuse. Pour avoir une belle **vue d'ensemble** du site, montez en haut du clocher de l'église monolithe ou en haut de la tour du Roi. De l'esplanade près du cloître des Cordeliers, place du Cap-du-Pont, vous avez aussi une jolie vue sur St-Émilion.

Le circuit suivant passe par les principaux monuments que l'on peut visiter seul. On peut bien sûr panacher cette balade, à son goût, de tours et détours dans le dédale des ruelles de la ville.

Le village médiéval de St-Émilion, dominé par le haut clocher de l'église.

Place du Marché

Petite place pavée où les restaurants ont planté leurs parasols. De là, très jolie vue sur la charmante chapelle de la Trinité et sur l'église monolithe que domine un majestueux clocher, percé de baies romanes, et terminé par une flèche du 15ᵉ s.

Une rampe mène à la porte Cadène.

Porte et logis de la Cadène

La porte de la Cadène tient son nom de la chaîne (du latin *catena*) qui la fermait pendant la nuit : au travers de son arche, curieuse perspective sur la tour de l'église monolithe. Une maison à pans de bois du 15ᵉ s. est accolée à la porte.

Prendre à droite dans la rue de la Porte-Brunet.

De l'ancien **logis de la Commanderie** *(sur la droite)* qui accueillait jadis les officiers, il ne subsiste que le chemin de ronde et une échauguette d'angle.

Cloître des Cordeliers

℘ 05 57 24 72 07 - se renseigner.
Construit, ainsi que la chapelle, au 14ᵉ s., le **cloître★** carré est composé de colonnettes géminées, sur lesquelles prennent appui des arcs d'aspect roman. Au fond et à droite, un arc ogival du 15ᵉ s. précède l'escalier qui conduisait aux cellules des moines. L'ensemble, tout recouvert d'une végétation où trillent les oiseaux, est très romantique. Dans la nef de l'ancienne église, accès aux **caves** creusées dans le roc à 20 m de profondeur, où naissent les crémants de Bordeaux blancs et rosés.

Continuer la rue de Porte-Brunet jusqu'aux remparts.

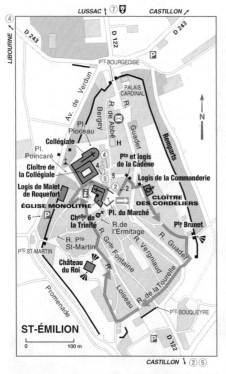

Porte Brunet

C'est l'une des six portes qui jalonnaient les remparts du 13ᵉ s., renforcés aux siècles suivants par un chemin de ronde sur mâchicoulis. De la porte Brunet, vue sur le vignoble. C'est par cette issue que s'échappèrent, une nuit de janvier 1794, les proscrits girondins, compagnons de **Guadet**.

Au loin, pointant haut au-dessus du dédale des ruelles, la tour du Roi et la grande flèche du clocher.

Revenir sur ses pas pour prendre à gauche la rue de la Liberté. Emprunter les escaliers à gauche (après le nº 3), poursuivre à gauche puis prendre à droite la rue de la Tourelle.

Château du Roi

Juin-sept. : 10h30-20h30 ; hors saison : se renseigner à la mairie - ℘ 05 57 24 65 00 - accès en haut de la tour du Roi - 1 €.

Fondé selon les uns par Louis VIII, selon les autres par Henri III Plantagenêt au 13ᵉ s., il a servi d'hôtel de ville jusqu'en 1720. Le donjon rectangulaire (32 m de hauteur), dit **tour du Roi**, isolé sur un socle rocheux, est muni de latrines sur sa face extérieure. Du sommet, **vue★** sur la ville et, au-delà, sur les vallées de la Dordogne et de l'Isle

Prendre la rue de la Grande-Fontaine puis la bien-nommée ruelle du Tertre-des-Vaillants, très pentue, qui court entre des maisons creusées à même la roche.

Collégiale

Vaste édifice à la nef romane et au chœur gothique. L'entrée se fait sur le côté gauche du chœur par un somptueux portail du 14ᵉ s. monté à l'époque où Gaillard de la Mothe, neveu de Clément V, était doyen des chanoines. Son tympan est sculpté d'un Jugement dernier. Il ne reste que la base des statues d'apôtres qui garnissaient les niches. À l'extrémité du mur droit de la nef, peintures murales du 12ᵉ s. représentant la Vierge et la légende de sainte Catherine. Dans le chœur, personnages des **stalles** (15ᵉ s.), pleins de fantaisie.

Logis de Malet de Roquefort

En face de la collégiale, une maison du 15ᵉ s. est incorporée dans le rempart : sous son toit passe le chemin de ronde de l'enceinte à créneaux et mâchicoulis.

Rejoindre la pl. des Créneaux.

Cloître de la collégiale

 - *mêmes horaires que le clocher de l'église monolithe - gratuit.*

Ce cloître du 14ᵉ s. présente des analogies avec celui des Cordeliers, notamment dans le dessin des colonnettes géminées, d'une grande élégance.

Aux angles, des arcs consolident les galeries dont l'une abrite une série de beaux enfeus qui servaient jadis de sépultures. Le réfectoire et le dortoir des religieux, restaurés, forment le « Doyenné », siège de l'office de tourisme.

Revenir à la place du Marché.

Vue sur les toits et la tour du Roi.

Visiter

AUTOUR DE LA PLACE DU MARCHÉ

Les quatre monuments décrits ci-après se visitent successivement avec un guide (45mn). Prendre son billet à l'office de tourisme. ☎ 05 57 55 28 28 - www.saint-emilion-tourisme. com - visite guidée (45mn) juil.-août : 9h30-20h ; de mi-juin à fin juin et de déb. sept. à mi-sept. 9h30-19h ; de déb. avr. à mi-juin et de mi-sept. à fin oct. : 9h30-12h30, 13h45-18h30 ; nov.-mars : 9h30-12h30, 13h45-18h - 5,50 €.

Ermitage Saint-Émilion

Cette grotte fut agrandie par Émilion qui lui donna la forme d'une croix latine. On peut y voir le lit du saint (lit de pierre… on est ermite ou on ne l'est pas !), son siège creusé dans la roche et la source où il donnait le baptême, et qui fait office aujourd'hui de puits aux vœux. Les femmes désireuses d'avoir un enfant doivent s'asseoir, dit-on, sur le siège d'Émilion. Au fond, un autel est surmonté d'une statue du saint.

Catacombes

Dans la falaise voisine de la chapelle s'ouvrent des galeries qui servaient à l'origine de nécropole, comme le montrent de nombreuses tombes creusées dans la pierre. On distingue dans la coupole centrale un orifice par lequel étaient descendus les corps. À la base de cette coupole, remarquez une représentation naïve de la Résurrection des morts : trois personnages sculptés sortent de leurs sarcophages en se tendant la main.

Chapelle de la Trinité

Ce petit édifice fut construit au 13ᵉ s. par les bénédictins. Rare exemple dans le Sud-Ouest d'une abside gothique à pans, il se distingue à l'intérieur par une élégante voûte, à nervures rayonnantes convergeant sur une clef frappée de l'agneau mystique. Convertie un temps en tonnellerie, la chapelle conserva ses jolies **fresques gothiques**, retrouvées sous une couche de suie. Parmi les fresques (14ᵉ s.), on reconnaît des représentations de chimères comme cet évêque avec un corps de palombe.

Église monolithe★

Des travaux de consolidation ont entraîné la mise en place provisoire de poteaux de soutènement disgracieux. Restaurations en cours.

Attention, rareté : cette église souterraine « d'une seule pierre », la plus vaste d'Europe, a été aménagée dans le rocher, de la fin du 8e au 12e s., en agrandissant des grottes et des carrières déjà existantes. On dit que les moines qui la creusèrent étaient, selon les moments, de cinq à cinquante-cinq (rudes gaillards !).

L'intérieur frappe tant par l'ampleur des nefs taillées en profondeur dans la pierre que par la découpe parfaitement régulière des voûtes et des piliers quadrangulaires, dont deux seulement soutiennent le clocher. Au fond de la nef centrale, sous l'arcade de travée, un bas-relief représente deux anges tétraptères ou chérubins, gardiens des portes du paradis.

Clocher de l'église monolithe

Certes, il y a 187 marches à monter… mais cela vaut le coup d'œil : **vue** d'ensemble sur la bourgade, ses monuments et le vignoble, le tout classé au Patrimoine mondial de l'Unesco.

Circuit de découverte

LE SAINT-ÉMILION ④

52 km environ au départ de St-Émilion. Voir Vignoble de Bordeaux.

Saint-Émilion pratique

Adresse utile

Office du tourisme de Saint-Émilion – *Pl. des Créneaux - ☎ 05 57 55 28 28 - www. saint-emilion-tourisme.com - juil.-août : 9h30-20h ; de mi-juin à fin juin et de déb. sept. à mi-sept. : 9h30-19h ; de déb. avr. à mi-juin et de mi-sept. à fin oct. : 9h30-12h30, 13h45-18h30 ; nov.-mars : 9h30-12h30, 13h45-18h.*

L'office vous remettra un plan de la ville et un guide pratique comprenant nombre d'informations pour profiter pleinement de St-Émilion (visite de la cité médiévale, visite du vignoble, manifestations, etc.).

Pour ceux qui voudraient randonner, un topoguide « Le pays de St-Émilion » est également disponible sur demande.

Visites

Le Train des Grands Vignobles – *Château Rochebelle - ☎ 05 57 51 30 71 - www.visite-saint-emilion.com - 10h30-12h30, 14h-18h30 - durée 30 à 35mn - fermé mi-oct. à Pâques, sf vac. scol. 5 € (enf. 4 €).* En empruntant ce petit train, vous suivrez une visite commentée des coteaux, des vignobles, des châteaux et des sites médiévaux de la région. En option, visite d'une cave monolithe et dégustation d'un grand cru de St-Émilion.

Le vignoble à vélo – *S'adresser à l'office de tourisme - forfait 1/2 journée 10 €, 1 journée 14 €, 2 jours 22 €.*

Se loger

👁 **Bon à savoir** – Le domaine viticole **Château Gerbaud** - *☎ 06 03 27 00 32 - www.chateau-gerbaud.com- 33330 St-Pey-d'Armens (8 km au SE de St-Émilion par D 670 dir. Castillon-la-Bataille)* - dispose d'une aire de stationnement (48h maximum, 4 €) réservée aux camping-cars ; certains emplacements sont ombragés, mais tous bénéficient de la proximité des vignes. Profitez-en pour visiter la boutique et déguster le saint-émilion et le bordeaux produits sur place. Sa propriétaire vous indiquera des balades dans le vignoble et les petites routes pour rejoindre à vélo le village de Saint-Émilion.

🛏 **Chambre d'hôte Château Meylet** – *La Gomerie - 1,5 km à l'O de St-Émilion, rte de Libourne par D 243 - ☎ 05 57 24 68 85 - http://chateau.meylet.free.fr - 🚭 - 4 ch. 46/58 €. 🖵* Cette demeure girondine de 1789 se trouve au cœur d'une exploitation viticole de 2 ha. Les chambres, au charme rustique, possèdent un beau mobilier d'époque. Petits-déjeuners servis l'hiver dans la véranda, l'été sous la tonnelle dressée dans le jardin.

🛏 **Domaine de la Barbanne** – 👥 - *Rte de Montagne - 2,5 km du centre de St-Émilion, dir. Montagne - ☎ 05 57 24 75 80 - fermé oct.-mars - 🅿 - 16 ch. 49/59 € 🖵.* Hébergement en chalet-motel dans l'enceinte d'un camping doté d'équipements complets : épicerie, restaurant, laverie, club pour les enfants, location de vélos, piscines, tennis, minigolf… Comme à l'hôtel, draps et serviettes sont fournis ; location possible pour une seule nuit. Navette gratuite pour le village.

⊖⊜🛏 **Château Monlot** – *1 r. Conte - 33330 St-Hippolyte - 3 km à l'E de St-Émilion dir. Castillon par D 245 - ℘ 05 57 74 49 47 - www.belair-monlot.com - 5 ch. 70/120 € ⊐.* Les fondations de ce château à la façade crayeuse et au beau toit de tuiles remonteraient au temps des Capétiens. Les chambres agrémentées de photos anciennes portent chacune le nom d'un cépage. Salle des petits-déjeuners décorée sur le thème de la vigne. Visite des chais et dégustations de crus du domaine.

⊖⊜🛏🛏 **Hostellerie de Plaisance** – *Pl. du Clocher - ℘ 05 57 55 07 55 - hostellerie.plaisance@wanadoo.fr - fermé 1er janv.-12 fév. - 17 ch. 130/435 € - ⊐ 20 € - restaurant 46/80 €.* Offrez-vous ne serait-ce qu'un court séjour dans cette maison en pierre blonde du 14e s. édifiée au cœur de la cité médiévale et où se nichent des chambres douillettes et personnalisées. Savoureuse cuisine au goût du jour servie dans l'élégante salle à manger bourgeoise. Superbe carte de saint-émilion.

Se restaurer

⊖⊜ **L'Envers du Décor** – *11 r. du Clocher - ℘ 05 57 74 48 31 - enversdudecors@nerim. fr - fermé 22 déc.- 9 janv. - 15/30 €.* Ce bistrot à vins adossé à la collégiale assure, outre la restauration, la vente à emporter de bonnes bouteilles. Dans la salle à manger, mariage réussi du bois, des vieilles pierres et de l'aluminium. Fleurs et figuier agrémentent la terrasse, plaisante et calme. Cuisine du marché.

⊖⊜ **Le Bouchon** – *1 pl. du Marché - ℘ 05 57 24 62 81 - franck.herman@tiscali. fr - fermé nov.- fév. - 18/25 €.* L'une des adresses les plus agréables de la place du Marché, cœur palpitant de la cité où sont installés plusieurs restaurants. La salle à manger repeinte dans les tons jaunes et bleus s'agrémente de photographies en noir et blanc. Cuisine traditionnelle soignée et gouleyant choix de vins.

Que rapporter

Marché – *Dimanche pl. Bouqueyre.*

Recette des Anciennes Religieuses - Mme Blanchez – *9 r. Guadet - ℘ 05 57 24 72 33 - lun.-sam. 8h-12h30, 15h-19h, dim. 9h-12h30, 15h-19h - fermé fin janv.- déb. fév. et 11 nov.-3 déc.* Les archives attestent l'existence de macarons à Saint-Émilion dès 1620. Après moult péripéties, la recette a échu en 1930 à la famille Passama. Élaborés à partir d'œufs, de sucre et d'amandes, les délicieux gâteaux se travaillent encore de façon totalement artisanale dans cette boutique.

Un incontournable !

Stéphane Sauvignier / MICHELIN

Matthieu Moulierac – *Tertre de la Tente - ℘ 05 57 74 41 84 ou 05 57 74 43 94 - moulierac@aol.com - 10h-20h ; hors sais. 10h-18h - fermé janv.* Fabrication artisanale dans le respect des traditions de véritables macarons, Cannelés bordelais et craquants aux noisettes. Dégustation et vente sur place, mais les produits sont également disponibles dans les deux boutiques du même nom situées au cœur du village.

Initiation à la dégustation

Maison du vin de St-Émilion – *Pl. Pierre-Meyrat - ℘ 05 57 55 50 55.* Grand choix de vins présentés par millésime (exception faite des grands crus classés) ; elle propose également des cours de dégustation.

L'Atelier des Vins – *Pl. du Marché-au-Bois - ℘ 05 57 24 61 10 - mai-sept. : tlj 11h-19h ; oct.-avr. sur RV.* Initiation à la dégustation dans une cave monolithe du 13e s.

Cercle des Œnophiles – *14 r. Élie-Guadet - ℘ 05 57 55 50 50.* « Dégustation conseil » de vins de propriétés.

Vignobles et Châteaux – *4 r. du Clocher - ℘ 05 57 24 61 01 - www.vignobleschateaux. fr - 9h-19h.* Cette boutique située au cœur de la cité propose une sélection de vins de la région bordelaise, de crus français et européens, de champagnes, de cognacs, etc. Vous y trouverez également de beaux articles de verrerie. Une salle attenante abrite une école du vin où l'on vous proposera une initiation à la dégustation.

Saint-Macaire★

1 541 MACARIENS
CARTE GÉNÉRALE C2 – CARTE MICHELIN LOCAL 335 J7 – SCHÉMA P. 171 – GIRONDE (33)

Une cité médiévale à deux pas de Bordeaux… quel bonheur ! De l'image de carte postale, Saint-Macaire a le charme, mais certainement pas le glacé du papier. Vous y sentirez une vie permanente derrière les balcons et les façades restaurées des vieilles ruelles. Une balade à ne pas manquer !

▶ **Se repérer** – À 18 km à l'Ouest de La Réole. Longé par la N 113, St-Macaire est cependant étonnamment préservé du bruit de la route. On en a une jolie vue d'ensemble depuis la route de Sauveterre (D 672).

👁 **À ne pas manquer** – La place du Mercadiou ; les peintures murales et la curieuse architecture de l'église St-Sauveur.

🕐 **Organiser son temps** – Comptez une demi-journée pour faire le tour de la ville. Si vous venez le jeudi matin, vous pourrez agrémenter la visite d'un petit tour au marché.

🕯 **Pour poursuivre la visite** – Voir aussi Verdelais, le château de La Brède, les circuits des Côtes-de-Bordeaux, de Sauternes et Barsac *(voir Vignoble de Bordeaux)*, le château de Roquetaillade, le château de Cazeneuve, Bazas.

Charmante place du Mercadiou.

Se promener

Enceinte

Remontant au 12ᵉ s., époque de l'établissement de la ville, elle a conservé trois portes. L'une d'elles (porte de Benauge), couronnée de puissants mâchicoulis, constitue encore, au Nord, l'accès principal à la vieille ville. Admirez la perspective du front Sud des remparts, au bord de la falaise calcaire baignée jadis par la Garonne et creusée par elle de cavités.

Église Saint-Sauveur

Agréablement située sur le rocher de St-Macaire, au-dessus du front Sud de l'enceinte, elle domine la vallée.

Vaste et imposant, l'édifice possède une abside romane ceinturée d'un cordon de billettes ; le plan de cette église dessine un trèfle suivant une formule peu courante (présente au St-Sépulcre de Jérusalem), la 4ᵉ abside étant remplacée par la nef. Sous le porche du 13ᵉ s., couronné d'une rosace flamboyante, se trouvent de curieux vantaux de cœur de chêne à ferrures, de la même époque. Au tympan, scènes sculptées montrant onze apôtres auréolés et assis. De la terrasse, vue sur la Garonne.

À la croisée du chœur et sur la voûte de l'abside Est, **peintures murales★** aux couleurs chaudes (14ᵉ s.), sur le thème de l'Apocalypse et de la vie de saint Jean.

Place du Mercadiou ou Marché-Dieu

Très séduisante place entourée de couverts gothiques et Renaissance, ou « embans ». Belles demeures des 15e et 16e s., avec baies en accolade ou fenêtres à meneaux.

Le relais de Poste abrite le **musée régional des PTT d'Aquitaine**. ℰ 05 56 63 08 81 - de déb. avr. à mi-oct. : tlj sf mar. 10h-12h, 14h-18h30 ; de mi-oct. à fin déc. : w.-end 14h-18h30.

Le saviez-vous ?

👁 C'est un saint homme d'origine grecque (Makarios) qui, établi dans la ville au 5e s., lui légua son nom.

👁 Jusqu'au 18e s., la **Garonne** coulait au pied de la ville. La présence d'un port dynamique fit fleurir les classes marchandes qui avaient pignon sur la place du Mercadiou.

Saint-Macaire pratique

Adresses utiles

À l'entrée de la cité (après la porte de Benauge), la **Maison de la communauté de communes des coteaux macariens** et le point-accueil de l'office de tourisme de l'Entre-Deux-Mers reçoivent le visiteur (ℰ 05 56 63 32 14, tlj sf lun.). Vous y trouverez notamment un plan commenté de la cité médiévale et un dépliant sur les randonnées. Toute la documentation est à disposition : l'Entre-Deux-Mers et la Gironde Sud, les randonnées pédestres ou cyclotouristiques, des cartes patrimoniales, le calendrier des manifestations dans le pays de St-Macaire.

Se loger

😊 **Apparthôtel Les Tilleuls - restaurant Le Médiéval** – 16 allée des Tilleuls - ℰ 05 56 62 28 38 - www.tilleul-medieval. com - 🅿 - 12 ch. 40/54 € - 🍴 6 € - restaurant 12,50/34 €. Ces murs du 16e s. voisins de la mairie abritent des petits studios fonctionnels, sobrement meublés et dotés de cuisinettes aménagées. Le restaurant, de style rustique, est ouvert à tous ; produits du terroir.

😊😊 **Hôtel-restaurant Les Feuilles d'Acanthe** – 5 r. de l'Église - ℰ 05 56 62 33 75 - www.feuilles-dacanthe.fr - fermé 25 déc.-20 janv. - 🅿 - 11 ch. 60/80 € - 🛏 8 €. Cette belle bâtisse des 14e et 17e s. située au cœur de la cité médiévale de Saint-Macaire a été parfaitement restaurée. Les chambres et la suite sont charmantes : sol en carreaux de Gironde, mobilier en chêne, murs de pierres apparentes. Piscine avec Jacuzzi et nage à contre-courant dans la cour intérieure.

😊😊 **Chambre d'hôte Peyraguey Maison Rouge** – Haut-Bommes - ℰ 05 57 31 07 55 - www.peyraguey-sauternes.com - 🚭 - 3 ch. 57/79 € 🛏. « Sauternes », « St-Émilion » et « Médoc » : les noms de ces trois ravissantes et spacieuses chambres d'hôte situées en plein cœur du vignoble de Sauternes donnent le ton.

Avec une bouteille de Bordeaux offerte à l'arrivée et une invitation à la dégustation le soir, l'acclimatation se poursuit sans difficulté !

Se restaurer

😊😊 **L'Abricotier** – 2 r. François-Bergœing - 3 km N de Langon par N 113 - ℰ 05 56 76 83 63 - fermé 12 nov.-12 déc., mar. soir et lun. - 20/36 € - 3 ch. 45/50 € - 🛏 5 €. Cet établissement posté en léger retrait de la RN 113 abrite de coquettes salles à manger actuelles et s'agrémente d'une terrasse ombragée de mûriers. En cuisine, son chef mitonne de bons petits plats régionaux, que vous arroserez d'une bouteille choisie parmi la judicieuse sélection de vins. Trois chambres côté verdure.

Sports & Loisirs

Golf des Graves et du Sauternais – Lac de Seguin, sur D 116 rte d'Auros - 33210 St-Pardon-de-Conques - ℰ 05 56 62 25 43 - www.golflangon.com - 9h-19h - fermé 25 déc. et 1er janv. De multiples variétés d'arbres et plusieurs petits étangs jalonnent ce golf de 18 trous dessiné par le Britannique I. Johnston. Son parcours offre l'avantage d'être relativement plat.

Saint-Sever

4 455 ST-SEVERINS
CARTE GÉNÉRALE B3 – CARTE MICHELIN LOCAL 335 H12 – LANDES (40)

« Cap de Gascogne », St-Sever occupe, sur le rebord du plateau de Chalosse, une position dominante en vue des immensités landaises. C'est le territoire du bien vivre et du bien manger : on y perpétue la tradition taurine avec son cortège de festivités, on y élève des volailles au foie gras et des bœufs labelisés ! Vous l'aurez compris, après la visite de St-Sever, il faut aller découvrir les richesses de la Chalosse perdues dans ce paysage rural.

▶ **Se repérer** – Saint-Sever (prononcez « Saint-Sevé ») n'est qu'à 12 km au Sud de Mont-de-Marsan par la D 933.

🅿 **Se garer** – Parking près de l'église.

👁 **À ne pas manquer** – L'exposition sur le manuscrit enluminé de l'Apocalypse au couvent des Jacobins ; la crypte de St-Girons à Hagetmau ; le musée de la Chalosse à Montfort ; la Maison de la Dame de Brassempouy.

> ### Le saviez-vous ?
>
> Ledit **Severus**, venu évangéliser la région au début du 5e s., fut, dit-on, martyrisé et décapité par les Vandales. La cité se développa autour de l'église martyriale élevée à l'emplacement de la sépulture du saint homme.

🕐 **Organiser son temps** – Saint-Sever et la Chalosse méritent une étape de deux jours : comptez une demi-journée de visite pour la ville et plus d'une journée si vous faites les visites du circuit de découverte. Attention aux jours de fermeture : le lundi, c'est la Maison de la Dame de Brassempouy et le musée de la Chalosse à Montfort, le mardi, la crypte de St-Girons, le mercredi, le château de Gaujacq.

👪 **Avec les enfants** – Le moulin de Poyaller où bondissent cerfs, biches mais aussi kangourous ; les ateliers au jardin de la Dame de Brassempouy.

🕯 **Pour poursuivre la visite** – Voir aussi le château de Morlanne *(voir Pau)*, Aire-surl'Adour, la chapelle Notre-Dame-de-la-Course Landaise *(voir Mont-de-Marsan)*.

Visiter

Église (abbaye bénédictine)

🕿 05 58 76 04 86 - été : 8h-19h ; hiver : 8h-18h (nov.-avr. : tlj sf dim. apr.-midi) - possibilité de visite sur demande à l'office de tourisme.

Classé au Patrimoine mondial de l'Unesco, cette ancienne **abbatiale romane** est connue pour son chœur, pavé de mosaïques, et ses sept absides de profondeur décroissante (plan dit bénédictin). Les colonnes de marbre du chœur et du transept proviennent du palais des gouverneurs romains de Morlanne.

Chapiteau polychrome de l'église de St-Sever.

Antonin Thuillier / MICHELIN

Les **chapiteaux**★ sont remarquables, comme l'énorme chapiteau à feuilles d'eau, entre la 1re et la 2e absidiole de gauche ; le chapiteau à quatre grands lions de la colonne supportant la tribune du transept droit ; les chapiteaux historiés, au revers de la façade : à gauche, le banquet chez Hérode et la décollation de saint Jean Baptiste ; à droite, huit personnages escaladant des arbustes.

La **sacristie** donne accès au **cloître** reconstruit au 17e s. L'ancienne salle capitulaire recèle le **trésor** : vêtements sacerdotaux et objets liturgiques. *Lun.-ven. : 8h-12h, 13h30-17h30, sam. : 8h-12h.*

Longer le flanc gauche de l'église (rue des Arceaux). Prendre du recul sur la place de Verdun pour voir le chevet.

Le **chœur** couvert d'un dôme à lanternon apparaît flanqué au Nord par les absidioles romanes aux amusants modillons *(voir aussi ceux de l'absidiole Sud représentant des têtes d'animaux).*

Se promener

De l'église, prendre la rue des Arceaux.

Rue du Général-Lamarque

Elle conserve quelques **hôtels** du 18e s. *(n°s 6, 18, 20 et 26)* et du 19e s. *(n°s 8 et 11).* Au n° 11 se trouve l'ancienne maison du **général Lamarque** (1770-1832), tribun notoire de l'Opposition à la fin de la Restauration originaire de la ville. La maison du général est flanquée de deux pavillons et s'ouvre sur un portail néoclassique. Au n° 21, hôtel particulier du 16e s.

Ancien couvent des Jacobins

Transformé en centre culturel (à la mi-août s'y tient une intéressante exposition artisanale), possède un cloître en brique de la fin du 17e s. L'aile Ouest abrite un **musée** : outre des collections archéologiques provenant de fouilles, il présente une exposition sur le **manuscrit enluminé** de l'Apocalypse de St-Sever (11e s.), chef-d'œuvre de l'enluminure romane du Midi (95 images), dont l'original est conservé à la Bibliothèque nationale, à Paris. *℘ 05 58 76 34 64 - juil.-sept. : 14h30-18h - hors période : sur demande 1 sem. avant à l'office de tourisme - gratuit.*

Promenade de Morlanne

Accès en voiture, se diriger vers les arènes. Du belvédère, la **vue** se porte sur l'Adour en contrebas et sur l'immense « mer de pins » dont la platitude contraste avec la Chalosse vallonnée. Au centre du jardin public se dresse la statue du général Lamarque.

Aux alentours

Église de Souprosse

18 km à l'Ouest par la D 924.

L'**église St-Pierre** abrite un ensemble original : derrière un imposant maître-autel en chêne massif et un tabernacle en cuivre et laiton richement décoré d'émaux se dressent un Christ ressuscité (haut de 2,20 m) en cuivre rouge martelé et une croix (haute de 3 m) en marqueterie d'olivier.

Circuit de découverte

LA CHALOSSE★

90 km – compter une journée. Quitter St-Sever au Sud, par la D 933. Depuis l'église d'Hagetmau, prendre direction Dax. Au carrefour de Larrigade, prendre à droite. La crypte est indiquée quelques mètres plus loin sur la droite.

Crypte de Saint-Girons à Hagetmau

Av. Corisande - ℘ 05 58 05 77 77 - sur demande préalable à la mairie juil.-août : tlj sf mar. 15h-18h - fermé sept.-juin (possibilité d'ouverture sur rendez-vous) - 1,60 €.

Unique vestige de l'abbaye chargée de la garde des reliques de saint Girons, évangélisateur de la Chalosse au 4e s., la crypte repose sur quatre colonnes centrales de marbre, qui encadraient le tombeau du saint, et sur huit colonnes engagées dans les murs.

Les très beaux **chapiteaux**★ (12e s.) représentent la lutte de l'apôtre contre les forces du mal, la délivrance de saint Pierre, la parabole du mauvais riche, des chimères… C'est une halte traditionnelle pour les pèlerins de Compostelle qui viennent, aujourd'hui encore, se recueillir entre les bras des quatre piliers centraux.

Poursuivre au Sud et prendre à droite la D 2.

Brassempouy

Si vous cherchez votre chemin, demandez « Brassempouille », sinon vous ne vous y retrouverez pas ! Autre élément déroutant : le clocher (15e s.) de l'**église** (12e s.) de ce village de Chalosse semble enjamber la rue principale. Une vidéo *(27mn)* sur ses différentes phases de construction est diffusée dans une maison située à côté de la Maison de la Dame de Brassempouy. *Même conditions de visite que celle-ci.*

Maison de la Dame de Brassempouy★ – R. du Musée - ℘ 05 58 89 21 73 - &.- juin-sept. : 10h-13h, 14h-19h (nocturnes jusqu'à 21h les 20 et 27 juil. et 3 et 10 août) ; mars-mai et oct. : tlj sf lun. 14h-17h30 ; nov. et fév. : w.-end, j. fériés et mar. 14h-17h30 ; déc. : sam. 17, 24 et 31, dim. 18 14h-17h30 - fermé janv., lun. (sf juil.-août), 1er mai et 25 déc. - 4,50 € (enf. 2 €). Dans cet espace aménagé en grotte sont présentés des documents évoquant les fouilles archéologiques menées sur le site aux 19e et 20e s., et notamment les conditions de la découverte de la célèbre Dame à la capuche. Vous y verrez les objets d'art (os gravés, pendentifs) et de la vie quotidienne (silex taillés) mis au jour à Brassempouy depuis la reprise des fouilles en 1981, ainsi que des vestiges préhistoriques de la Chalosse (ossements). Le point d'orgue est « **l'alcôve aux Vénus** » qui rassemble les moulages des statuettes trouvées à Brassempouy et d'autres sculptures

Beauté préhistorique

Brassempouy a livré la plus ancienne représentation de visage humain sculpté actuellement connue (23 000 ans av. J.-C.). Cette statuette en ivoire de mammouth, dite **Vénus de Brassempouy** ou Dame à la capuche, est exposée au saint des saints des musées archéologiques français, le musée des Antiquités nationales à St-Germain-en-Laye.

féminines du paléolithique supérieur provenant de sites européens. Une partie est consacrée à une présentation de la région d'hier à aujourd'hui.

Jardin de la Dame de Brassempouy – ℘ 05 58 89 25 89 - &.- visite guidée (1h) juil.-août : 10h-12h, 14h30-19h ; avr.-juin et sept.-oct. : 14h30-17h30 - fermé nov.-mars, lun. - 4,20 € (+6 ans 3,20 €). Revenez au temps de la préhistoire lors d'une promenade en compagnie d'un archéologue dans un milieu reconstitué (habitat, flore, faune) et redécouvrez les gestes quotidiens en assistant (ou participant) aux ateliers de techniques préhistoriques (modelage de poteries, taille de silex…).

Continuer vers le Sud en suivant la D 21. À Amou, suivre la direction Gaujacq, première à droite. Parking sur la gauche après la grille.

Château d'Amou

℘ 05 58 89 00 08 - www.chateauamou.com - juil.-sept. : visite guidée lun., mar. et dim. 15h, 16h et 17h - 4 € (enf. gratuit).

Aux confins de la Gascogne méridionale et du Béarn, le marquis d'Amou (aïeul de l'actuel propriétaire), gouverneur de Bayonne, fit construire ce château à la demande de Louis XIV. Du site de prestige, il a en effet tout l'apanage : une grille finement travaillée du 18e s. ouvre sur une allée de platanes qui mène au château bâti en 1678 sur les plans de **Mansart** (architecte de Versailles).

Le vestibule est pavé d'une remarquable **mosaïque gallo-romaine** entourée d'un escalier monumental sur le palier duquel se trouve la chaise à porteurs du 18e s. *(restaurée).* La mosaïque fut trouvée lors du tracé d'un chemin à St-Sever. Alors que les villageois s'apprêtaient à l'employer pour le remblaiement, le propriétaire d'Amou la récupéra. Dans la salle à manger, le couvert (service en argent) est dressé à la française, comme il était alors d'usage. À l'étage, enfilade de quatre chambres (tomettes 17e s. et parquet Louis XIV) qui ont conservé leur cachet d'origine. Notez que Théophile Gautier occupait la « meilleure » (la plus petite donc la mieux chauffée !) lorsqu'il séjournait à Amou. Dans la **chapelle** aménagée au 19e s., une peinture en trompe l'œil imite le bois. Les **dépendances**, groupées autour d'une cour carrée, constituent un ensemble d'architecture régionale intéressant, alternant pigeonnier béarnais et bâtiments gascons recouverts de tuiles canal. Le château était associé à une exploitation agricole ; un ancien pressoir rappelle que le vin de la Chalosse s'exportait autrefois dans toute l'Europe.

Poursuivre en direction de Gaujacq.

Château de Gaujacq

℘ 05 58 89 21 61 - http://chateau.gaujacq.free.fr - &.- visite guidée (45mn) juil.-août : 11h, 14h, 15h, 16h, 17h, 18h ; juin : 15h, 16h, 17h, 18h ; de mi-fév. à fin mai et de déb. sept. à mi-nov. : 15h, 16h, 17h - fermé mer. - 5 € (–12 ans gratuit).

Le **château** (17e s.) apparaît derrière un rideau de magnolias. Le bâtiment en quadrilatère a le charme des chartreuses du Bordelais. La cour intérieure forme un cloître avec son jardin et sa galerie. Par beau temps, de la terrasse, vous verrez se dessiner au loin la chaîne des Pyrénées. On visite plusieurs pièces meublées, décorées de boiseries et de panneaux peints. Dans la salle à manger des gardes où la table est dressée, armoire de monstrance abritant différentes faïences, et fontaine de marbre. À remarquer dans le salon vert, une commode de l'école Boule. La chambre dénommée « du Cardinal » en souvenir de François de Sourdis, archevêque de Bordeaux, de qui Louis XIII et Anne d'Autriche reçurent la bénédiction nuptiale en 1615, compte un beau bargueño du 15e s. La salle de billard renferme un buffet en trompe l'œil.

Derrière le château, le **plantarium** *(entrée à droite du château)*, divisé en huit parterres et bordé d'une pergola, rassemble de nombreuses espèces de plantes parmi lesquelles des pivoines, des camélias, des acers et des pieris japonais très odorants, des hostas. ℘ 05 58 89 24 22 - *juil.-août et fév.-mars : 14h30-18h30 ; reste de l'année : tlj sf mer. 14h30-18h30 - fermé de mi-déc. à mi-janv. - 5 € (enf. 2 €).*

Poursuivre sur la D 58 en direction de Donzacq. Prendre la première à gauche, la D 339. Prendre ensuite à droite la D 15.

Pomarez

On s'arrête à Pomarez pour ses **arènes** où se retrouvent les amateurs de courses landaises dans une fervante animation *(voir p. 33).*

Quitter le village au Nord par la D 7.

Montfort-en-Chalosse

Le centre de ce petit village, sur une hauteur, est coupé de ruelles et de rues en escalier.

Musée de la Chalosse★ – ℘ 05 58 98 69 27 - *avr.-oct. : tlj sf lun. 10h-12h, 14h-18h30, w.-end 14h-18h30 ; nov.-mars : tlj sf w.-end et lun. 14h-17h30, j. fériés 14h-18h30 - fermé de mi-déc. à fin janv. - 4,80 €.* Consacré à l'économie rurale et au monde paysan en Chalosse, il s'organise autour de la **maison de maître**, meublée et décorée dans un style rustique du 19e s. Vous traversez les parties privées (salon, salle à manger, chambres) et les parties réservées aux tâches domestiques (« salle noire » où l'on rangeait les aliments, cuisines). À l'étage, une **médiathèque** rassemble de nombreux documents sur la vie rurale locale. Autour vous verrez le four à pain, la souillerie (avec son cochon noir gascon), l'étable, le chai et le pressoir *(où se déroule la Fête des vendanges le 1er samedi d'octobre)* ainsi que l'atelier du maréchal-ferrant. Remarquez aussi le quillier en bois constitué d'une boule de 6 kg et de 9 quilles de 0,96 cm de haut. Enfin, vous ne partirez pas sans avoir visiter aussi la **maison du métayer**.

Poursuivant par la D 7. Après 4 km prendre à droite la D 420 puis, la D 10.

La route passe devant le **château de Poyanne**, du 17e s. *(ne se visite pas).*

Laurède

L'**église** du village abrite une étonnante décoration baroque : monumental autel surmonté d'un baldaquin, chaire et lutrin, boiseries de la sacristie. ℘ 05 58 97 97 39 *(office du tourisme de Mugron)*, ℘ 05 58 97 71 93 *(mairie de Laurède) - se renseigner pour visite libre, visite guidée mai-sept. ven. 15h.*

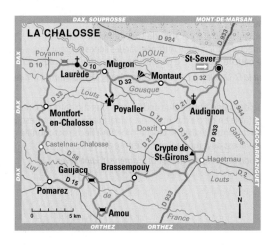

Au musée de la Chalosse, coquette chambre rustique du 19ᵉ s.

Poursuivre sur la D 10.

Mugron

Chef-lieu de canton très lié au développement agricole de la Chalosse (cave coopérative, silos). Son port sur l'Adour expédiait, au temps des intendants, les vins de la région jusqu'en Hollande. Des jardins aménagés aux abords de la mairie, **vues★** sur la vallée de l'Adour.

Suivre la direction de St-Aubin au Sud.

Moulin de Poyaller

☎ 05 58 97 95 72 - www.moulin-poyaller.com - visite guidée (1h30) juil.-août : 14h30 et 16h30 ; du 1ᵉʳ oct. au 10 nov. et de mi-mars à fin mai : 15h et 16h30, visite libre 12h-19h (juil.-août), 14h30-19h (oct.-nov., mars-mai) - fermé sam. (sf si j. férié), du 11 nov. au 14 mars - 5 € (6-11 ans 3 €). Vente de conserves maison.

On vient ici pour le cadre champêtre et l'enthousiasme des propriétaires. Madame fait fonctionner le moulin et vous raconte son histoire. Monsieur vous guide dans le parc animalier où gambadent biches, cerfs (dont un cerf blanc, specimen unique en France), kangourous. Vous aurez aussi la possibilité de vous promener en barque sur la Gouanougue *(supplément tarifaire)*.

Revenir à Mugron et prendre la D 32, à l'Est.

Entre Mugron et Montaut, la route multiplie les vues sur le revers du plateau de la Chalosse dont les promontoires s'abaissent vers l'Adour et la pignada.

Montaut

L'ancien bourg fortifié allonge sa rue principale sur la crête du dernier pli de terrain de la Chalosse, dominant la plaine de l'Adour et la forêt landaise. La **tour de l'église**, formant porte de ville, est une reconstruction entreprise après les ravages des bandes de Montgomery.

Dans l'**église**, les deux retables sont de style différent : celui de droite, du début du 17ᵉ s., à l'architecture strictement rythmée par des lignes perpendiculaires, contrastant avec celui de gauche, du 18ᵉ s., d'un baroque plus sinueux et plus naïf.

Poursuivre sur la D 32 en direction de St-Sever. Après 1 km, prendre à droite.

Audignon

L'**église**, prise dans une boucle du Laudon, se retranche dans un cimetière d'allure fortifiée. Le retable en pierre du chœur est remarquable avec ses fresques colorées. Le chevet roman contraste avec le clocher-porche à flèche octogonale gothique. Le donjon médiéval est devenu clocher de l'église au 14ᵉ s.

Sortir d'Audignon au Nord, par la D 21 qui ramène à Saint-Sever.

Saint-Sever et la Chalosse pratique

Adresses utiles

Office du tourisme de Saint-Sever – *Pl. du Tour-du-Sol - ℘ 05 58 76 34 64 - www.saint-sever.com - de mi-juin à mi-sept. : tlj sf dim. 9h-12h30, 14h-18h, j. fériés uniquement l'apr.-midi ; de mi-sept. à mi-juin : tlj sf dim. 9h-12h30, 14h-17h30, sam. 9h-12h.*

Office du tourisme d'Hagetmau – *Pl. de la République - ℘ 05 58 79 38 26 - tlj sf dim. 9h-12h30, 14h30-18h30.*

Office du tourisme du canton de Mugron – *6-8 r. St-Vincent-de-Paul - ℘ 05 58 97 99 40 - juil.-août : tlj sf dim. et j. fériés 9h-12h30, 14h-17h30 ; reste de l'année : tlj sf w.-end et j. fériés 9h-12h30, 14h-17h30, ven. 9h-12h30, 13h30-16h30.*

Se loger

⊝ **Hôtel Alios** – *40500 Bas-Mauco - 4,5 km au NE de St-Sever par rte de Mont-de-Marsan - ℘ 05 58 76 44 00 - hotel.alios@club-internet.fr - fermé 2-22 août -* 🅿 *- 10 ch. 38/52 € - ⊂⊐ 5 € - restaurant 14/23 €.* Voilà un hôtel bien pratique pour une simple étape sur la route des vacances, à prix très abordables. Les chambres, toutes sur le même modèle, sont fonctionnelles. Salle à manger contemporaine agrandie d'une véranda et cuisine traditionnelle.

Se restaurer

⊝ **Ferme-auberge du Moulin** – *rte de Dax - 40330 Amou - 11 km au S de Gaujacq par D 158 puis D 15 (dir. Dax) - ℘ 05 58 89 30 09 - repas mai-oct. -📷 - 13,50/29 € - 4 ch. 34/37 €.* Préparé sous toutes ses formes, le canard gras est la spécialité de cette maison simple. La salle à manger est un peu désuète mais mignonne avec son carrelage coloré et ses nappes basques. Tranquillité garantie en terrasse sous les parasols. Quelques chambres au calme.

⊝⊝ **Le Relais du Pavillon** – *2 km au N de St-Sever au carrefour D 933 et D 924 - ℘ 05 58 76 20 22 - relaispavillon@club-internet.fr - fermé 3 au 17 janv., sam. soir, dim. soir et lun. - 24,50/45 € - 12 ch. 39/45 € - ⊂⊐ 7 €.* Établissement aménagé dans un bâtiment des années 1960 situé près d'un carrefour fréquenté. La plaisante salle à manger, la terrasse et les chambres sont toutes judicieusement tournées vers la piscine et le jardin. Cuisine traditionnelle.

⊝⊝ **Aux Tauzins** – *40380 Montfort-en-Chalosse - ℘ 05 58 98 60 22 - auxtauzins@aol.com - 20/39 €.* Superbe vue sur la vallée de la Chalosse depuis la salle à manger panoramique de cette massive demeure de style régional. Tout

aussi intéressante est la perspective offerte par la terrasse d'été où vous dégusterez des plats traditionnels et régionaux à l'ombre d'une belle glycine. Les chambres ont presque toutes un balcon.

⊝⊝ **Le Jambon** – *R. Carnot - 40700 Hagetmau - ℘ 05 58 79 32 02 - fermé janv., dim. soir et lun. - 17/38 € - 9 ch. 45/60 € - ⊂⊐ 6 €.* Cette grande maison du centre-ville héberge des chambres spacieuses et actuelles ; toutes donnent sur l'espace cour-piscine. Bonne insonorisation et tenue rigoureuse. Généreuse cuisine traditionnelle et landaise servie dans une confortable salle bourgeoise.

Que rapporter

Ferme Birouca - Michel Cabannes – *40250 Mugron - ℘ 05 58 97 70 30 - www.ferme-birouca.fr - ouv. tlj.* Cette ferme qui élève, gave et transforme les canards vous accueille pour visiter ses laboratoires et découvrir ses produits (foie gras, confits, magrets, rillettes, etc.) plusieurs fois médaillés au Concours général agricole de Paris. Vente sur place et sur les marchés de la région.

Sports & Loisirs

Randonnées – Deux « Guide-Plan », Chalosse (autour de St-Sever et Hagetmau) et Haute Chalosse (autour de Montfort et Mugron) sont en vente dans les offices de tourisme.

Complexe sportif international « La Cité Verte » – *La Cité Verte - 40700 Hagetmau - ℘ 05 58 79 79 79 - www.laciteverte.com.* Ce vaste espace dédié au sport propose de nombreuses activités : piscine couverte, bassin ludique, jacuzzi, sauna, fronton de pelote basque, parcours santé, courts de tennis, terrains de rugby et de football, practice de golf et parcours compact de 9 trous, piste pour rollers, skate, etc.

Stages de cuisine à Hagetmau – *Voir p. 42.*

Événements

Saint-Sever aime faire la fête tout au long de l'année !

Ferias – Juin.

Fête du foie gras – Les 13 et 14 juil.

Reconstitution historique – 4-5 et 6 août : vie de la cité du Moyen Âge à nos jours. Spectacle son et lumière.

Festivolailles – Dernier w.-end de nov.

Hailhe de Nadau – Le 24 décembre, tous les habitants du village se réunissent pour chanter les chants traditionnels en gascon.

Salies-de-Béarn ★

4 759 SALISIENS
CARTE GÉNÉRALE B3 – CARTE MICHELIN LOCAL 342 G2 – PYRÉNÉES-ATLANTIQUES (64)

Comme confite dans le sel de sa précieuse source, la vieille ville de Salies a conservé ses ravissantes maisons d'antan. Le Saleys s'y attarde paresseusement, reflétant dans ses miroirs d'eau, de part et d'autre du pont de la Lune, un chapelet de toits bruns retroussés à la béarnaise. Impossible donc de visiter la région sans s'arrêter dans cette charmante petite station thermale, façonnée au fil du temps par le sel de ses eaux souterraines.

▶ **Se repérer** – À 16 km à l'Ouest d'Orthez par la N 117 puis la D 933 (en poursuivant sur cette même route vous arrivez à Sauveterre-de-Béarn, 11 km plus loin). La vieille ville, tassée autour de la place du Bayàa, n'est séparée de la cité thermale que par le ruisseau. Vous pouvez donc découvrir toute la ville à pied.

👁 **À ne pas manquer** – Le musée du Sel et celui des Arts et Traditions ; le quartier thermal ; la bastide de Bellocq.

🕐 **Organiser son temps** – Attention, les deux musées de la ville sont fermés les dimanches et lundis.

👫 **Avec les enfants** – Le parc de Mosqueros, base de loisirs en plein air *(voir la rubrique « Sports & Loisirs » dans l'encadré pratique).*

👤 **Pour poursuivre la visite** – Voir aussi Orthez, Sauveterre-de-Béarn, Peyrehorade, Oloron-Sainte-Marie.

Comprendre

Histoire salée – Véritable manne pour les habitants, le sel servait notamment à conserver les aliments (dont le jambon dit de Bayonne), évitant ainsi les famines. Il était indispensable de réglementer la répartition du sel entre les Salisiens. C'est chose faite en 1587, lorsque naît la Corporation des Parts-Prenants de la Fontaine salée. Une charte définit les conditions nécessaires pour obtenir le droit de puisage à la fontaine : résider à Salies depuis six mois, tenir famille, etc. Des abus suivirent bien sûr la définition de cette charte. Ainsi, certains jeunes gens, ne trouvant pas femme parmi les jeunes filles mais ne voulant pas pour autant perdre la jouissance de leur droit au sel, épousèrent des femmes âgées, espérant fort qu'ils seraient bientôt libres. Les violations de droits, les injustices, les conflits… nés autour de la fontaine salée valurent à celle-ci d'être nommée la *praube müde* (la « pauvre muette »).

> ### Le saviez-vous ?
>
> Saleys, Salies… n'y aurait-il pas un arrière-goût salé derrière tout ça ? On raconte qu'au Moyen Âge c'est grâce à un **sanglier**, trouvé mort tout couvert de cristaux de sel dans un marécage asséché, que l'on se rendit compte des propriétés des eaux du site, sur lequel on construisit alors une ville. La devise du sanglier : « *Sé you nou y éri mourt, arrès n'y biberé* » (Si je n'y étais mort, personne n'y vivrait.)

Se promener

Les principaux bâtiments sont signalés par un panneau explicatif.

La vieille ville

Le cœur de la vieille ville est l'irrégulière **place du Bayaà** où se trouve le bassin (recouvert en 1868) où l'on puisait l'eau de la source. En face de la mairie, voir la **fontaine du Sanglier** (1827), érigée avec des éléments d'architecture gothique.

Alentour, des ruelles aux noms évocateurs et aux jolies maisons 17e et 18e s. : au bout de la rue de la Fontaine-Salée, bas-relief qui relate la visite de Jeanne d'Albret ; rue des Puits-Salants, musée du Sel *(voir « Visiter »)* ; au n° 8 rue du Pont-Mayou, dernier *coulédé* de Salies (bac de pierre devant la maison, où on déversait l'eau salée).

En direction du quartier thermal, arrêtez-vous à l'**église St-Vincent** dont le clocher participait du système défensif de Salies.

La ville thermale

L'office de tourisme se tient dans l'ancien casino Art déco (1930). Devant le jardin public se dresse l'**Hôtel du Parc** (1893), au somptueux hall à galeries et escalier à double révolution, qui abrite le nouveau casino. Il a servi de cadre à plusieurs films

Vue aérienne de Salies-de-Béarn.

ainsi que de studio d'enregistrement au groupe de musique les Négresses vertes. Il côtoie les **thermes néomauresques** *(voir la rubrique « Sports & Loisirs » dans l'encadré pratique).*

🖐 *Pour tout savoir sur les vertus des eaux de Salies, voir p. 44.*

Le Pain de Sucre

🚶 *1h.* Ainsi se nomme la colline en surplomb de Salies. Elle vous réserve un beau **point de vue** sur la ville et une agréable promenade sous bois qui vous mènera au parc à daims.

Visiter

Musée du Sel

📞 *05 59 38 00 33 - www.tourisme-bearn-gaves.com - de mi-mai à mi-oct. : tlj sf dim. et lun. 15h-18h - fermé j. fériés - 3 €.*

Le musée est aménagé dans une maison traditionnelle salisienne. Il faut y faire un tour pour tout savoir sur la présence géologique du sel dans les eaux de Salies, sur les premières civilisations locales, sur la Corporation des Parts-Prenants, sur le puisage du sel, sur son exploitation au fil des âges… la ville prendra plus de relief et n'en sera que plus agréable à découvrir. La projection d'une vidéo *(20mn)* prélude à la visite des salles : histoire du sel au rez-de-chaussée ; géologie, ébénisterie salisienne, thermalisme à l'étage.

Musée des Arts et Traditions

Mêmes conditions de visite que le musée du Sel.

La première salle traite de la vie quotidienne au 19e s.-début du 20e s. à travers objets, mobilier, habillement. La seconde est consacrée aux métiers, présentant des outils : ferronnerie, menuiserie, saboterie…

Aux alentours

Bellocq

7 km au Nord par la D 330, qui part au rond-point du casino.

La route offre de jolies vues sur les vallons et coteaux de vignes. Les amateurs de vins ne manqueront pas de s'approvisionner à la **cave coopérative** *(voir p. 46).*

Se garer derrière l'église. Cette **bastide**, la plus ancienne du Béarn, fut fortifiée au 13e s. par Gaston VII de Moncade. Elle en a conservé le plan caractéristique.

Sur la porte Ouest de l'**église**, vous remarquerez une des plus anciennes représentations du béret (fin 15e-début 16e s.).

Le **château**, bâti au bord de la rivière, présente, si l'on fait exception de sa tour carrée-porte d'entrée, un ensemble de quatre tours rondes ainsi construites pour mieux résister aux projectiles. Réaménagé au 14e s. à l'époque de Gaston Fébus, le château fut démantelé sous Louis XIII de peur qu'il ne serve de refuge aux protestants.

📞 *05 59 65 12 97 - fermé pour travaux, se renseigner.*

Salies-de-Béarn pratique

Adresse utile

Office du tourisme de Salies-de-Béarn – *R. des Bains - ℘ 05 59 38 00 33 - www. tourisme-bearn-gaves.com - de mi-juin à mi-sept. : tlj sf dim. 9h30-12h30, 14h-18h30 ; de mi-sept. à mi-juin : tlj sf dim. et lun. 9h30-12h, 14h-18h ; j. fériés : mai-août 9h30-12h30.* Demandez le livret « Béarn des Gaves » qui comprend un plan et la description d'un itinéraire pour découvrir Salies, mais aussi Orthez, Sauveterre-de-Béarn et Navarrenx.

Visites

Visite guidée – Elle comprend la visite de la ville et des musées (5 €).

Visite des salines – *Ven. apr.-midi.* Renseignements et réservation à l'office de tourisme.

Se loger

⊜ **Chambre d'hôte Léchémia** – *Quartier du Bois - ℘ 05 59 38 08 55 - www.gites64. com/maison-lechemia - ⊗ - réserv. obligatoire - 3 ch. 38/52 € - ⊑ - repas 23 €.* La propriétaire de cette ancienne ferme située en plein nature vous contera avec passion quelques anecdotes liées à la maison de son enfance. Grange, étable et écurie : tout a été rénové avec beaucoup de goût. Le décor des chambres (non-fumeurs) panache le moderne et l'ancien. Table d'hôte soignée.

⊜ **Chambre d'hôte La Closerie du Guilhat** – *Le Guilhat - 4 km au N de Salies-de-Béarn dir. Puyoo (anc. rte face hôtel du Parc) - ℘ 05 59 38 08 80 - www. holidayshomes.com/guilhat - ⊗ - 4 ch. 40/55 € - ⊑ - repas 20 €.* Un remarquable parc paysager, de jolies chambres aux noms de fleurs, une exquise terrasse ouverte sur la vallée et au loin la chaîne des Pyrénées, une cuisine aux accents du terroir, un accueil charmant et le calme absolu : vous comprendrez que cette adresse est une perle rare !

⊜⊜ **Chambre d'hôte La Demeure de la Presqu'île** – *22 av. des Docteurs-Foix - ℘ 05 59 38 06 22 - www.demeurepresquile. com - ⊗ - 3 ch. 54/61 € - ⊑ - repas 23 €.* Cette demeure du 18ᵉ s. proche du centre-ville abrite des chambres spacieuses et garnies de meubles de style, une salle à manger d'époque et un charmant petit salon-bibliothèque. À table, cuisine d'inspiration régionale et délicieuses pâtisseries maison. Vaste parc planté d'un remarquable magnolia.

Se restaurer

⊜ **Restaurant du Casino Le Parc** – *Hôtel du Parc - ℘ 05 59 38 31 31 - 12/23 €.* Ce restaurant aménagé au sein du casino, qui fut autrefois un hôtel, a conservé sa superbe salle à manger d'époque : lustres, cheminée, parquet et vue sur le parc.

Derrière ses fourneaux, le chef prépare une cuisine traditionnelle tout à fait réussie. Accueil jeune et sympathique.

⊜ **La Terrasse** – *2 r. de Loumé - ℘ 05 59 38 09 83 - fermé lun.-mar. hors-sais. - 7,50 € déj. - 12/26 €.* Vous l'avez deviné, ce restaurant bien connu des locaux pour sa copieuse cuisine régionale doit son nom à son immense terrasse surplombant le Saleys. Intérieur très rustique. À la carte, nombreux plats où le cochon est roi et une spécialité : la garbure.

⊜ **La Belle Auberge** – *64270 Castagnède - 8 km au SO de Salies-de-Béarn par D 17, D 27 puis D 384 - ℘ 05 59 38 15 28 - fermé 20 déc.-fin janv., 1ᵉʳ-15 juin - 13/23 € - 14 ch. 38/50 € - ⊑ 6 €.* Voici une sympathique auberge familiale que vous aurez du mal à quitter : cuisine du terroir copieuse, soignée et facturée à prix sages, plaisante terrasse ombragée, salle à manger campagnarde, chambres calmes et sobrement aménagées, belle piscine et agréable jardin.

En soirée

Casino – *Hôtel du Parc - ℘ 05 59 38 31 31 - cetchegorry@g-partouche.fr.* « Petites mises, grands plaisirs » annonce la brochure du casino. À vous de vérifier si le slogan est à la hauteur en faisant vos jeux.

Que rapporter

Jean-François Demange – *Etxebarnia - 64220 Bustince-Iribery - ℘ 05 59 37 92 41 - www.nautile.net/bourdon.* Fabrication de bourdon, grand bâton qui accompagne depuis toujours les pèlerins jusqu'à St-Jacques-de-Compostelle. Vente sur place.

Sports & Loisirs

Base de loisirs Mosqueros – *Quartier Mosqueros.* Le parc de loisirs Mosqueros (environ 2 ha) comporte des terrains de tennis, la piscine municipale et un fronton de pelote basque.

SA Compagnie fermière – *Pl. du Jardin - ℘ 05 59 38 10 11 - www.thermes-de-salies. com - fermé 25 déc. et 1ᵉʳ janv.* Outre les cures (rhumatologie, gynécologie et pédiatrie), l'établissement thermal organise des programmes de remise en forme : vitalité, soins du dos, antistress, bien-être et beauté, aquagym, yoga, etc.

Le Golf – *Domaine Hélios - ℘ 05 59 38 37 59 - golf.salies@wanadoo.fr - 8h-20h.* Parcours de golf (12 trous) implanté entre mer et montagne. Également sur place, hôtel, restaurant, club house, practice, etc.

Événement

Fête du sel – *2ᵉ w.-end de septembre :* grand marché aux salaisons, artisans en costumes traditionnels, chants et danses du Béarn, etc. ℘ 05 59 38 00 33.

La Sauve ★

CARTE GÉNÉRALE C2 – CARTE MICHELIN LOCAL 335 J6 – SCHÉMA P. 170 – GIRONDE (33)

Une balade parmi les vestiges d'une ancienne abbaye dans un écrin de verdure, voilà qui sort des sentiers battus. Vous aurez l'impression de suivre un jeu de piste en déchiffrant les chapiteaux. De pan de mur en absidiole à ciel ouvert, quand la lumière joue sur les pierres la magie opère.

▶ **Se repérer** – L'abbaye est située dans l'Entre-Deux-Mers à 27 km à l'Est de Bordeaux par la D 936 puis la D 671.

À l'accueil, vous sera remis un document descriptif de l'édifice. Au pied de l'abbaye se trouve la Maison du vin de l'Entre-Deux-Mers *(voir p. 45)*.

> ### Le saviez-vous ?
> Son nom viendrait de la grande forêt, *Silva major*, défrichée par les moines bénédictins.

👁 **À ne pas manquer** – Le panorama depuis le clocher de l'abbaye.

🕐 **Organiser son temps** – Mieux vaut commencer par la visite de l'abbaye *(1h)*, pour terminer par une dégustation de vin à la Maison du vin de l'Entre-Deux-Mers. Attention, hors saison, l'abbaye est fermée le lundi.

🚶 **Pour poursuivre la visite** – Voir aussi le circuit de l'Entre-Deux-Mers *(voir Vignoble de Bordeaux)*, Libourne, Saint-Émilion, Verdelais, Saint-Macaire.

Stéphane Sauvignier / MICHELIN

Prenez du recul pour apprécier toute la majesté des vestiges de l'abbaye.

Visiter

Ancienne abbaye de la Sauve-Majeur ★

📞 05 56 23 01 55 – juin-sept. : 10h-18h ; oct.-mai : tlj sf lun. 10h30-13h, 14h30-17h30. Fermé 1er janv., 1er mai, 25 déc. - 4,60 €.

Fondée en 1079 par le bénédictin **Gérard de Corbie**, futur saint Gérard, l'abbaye de la Sauve-Majeur devint une puissante seigneurie foncière. Elle avait établi de nombreux prieurés jusqu'en Espagne et en Angleterre. Interrompue au 16e s., la vie monastique reprend au 17e s. pour s'achever avec la Terreur. En 1793, l'abbaye devient une prison, puis elle servit de carrière avant d'être laissée à l'abandon.

L'abbatiale, du 12e s., de style roman saintongeais, et du début du 13e s. *(restaurée)*, marque la transition du roman au gothique. L'abside et les absidioles orientées, en cul-de-four, sont en effet romanes ainsi que les magnifiques **chapiteaux ★** qui surmontent les colonnes de la travée droite du chœur. En revanche, les voûtes, dont subsistent les départs d'ogives, et le clocher à hautes baies ébrasées sont gothiques.

À droite de l'abbatiale s'étendent les vestiges du cloître du 13e s., de la salle capitulaire et du réfectoire.

Pour aller à l'église St-Pierre à pied, suivre, à la sortie de l'abbaye, la rue de l'Église. En voiture, prendre une petite route à gauche à la sortie du village.

Église Saint-Pierre

De mi-juin à mi-sept. : w.-end 15h30-19h ; de mi-sept. à mi-juin : demander la clé à Mme Gaborit - 43 r. de Salin - ℘ 05 56 23 22 40 ou à la mairie - ℘ 05 57 97 02 20.

Élevée en style gothique à la fin du 12e s., elle occupe une situation dominante. Prenez du recul pour sentir le caractère d'austère grandeur que revêt sa façade terminée par un clocher-mur et rythmée par des contreforts à ressauts. Le chevet plat est percé de trois baies aux côtés desquelles s'alignent quatre statues du 13e s. : de droite à gauche, saint Michel, saint Jacques, la Vierge et saint Pierre. Le portail Sud est surmonté d'une autre statue de saint Pierre.

Adam et Ève : détail d'un chapiteau de l'abbaye de la Sauve.

Stéphane Sauvignier / MICHELIN

Sauveterre-de-Béarn ★

1 304 SAUVETERRIENS
CARTE GÉNÉRALE B3 – CARTE MICHELIN LOCAL 342 G2 – PYRÉNÉES-ATLANTIQUES (64)

Au pied de Sauveterre, la belle médiévale, le gave d'Oloron chahute au milieu des bouquets d'arbres. Le vieux pont de la légende, dominé par la tour de Montréal, s'avance timidement vers l'île de la Glère. Un mariage heureux s'est, au fil du temps, noué à Sauveterre : celui des vieilles pierres et de la verdure.

- **Se repérer** – Sauveterre se trouve à 11 km au Sud de Salies-de-Béarn par la D 933.
- **À ne pas manquer** – Les belles vues sur le gave et sur la ville depuis le Vieux Pont ; l'église St-André du 12ᵉ s. ; le château de Laàs.
- **Organiser son temps** – Comptez une journée pour la visite de la ville et de ses environs. Attention, comme la chapelle de Sunarthe il n'est ouvert que d'avril à octobre.
- **Avec les enfants** – Le son et lumière sur la maquette de la ville à la chapelle de Sunarthe.
- **Pour poursuivre la visite** – Voir aussi Salies-de-Béarn, Orthez, Peyrehorade.

Le saviez-vous ?

- Sauveterre vient de *salva terra*, « sauveté », un nom qui désigne les bourgades du Midi de la France fondées à l'initiative de monastères pour servir de refuge aux fugitifs et aux errants.
- Au carrefour de la Soule (Mauléon-Licharre est à 24 km au Sud-Est), de la Basse-Navarre (St-Palais à 12 km au Sud-Ouest) et de la Gascogne (le département des Landes à 20 km au Nord), cette **position stratégique** lui valut bien des convoitise et une prospérité économique jusqu'au 17ᵉ s.

Se promener

Deux panneaux d'itinéraire de promenade dans Sauveterre : avant l'église et à côté de la barbacane. Un point information à côté de la mairie indique trois balades.

Terrasse de l'église

Vue plongeante sur le gave, le Vieux Pont, l'île de Glère, au loin se profilent les Pyrénées *(table d'orientation)*.

Église Saint-André

📞 05 59 38 58 65 - 9h-12h, 15h-18h.

Le tympan du portail représente un Christ en majesté entouré des quatre Évangélistes. Les voûtes ogivales s'harmonisent parfaitement avec l'intérieur de style roman. Le chevet flanqué de deux absidioles est surmonté d'un clocher quadrangulaire percé de fenêtres géminées. Au pilier situé à gauche du chœur, remarquez un **chapiteau historié** représentant la Médisance et la Gourmandise.

Marie-Thérèse Carcanague / MICHELIN

Vue depuis le gave d'Oloron : fortifications, église et tour de Montréal.

Descendre les escaliers au niveau de la tour Montréal, longer le gave et remonter à la barbacane. En face, vous apercevez la porte fortifiée du Datter (12ᵉ-13ᵉ s.).

Vieux Pont

Il subsiste du pont, en calcaire de Bidache, une arche avec une porte fortifiée du 12ᵉ s. À l'origine, le tablier se prolongeait jusqu'à l'île de la Glère. De là, la **vue★★** embrasse le gave, les fortifications, l'église romane et la superbe **tour de Montréal** (12ᵉ s.).

Légende

On raconte que la ville fut le théâtre d'une étonnante histoire : en 1170, Sancie, veuve de Gaston V de Béarn, accusée d'avoir fait mourir l'enfant né après la mort de son époux, est soumise au jugement de Dieu. Sur l'ordre du roi de Navarre, son frère, elle est jetée dans le gave, pieds et poings liés, du haut du pont fortifié. Le courant l'ayant rejetée saine et sauve sur la rive, elle est reconnue innocente.

Aux alentours

Chapelle de Sunarthe

1,5 km à l'Est, fléché. 𝒫 05 59 38 58 65 ou 06 70 36 79 05 - juil.-août : visite guidée (1h) juil.-août : mar., jeu. et sam. 15h et 16h, mer. et ven. 15h ; de mi-avr. à fin juin et sept. : mer. et sam. 15h et 16h - 5 € (enf. 2,50 €).

👥 Son et lumière sur la maquette (réalisée par un « meilleur ouvrier de France ») de la cité médiévale de Sauveterre-de-Béarn.

Château de Laàs

9 km au Sud-Est par la D 27. 𝒫 05 59 38 91 53 - visite guidée (1h, dernière visite 1h30 av. fermeture) juil.-août : 10h-19h ; avr.-mai et sept.-oct. : tlj sf mar. 14h-19h ; juin : tlj sf mar. 10h-19h ; possibilité de visite botanique du parc juil.-août : mar. et jeu. 14h30 et 16h30 - 4 € (billet donnant accès à l'ensemble du domaine).

En rassemblant le **mobilier★**, les objets d'art et les tableaux de famille provenant de trois résidences familiales, M. et Mme Serbat, les derniers propriétaires de cette gentilhommière du 17ᵉ s., constituèrent un musée d'arts décoratifs évoquant l'art de vivre dans le Hainaut au 18ᵉ s. Les chambres (remarquez la décoration « aux fables de La Fontaine » de la chambre de Mme Serbat) et salons sont ornés de boiseries Louis XVI, de tapisseries, de toiles peintes (salon de musique) mettant en valeur des tableaux de l'école du Nord (Watteau de Lille). L'histoire anecdotique n'est pas oubliée avec la chambre du 1ᵉʳ étage évoquant les lendemains de Waterloo : lit de Napoléon à Maubert-Fontaine (19 juin 1815). Dans la bibliothèque, curieuse collection de onze éventails du 17ᵉ s. qui n'ont pas été montés.

Dans le **parc** de 12 ha, aux arbres centenaires, sont aménagés un jardin à la française et un jardin à l'anglaise. Sur la terrasse, en surplomb du gave d'Oloron, s'épanouit une roseraie et en contrebas bruit une bambouseraie *(aire de pique-nique)*.

Avant de partir, faites un tour dans le charmant **village**, connu pour ses tailleurs de pierre qui œuvraient aux 18ᵉ et 19ᵉ s., comme en témoignent les belles maisons de maître. Quelques artisans ont élu domicile ici.

🚶 *10mn AR.* Après l'église, suivez le fléchage *(à droite)* qui mène à une chapelle romane.

Navarrenx

22 km au Sud-Est par la D 27.

Ancienne position stratégique au carrefour d'une des voies de Compostelle et de l'ancienne grand-route de la rive droite du gave d'Oloron, Navarrenx est une **bastide** (fondée en 1316) ceinte de fortifications postérieures au Moyen Âge.

Partir de la place des Casernes. Panneau explicatif sur les principaux bâtiments.

La **porte St-Antoine**, défendant la tête du pont du gave au Nord-Ouest, reste l'élément le mieux conservé de ce système fortifié. De son couronnement, vue agréable sur le gave, le pont et les Pyrénées à l'horizon. Sous le couvert de la porte, l'**arsenal**, abrite l'office de tourisme. En face, maquette et exposition « Navarrenx à travers les siècles ». 𝒫 05 59 66 14 93 - *renseignements à l'office de tourisme - lors de la visite guidée de la ville - gratuit.*

Dirigez-vous ensuite vers le demi-bastion de la Clochette surmontée d'une copie de canon. Descendez à la **poudrière** et continuer dans la rue en face pour rejoindre la rue St-Antoine. Prenez à droite jusqu'à l'**église** (16ᵉ s.) et de là, poursuivez le tour des **remparts** qui ramène à la place des Casernes.

👁 À Navarrenx, on pêche la **truite** et le **saumon**, de mars à juillet. Lors des championnats de pêche au saumon, les curieux se pressent le long du pool du gave d'Oloron, en aval de la digue (remarquez l'échelle à saumons).

Château de Mongaston

16 km. Quitter Sauveterre au Sud, par la D 23 et suivre Charre. 🕿 05 59 38 65 92 - se renseigner.

Ce donjon fortifié du 13e s. surveillait la vallée de la Soule et communiquait avec Mauléon par son de cloche ou signaux lumineux. Une tourelle d'escalier fut ajoutée au 14e s., puis il fut remanié au 16e s. En 1929, il fut ravagé par un incendie et laissé à l'abandon. L'actuelle propriétaire (dont les ancêtres avaient vendu le château en 1896) a entrepris sa reconstruction.

Au rez-de-chaussée, objets de famille et meubles du 19e s. ; au premier étage, la bibliothèque sert de cadre à un salon de thé et au second se trouve un **musée historique de la Figurine**. Les scènes du 12e s. à l'Empire présentent des costumes entièrement réalisés à la main par l'atelier de couture du château.

À l'extérieur, reconstitution grandeur nature d'une halte de St-Jacques-de-Compostelle derrière laquelle se trouve un **jardin monastique**.

Sauveterre-de-Béarn pratique

Adresses utiles

Office du tourisme de Sauveterre – *Pl. Royale* - 🕿 *05 59 38 58 65 - www.tourisme-bearn-gaves.com - se renseigner pour horaires.* Demandez le livret « Béarn des Gaves » qui comprend un plan et la description d'un itinéraire pour découvrir Sauveterre-de-Béarn et Navarrenx, mais aussi Salies-de-Béarn et Orthez.

Office du tourisme du canton de Navarrenx – *BP 17 -* 🕿 *05 59 66 14 93 - www.tourisme-bearn-gaves.com*

Visites

Visite guidée de Sauveterre – *En juil.-août (4 €).* Inscription à l'office de tourisme.

Visite guidée de Navarrenx – *En juil.-août (4 €).* Inscription à l'office de tourisme.

Se loger

🛏 **Camping Le Gave** – *sortie S par D 933, rte de St-Palais puis chemin à gauche avant le pont -* 🕿 *05 59 38 53 30 - camping-du-gave@wanadoo.fr -ouv. 15 avr.-15 oct. - ⌖ - réserv. conseillée - 55 empl. 11 €.* Ce camping propose des emplacements installés sur une pelouse propre et nette, à l'ombre de vieux platanes. Une adresse idéale pour les pêcheurs et les amateurs de sport en eaux vives car les départs en canoë se font juste à l'entrée du site.

Se restaurer

🍴 **Auberge du Saumon** – *Rte de St-Palais -* 🕿 *05 59 38 53 20 - fermé 15 janv.-15 fév., sam. sf vac. scol. - 12,50/27,50 €.* Cette auberge typiquement montagnarde propose une appétissante cuisine préparée comme à la maison. Outre les confits et les pâtés, le saumon sauvage devient, en saison, la spécialité maison. Petite salle à manger et plaisante terrasse d'été ombragée.

Que rapporter

La Ferme Moulinaoü – *Rte d'Orriule, à Audrein - 6 km à l'E de Sauveterre-de-Béarn par D 27, rte d'Orriule -* 🕿 *05 59 38 50 24 - 9h-17h (téléphoner avant visite).* Cela fait plus de 20 ans que la famille Baradat se consacre aux canards gras. Élevés en liberté et nourris au maïs, ils sont transformés dans le laboratoire de la ferme. Les produits sont vendus sur place et sur certains marchés locaux.

Sport & Loisirs

Randonnées – Le topoguide « 54 balades en Béarn des gaves » est en vente (5 €) dans les offices de tourisme du Béarn des gaves (Orthez, Navarrenx, Salies-de-Béarn et Sauveterre-de-Béarn).

A Boste Sport Loisirs – *R. Léon-Bérard -* 🕿 *05 59 38 57 58 - www.aboste.com.* Rafting, canoraft, kayak, nage en eaux vives, canyoning, randonnée... Choisissez votre activité et le programme qui l'accompagne : la journée (avec pause grillades au bord de l'eau), la petite journée (2h30), 2 ou 3 jours (possibilité de pension complète) ou encore la semaine entière pour les sorties en montagne.

Les Écuries de Sancie – 🐎🧍 - *Maison Maisonnave - 6 km au N de Sauveterre-de-Béarn par D 933, rte de Salies-de-Béarn et à droite, rte d'Orion -* 🕿 *06 21 14 87 46 - 8h-12h, 14h-21h - fermé nov.-avr.* Ce centre équestre accueille les jeunes cavaliers dès 3 ans. Il propose également des séances d'initiation pour les adultes (cours, stages) et organise des randonnées à cheval ou à poney (en compagnie d'un guide) à travers les petits chemins du Béarn.

Événement

Château de Laàs – Dans le parc, les Transhumances musicales (chant, concours polyphonique, danse) se déroulent le week-end de l'Ascension. *Informations :* 🕿 *05 59 66 53 90.*

Soulac-sur-Mer ★

2 720 SOULACAIS
CARTE GÉNÉRALE B1 – CARTE MICHELIN LOCAL 335 E1 – GIRONDE (33)

À la fin du 19ᵉ s., la grande vague des bains de mer fit pousser à Soulac des centaines de maisons de poupée qui donnent un charme fou à la station. La mer est là, à quelques pas, de même que la forêt : farniente sur la plage et balades sous les pins en perspective.

- ▶ **Se repérer** – Au Nord de l'Aquitaine, entre l'estuaire de la Gironde et l'océan Atlantique, la ville de Soulac se trouve à 100 km de Bordeaux (par la N 215). Le petit centre ancien se groupe autour de l'office de tourisme.

- 🅿 **Se garer** – Le parking à côté de la basilique est très pratique.

- 👁 **À ne pas manquer** – La jolie vue sur le phare de Cordouan depuis le boulevard du Front-de-Mer ; la basilique N.-D.-de-la-Fin-des-Terres ; le beau panorama du haut du phare de la pointe de Grave.

- 🕐 **Organiser son temps** – Comptez une demi-journée pour la visite de Soulac, de même pour le circuit de découverte entre mer, marais et forêt. À la belle saison, ne manquez pas de prolonger votre séjour par la visite du phare de Cordouan.

- 👪 **Avec les enfants** – Le petit train touristique entre Soulac et la pointe de Grave (*voir la rubrique « Visite » dans l'encadré pratique*) ; le moulin à vent de Vensac ; le musée du phare de Cordouan au Verdon-sur-Mer.

- 🕯 **Pour poursuivre la visite** – Voir aussi Phare de Cordouan, Lacanau-Océan, le Haut-Médoc (*voir vignoble de Bordeaux*).

Séjourner

La **rue de la Plage**, entre la basilique et le front de mer, est l'axe central : piétonnière, vous y trouverez les commerces, dont le marché central couvert, et l'office de tourisme. Autour du centre-ville s'éparpillent les villas 19ᵉ s., qui allient brique et bois, et les chalets du 20ᵉ s. (*voir « Visite » dans l'encadré pratique*), formant un ensemble architectural harmonieux. Du front de mer, vous pourrez rejoindre, à l'Ouest, le musée d'Art et d'Archéologie (*près du casino*) et, à l'Est, le mémorial de la Forteresse (*près de la piscine*).

Soulac est relativement protégée de la houle par un banc en haut fond, cependant les **quatre plages** sont surveillées. Comme sur toute la côte atlantique, la station est idéale pour tous les sports nautiques de glisse. Du quartier de l'Amélie, vous pouvez accéder à la plage centrale à vélo par une piste cyclable (*3,5 km*). Lorsque la chaleur se fait trop forte au soleil, allez vous rafraîchir sous les pins ! La **forêt** est parcourue de sentiers pédestres et pistes cyclables.

🚶 *Accès au sentier de découverte à 1 km au Sud de Soulac par la D 101ᴱ¹*. La **dune de l'Amélie** est un site naturel protégé (*voir « Visite » dans l'encadré pratique*).

Visiter

Basilique N.-D.-de-la-Fin-des-Terres

C'est à Soulac que les pèlerins de St-Jacques débarquaient en provenance des îles Britanniques ; à ce titre, la basilique a été classée au Patrimoine mondial de l'Unesco, en même temps que les chemins de St-Jacques.

Cet édifice bénédictin du 10ᵉ s. qui était, au milieu du 18ᵉ s., presque entièrement recouvert par les sables, a été dégagé et restauré à la fin du 19ᵉ s. Il présente les caractères de l'architecture romane poitevine ; l'actuel clocher a remplacé au 14ᵉ s. celui qui se trouvait sur la croisée du transept. La manière de bâtir de l'école poitevine s'affirme dans la nef centrale sans ouverture, et par les collatéraux aussi hauts qu'elle. À l'intérieur, certains chapiteaux sont historiés : au pilier gauche qui précède le chœur, vestige du retable de l'autel de sainte Véronique ; à l'entrée du chœur, à gauche, saint Pierre aux liens ; dans le chœur, Daniel dans la fosse aux lions. Dans le

Le saviez-vous ?

- 👁 Soulac viendrait du latin *solus*, « seul ». Pourquoi ? Peut-être parce que, pendant longtemps, Soulac, avant de devenir station balnéaire, était perdue tout là-haut à la pointe du Médoc…

- 👁 On dit que sainte Véronique, celle-là même qui essuya le visage du Christ pendant la montée au calvaire, vint évangéliser le Médoc et mourut à Soulac.

Le chevet de la basilique N.-D.-de-la-Fin-des-Terres, effectivement presque à la fin des terres…

bras droit du transept, remarquez la statue polychrome de N.-D.-de-la-Fin-des-Terres, objet du pèlerinage dont l'origine remonte au passage des pèlerins vers Saint-Jacques-de-Compostelle.

Musée d'Art et Archéologie

Avenue El-Burgo-de-Osma - ☎ 05 56 09 83 99 - juil.-août : 15h-19h ; avr.-juin et du 1er au 19 sept. : tlj sf mer. 15h-18h - fermé du 20 sept. au 31 mars - 2,20 €.

Le recul constant de la côte dans le Médoc a favorisé les découvertes archéologiques rassemblées ici par la Fondation médullienne. De la **période néolithique** (5000-2200 avant J.-C.) : silex, grattoirs, burins, poteries à décor cardial (coquilles dentelées), pointes de flèche. Les haches à bord rectiligne sont caractéristiques de l'âge du bronze dans le Médoc. La pointe de la Négade a fourni la plupart des vestiges de l'**époque gallo-romaine** : monnaies, céramiques sigillées, vases à engobe orangé (à décor de lunules ou à guillochures), verreries, fibules. Le magnifique sanglier en laiton aux formes stylisées n'est autre qu'une enseigne militaire gauloise du 1er s. avant J.-C.

Le musée expose également des peintures et des sculptures d'artistes contemporains d'Aquitaine.

Mémorial de la Forteresse du Nord Médoc

☎ 05 56 73 63 60 - musée : juil.-août : 10h-12h, 17h-19h, sites historiques : RV aux Arros 10h - fermé lun. - musée 3 € (6-10 ans 1 €), sites historiques 6 € (6-10 ans 3 €).

Le musée du Souvenir relate la libération de la poche du Médoc en août 1944. Les visiteurs souhaitant se rendre sur les sites historiques (ensemble de bunkers) suivront une visite guidée *(environ 3h)*.

Aux alentours

Montalivet-les-Bains

18 km au Sud de Soulac par la D 101 puis, la D 102E1.

Cette petite station balnéaire est surtout connue comme l'un des grands centres de naturisme *(voir p. 32)* et pour son marché quotidien fort animé en été. Les activités de loisir constituent le principal attrait : 12 km de plage, 2 boucles pédestres dans les marais, des pistes cyclables dans la forêt et jusqu'à Vendays, etc. Hors saison, l'avenue de l'Océan, où se concentrent les commerces, et le quadrillage de maisonnettes alentour restent relativement morts.

Circuit de découverte

ENTRE MER ET ESTUAIRE

Au départ de Soulac, 85 km - compter une demi-journée. Quitter Soulac au Nord, par la D1E4 et poursuivre sur la N 215.

Pointe de Grave

Laisser la voiture près du monument commémoratif. Face à Royan, la pointe de Grave (sur la commune du Verdon-sur-Mer) est le cap formé par l'estuaire de la Gironde où prennent fin, au Nord, la forêt de pins et les plages de sable rectilignes des Landes. Un **monument commémoratif** remplace la pyramide de 75 m qui rappelait le débarquement des troupes américaines en 1917 et que les Allemands abattirent en 1942. La pointe fut l'une des poches où se retranchèrent, après le débarquement de 1944, les forces allemandes stationnées dans l'Ouest ; elle ne fut réduite qu'en avril 1945.

Du haut de la dune, sur un ancien blockhaus, le **panorama★** se développe sur un vaste horizon marin : phare de Cordouan distant de 9 km en mer, presqu'île et phare de la Coubre, les conches de Royan, la Gironde, les installations portuaires du Verdon.

👥👤 Dans le phare de la pointe de Grave est installé le **musée du Phare de Cordouan**. Des photographies mettent en valeur l'exceptionnelle richesse architecturale de l'édifice et donnent un aperçu de la vie de ses gardiens. Sont également exposées les maquettes des six phares de Gironde. De la plate-forme *(108 marches)*, vue splendide sur l'estuaire *(table d'orientation)*. 📞 05 56 09 61 78 - www.littoral33.com - juil.-août. : 10h-12h, 14h30-18h30 ; mai-juin : dim. et j. fériés 15h-18h - 2,50 € *(–12 ans 1,50 €)*.

De **Port-Bloc** partent les promenades en mer *(voir « Visite » dans l'encadré pratique)*. Plus au Sud, un nouveau port de plaisance (800 anneaux), **Port-Médoc**, a été aménagé.

Phare de Cordouan★★ *(voir ce nom)*

Revenir sur ses pas. Longer la voie ferrée et tourner à gauche.

Le Verdon-sur-Mer

Entre le bourg et la plage qui borde l'estuaire, les cabanes de pêcheurs témoignent de l'activité ostréicole qui régnait autrefois. Elle a cessé avec l'ouverture du port de commerce.

Le port du Verdon-sur-Mer offre le double avantage d'un port en eau profonde sans écluse ni marées et d'une passe d'entrée en Gironde, favorisant la navigation des grands porte-conteneurs et pétroliers. La puissance des équipements, la rapidité des opérations de manutention, les vastes entrepôts et moyens de stockage lui confèrent un rôle de premier plan.

Amoureux de la nature ne manquez pas la promenade découverte *(2h)* du **marais du Conseiller**, avec un guide qui vous expliquera l'aménagement des marécages, la flore et la faune (nombreuses espèces d'oiseaux). 📞 05 56 09 65 57 - *Association CURUMA - pour contact - mars-nov. : lun.-sam. 10h - 4 € - 5 pers. mini.*

Revenir sur la N 215 en direction de Bordeaux. Après 4 km tourner à gauche dans la D1E4.

La route passe par **Talais**, où vous pourrez faire une halte à l'ancien port ostréicole.

Saint-Vivien-de-Médoc

Venez de préférence le mercredi matin pour profiter du **marché**, le plus couru du Médoc. Au passage, arrêtez-vous à l'**église** qui conserve une belle abside romane de style saintongeais, tandis que le clocher et la nef ont été reconstruits suite au bombardement de 1943.

Faites ensuite un tour dans le petit **port de pêche**. Là s'offre la possibilité de visiter la **ferme aquacole** « Eau Médoc », qui élève des gambas sur d'anciens marais salants. 📞 05 56 09 58 32 - juil.-sept. : 9h30-13h, 15h30-19h ; oct. : 15h-18h30 ; reste de l'année : sam. 15h-18h30.

Suivre la direction de Port-de-St-Vivien et prendre la première à droite (D 2). Sur la droite, le phare de Richard est indiqué.

La route emprunte une digue construite lors de l'assèchement des marais au 17e s.

Phare de Richard

📞 05 56 09 52 39 - de mars à Toussaint : tlj sf mar. 14h30-18h30 ; reste de l'année : w.-end 14h30-18h30 - fermé 1er janv., 1er mai, 25 déc. - 1,25 €.

Laissé à l'abandon après son extinction en 1953, il doit son réaménagement en espace muséal aux jeunes de Jau-Dignac-Loirac (commune dont le site dépend), soucieux de préserver la mémoire des anciens. Ainsi, outre l'histoire du phare (du 19e s.), c'est la vie de l'estuaire que vous découvrirez à travers des objets et documents. Après l'ascension des 63 marches, une vue imprenable sur l'estuaire, l'alignement des carrelets sur la digue et les polders du Médoc s'offre à vous *(table d'orientation au pied du phare)*.

👥👤 Aux beaux jours, ce lieu fort agréable *(air de pique-nique)* se prête à une halte déjeuner avant la visite du phare ou à une pause-goûter, après.

Revenir sur la D 2.

Vous passez à Port-de-Richard et Port-de-Goulée, ancien port ostréicole devenu halte nautique.

Valeyrac

Le village s'enorgueillit d'une église due à Paul Abadie, l'architecte du Sacré-Cœur à Montmartre.

Revenir à Port-de-Richard et prendre à gauche la D 102^{E2}.

Queyrac

Entre prairies et marais, vignoble et forêt, ce village offre un cadre naturel enchanteur qui invite à la promenade à pied ou à bicyclette. Une piste cyclable permet de rejoindre les plages de l'Océan en passant par Vensac.

Quitter Queyrac au Nord par la D 102, puis traverser la N 215 pour poursuivre sur la D 1^{E4}.

Moulin à vent de Vensac

19 route du Moulin - ℘ 05 56 09 45 00 - visite guidée (30mn) juil.-août : 10h-12h30, 14h30-18h30 ; juin et sept. : w.-end 10h-12h30, 14h30-18h30 ; avr.-mai et oct. : dim. 10h-12h30, 14h30-18h30, j. fériés 14h30-18h30. Fermé nov.-mars - 3 €.

Ce moulin à vent du 18e s. a été remonté sur son emplacement actuel en 1858. Il est du type tour en pierre, coiffé d'un toit conique. Sa visite vous fait découvrir les diverses opérations de la fabrication de la farine, depuis le broyage du blé jusqu'au tamisage dans la bluterie voisine, ainsi que le mécanisme principal d'entraînement dont certaines pièces, en chêne, sont d'origine.

Soulac et la pointe du Médoc pratique

Adresses utiles

Office du tourisme de Soulac – *68 r. de la Plage - ℘ 05 56 09 86 61 - juil.-août : 9h-19h ; avr.-juin et sept. : tlj sf w.-end et j. fériés 9h-12h30, 14h-17h30, w.-end et j. fériés 10h-12h30, 15h-17h ; oct.-mars : lun.-ven. 9h-12h30, 14h-17h30, sam. et j. fériés 10h-12h30, 15h-17h30, dim. pdt vac. scol. uniquement 10h-12h30, 15h-17h30.*

Office du tourisme de St-Vivien-de-Médoc – *Pl. Brigade-Carnot - ℘ 05 56 09 58 50 - se renseigner pour j. et horaires d'ouverture.*

Office du tourisme du Verdon-sur-Mer – *2 r. des Frères-Tard - ℘ 05 56 09 61 78 - 9h-12h, 14h-18h, w.-end et j. fériés 10h30-12h sf juil.-août : 10h30-12h, 15h-16h30.*

Office du tourisme de Vendays-Montalivet – *62 av. de l'Océan - ℘ 05 56 09 30 12 - www.ot-vendays-montalivet.fr - juil.-août : 9h-19h ; juin et sept. : tlj sf dim. 9h30-13h, 14h-18h ; avr.-mai : tlj sf dim. et j. fériés 9h30-12h, 14h-17h ; oct.-mars : tlj sf dim. et j. fériés 14h-17h, sam. 10h30-17h.*

Visites

⏲ *Voir Pass'Estuaire p. 25.*

Visite guidée – Pour apprécier pleinement le village ancien de Soulac parsemé de villas et chalets, suivez le circuit de découverte *(1h30)* en compagnie d'un guide *(4,50 €)*. Renseignements et réservation à l'office de tourisme.

Visites naturalistes – En association avec le Conseil général de Gironde, des visites naturalistes sont organisées du 15 juin au 15 septembre dans les sites naturels protégés que sont : la dune de l'Amélie (Soulac), la dune de Grave (Verdon-sur-Mer), le marais du Logit (Verdon-sur-Mer), le marais du Conseiller (Verdon-sur-Mer). Programme des sorties et réservation à l'Office du tourisme de Soulac.

Petit train touristique – *68 r. de la Plage - ℘ 05 56 09 86 61 - juil.-août : 9h-19h ; avr.-juin et sept. : tlj sf w.-end et j. fériés 9h-12h30, 14h-17h30, w.-end et j. fériés 10h-12h30, 15h-17h ; oct.-mars : lun.-ven. 9h-12h30, 14h-17h30, sam. et j. fériés 10h-12h30, 15h-17h30, dim. pdt vac. scol. uniquement 10h-12h30, 15h-17h30.* Promenade en forêt le long de l'Océan entre Soulac et la pointe de Grave.

Promenade en bateau – *Renseignements au ℘ 05 56 09 62 93 (M. Grass, armateur) ou en juil.-août, au pavillon du tourisme, face au bac de la pointe de Grave - www.vedettelaboheme.com* La pointe de Grave, outre l'accès au phare de Cordouan, est le point de départ d'excursions en bateau. À partir de la vedette *La Bohème II* sont organisées des visites du phare de Cordouan *(3 à 4h)*, des promenades le long des falaises de Meschers *(2h)*, des pêches en mer avec matériel fourni *(1/2 j.)* ainsi que des pêches à pied sur le plateau de Cordouan lors des grandes marées *(4h)*.

Transports

Train – Des liaisons TER relient Bordeaux à Soulac en 1h30. Renseignements à la SNCF *(voir p. 24).*

Bac – *Être présent 1/2h av. embarquement - 20,80 € par voiture + 3 € par pers. - ☎ 05 46 38 35 15 ou 05 56 73 37 73 (renseignements Verdon).* Des liaisons régulières (environ toutes les 30mn en été) relient Verdon-sur-Mer à Royan, de l'autre côté de l'estuaire. Compter 20mn de traversée.

Se loger

☎ **Camping Les Lacs** – *126 rte des Lacs - 33780 L'Amélie-sur-Mer - 3 km au S de Soulac-sur-Mer par D 101 - ☎ 05 56 09 76 63 - info@camping-les-lacs.com - ouv. 2 avr.-5 nov. - réserv. conseillée - 187 empl. 26,50 €.* De vraies vacances dans une ambiance tonique et conviviale. Deux piscines, l'une couverte et l'autre en plein air, une salle de jeux, un bar, une pizzeria, une épicerie et des animations… Sous la tente, en caravane ou en mobile home, le bonheur pour tous !

☎☎ **Hôtel Michelet** – *1 r. Bernard-Baguenard - ☎ 05 56 09 84 18 - fermé nov.-janv. - 20 ch. 42/73 € - ☑ 6 €.* Les Michelet se succèdent aux commandes de cette jolie maison de la fin du 19ᵉ s. depuis trois générations. Les propriétaires actuels reçoivent leurs hôtes chaleureusement, un peu comme des amis… Une partie des chambres, standardisées mais impeccablement tenues, possèdent un balcon avec vue sur mer.

Se restaurer

☎☎ **La Pile d'Assiettes** – *10 r. Brémontier - ☎ 05 56 73 69 87 - fermé 6 nov.-1ᵉʳ avr. - 16/40 €.* Ce restaurant aux larges baies vitrées occupe une place de choix à deux pas de la rue commerçante de Soulac et à 200 m de l'Océan. Intérieur sympathique (murs en pierre apparente et vieilles affiches publicitaires) et agréable terrasse d'été. Cuisine traditionnelle.

☎☎ **Les Pins** – *33780 L'Amélie-sur-Mer - 2 km au SO de Soulac-sur-Mer par D 101 - ☎ 05 56 73 27 27 - hotel.pin@wanadoo.fr - 19 mars-31 déc. (sf Noël) et fermé sam. midi, dim. soir et lun. d'oct. à mai - 23/31 €.* Ce restaurant est situé à seulement 100 m de la plage. Un imposant vivier à poissons placé au centre de la salle à manger rappelle, si besoin était, cette proximité de l'Atlantique. La carte propose quant à elle un bon choix de produits de la mer, complété par des recettes régionales. Chambres confortables.

En soirée

Casino de la Plage – *1 av. Burgo-de-Osma - ☎ 05 56 09 82 74 - tlj 11h-4h - fermé fév.* Machines à sous, jeux et boule, mais aussi bar, restaurant (le Banco) et discothèque.

Sports & Loisirs

◉ **Bon à savoir** – Quatre fois par jour en juillet et août, le petit train de promenade le **Teuf-teuf** assure la liaison entre la plage de Soulac-sur-Mer, le centre-ville et la grande plage de L'Amélie-sur-Mer. ☎ 05 56 09 36 67.

Randonnées – Un « Guide des pistes cyclables, pédestres et équestres de la pointe du Médoc » est disponible dans les offices de tourisme.

Le **GR 8** relie Soulac à la pointe de Grave. Parallèlement, une piste cyclable (7 km) et un circuit VTT (8,5 km) sont balisés. 12 panneaux informatifs (sur la forêt, les dunes…) ponctuent la promenade.

Cyclo'star – *9 r. Fernand-Laffargue - ☎ 05 56 09 71 38 - avr.-sept.* Large choix de matériel : vélos, VTT, VTC, remorques pour enfants, rosalies, tandems. Ouverture saisonnière avec une annexe à L'Amélie-sur-Mer en juillet et en août.

Éricycles – *5 r. du Card.-Donnet - ☎ 05 56 73 62 89 - www.cortix.fr/ericycles - juil.-août : sorties balades lun. et jeu. 13h-14h30 ; hiver : dim. 9h et jeu. 14h.* Location de vélos, VTT et VTC toute l'année ; organisation de sorties accompagnées.

Soulac Surf School Multiglisse – *Chemin des Naïdes, plage Sud - ☎ 05 56 09 86 61 - avr.-oct.* Vous aimez les sports de glisse ? Cette adresse est pour vous. L'école, labellisée par la Fédération française de surf, dispense des stages et des cours (pour tous niveaux et à partir de 6 ans) et loue aussi des rollers, longskates, surfboards, bodyboards et skimboards.

Club Silver Coast – *Chemin des Naïdes, plage Sud - ☎ 06 82 48 30 17 - ouv. tlj.* Initiation, découverte et perfectionnement sont proposés dans ce club de char à voile, encadré par le champion du monde Brice Petit.

Pêche – Dans l'étang de la Barreyre à Grayan-et-l'Hôpital (5 km au Sud de Soulac), vous pourrez pêcher sans permis. Carte journalière, 1/2 journée, etc. Renseignements : ☎ 05 56 09 44 43 ou 06 85 86 20 17.

Événements

Soulac 1900 – Le 1ᵉʳ w.-end de juin, vous pourrez revivre le temps de la Belle Époque. Montez à bord du train à vapeur à la gare de Bordeaux, un arrêt à Pauillac pour une dégustation, puis se sera une arrivée en fanfare à Soulac où vous attend tout un programme d'animations. Réservation à l'office de tourisme.

Basilique N.-D.-de-la-Fin-des-Terres – Son et lumière en juil.-août. Renseignements à l'office de tourisme.

Verdelais

869 VERDELAISIENS
CARTE GÉNÉRALE C2 – CARTE MICHELIN LOCAL 335 J7 – SCHÉMA P. 171 – GIRONDE (33)

Notre-Dame de Verdelais protège les affligés. Est-ce pour cela que Toulouse-Lautrec et Mauriac séjournèrent chacun un temps dans son ombre ? Toujours est-il que ce petit village de pierre blonde, caché au creux des vignes, dégage un charme certain que ne vient entamer nulle morosité.

- ▶ **Se repérer** – À 5 km au Nord de St-Macaire par la D 19.

- 🅿 **Se Garer** – Garez-vous près de la basilique, voisine du cimetière et du chemin de croix.

- 👁 **À ne pas manquer** – Le château de Malromé, où Toulouse-Lautrec passa quelques années ; la belle vue sur la vallée de la Garonne du haut du calvaire de Verdelais ; le domaine de Malagar, fief de l'écrivain François Mauriac.

- 🕐 **Organiser son temps** – Consacrez la fin de matinée à la visite de la basilique Notre-Dame, à la montée jusqu'en haut du chemin de croix et à un passage par la tombe de Toulouse-Lautrec avant d'entamer l'après-midi par la visite du château de Malromé et du domaine de Malagar. Attention aux jours et horaires d'ouverture qui varient selon les saisons.

- 👣 **Pour poursuivre la visite** – Voir aussi le circuit des Côtes-de-Bordeaux (voir Vignoble de Bordeaux), Château de Roquetaillade, Château de Cazeneuve, Bazas, Château de La Brède, La Réole, La Sauve.

Se promener

Basilique Notre-Dame

L'église a été reconstruite au 17e s. Les jours de fête mariale (15 août et 8 septembre) et les dimanches d'été, elle accueille une grande foule. Aussi les murs de sanctuaire, doucement éclairé par la lueur des cierges, sont-ils presque entièrement garnis d'**ex-voto**. Au-dessus du maître-autel trône la statue du 14e s., en bois, de la Vierge, invoquée surtout dans les naufrages et pour la guérison des paralytiques. À l'entrée de l'église, un cahier invite le fidèle à noter sa prière à Notre-Dame de Verdelais, consolatrice des affligés.

> **Le saviez-vous ?**
>
> C'est la forêt qui donna son nom au site. De retour de la première croisade, le chevalier **Géraud de Graves** érigea un oratoire consacré à la Vierge dans la « verte forêt » du Luc. Les pèlerins se pressèrent sur les lieux de l'oratoire dès le 12e s. Peu à peu, le pèlerinage prit de l'importance. Une basilique sortit de terre, un chemin de croix, des hôtels pour les pèlerins… Verdelais allait naître.

Tombe de Toulouse-Lautrec

À droite de la basilique, dans le paisible cimetière de Verdelais, repose le peintre **Henri de Toulouse-Lautrec-Monfa** (1864-1901). Sa pierre tombale, très simple, se trouve à l'extrémité de l'allée centrale, à gauche (repérer une grande tombe fleurie, couronnée d'un ballon de foot : la tombe de Lautrec est juste derrière).

Calvaire

Après un agréable chemin de croix qui grimpe à travers bois, vous atteignez le grand calvaire (19e s.). Le Christ en croix est entouré des deux larrons. À ses pieds se tiennent la Vierge et saint Jean. **Jolie vue★** sur la vallée de la Garonne et le Sauternais.

Aux alentours

Château de Malromé★

3 km au Nord-Est de Verdelais. 📞 05 56 76 44 92 - www.malrome.com - visite guidée (1h) juil.-août : 10h30-12h30, 14h30-17h30 ; mai-juin et sept. : tlj sf lun. et mar. 15h-17h ; avr. et oct. : mer., w.-end et j. fériés 14h30-16h30 ; fév.-mars et nov.-déc. : dim. 14h30-16h30 - fermé 1er janv. - 5 €.

C'est dans ce château construit au 14e s. par Guiraud de Taste, comte de Béarn, puis reconstruit et agrandi aux 16e et 19e s., que **Toulouse-Lautrec** passa quelques années de sa vie aux côtés de sa mère, la comtesse Adèle de Toulouse-Lautrec. Le célèbre peintre y mourut à l'âge de 37 ans.

Un château au milieu des vignes : ici, Toulouse-Lautrec passa une partie de son enfance.

Quatre bâtiments se répartissent autour d'une cour : le logis seigneurial, l'aile du personnel, le chai et les écuries. Les premières salles traversées évoquent l'histoire de Malromé : chambre du maréchal de St-Arnaud (décor Second Empire) et collection d'armes des Premier et Second Empire. Les appartements des Toulouse-Lautrec se situent au 1er étage. Le mobilier et le décor datent du 19e s. : chambre néo-Renaissance du peintre, style Louis XV et japonais dans les appartements de la comtesse. Des photos de famille, souvenirs et reproductions d'œuvres de l'artiste réveillent l'âme de cette demeure. Un autoportrait de Toulouse-Lautrec est dessiné à même la paroi, en haut d'un mur, dans le bureau au rez-de-chaussée.

Domaine de Malagar

2 km au Sud-Est de Verdelais, en direction de St-Macaire. ☏ *05 57 98 17 17 - www.malagar. asso.fr -* &. *- visite guidée (30mn) juin-sept. : 10h-12h30, 14h-18h ; oct.-mai : tlj sf lun. et mar. 14h-17h, w.-end et j. fériés 10h-12h30, 14h-18h - possibilité de visite libre tte l'année du parc - fermé du 23 déc. au 3 janv. et 1er mai - 5,50 €.*

Surplombant la vallée de St-Maixant, ce domaine fut le lieu de villégiature de **François Mauriac** (1883-1970) pendant de nombreuses années. Sa maison, simple bâtisse de deux étages, s'ouvre, au rez-de-chaussée, sur le salon, « cœur de Malagar » dans lequel Mauriac rédigea *Le Nœud de vipères*, et sur le bureau, tous deux renfermant de nombreux souvenirs.

Installé dans un des chais attenant à la maison, un musée présente l'œuvre et la vie de Mauriac, dans cet environnement tant aimé. Une promenade dans le parc s'impose, avec une halte sur la terrasse de pierre d'où Mauriac aimait contempler ses vignes et au loin les Landes.

Verdelais pratique

Adresse utile

Office du tourisme de Saint-Macaire – *Voir ce nom.*

Se restaurer

☺ **Braises et Gourmandises** – *RN 113 - 33210 Preignac - 8 km à l'O de Verdelais -* ☏ *05 56 62 30 58 - braises- gourmandises@ot-sauternes.com - fermé mar. soir et dim. soir - 9,20/27,70 €.* La façade ne paie pas de mine mais poussez la porte et vous serez surpris. La salle à manger, où dominent le bois et les cuivres, est vraiment séduisante, tout comme la terrasse ombragée. Spécialités de viandes et poissons grillés. Service discret et efficace.

Villeneuve-sur-Lot

22 782 VILLENEUVOIS
CARTE GÉNÉRALE D2 – CARTE MICHELIN LOCAL 336 G3 – LOT-ET-GARONNE (47)

Alentour, ce ne sont que moutonnement de verts coteaux fertilisés par le Lot, vignes et vergers à perte de vue. Nul doute, les cultures du pays des Serres portent leurs fruits… Villeneuve s'est abondamment nourri de cette manne née du fleuve. Il n'est qu'à goûter, pour s'en rendre compte, l'atmosphère de ses pantagruéliques marchés hebdomadaires.

▶ **Se repérer** – À 33 km au Nord-Est d'Agen, on peut facilement rejoindre Villeneuve par la N 21.

🅿 **Se garer** – Inutile de vous aventurer en voiture dans les rues de la rive droite du centre-ville. Des parkings ont été aménagés aux abords *(voir le plan p. 316)*.

👁 **À ne pas manquer** – À Villeneuve, la porte de Pujols, le pont Vieux et la chapelle N.-D.-du-Bout-du-Pont ; le jardin des Nénuphars de Temple-sur-Lot, qui inspira Claude Monet à Giverny ; les villages de Laparade et de Pujols d'où se dégage une vue splendide ; pour les gastronomes curieux : le musée du Pruneau à Grange-sur-Lot et celui du Foie Gras à Frespech.

🕐 **Organiser son temps** – Comptez 1h30 pour la visite de Villeneuve, après un tour au marché, le matin, si vous êtes de passage un mardi ou un samedi. Les circuits autour de la basse vallée du Lot et des Serres du bas Quercy occupent chacun une journée complète.

👫 **Avec les enfants** – Le Haras national de Villeneuve ; à Clairac : le musée du Train, la Forêt Magique et l'abbaye des Automates ; les grottes de Lastournelles et de Fontirou ; pour la détente : Dédal'Prune et le Centre de plein air de Rogé *(voir la rubrique « Sports & Loisirs » dans l'encadré pratique)*.

🕯 **Pour poursuivre la visite** – Voir aussi Penne-d'Agenais, Fumel, Château de Bonaguil.

Comprendre

Villeneuve (du gascon *bièle*, « bourgade » et *nave*, « nouvelle ») fut fondée en 1264 par **Alphonse de Poitiers**, aux confins du Périgord et de la Guyenne. Servant de point d'appui aux places fortes échelonnées dans le haut Agenais, elle comptait parmi les plus vastes et les plus puissantes bastides du Sud-Ouest.

Se promener

La ville, qui a conservé son quadrillage de ruelles et des maisons du Moyen Âge notamment autour de la **place Lafayette** (place typique à cornières), s'étale largement aujourd'hui sur les rives du Lot.

La robe de sergent

C'est le nom que l'on donnait au 18e s. à la **prune violette d'ente** (du verbe enter, « greffer ») qui, mise à sécher, donne le pruneau. Elle serait venue de Syrie dans les bagages des croisés et aurait été acclimatée à la région par les moines de Clairac *(voir p. 317)*.
C'est aux alentours de **Villeneuve-sur-Lot** que se trouve le véritable pays de la prune d'ente. Mais Agen, plus grand port fluvial du Lot-et-Garonne oblige, a donné son nom au petit fruit sec, exporté par bateau loin de son Clairac natal. Le « pruneau d'Agen » vit ainsi le jour.

Portes de ville

Seuls vestiges des anciens remparts, les portes de Pujols et de Paris dressent leur haute silhouette au Sud-Ouest et au Nord-Est de la ville ancienne.
Toutes deux bâties en pierre et en brique, elles sont couronnées de créneaux et de mâchicoulis et couvertes d'un toit de tuiles brunes. La **porte de Pujols** (A2) comporte trois étages, avec fenêtres à meneaux. La **porte de Paris** (B1) permit une farouche résistance aux troupes de Mazarin, lors du siège de 1653.

Église Sainte-Catherine (B1)

Cette église de brique de style roman-byzantin, à la fois imposante et quelque peu austère, fut consacrée en 1937. À l'intérieur, remarquez la suite de **vitraux** des 14e et 15e s. *(restaurés)* attribués à l'école d'Arnaud de Moles, maître émailleur de la cathédrale d'Auch. De belles **statues en bois doré** des 17e et 18e s. garnissent les quatre piliers de la nef (N.-D.-du-Rosaire, saint Joseph, sainte Madeleine et saint Jérôme),

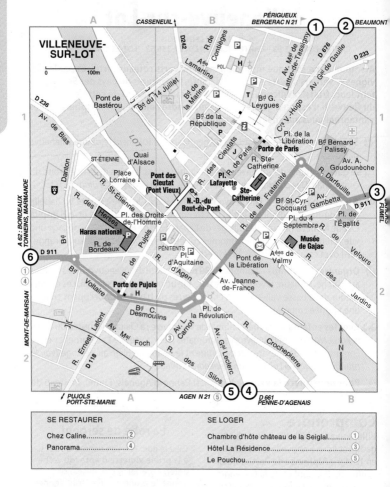

au-dessus de la porte du baptistère Ste-Catherine d'Alexandrie. Les fonts baptismaux en marbre, sous des rayons de lumière bleutée, se détachent nettement. Les peintures de la nef due à **Maurice Réalier-Dumas** *(voir musée de Gajac)*, montrent une procession se dirigeant vers le chœur.

Pont des Cieutat (ou pont Vieux)

Ce pont aux arches inégales, construit au 13ᵉ s. par les Anglais, offre une vue pittoresque sur les bords du Lot et sur la **chapelle N.-D.-du-Bout-du-Pont** (B1), du 16ᵉ s., dont le chevet s'avance au-dessus de l'eau (à l'endroit, dit la légende, où un marin découvrit une statuette de la Vierge en plongeant pour dégager son embarcation mystérieusement arrêtée).

Visiter

Musée de Gajac (B2)

2 r. des Jardins. ℘ 05 53 40 48 00 - ♿- *du 21 juin au 1ᵉʳ oct. : 10h-12h, 14h-18h, w.-end 14h-18h ; du 2 oct. au 18 juin : tlj sf mar. 10h-12h, 14h-18h, w.-end 14h-18h - fermé 19-20 juin (montage exposition), 1ᵉʳ janv., 1ᵉʳ et 8 mai, 14 juil., 15 août et 25 déc. - 1 €.*

Installé dans un ancien moulin surplombant le Lot, il présente des collections de peintures du 18ᵉ s. (école de Lebrun), du 19ᵉ s. (Maurice Réalier-Dumas, Hippolyte Flandrin, Eva Gonzalès et André Crochepierre) et du 20ᵉ s. (Henri Martin, Brayer). Il accueille aussi des expositions temporaires.

Haras national (A1/2)

Pl. des Droits-de-l'Homme - ℘ 05 53 36 17 30 - www.haras-nationaux.fr - ♿- *tlj sf dim. et j. fériés 14h-17h ; possibilité de visite guidée avec animation hippique par l'office de tourisme de mi-juil. à fin août : mer. - gratuit, 2,50 € visite guidée, 5 € visite guidée avec animation (enf. gratuit).*

Créé en 1804 au cœur de la ville, ce haras national avait alors pour vocation la remonte des armées. Aujourd'hui, l'élevage est orienté vers le cheval de sport. On y trouve des races de sang (anglo-arabe, selle français, arabe…) et des races de trait (trait breton, percheron et comtois).

Circuits de découverte

LA BASSE VALLÉE DU LOT

65 km – compter la journée. Quitter Villeneuve, au Nord-Ouest, par la D 242 en direction de Casseneuil.

« Entre Agen et Marmande, c'est un pays aussi beau que l'Italie, le charme des coteaux, la couleur de la terre, le costume, jusqu'au langage évoquent les rives de Florence et de Sienne. Le Lot-et-Garonne est la Toscane de la France. » *dixit* Stendhal qui s'y connaissait en Italie. À part pour le costume, la définition vaut toujours. Une région à découvrir absolument donc.

Casseneuil

Visite guidée du bourg et de l'église en saison, renseignements à la maison du tourisme.
Bâtie dans un méandre au confluent de la Lède et du Lot, Casseneuil offre un charmant lacis de ruelles médiévales autour de son **église** qui renferme de belles fresques (13e-15e s.).
En contournant le bourg (en direction de St-Pastour puis Hauterive), belles perspectives sur les maisons à loggias (15e-16e s.) penchées vers la Lède ainsi que sur les jardins en terrasses. Vous profiterez des belles journées d'été pour pique-niquer au bord de l'eau ou vous adonner au canoë *(base nautique).*

Descendre au Sud-Ouest par la D 217 jusqu'à Ste-Livrade et bifurquer à droite dans la D 667. À 1 km, tourner à gauche vers Fongrave.

Fongrave

Le prieuré de Fongrave fut fondé en 1130 et placé sous la règle de Fontevraud n'admettant que des religieuses de noble extraction. Dans son **église**, arrêtez-vous devant le monumental **retable★** en chêne sculpté (17e s.) : des sarments de vigne s'enroulent autour des colonnes torses où rampent des serpents.

Rejoindre Castelmoron-sur-Lot à l'Ouest. Prendre la D 249, puis la D 263 vers Laparade.

Laparade

Des remparts de cette bastide française commandant la vallée du Lot se dégage une **vue★** très étendue allant de Villeneuve-sur-Lot, à gauche, au confluent du Lot et de la Garonne, à droite *(table d'orientation)*. La rivière décrit des courbes au milieu des cultures et des vergers.

De Laparade, prendre la D 202 à l'Ouest puis la D 911.

Clairac

Les pittoresques maisons à colombages sont les témoins du riche passé de Clairac. Siège d'une abbaye bénédictine, elle a maintes fois été détruite puis reconstruite au cours des guerres religieuses (les croisés reprennent la ville aux cathares en 1224, mais elle devient fief protestant en 1560). Elle abrite aujourd'hui trois musées qui feront en particulier le bonheur des enfants.

Au **musée du Train**, des trains miniatures roulent dans des décors animés de petits personnages. *05 53 79 34 81 - juil.-août : 10h-19h ; avr.-juin et sept. : 10h-18h ; fév.-mars et oct.-déc. : mer., w.-end, vac. scol. et j. fériés 10h-18h - 8 € (enf. 6 €), 10 € billet combiné abbaye des Automates et Forêt Magique.*

Dans la **Forêt Magique** vit un petit peuple de lutins et d'animaux-automates. *05 53 79 34 81 - juil.-août : 10h-19h ; avr.-juin et sept. : 10h-18h ; fév.-mars et nov.-déc. : mer., w.-end, vac. scol. et j. fériés 10h-18h - 4,50 € (enf. 4 €), 10 € billet combiné abbaye des Automates et musée du Train.*

L'**abbaye des Automates** explique la vie quotidienne des moines dans les abbayes (ce sont ceux de Clairac qui auraient obtenu, par greffe, le prunier d'ente) et retrace l'histoire de la cité : des personnages célèbres lui sont liés comme le poète Théophile de Viau (né à Clairac en 1590) ou Montesquieu, dont l'épouse était originaire de Clairac et qui aurait écrit ici ses *Lettres persanes*.
À voir également : des monuments historiques français en allumettes et des maquettes de bateaux prestigieux. *05 53 79 34 81 - visite audioguidée en juil.-août : 10h-19h ; avr.-juin et sept. : 10h-18h ; fév.-mars et oct.-déc. : mer., w.-end, vac. scol. et j. fériés 10h-18h - 8 € (enf. 5 €), 10 € billet combiné musée du Train et Forêt Magique.*

Prendre la D 911 à l'Est et suivre les panneaux annonçant le « musée du Pruneau », peu avant Granges-sur-Lot.

Musée du Pruneau à Granges-sur-Lot

Le **musée**, au domaine du Grabach, entouré de pruniers d'ente, présente le matériel qui, il y a encore quelques années, servait au ramassage des prunes et à la préparation des pruneaux. Un film explique le déroulement de cette production ancestrale.

En fin de parcours, vous pourrez déguster les spécialités de la maison. À base de pruneaux, bien entendu ! *Ferme Berino-Martinet - ☎ 05 53 84 00 69 - &- de mi-mars à mi-oct. : 9h-12h, 14h-19h, dim. et j. fériés 15h-19h ; de mi-oct. à mi-mars : 9h-12h, 14h-18h30, dim. et j. fériés 15h-18h30 - fermé de mi-janv. à fin janv., 1ᵉʳ janv., 25 déc. - 3,50 €.*

Rejoindre la D 911 en direction de Villeneuve.

Le jardin des Nénuphars de Temple-sur-Lot

☎ 05 53 01 08 05 - www.latour-marliac.fr - de mi-avril à fin juil. : 10h-17h - 4 €.
👥 Pour une découverte pédagogique, demandez la brochure d'éveil destinée aux enfants.

Ce **jardin** est aménagé au sein des établissements botaniques Latour-Marliac (fondés en 1875, un petit musée en retrace l'histoire), la plus ancienne et la plus prestigieuse pépinière aquatique au monde. Vous verrez les **nymphéas** les plus rares dans les bassins de culture, les bassins historiques et sur le lac. Certaines variétés inspirèrent à Claude Monet ses *Nymphéas*. Pour le jardin de Giverny, il s'approvisionnait ici comme l'atteste sa signature sur les registres de commande.

L'ensemble est joliment paysagé, avec pergola, serre exotique, fontaine, pont japonais bambouseraie et gloriette qui offre un point de vue panoramique sur le site.

Revenir sur la D 911.

Vue étendue sur la vallée du Lot, depuis le table d'orientation de Laparade.

LES SERRES DU BAS QUERCY

95 km – compter la journée. Quitter Villeneuve au Sud-Ouest par la D 118.

Doux reliefs où s'égrènent le vert des cultures (maïs, vignes, sages rangées de pruniers…) et les bruns d'une terre rocailleuse qu'imitent les tuiles rondes des toits. En surplomb du monde, les villages se gardent du temps.

Pujols

Ce bourg ancien est perché sur une colline d'où vous découvrez une belle **vue★** sur la large vallée du Lot, couverte de cultures maraîchères et d'arbres fruitiers.

Un passage, ménagé sous une tour servant de clocher à l'église St-Nicolas, donne accès au vieux village encore enserré dans les restes de ses remparts du 13ᵉ s. La nef de Ste-Foy-la-Jeune sert de salle d'expositions.

Prendre à gauche dans la D 118 puis dans la D 220.

Grottes de Lastournelles

℘ 05 53 40 08 09 - visite guidée (45mn) - juil.-août : 10h-12h, 14h-19h ; sur demande, reste de l'année : dim. et j. fériés 10h-12h, 14h-19h - 5 € (enf. 3,50 €).

Des ossements trouvés sur les lieux sont exposés dans des vitrines à l'entrée. Les galeries ont été creusées par le ruissellement souterrain. De petites stalactites en voie de formation tombent des voûtes ; parmi les sept salles, celle des Colonnes est ornée de robustes piliers.

Atteindre la D 212 où l'on tourne à gauche, puis tourner encore à gauche en direction de St-Antoine-de-Ficalba.

Grottes de Fontirou

℘ 05 53 41 73 97 ou 05 53 40 15 29 - www.grottes-fontirou.com - visite guidée (40mn) juil.-août : 10h-12h30, 14h-18h ; de mi-juin à fin juin et de déb. sept. à mi-sept. : 14h-17h30 ; vac. scol. Pâques et de déb. mai à mi-juin : dim. et j. fériés 14h-17h30 - 5,80 € (enf. 4,30 €).

Les galeries et salles creusées dans le calcaire gris de l'Agenais sont ornées de concrétions, colorées en ocre-rouge par l'argile, parmi lesquelles se détachent des stalagmites blanches. Des ossements d'animaux de l'époque tertiaire, trouvés sur place, sont rassemblés dans l'une des salles.

Rejoindre la N 21, tourner à droite, puis prendre à gauche la D 110.

La route traverse les **serres**, collines calcaires séparées par de larges vallées. On passe par **Laroque-Timbaut**, petite localité qui a conservé de vieilles demeures (dans sa partie Sud) et des halles anciennes.

Continuer sur la D 110.

Puymirol

Perché sur une colline qui domine la vallée de la Séoune, village de maisons de pierre blanche, coiffées de tuiles brun-roux. Des remparts, jolie vue sur les plantureuses plaines de l'Agenais.

La D 16 mène à St-Maurin.

Saint-Maurin

Le village étage ses maisons coiffées de tuiles rondes au pied de tours carrées. L'une à mâchicoulis, flanquée d'une tourelle *(actuelle mairie)*, l'autre à deux étages d'arcatures aveugles, sont les vestiges d'une importante abbaye clunisienne. L'église de style gothique, remaniée au 17e s., conserve de beaux chapiteaux historiés.

Continuer sur la D 16, puis prendre la D 122.

Beauville

Cette bastide perchée est aussi jolie que son nom. Sur sa place à arcades alternent maisons de pierre et maisons à pans de bois. Parcourez le chemin de ronde. À l'extrémité de l'éperon se trouve un château Renaissance avec tour à mâchicoulis.

Revenir à la D 122 puis, au carrefour avec la D 656, suivre la direction de Frespech, au Nord.

Frespech

Entouré de murailles du 11e s. (renforcées durant la guerre de Cent Ans), ce petit village plein de charme conserve une église romane du 11e s. ainsi que quelques vieilles maisons de pierre.

À 3,5 km de Frespech, dans la ferme de Souleilles, le chaleureux **musée du Foie Gras** réconcilie le visiteur avec la pratique du gavage. Au programme, panneaux didactiques, scènes historiées, vidéo et coups d'œil sur la poussinière et la salle de gavage, suivis d'une dégustation de spécialités maison... *℘ 05 53 41 23 24 - www.souleilles-foiegras.com - juil.-août : 10h-19h ; reste de l'année : 10h-19h, dim. et j. fériés 15h-19h - fermé du 10 au 31 janv., 1er janv., 25 déc. - 4 € gratuit 3 J. portes ouvertes à Pâques et Toussaint.*

Prendre à droite la direction de Hautefage-la-Tour.

Hautefage-la-Tour

Vous voyez de loin Hautefage où pointe une haute tour hexagonale Renaissance qui sert de clocher à l'**église**. Sur la placette, en contrebas, plantée de beaux platanes, se trouvent un ancien lavoir et une fontaine de pèlerinage. Un havre de paix hors du temps.

La D 103, la D 223 à gauche, puis la N 21 à droite ramènent à Villeneuve-sur-Lot.

Villeneuve-sur-Lot pratique

Adresses utiles

Office du tourisme de Villeneuve-sur-Lot – *3 pl. de la Libération -* ✆ *05 53 36 17 30 - en saison : tlj sf dim. 8h30-12h30, 13h30-19h, dim. 10h-13h ; hors saison : tlj sf dim. et j. fériés 9h-12h, 14h-18h, lun. 14h-18h.*

L'office de tourisme édite une brochure (gratuite) complète sur la ville, comprenant notamment un plan commenté avec les principales curiosités. Vous trouverez aussi ici un ensemble de documentations sur les sites touristiques à visiter, les activités à pratiquer dans la vallée du Lot.

Office du tourisme des côteaux de Beauville – *Pl. Mairie - 47470 Beauville -* ✆ *05 53 47 63 06 - www.ot-beauville.com*

Visite

Visite guidée de la bastide de Villeneuve-sur-Lot – *Juil.-août : mar. 10h.* Réservation à l'office de tourisme.

Se loger

◎ **Hôtel La Résidence** – *17 av. L.-Carnot -* ✆ *05 53 40 17 03 - hotel. laresidence@wanadoo.fr - fermé 18 déc.-3 janv. - 18 ch. 26/55 € - ☐ 5,20 €.* Un petit hôtel familial qui ne va pas vous ruiner. Les chambres, très simples dans la maison principale, sont plus récentes, plus confortables et plus calmes dans la bâtisse juste derrière.

◎ **Camping Le Pouchou** – *47370 Courbiac -* ✆ *05 53 40 72 68 - le.pouchou@wanadoo.fr -☒- 20 empl. 11 €.* Cette ferme qui jouxte un petit étang propose un espace dédié au camping simple ainsi qu'une partie locative composée de chalets en bois, avec ou sans sanitaire, parfois très bien équipés (possibilité de les louer à la nuitée sauf en juillet et en août).

◎◎ **Chambre d'hôte Château de la Seiglal** – *47380 Monclar-d'Agenais - 6 km au N de Fongrave par D 238 puis à gauche D 667, rte de Miramont-de-Guyenne -* ✆ *05 53 41 81 30 - decourty-chambres-hotes@worldonline.fr -☒- 5 ch. 53 € - ☐ 5 € - repas 20 €.* Bien-être et convivialité caractérisent cette belle demeure du 19e s. entourée d'arbres centenaires. Vous aimerez ses confortables chambres, baptisées du nom des cinq sœurs du propriétaire, avec vue sur le parc et les prairies. Table d'hôte chaleureuse dans la salle à manger aux meubles et à la cheminée ouvragés.

Se restaurer

◎ **Panorama** – *47260 Laparade -* ✆ *05 53 79 61 12 - panorama4@wanadoo.fr - fermé le soir hors sais. sf w.-end et mer. -☒- 10,50/30 €.* Ce restaurant installé dans une maison de 1880 dispose d'une terrasse et d'une salle à manger sobrement rustique à laquelle on accède par un petit escalier. Le chef-patron propose une cuisine traditionnelle simple, à prix très sages, avec en particulier des salades fraîches et bien composées, fort appréciées en été.

◎◎ **Chez Caline** – *2 r. Notre-Dame -* ✆ *05 53 70 42 08 - fermé dim. -☒- 12 € déj. - 20/35 €.* Voilà 18 ans que ce restaurant régale, dans une ambiance décontractée, tous ceux qui aiment la cuisine du Sud-Ouest. L'intérieur ne manquera pas de vous surprendre avec son décor de photos de chiens et de mots laissés par les clients, ainsi que son drôle de balcon suspendu où l'on peut manger à quatre.

En soirée

👁 **Bon à savoir** – Située au cœur de Villeneuve-sur-Lot, **la place Lafayette**, dite aussi « place des Cornières », est toujours l'objet d'une animation intense. Les rues qui rayonnent autour de la place sont très commerçantes et il faut également compter avec les quelques bars où les couche-tard trouvent refuge.

Que rapporter

Marchés – Marché traditionnel (mar. et sam.) et marché des producteurs (ven. à partir de 17h en juil.-août) pl. Lafayette.

Marché bio – Mer. pl. d'Aquitaine.

Marché au gras – Mar. et sam. de nov. à mars, sous la halle.

Marché de Pujols – Le dim. matin, l'ancienne halle s'anime ; c'est le jour pour faire provision de bons produits du terroir.

Marché paysan de la ferme Souleilles – *Souleilles - 47140 Frespech -* ✆ *05 53 41 23 24 - www.souleilles-foiegras.com - de déb. juil. à fin août : ven. 9h-15h.* Au menu : poulets à la ficelle, escargots, foie gras, confits, armagnac, fruits, légumes… L'idéal est de venir à l'heure du déjeuner et de pique-niquer.

La Boutique des Pruneaux – *Pl. de la Libération -* ✆ *05 53 70 02 75 ou 06 07 44 52 31 - www.boutique-des-pruneaux.fr - tlj sf dim. apr.-midi 9h-12h30, 14h-19h45.* Cette boutique située au pied de la porte de Paris est spécialisée dans les pruneaux et ses dérivés. Épicerie fine, vieux armagnacs de propriétaires, produits du terroir, chocolats fins et conserves sélectionnées attendent également les amateurs de bonne chère.

Maitre Prunille SA – *Sauvaud - 47440 Casseneuil -* ✆ *05 53 36 19 00 - accueil@maitreprunille.com - boutique : lun.-ven. 9h30-12h, 14h-19h - fermé j. fériés.* Calibrage du fruit, réhydratation, reconditionnement… la culture et la transformation de la prune n'ont pas de secret pour Maître Prunille, plus gros producteur de prunes français.

À découvrir dans sa boutique : pruneaux, fruits secs, produits régionaux, etc.

Sports & Loisirs

Bateau L'Épervier – *47320 Clairac -* ℘ *05 53 84 34 48.* Promenade en bateau-mouche avec passage d'écluses.

Aviron villeneuvois – *Quai d'Alsace -* ℘ *05 53 49 18 27 - accueil : lun.-ven. 9h-12h, 14h-17h.* Situé en plein centre-ville, ce club d'aviron organise l'été des promenades en gabare sur le Lot.

Centre de plein air de Rogé – ♠♣ *- D 661 - Au SE d'Agen par la D 661 direction Penne-d'Agenais -* ℘ *05 53 70 48 13 - juil.-août : 9h-12h, 14h-17h - fermé j. fériés - entrée gratuite.* Ceint de verdure et épousant une courbe du Lot, ce centre de loisirs bénéficie d'un cadre idyllique. Il s'adresse aux enfants et organise pour eux des stages de kayak, d'aviron, de ski nautique, d'équitation, de tir à l'arc, de trampoline et de VTT.

Dédal'Prune - musée du Pruneau – ♠♣ *- Domaine de Gabach - 47320 Lafitte-sur-Lot -* ℘ *05 53 84 00 69 - berino-martinet@wanadoo.fr - 2-9 juil. et 26 août-30 sept. : 9h-12h, 14h-19h ; 10 juil.-25 août : 9h-19h ; dim. et j. fériés : 15h-19h - fermé oct.-juin.* À côté du musée du Pruneau, Dédal'Prune vous propose 2 heures d'aventure, de jeu et de plaisir, en partant « à la recherche du pruneau perdu » dans un labyrinthe géant de maïs (15 000 m^2). Nocturne aux flambeaux tous les mercredis soir en juillet et en août.

Golf Club de Barthe – *Barthe Bas - 47380 Tombebœuf -* ℘ *05 53 88 83 31 - golfdebarthe@hotmail.com - 19 €/22 €.* Parcours de 9 trous (2 815 m), practice, putting green ; club-house et bar.

Golf et Country Club – *La Menuisière - à 14 km au N de Castelnaud-de-Gratecampe par N 21, direction Bergerac - 47290 Castelnaud-de-Gratecambe -* ℘ *05 53 01 60 19 - www.vslgolf.com - 8h30-22h.* Parcours de 18 trous, compact 9 trous, practice, 2 putting greens. Également sur place : restaurant, bar, piscine, tennis…

NOTES

NOTES

NOTES

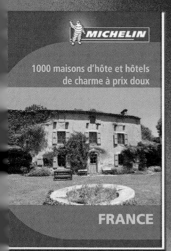

Bordeaux : villes, curiosités et régions touristiques.
Albret, Jeanne : noms historiques et termes faisant l'objet d'une explication.
Les sites isolés (châteaux, abbayes, grottes…) sont répertoriés à leur propre nom.
Nous indiquons par son numéro, entre parenthèses, le département auquel appartient chaque ville ou site. Pour rappel :
33 = Gironde,
40=Landes,
47=Lot-et-Garonne,
64=Pyrénées Atlantiques.

INDEX

CARTES ET PLANS

CARTES THÉMATIQUES

PLANS DE VILLES

PLAN DE MONUMENT

CARTES DES CIRCUITS DÉCRITS

Manufacture française des pneumatiques Michelin

Société en commandite par actions au capital de 304 000 000 EUR
Place des Carmes-Déchaux - 63000 Clermont-Ferrand (France)
R.C.S. Clermont-Fd B 855 200 507

Toute reproduction, même partielle et quel qu'en soit le support,
est interdite sans autorisation préalable de l'éditeur.

© Michelin et Cie, Propriétaires-éditeurs.
Compogravure : Nord Compo à Villeneuve d'Ascq
Impression et brochage : Aubin Ligugé
Dépot légal 01-06 – ISSN 0293-9436
Printed in France 10-06/7.1

QUESTIONNAIRE
LE GUIDE VERT

VOTRE AVIS NOUS INTÉRESSE...
TOUTES VOS REMARQUES NOUS AIDERONT À ENRICHIR NOS GUIDES.

Merci de renvoyer ce questionnaire à l'adresse suivante :
MICHELIN
Questionnaire Le Guide Vert
46, avenue de Breteuil
75324 PARIS CEDEX 07

En remerciement,
les 100 premières réponses recevront en cadeau
la Carte Locale Michelin de leur choix !

VOTRE GUIDE VERT

Titre acheté : ....
Date d'achat : ....
Lieu d'achat (librairie et ville) : ....

VOS HABITUDES D'ACHAT DE GUIDES

1) Aviez-vous déjà acheté un Guide Vert Michelin ?

     O   oui   O non

2) Achetez-vous régulièrement des Guides Verts Michelin ?

     O tous les ans
     O tous les 2 ans
     O tous les 3 ans
     O plus

3) Sur quelles destinations ?
– régions françaises : lesquelles ? ....
....
– pays étrangers : lesquels ? ....
....
– Guides Verts Thématiques : lesquels ? ....
....

4) Quelles autres collections de guides achetez-vous ?
....

5) Quelles autres sources d'information touristique utilisez-vous ?
O Internet : quels sites ? ....
....
O Presse : quels titres ? ....
....
O Brochures des offices de tourisme

VOTRE APPRÉCIATION DU GUIDE

1) Notez votre guide sur 20 : ....

2) Quelles parties avez-vous utilisées ? ....
....

3) Qu'avez-vous aimé dans ce guide ? ....
....

4) Qu'est-ce que vous n'avez pas aimé ? ....
....

5) Avez-vous apprécié ?

	Pas du tout	Peu	Beaucoup	Énormément	Sans réponse
a. La présentation du guide (maquette intérieure, couleurs, photos...)	O	O	O	O	O
b. Les conseils du guide (sites et itinéraires)	O	O	O	O	O
c. L'intérêt des explications sur les sites	O	O	O	O	O
d. Les adresses d'hôtels, de restaurants	O	O	O	O	O
e. Les plans, les cartes	O	O	O	O	O
f. Le détail des informations pratiques (transport, horaires, prix...)	O	O	O	O	O
g. La couverture	O	O	O	O	O

Vos commentaires ....
....

6) Vos conseils, vos avis, vos suggestions d'amélioration : ....
....

7) Rachèterez-vous un Guide Vert lors de votre prochain voyage ?

    O oui   O non

VOUS ÊTES

O Homme   O Femme   Âge : ....   Profession : ....

Nom...

Prénom..

Adresse..
....
....
....
....

Acceptez-vous d'être contacté dans le cadre d'études sur nos ouvrages ?

    O oui   O non

Quelle carte Local Michelin souhaitez-vous recevoir ?

Indiquez le département : ....

Offre proposée aux 100 premières personnes ayant renvoyé un questionnaire complet.
Une seule carte offerte par foyer, dans la limite des stocks disponibles.